Joh. Matth. Bechstein U. Die Forstacademie Dreissigacker

by Ludwig Bechstein

Address:
HardPress
8345 NW 66TH ST #2561
MIAMI FL 33166-2626
USA
Email: info@hardpress.net

:36606662920013

Dr. Joh. Matth. Bechstein.

Dr. Johann Matthäus Bechstein

und die

Forstacademie Dreißigacker.

Ein

Doppel=Denkmal

von

Ludwig Bechstein.

Meiningen,
Verlag der Herzogl. Hofbuchhandlung von Brückner & Renner.
1855.

Seiner Hoheit

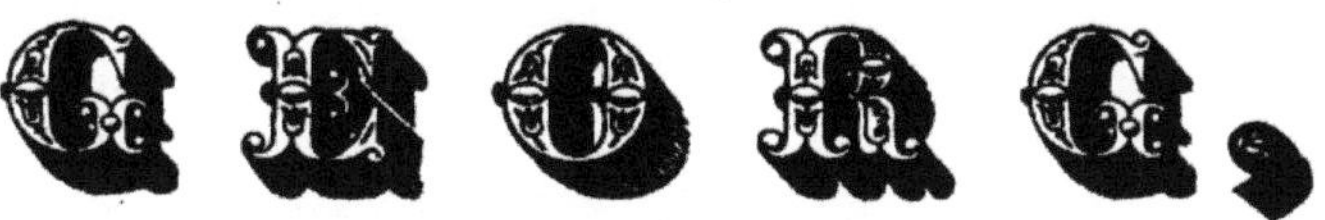

Georg,

Erbprinz zu Sachsen-Meiningen und Hildburghausen rc. rc.

Herzog zu Sachsen,

unterthänigst gewidmet

von

dem Verfasser.

Einleitendes Vorwort.

In den Worten des drüben stehenden Motto's, die eine der anziehendsten Lebensbeschreibungen neuerer Zeit eröffnen, ist mein ganzes Glaubensbekenntniß im Bezug auf die vorliegende Biographie klar ausgesprochen.

Längst war es mir Wunsch und Vorsatz, eine umfassende, treue Lebensschilderung **Johann Matthäus Bechsteins** auszuarbeiten. Den Beruf zu einem solchen Unternehmen fühlte ich in mir selbst, in dem dankbaren Andenken an den Mann, der mir Vater und Wohlthäter wurde, und in einer dauernden Verpflichtung; nicht minder in einem langjährigen persönlichen Zusammenleben mit ihm, wie später in einem ungetrübten kindlichen Verhältniß zur Wittwe des Verewigten; die Befähigung aber wurzelte in dem Besitz zahlreicher nachgelassener und sonst zu Gebote stehender Materialien, welche gestatteten, ein klares und umfassendes Lebensbild zu entwerfen, ein Buch, nicht für müssige Unterhaltung, sondern für den denkenden Ernst — ein Buch für Männer.

Die Forstacademie zu Dreißigacker, in das Leben gerufen durch den Herzog Georg zu Sachsen-Meiningen, war Bechsteins geistige Schöpfung; mit ihr war sein Leben auf das innigste verwachsen, ihr widmete er seine besten Kräfte; darum ist seine Biographie von der Geschichte dieser Academie ganz unzertrennlich; er war ihre Seele, sein Tod war für sie der empfindlichste Verlust.

Es kam die Zeit, wo nach langem Siechthum, herbeigeführt durch Zeitverhältnisse und mancherlei Anderes, das Leben dieser einst weit berühmten, nützlich wirksamen Wissenschaftsanstalt erlöschen mußte, und dieser Umstand dürfte wohl jedem Unbefangenen wichtig genug erscheinen, das Bestehen und Wirken der Forstacademie von ihrem Ursprung an bis zu ihrer Aufhebung am 18. October 1843 in einem übersichtlichen Bilde vorübergeführt zu erblicken, wie wäre aber ein solches Bild möglich, ohne Bechsteins näher zu gedenken?

Ueber 550 Zöglinge hatten bis zum Todestage Bechsteins, 1822, die Academie besucht, und in zwei Jahrzehenten, die in eine bewegte und verhängnißvolle Zeit fielen, war reicher Saame der Wissenschaft, der Lehre, der Anregung zum Guten und Tüchtigen, ausgestreut worden. Noch leben Viele von denen, die dort sich ausbildeten für den Beruf und Wirkungskreis ihrer Zukunft, und von diesen segnen wohl die Meisten noch dankbar Bechsteins Andenken, erinnern sich gern der zu Dreißigacker verlebten Zeit.

„Zu spät!" höre ich dennoch ausrufen. „Von denen, die Dreißigacker in jener Zeit besuchten, schlafen Viele längst den ewigen Schlaf, Andere wählten andere Berufskreise; Manche verarmten, Manche sind theilnahmelos, und Manchen sogar ist die Erinnerung keine freundliche." — Dieß alles konnte mich nicht hindern, der inneren Stimme zu gehorchen, die mich antrieb, dieß Buch zu schreiben, was Niemand außer mir zu schreiben vermochte, und ehe es wirklich zu spät war. Es ist aber nie zu spät, Schönes zu beginnen, wie Goethe sagt, der unter dem Schönen wohl nicht das äußerlich Glänzende, sondern vielmehr das innerlich Tüchtige verstand, und durch das wohlgewählte Beginnen andeuten mochte, daß das Vollenden nicht in unsere eigene Macht gegeben ist, sondern in höheren Händen ruht.

Weder erwarten noch fürchten die Leser dieses Buches im Bezug sowohl auf J. M. Bechstein, als auf die Forstacademie einen Panegyrikus! Das Andenken des in Wahrheit verdienstvollen Mannes bedarf eines solchen nicht, und wie frisch und lebendig auch sein theures Bild in meinem Innern steht, obschon abermals über drei Jahrzehnte seit Bechsteins Hinscheiden verrauschten, so ehre ich selbst den Unvergeßlichen am Meisten zu sehr, als daß ich mit den Farben unwürdiger Lobrednerei jenes Bild in der Erinnerung auffrischen möchte.

Die Academie ist der Geschichte anheimgefallen als ein Bestandenhabendes, Vergangenes. In die tiefsten Einzelheiten ihres Lebens einzudringen, ihr Werden, Blühen und Absterben hier noch ausführlicher zu entwickeln und darzulegen, als es geschehen, kann von Billigdenkenden, die Sachlage richtig Erwägenden nicht gefordert werden. Ich stelle ihr Lebensbild nur in Umrissen hin, gleich einer hellen Aureole, die ein verehrtes Haupt umleuchtet.

Bechsteins redliches Streben, seine äußerst vielseitige Thätigkeit als Erzieher, als Director der Forstacademie, als Naturforscher, als Schriftsteller, als Cameralist, als tüchtiger Mensch und Mann im vollsten Sinne des Wortes — sichert im Voraus diesem Buche die Theilnahme gebildeter Leser aller Stände, nicht blos die des forstmännischen Publikums.

Ich schmeichle mir, daß dieses Buch Theilnahmewerthes enthalten soll für den Naturfreund mehr als für den Naturforscher, und doch wird auch dieser letztere manchen Blick in die Geschichte des Werdens und der Entwickelung seiner Wissenschaft, ehe sie den heutigen Standpunkt gewann, nicht ungern thun; für den Forstmann, wie für den practischen Jäger; für den Pädagogen und Schulmann, für den Schriftsteller und für den Buchhändler, denen beiderseits ein so bedeutendes und vieljähriges Wirken mit seinen mannichfachen Leiden und Freuden zu überschauen, anziehend erscheinen dürfte. Ein Leser wird dieß, ein anderer jenes im Buche als seinen Antheil weniger in Anspruch nehmendes überschlagen, ohne deshalb mit dem Autor zu rechten, der gern Alle befriedigen möchte.

Alle bereits vorhandenen kleinen Biographien Bechsteins, z. B. die in Laurops und Fischers Sylvan 1815, in des Freiherrn Lupin von Illerfeld Biographien 1826, in den verschiedenen Ausgaben des Brockhausischen Conversationslexicons, in der Biographie universelle ancienne et moderne, Supplement T. LVII. Paris 1834 und Andere sind zum Theil sehr lückenhaft oder enthalten Unrichtigkeiten, welche nun ihre Berichtigung finden.

Daß mir ein reichhaltiges Material zu Gebote stand, lehrt der Augenschein, darunter befand sich der größte Theil des Briefwechsels mit Buchhändlern, nicht unanziehend im Bezug auf den Stand der literarisch-merkantilen Verhältnisse seiner Zeit und die Trümmer eines leider nach Bechsteins Tode arg verwahrlosten, aber immer noch ungemein reichhaltigen Briefwechsels mit Freunden, Bekannten, Gelehrten, sowie mit vielen Vätern der Zöglinge des Instituts zu Waltershausen, der Forst-Academiker, endlich zahlreiche Entwürfe forstwissenschaftlicher und cameralistischer Ausarbeitungen, Entwürfe in Angelegenheiten der Academie, Decrete, Diplome und für die Geschichte der Academie selbst wurden mir mit dankenswerther Bereitwilligkeit jene dieselbe betreffenden Acten in den Herzogl. Regierungs- und Kammerarchiven, dem acamischen Archiv ꝛc. durchzusehen und auszuziehen gestattet, freilich wurde aber auch durch letzteres eine Fessel angelegt. Ich habe einestheils dadurch, anderntheils durch die Rücksichtnahme auf die Erzielung eines möglichst billigen Preises dieses Buches an dem längst vollendeten Manuscript, welches sehr umfangreich geworden war, bedeutend kürzen müssen, doch der Hauptsache nach nur briefliche Mittheilungen, Reden und Auszüge ausgehoben, nebst einigen vielleicht überflüssigen Herzensergießungen über die Todengräber der Forstacademie und kümmelkornspaltende Sparsucht. Da indeß der vorgesteckte Raum dennoch überschritten wurde, mußte das Subscribentenverzeichniß wegfallen, dafür empfangen die verehrlichen Käufer das Bildniß als Gratis-Beigabe.

Eine kurze nicht vollendete autobiographische Schilderung, welche der Biographie in Laurops und Fischers oben angeführtem Taschenbuch zum Grunde lag, und in Andere überging, von Bechsteins eigener Handschrift, deutet, wie auch dort im Sylvan für 1815. S. 4 ausgesprochen ist, seine Absicht an, eine ausführliche Selbstbiographie zu hinterlassen, an deren vollständige Ausarbeitung er jedoch nie gekommen zu sein scheint. So kurz aber auch jene Schilderung ist, so wichtige Fingerzeige giebt dieselbe auf einige Hauptmomente seines Lebens, weshalb ich sie der Biographie einzuweben für gut erachtet habe.

Wie anziehend und lehrreich auch der Bildungsgang des Jugendlebens eines begabten Mannes ist, dem volle Entwickelung seiner Fähigkeiten und Seelenkräfte vergönnt ward, so durfte ich bei der Schilderung desselben doch nicht allzulange verweilen, um dieses Buch nicht noch umfassender zu machen. Ich durfte den Reiz der Blüthe nicht zergliedern, da ich die Frucht beschreiben wollte, die der Welt und der Wissenschaft zu Gute gekommene Thätigkeit des Mannes. Komme ich im Verlauf des Buches auch auf mich selbst zu sprechen, wie das nicht anders sein kann, so geschieht es nicht mir, sondern Ihm zur Ehre, zu dem ich nächst meinem spätern, innigst verehrten fürstlichen Wohlthäter und Herrn, dem regierenden Herzog Bernhard zu Sachsen Meiningen und Hildburghausen — dankbar wie zum guten Genius meines Lebens aufblicke bis an das Ende meiner Tage.

Meiningen, am 11. Juli 1854.

Ludwig Bechstein.

Dr. Johann Matthäus Bechstein

und die

Forstacademie Dreißigacker.

Wenn man die Weltgeschichte nicht mit Unrecht das tiefsinnigste und erhabenste Gedicht nennt, so darf man auch behaupten, daß die treue Lebensbeschreibung eines nicht ganz gewöhnlichen Menschen, welchem die Vorsehung die volle Entwickelung seiner natürlichen Gaben auf Erden vergönnte, nicht blos die mannichfaltigste Belehrung gewähre, sondern auch einen eigenthümlichen Reiz in sich trage, der dem besten Roman und jeder Dichtung abgeht. In dem Verfolg, in der Anschauung des wirklichen Lebens bedarf es keiner täuschenden Vermittlung der Phantasie; die Handlung, der Character liegen klar vor den Augen und befriedigen die Wahrheitsliebe des Lesers.

Georg Wilhelm Keßler,
in der Vorrede zum Leben Ernst Ludwig Heims.

I.

Die Jugendjahre.

Johann Matthäus Bechstein wurde geboren am 11. Juli 1757, Nachts zwischen 12 und 1 Uhr, zu Waltershausen, einer freundlichen Herzogl. S. Gothaischen Thüringerwaldstadt, dicht am Fuße der nördlichen Gebirgsabdachung. Seine Aeltern stammten aus dem eine Stunde von Waltershausen entlegenen Dorfe Langenhahn, wo noch viele Träger des Namens Bechstein wohnen.

Der Vater, Andreas, war 1727, den 7. März, geboren, und der dritte Sohn seiner Aeltern: Sebastian und Anna Elisabeth Bechstein. Sebastian war Hufschmied in Langenhahn, und wählte seinen Bruder Andreas, Viehhändler daselbst, zum Taufpathen seines dritten Sohnes. Der älteste Sohn, Johann Sebastian, lernte das Gewerbe seines Vaters, wurde zünftiger Meister des Huf- und Waffenschmied-Handwerks, und bei diesem lernte nach bereits erfolgtem Tode beider Aeltern denn Andreas dasselbe Handwerk. Er trat seine Lehrzeit spät, erst 1748, an, und begab sich nach deren Vollendung auf die Wanderschaft, die er über Deutschlands Grenzen ausdehnte. So arbeitete er unter anderem ein Jahr lang zu Aubonne, ohnweit des Genfer-Sees, von wo aus er nach Deutschland und in seine Heimath zurückkehrte, zünftiger Meister wurde, und sich am 1. Juni 1756 mit der Jungfrau Katharina Elisabetha Kaiser verheirathete.

Sie war geboren den 7. December 1736. Beider Kinder waren: 1. Johann Matthäus, 2. Johann Wilhelm, geboren den 9. Februar zwischen 10 und 11 Uhr, 1760. Dieser Sohn starb als ein Knabe von 13 Jahren, 4 Monaten und 8 Tagen, den 8. Juni Morgens 8 Uhr, 1774. 3. Johann Balthasar, geboren den 2. Juni, Morgens 2 Uhr, 1766, und den 2. September Abends 7 Uhr wieder gestorben, alt 13 Wochen und 1 Tag. Der Vater Andreas starb den 30. Mai 1799 Morgens 2 Uhr an einer Lungenentzündung. Die Mutter überlebte den Sohn und starb erst im Jahr 1824.

„Mein Vater", schrieb J. M. Bechstein selbst: „war ein Mann, der, obgleich von geringer Herkunft, doch eine nicht geringe Bildung hatte. Seine müßigen Stunden füllte er mit der Lectüre geistreicher Bücher, z. B. Klopstocks Messias, aus, dabei war er ein leidenschaftlicher Jäger, fleißiger Beobachter und großer Liebhaber der Natur, der z. B. ohne Anleitung die Geschlechtstheile der Pflanzen kannte, und den es in seinem höchsten Alter noch schmerzte, daß er wegen des frühen Todes seines Vaters nicht hatte studieren können."

Was Wunder also, daß sein Sohn Liebhaber der Wissenschaften und ein noch leidenschaftlicherer Jäger und Forscher der Natur wurde! Schon in seiner frühesten Jugend war es daher sein Liebstes, mit Jägern und Jagdliebhabern und mit seinem Vater auf die Jagd zu gehen, und wenn dieß nicht sein konnte, so ging er doch in freien Stunden im Walde spazieren, um nebenbei merkwürdige Naturalien aufzusuchen, oder nach der Heckezeit, mit dem Blaserohre Vögel zu schießen. Er kannte daher schon, ehe er das Gymnasium zu Gotha besuchte, welches in seinem vierzehnten Jahre geschah, bereits alle Säugethiere, Vögel, Amphibien, Insecten, Gewürme und die Pflanzen, die in einem Umkreis von etlichen Meilen um seinen Wohnort lebten und grünten, so auch z. B. die Zwitterbegattung der Schnecken und ihre Liebespfeile, von denen seine Lehrer der Naturgeschichte auf dem Gymnasium noch nichts wußten."

Seine Erziehung war streng, sein erster Unterricht mangelhaft. Die autobiographische Skizze gedenkt mit wenigen Worten und nur andeutend der Parforcedressur an ihm durch seinen Vater, und der Plätzer-Methode in der Stadtschule zu Waltershausen, deren Conrector nichts weniger als ein Pestalozzianer gewesen.

„Die einfältigsten, elfjährigen Schuljungen mußten z. B. die griechischen Conjunctionen lernen und der Conrector ließ die verschiedenen Tempora nach einer Melodie absingen, zu der er mit der Ruthe oder dem Lineale den Takt schlug."

Der Vorliebe für Wald und Feld, für die Reize der Natur und die Freuden der Jagd ohnerachtet, mußte die Schule fleißig besucht und jeder Aufgabe genügt werden, obschon es an manchem Hülfsmittel gebrach, das in größern Städten und in unsern Tagen auch in den kleineren Orten den Unterricht erleichtert und die Fortschritte der jungen Lernenden befördert. Was damals in dieser Beziehung mangelte, mußte eiserner Fleiß ersetzen.

Auf den Fleiß seiner Knabenjahre blickte noch im späten Mannesalter Bechstein mit Wohlgefallen zurück. Lebhaft erinnert sich der Herausgeber eines Abends, als er sich Unzufriedenheit und heftige Worte des Pflegevaters wegen Mangel an Schülerfleiß zugezogen, nach denen Bechstein das Zimmer verließ und bald darauf mit einem ziemlich starken Quartbande wiederkehrte, den er auf den Familientisch legte und aufblätterte.

„Guck'! dies schrieb und malte ich als Junge von elf Jahren!" sprach er: „und da gab es für mich keine gezogenen Federspulen, keine Tinte, keine Farbenkästchen; ich mußte selbst sehen, wie ich zu Federn und Tinte und Farben kam; die Federn zog ich den Gänsen aus, und härtete sie über Kohlen, die Tinte machte ich von Kienrus, und zu Farben preßte ich den Saft der rothen, gelben und blauen Waldbeeren."

Dieses Buch, das anzustaunen, ich mich damals mit thränenden Augen gezwungen sah, ist noch in meinem Besitz, und ich blicke es mit stiller Verehrung an. Es ist zur größern Hälfte voll steifer Nachbildungen steifer Vorschriften, meist christlich dogmatischen Inhaltes, mit künstlich verzierten Initialbuchstaben, und großen Kanzleischriftzeilen, darin eine Reihe voranstehender Blätter immer unten den vollen Namen des elfjährigen Schreibers und den Monatstag enthält; nächst dem ist fast auf jeder Seite eine geistliche oder weltliche Figur gezeichnet, oft ganz heterogen mit dem Inhalt der Vorschrift. Die Tinte ist oft bleich und schlecht, und entspricht, wie die Färbung der Figuren der eigenen obigen Angabe, aber immer muß man den Fleiß und die Beharrlichkeit anerkennen, mit welchen der Knabe seiner Aufgabe zu genügen gesucht hat. Bald wird die eigene Phantasie wirksam: auf mehrern Blättern erscheinen schon Vögel, ungleich besser in Stellung und Haltung gezeichnet, wie die menschlichen Figuren, obschon auf manche derselben, die nach Vorlagen gezeichnet scheinen, besonderer Fleiß gewendet ward. Namentlich gilt dieß von einer Reihe biblischer Frauen, die durch untergestellte Verse erläutert sind.

Die Zeilen werden mehr und mehr bunt, und die Initialen sind mit den gerühmten Farben geschmückt. Es wechseln rothe, grüne und violette Schriften, Thiere, Pflanzen und Ungeheuer, Könige, Helden, und dazwischen Vorschriften, deren Inhalt Perikopen auf Sonn- und Festtage bilden. Dieser fromme Inhalt hat nicht gehindert, daß einem erbaulichen Pfingstmontags-Wunsch das Abbild einer Seiltänzerin gegenüber gestellt wurde, mit der Unterschrift **Esercizio salto delle filie di Andrea Mosini Modenese.** Einige Male erscheint auch die Gestalt des Teufels, und einmal steht ein kecker Hanswurst, vielleicht später eingezeichnet, vor einem Blatte mit der heiligen Dreieinigkeit. Den Beschluß des Buches bilden lateinische Uebersetzungen deutscher Exercitienaufgaben; Reinschriften, mit wenigen Correcturen.

Audodidact in vielem, bezog nun in seinem vierzehnten Lebensjahre Bechstein das Gymnasium zu Gotha, und über seinen Aufenthalt und dort genossenen Unterricht finden sich ebenfalls einige eigenhändige Aufzeichnungen.

„Das Gymnasium zu Gotha hatte damals gerade eine zweckmäßige Einrichtung durch den Director Geißler erhalten, so daß also nicht blos lateinisch, griechisch und hebräisch docirt, sondern auch wissenschaftlicher Unterricht in der Naturgeschichte, Physik, Mathematik u. s. w. ertheilt wurde. Hier lernte er (Bechstein) nun die systematischen Namen des Naturreichs kennen und alles gehörig classificiren. Durch den guten Professor Gebhardt erhielt er Unterricht in der Metaphysik, und durch den Professor und Inspector des Gymnasiums, den nachmaligen Hofrath und Professor Voigt zu Jena, in der Physik und Mathematik. Dabei legte er seine Lieblingsneigungen nicht ab, sondern auch dort mit Jägern und Jagdliebhabern befreundet, deren mehrere er schon in Waltershausen kennen gelernt hatte, ging er mit auf manche Jagd, obschon dieß den Gymnasiasten eigentlich verboten war." Seine Wohnung hatte er bei einem Büchsenmacher und Feuerwerker.

Des Vaters Wille bestimmte den Sohn zum studieren, allein obschon ersterem die lebendige Neigung für waidmännische und Naturstudien, die er selbst ihm vererbt, nicht entgangen sein konnte, so mochten doch Gründe ihn bewegen, darauf zu dringen, daß sein Sohn Theologie studiere, vielleicht weil dieses Studium als billigstes und später lohnendstes, am ersten zu eigener Selbstständigkeit führendes, angesehen wurde. Es mußte daher der ganze Gymnasialkursus durchgemacht werden, und neben den alten Sprachen mit Einschluß des hebräischen befleißigte sich Bechstein auch der Erlernung der französischen und englischen Sprache, was er auf der Universität fortzusetzen nicht unterließ. Dasselbe war der Fall mit Zeichnen, mit Violine, wie mit Clavierspiel und Gesang; was ihm bei seinen nachherigen Informationen und dem Lehramt in Schnepfenthal sehr zu Statten kam, und noch seinen Lebensabend erheiterte, wenigstens war dieß mit Gesang und Clavier der Fall; besonders liebte er Choräle. Das Violinspiel scheint er früher wieder aufgegeben zu haben, doch erscheint noch in einem Haushaltungskalender von 1802 ein Posten: „Violine zu repariren 1 Thlr." Er sang gut und richtig.

II.

Studien.

„Von Ostern 1778 bis Michaeli 1780 habe ich in Jena studiert," schrieb Bechstein in seine, noch im Besitz des Verfassers befindliche Bibel. Also in seinem ein und zwanzigsten Jahre, nicht im 20., wie die magere Biographie im Conversationslexicon (1822) und die von Unrichtigkeiten wimmelnde in der Pariser **Biographie universelle,** ja selbst die im Sylvan angeben, ging er zur Universität ab. Obige Worte scheinen aber in Jena selbst in die Bibel geschrieben worden zu sein, denn aus einer Stelle seines, weiter unten zu erwähnenden, leider nur kurze Zeit und überhaupt kurz geführten Tagebuchs, wie aus den Zeugnissen, geht hervor, daß er Jena 1781 erst verließ, und daß seine Studienzeit daselbst mithin 7 Semester umfaßt hat.

Die Universität bot dem aufgeweckten lernbegierigen Jünglinge eine Fülle neuer Gegenstände, die den Kreis seines Wissens erweiterten. Zum Glück brachte er ein reines Herz und einen durch Sittlichkeit geadelten Charakter mit auf die Hochschule; er hielt sich fern von rohen Zügellosigkeiten, und legte bei aller Lebhaftigkeit seines Temperamentes, die ihn zum angenehmsten Gesellschafter machte, doch ein gesetztes und ernsthaftes Betragen an den Tag, welches Ursache wurde, daß er manchen Unannehmlichkeiten entging, über die sich viele seiner Kameraden, wie über nothwendige Studentenübel, zu beklagen hatten. Das Studium der Theologie wurde mit Eifer betrieben, „allein" ob ihm gleich Anfangs von seinem Vater verwiesen und untersagt war, der Lieblingsneigung nachzuleben, so hörte doch einestheils sein Umgang mit den Jägern daselbst auch nicht auf, und anderntheils hörte er bei den Professoren Wiedeburg und Suckow nicht nur Physik und Mathematik, sondern auch bei letzterem die Cameral- und Forstwissenschaft, und seine Vorliebe für Naturwissenschaften bekam durch die schönen Cabinette und die nähere Bekanntschaft mit dem damaligen Inspector Lenz und seinem Universitätsfreund Batsch noch mehr Nahrung. Der Herausgeber bewahrt noch ein starkes Heft in Quart von Bechsteins Hand auf, betitelt: „Naturgeschichte von Herrn C. R. Suckow nach des Herrn Pr. Titius Lehrbuch," das mit großem Fleiß nachgeschrieben ist, und darin oft die Gestaltungen der Naturkörper figürlich an den Rand gezeichnet sind.

Die damals dem Cammerrath Suckow nicht einmal mehr bekannte Gegend, wo Jaspis-Achat bei Jena zu finden war, wurde bald wieder von Bechstein entdeckt.

„In Jena wurde Bechstein nun erst mit der Literatur der Naturgeschichte und den mit ihr verwandten Wissenschaften bekannt, und es freute ihn immer, wenn er z. B. in den Vorlesungen über die Forstwissenschaft zu den vorgetragenen Theorieen die Belege in der Natur selbst sich dazu denken konnte; er wunderte sich aber auch nicht wenig, daß schon so vieles, was er für neu hielt, entdeckt war, und fast verdrüßlich war es ihm, daß manche mikroscopische Versuche, womit er sich zu Hause und in Gotha vielfach beschäftigt, und die er in Jena fortgesetzt hatte, fast alle schon in den bekannten Schäferschen Schriften enthalten waren."

„Mit einigen Freunden, die wie er ihr Vergnügen mehr in den Werken und Schönheiten der Natur als in Trinkgelagen fanden, wurde die jenaische und umliegende Gegend durchstreift und Bekanntschaft mit ihren Produkten gemacht. Dabei wurde auch auf die Erlernung neuerer Sprachen viel Fleiß verwendet, da aber diese nebst den Nebenstudien viele Zeit in Anspruch nahmen und Bechstein doch kein gewöhnlicher

Theolog werden wollte, und daher selbst Symbolik und Polemik unter den Augen des unglücklichen Danovs, der ihm ausgezeichnet gewogen war, mit nur wenigen ausgewählten Zuhörern studierte, so mußte er freilich länger als andere die Academie frequentiren."

„Obgleich Bechsteins Vater es nicht hatte verhindern können, daß der Sohn die Naturwissenschaften weit mehr, als einem Theologen nöthig war, kultivirte, so verwieß er ihm später das fortstudieren derselben doch nicht, sondern freute sich vielmehr, wenn der Sohn bei seinen Ferienbesuchen ihn über so manches unterrichten konnte, und nur einmal zog der letztere sich dadurch einen Verweiß des Vaters zu, daß er sich mit der englischen Sprache ebenfalls vertraut gemacht, weil ein gewisser Rath J. dem ehrlichen alten Bechstein gesagt hatte, dieß sei ganz unnütz, und von neueren Sprachen sei außer der Französischen keine zu erlernen nöthig."

Aus einem noch vorhandenen ehrenvollen Zeugniß, welches der gelehrte Professor **primarius** der Theologie **Dr.** Ernst Jacob Danovius eigenhändig schrieb und untersiegelte, geht hervor, daß Bechstein, während seines academischen Lebens in Jena **inde a triennio et semestri:** Dogmatische, polemische, symbolische und Moral-Theologie nebst noch einigen andern Zweigen der theologischen Wissenschaft gehört und studiert hat.

Wohlbewehrt mit dem geistlichen Rüstzeug kehrte nun der hoffnungsvolle junge Theologe in die Heimath zurück, zur Freude der Aeltern und Verwandten und meldete sich bald darauf in Gotha zum Candidatenexamen. Dieses erfolgte am 19. Jan. 1782 und mit diesem Tage beginnt eine Reihe kurzer Aufzeichnungen in einem drei Finger starken Quartband, welchen Bechstein Merkwürdigkeiten von allerlei Art betitelte, aber diese nur äußerst lückenhaft bis zum Jahr 1785 fortsetzte.

Schon vor dem von ihm wohlbestandenen Candidatenexamen hatte Bechstein begonnen, Informations-Unterricht zu ertheilen, und zwar in der Familie des auf dem Herzoglichen Schloß Tenneberg dicht über Waltershausen wohnenden Amtsvoigts Ritter.

Von Zeit zu Zeit predigte er in seinem Geburtsorte, auch in Friedrichrode und Mechterstädt, und es war ihm kein geringes Vergnügen, zu denken, wie angenehm seinen Zuhörern in seinen Predigten die Beispiele aus den Waldungen und aus der Natur sein möchten, welche auf jener Kanzel ganz unerhörte Dinge waren. In dieser schönen Berufsübung waren ihm stillglückliche Tage aufgegangen. In der theuern Heimath mit Liebe weilend, wohnend in einem Bergschlosse mit unvergleichlich schönen Fernsichten, das umgrünt ist von einer Waldflora, die in ähnlicher Reichhaltigkeit in Thüringen ihres Gleichen sucht, und von Hainen und Wäldern umgeben, in denen fast die ganze Fauna Thüringens heimisch ist, konnte es für den jungen Mann, dessen reiches Herz der Natur so glühend und liebevoll entgegen schlug, kaum irgendwo einen anziehenderen Aufenthaltsort geben.

Den Winter widmete er fortbildender Lectüre, und es finden sich unter den Büchern, die er als von ihm gelesen aufzeichnete, auch: J. W. Goethe's Schriften, Carlsruhe 1778.

Von den durch Bechstein ausgearbeiteten und gehaltenen Kanzelvorträgen habe ich nur zwei überkommen; sie zeichnen sich durch Klarheit und Wärme bei einfachem Bau der Rede aus, und da auch sein Körperbau höchst stattlich, sein Wesen freundlich und einnehmend war, die Natur ihn nicht minder mit einer lauten und volltönenden Stimme begabt hatte, so ist nicht zu zweifeln, daß er einen günstigen Eindruck auf seine Zuhörer machte. Die aufbehaltenen Predigten durchweht der Geist ächt christlicher Frömmigkeit, der Menschenliebe, und die freudige Wahrnehmung des Gottesgeistes in der Natur, in den Wundern der Schöpfung. Was seine ganze Seele durchdrang, wovon sein unentweihtes Herz voll war, davon ging ihm auch an heiliger Stätte der Mund über, und es sprach da freilich mehr der Freund und Kenner der Natur, als der gelehrte Dogmatiker.

Ich theile aus der einen Predigt einige Stellen mit: „O Du, der Du an allen Orten wirkst," so beginnt der Eingang derselben: „an allen Orten Deine Güte offenbarest, allmächtiger und allgütiger Schöpfer, öffne uns doch die Augen, daß wir an allen Orten Dich erkennen, Deine Liebe, Weisheit und Güte erkennen, Deine Gegenwart fühlen, und Dich preisen mögen. Der Du Dich aller Deiner Werke erbarmest, allliebender Gott, unser Vater! gieb uns doch Kraft, daß wir im Vertrauen auf Dich fortleben, froh leben, alle bangen Sorgen verbannen, und durch unsere Freudigkeit unsere Brüder ermuntern mögen, durch Freudigkeit Dich zu preisen rc.!"

„Wir dürfen, meine Freunde, nicht weit gehen, um uns zu überzeugen, daß die Welt ein Schauplatz der göttlichen Güte, und daß es Gottes Wonne sei, allen seinen Geschöpfen wohlzuthun. Die erste Pflanze, die wir ergreifen, belehrt uns davon, daß sie so schön gekleidet, mit so vielen Werkzeugen versehen ist, mit denen sie ihre Nahrung an sich ziehen kann, daß sie sich nothwendig nach ihrer Art wohl befinden muß. Wir dürfen nur auf das Betragen aller Thiere sehen, so wird ihr Gesang, ihr Flug und hüpfen, so werden alle ihre Bewegungen uns belehren, daß ihnen wohl sei, daß also ein unsichtbares Wesen da sein müsse, das seine Wonne in Wohlthun setzt."

„O möchten wir doch stets auf das, was um uns herum vorgeht, aufmerksam sein, wir würden gewiß allenthalben die überall wirkende Güte Gottes erkennen, uns unseres Daseins mehr freuen, edlere Gesinnungen und ein herzlicheres Vertrauen zu Gott bekommen! Daher pflegt uns der große Lehrer, Jesus Christus, wenn er uns zu Gott erheben; wenn er uns unsere Gesinnungen veredeln, wenn er uns für unsere Pflichten thätig machen will, immer auf die Natur zu verweisen, und uns zu ermuntern, sie zu betrachten. Ich will euch heute, theuere Zuhörer, auf eine solche Ermunterung unseres Erlösers aufmerksam zu machen suchen: Gott lasse diese Betrachtung gesegnet sein! Vaterunser rc."

„Text: Matthäus 6, V. 26 bis 30." (Sehet die Vögel unter dem Himmel an, rc.)

Gewiß, charakteristisch genug! —

Im Mai unterbrach eine angenehme Reise, die Bechstein nach Altenburg zu einem nahen Verwandten machte, das geräuschlos ruhige Walten und Fortstudieren auf Tenneberg.

Im October 1783 und Februar 1784 bekam Bechstein neue Informationen in den Waltershäuser Familien Orphal und Bouse, und zeichnete im letztern Monat und im April die strenge Kälte und lange Dauer des Winters von 1783 — 84 auf.

Es fanden sich während der Candidatenzeit Bechsteins auch einige Anträge zu Predigerstellen. Er notirte:

„Den 14. Juli (1784) bin ich nach Altenburg wiederum gereiset, wo ich sehr wohl aufgenommen wurde. Ich blieb bis zum 19. August aus. Hatte die Hoffnung, Pfarrer in Schönefeld bei Leipzig zu werden. Allein die Luft wehte nicht rein."

Dieser Anträge gedenkt auch die kleine Autobiographie mit den Worten: „Bald nach Beendigung seiner academischen Laufbahn wurden ihm zweimal Predigerstellen angetragen. Aber die eine war in der Leipziger Gegend, wo nichts als Gras und Feldfrüchte wuchsen, und die er also um deswillen, weil er dort seinen Lieblingsneigungen ganz hätte entsagen müssen, ausschlug, die andere, welche er vielleicht angetreten hätte, wurde ihm durch eine unlautere Absicht verleidet."

In dieser Zeit errichtete Christian Gotthelf Salzmann sein Erziehungs-Institut zu Schnepfenthal, nur eine kleine halbe Stunde vom Schlosse Tenneberg und Waltershausen gelegen. Bechstein machte die Bekanntschaft des berühmten Pädagogen, und dieser fand bald in dem kenntnißreichen jungen Mann einen willkommenen Gehülfen, den er als Lehrer der Naturgeschichte und Mathematik anstellte, wobei Bechstein noch die älteren Zöglinge im Gebrauch des Schießgewehres unterrichten und üben sollte." *)

Um jedoch mit um so größern Nutzen an einem Philanthropin wirken zu können, wo es nicht blos galt, zu lehren und zu unterrichten, sondern zu bilden und zu erziehen, eine Thätigkeitsrichtung, der Bech-

*) Daher in der französischen Biographie das prunkende: Professeur d' historie naturelle, de mathematiques et d' artillerie (!) à Schnepfenthal. (sic.)

stein sich mit voller Seele hinzugeben bereit war, so bereitete er sich auf den nun mit Entschiedenheit gewählten Lebensberuf auf Salzmanns Rath durch eine pädagogische Reise vor, besuchte eine Zeitlang das Philanthropin zu Dessau und die Böttchersche Erziehungsanstalt zu Leipzig und machte sich genau mit allen dortigen Lehrmethoden und Einrichtungen bekannt.

Mit dankbarer Gesinnung gedachte er später der freundlichen Begegnung der Pädagogen Rudolf und Bruns, Bötticher, Weise und Neuendorf, wie der Gnade des würdigen Domherrn von Rochow.

Zugleich lernte er „die berühmten Jagden und Jagdmethoden kennen, und weilte mit v. Rochow 7 Wochen lang zu Reckahn, wo er nun fand, was sein Herz wünschte, einen erprobten Pädagogen, und eine ebenso vortreffliche Jagd. In jenen flachen Gegenden fand er namentlich viele Sumpf- und Wasservögel und erforschte ihre Lebensart, wozu außer einigen nahen großen Teichen und entfernteren Seen die Ufer der auf weite Strecken seebreiten Havel volle Gelegenheit boten, und wo er Vögel entdeckte, die in seiner heimathlichen Gegend niemals oder doch nur höchst selten an einigen größeren Teichen und dem jetzt ausgetrockneten Schwanensee vorkamen.“ In der Heimath aber wurde das Studium der Ornithologie auf das eifrigste und unermüdlichste fortgesetzt, und der Vögel Lebensart, Stimme, Flug, Nesterbau, Wanderzeit, Eier, Nahrung im Freien, wie in der Gefangenschaft auf das eifrigste beobachtet.

„Bei dem Unterricht in Schnepfenthal fand er bald, daß mit den gewöhnlichen Lehrbüchern über die Naturgeschichte nicht auszukommen sei, daß die einen blos für den academischen Unterricht passend, und die andern, z. B. die Raff'sche Naturgeschichte, zu tändelnd seien, und um dem Mangel abzuhelfen, arbeitete er selbst, so wie auch für den Unterricht in der Mathematik die Lectionen aus, welche die Grundlagen zu mehreren seiner späteren Schriften für Schule und häuslichen Unterricht geworden sind.“

„Da er den erwachseneren Zöglingen, welche sich durch Fleiß und musterhaftes Betragen so weit emporgearbeitet hatten, daß sie den Orden des Fleißes tragen durften, mit Feuergewehr umzugehen lehren mußte, so erhielt die alte Neigung für Jägerei und Forstwissenschaft neue Nahrung und die stets unterhaltene Lektüre guter darüber erscheinender Schriften, der fortgesetzte Umgang mit den, seinem Aufenthaltsort nahen Forstmännern und Jägern, das Bekanntwerden mit ihrer Forst- und Jagdbewirthschaftung und ihre Behandlung der Wälder, die er durch eigene Anschauung kennen lernte — machten ihm bald bemerklich, daß hier noch ein Feld offen sei, auf welchem er der Wissenschaft und dem Staate sich nützlich machen könne."

Im Bezug auf Aussichten zu Predigerstellen mag hier noch eine Anektode stehen, deren Wahrheit mir von sicherer Seite her verbürgt wurde.

Bechstein war schon in Schnepfenthal thätig, als der Herzog von Gotha, Ernst II., der es liebte, wenn seine Diener neben ihrer Fachwissenschaft auch noch in andern Zweigen des Wissens bewandert waren, den Gedanken faßte, dem jungen Predigtamtscandidaten und Naturforscher die Stelle des zweiten Predigers an der Herzogl. Hofkirche anzuvertrauen, deshalb sollte derselbe, ohne des Herzogs Absicht zu kennen, eine Probepredigt in der Hofkirche auf dem Residenzschlosse Friedenstein halten.

Dieß geschah an einem Sonntag Nachmittag, an welchem große Tafel bei Hof war; der Herzog sandte aber seinen Oberhofprediger in die Kirche, und konnte kaum die Zeit erwarten, bis derselbe kommen und über den Adspiranten ohne sein Wissen Bericht erstatten werde. Endlich erschien der Oberhofprediger und trat mit den Worten vor den Herzog: „Euer Durchlaucht! Nichts wie Botanik!"

„Da wollen wir's doch sein lassen!" antwortete der Herzog lächelnd, und es unterblieb eine Anstellung, die ein zum Priester der Natur geweihtes und berufenes Talent zum Priester der Kirche gestempelt hätte, ohne die Lorbeeren zu gewähren, die der heilige Hain der Naturwissenschaft seinem Haupte in Fülle grünen ließ.

III.

Leben und Wirken in Schnepfenthal.

In ungemein reizender Gegend, auf einer Anhöhe mit heitern Fernsichten, an der letzten Abdachung des langgestreckten Rückens des Tenneberges hatte mit festem deutschen Mannesmuth und unerschütterlichem Gottvertrauen Ch. G. Salzmann den Aufbau des ersten Gebäudes seiner Anstalt begonnen, und klein, wie so oft die Anfänge des Großen und Würdigen, war auch sein Anfang. Er sah den Bau sich vollenden, ein Zimmer nach dem andern wohnlich werden, und es bedrängte die Frage sein Herz, für Wen er denn nun gebaut habe? Außer der eigenen Familie und dem treuen Gehülfen Beutler aus Suhl hatte er von Dessau nur einen Zögling mitgebracht, und fragte sich jetzt bedenklich selbst, ob er Zöglinge suchen solle noch auf andere Weise, als durch die gedruckte Ankündigung seiner Anstalt, oder ob er Lehrer annehmen solle, ohne Zöglinge zu haben?

„Dennoch wählte ich" — dieß sind Salzmanns eigne Worte: „nach vorhergegangener reiflicher Ueberlegung das letztere und verband mich, vors erste, mit Herrn Bechstein, der schon lange durch seine mannigfaltigen Kenntnisse und Geschicklichkeiten meine Aufmerksamkeit auf sich gezogen hatte, dahin, daß er erst einige Monate in des Domherrn von Rochow vortrefflichen Schulanstalt, in der Dessauischen Erziehungsanstalt und in der Böttcherschen zu Leipzig seiner praktischen Pädagogik noch mehr Vollkommenheit geben, und dann zu mir ziehen sollte."

Während Bechsteins Abwesenheit trat noch manche Bedrängniß und Verlegenheit an den wackern Salzmann heran, bis sein Freund, der Fürstlich Waldeckische Educationsrath Andre aus Hildburghausen, der erst nach Salzmanns Plane eine eigene Erziehungsanstalt zu Arolsen gründen wollte, aber auch auf ungeahnete Schwierigkeiten stieß, mit ihm gemeinschaftliche Sache machte, und mit Aufgebung seines Planes, nach Schnepfenthal zu ziehen und dem neuen Institut fünf hoffnungsvolle Zöglinge zuzuführen, verhieß. Vor dem wirklichen Anzug Andres, der mit den Zöglingen erst im Herbst erfolgte, kam Herr Solger mit dem Vorsatze nach Schnepfenthal, auf seine Kosten dort zu leben, und zu seiner eigenen Uebung an Salzmanns Erziehungsgeschäft Theil zu nehmen. Am ersten Juni kam mit zwei Zöglingen J. Chr. Guts-Muths aus Quedlinburg zu Salzmann, und auch mit diesem verband sich der letztere, daß er bleibe und lehre.

Im Juli kehrte Bechstein von seiner Reise zurück; aus Waltershausen ward noch ein Zögling der Anstalt anvertraut, und mit gottgetrostem Muthe eröffnete Salzmann diese nun mit einer entsprechenden Feierlichkeit.

Was immer auch Wahres und Falsches von den den Philantropisten abgeneigten Humanisten gegen die Erziehungsinstitute überhaupt gesagt worden sein mag, das Salzmannische hat durch ein nun siebenzigjähriges Bestehen die Richtigkeit der Grundsätze seines Gründers bewährt, weil es in diesen treulich fortgepflegt wurde; hat die ungünstigsten Zeiten überdauert, und daß es keine Philologen erzog, ist, wenn dieß als ein Vorwurf gelten könnte, der Welt und dem Leben wohl nicht zum sonderlichen Schaden gediehen.

Daß übrigens das gründliche Studium der lateinischen Sprache zu Schnepfenthal keineswegs vernachlässigt wurde, beweist unter anderm die lateinische Abschiedsrede des Zöglings **C. C. Henri Marc** aus Havre de Grace: **De bonis Paedagogii Schnepfenthaliani oratiuncula. Praefatus est Chrn. Ludov. Lenz.** Letzterer war aus Gera gebürtig, kam

1797 als Lehrer an die Anstalt, und wurde später Salzmanns Schwiegersohn.

Bechstein befand sich in dem liebreichen und traulichen Wirkungskreise des neuen Aufenthaltortes ganz in seinem Elemente, und so wurde der Vorsatz in ihm zur Reife gebracht, das „Studium der Bibel fallen zu lassen, und dafür sich dem der Natur ganz und mit allen Kräften zu widmen."

Auch in Schnepfenthal wurden einige Aufzeichnungen begonnen, allein nur wenige, und es scheint bald Lust wie Zeit zur Führung eines Tagebuches gemangelt zu haben. Mit um so größerem Fleiße setzte er aber seine Auszüge aus naturwissenschaftlichen und gemeinnützigen Werken und Zeitschriften fort.

Hohe und anziehende Besuchende wurden bemerkt; z. B. „heute war der Herzog, Herzogin, Prinz August, von Lichtenstein, Frankenberg, Hartenberg, Frau von Lichtenstein und Fräulein Tochter, von Goethe, Legationsrath Bode von Weimar, und der Statthalter von Erfurt, in der Gottesverehrung und im Senat, außer dem Statthalter von Erfurt, der nur in den Senat kam."

Dieser Statthalter war Carl Theodor Anton Maria von Dalberg, der hochberühmte treffliche Mann und Gelehrte, der sein Haus zu Erfurt zu einem Tempel der Musen erhob, der nach allen Wissenschaftsgebieten hin den Blick der Theilnahme richtete, und Salzmann von Herzen hochachtete.

„Der Botanicus von Ziegenhain, Dietrich, kam und verließ uns am Sonnabend wiederum."

„Es war der Herr Hauptmann von Wurmb mit seiner Familie und mit einem von Wohlzogen, der in Stuttgart auf der Ritteracademie erzogen worden, hier. Ersterer hat mit Göcking ein Frauenzimmerinstitut errichten wollen" u. s. w.

Salzmann war mit Bechstein und dessen Leistungen nicht nur äußerst zufrieden, sondern erhielt ihm auch lebenslänglich seine Achtung und Freundschaft. Er sprach sich folgendermaßen belobend über Bechstein aus:

„Herr Bechstein aus Waltershausen ist besonders wegen seiner Kenntnisse in der vaterländischen Naturgeschichte der Anstalt sehr nützlich. Da es eine Hauptidee in unserm Erziehungsplane ist, mit aller Erkenntniß uns erst von innen heraus, von den allernächsten bis zu entferntern Gegenständen fortzuarbeiten — da es eine zweite Hauptidee ist, die Natur für unsere nächste, erste und allgemeine Lehrerin zu erkennen; so ist es für uns gewiß sehr wichtig, diese zwei Ideale unseres Plans gleich durch die Beihülfe dieses braven Mannes realisiren zu können, der außer dem großen Vorzug, ein Hiergeborner zu sein, noch Dessau und Reckahn mit pädagogischen Augen gesehen und studirt hat, und besonders die Kunst versteht, recht populär und mit wahrem Interesse seine Kentnisse mitzutheilen. Außerdem hat er noch die Anfangsgründe der Mathematik zu lehren übernommen, kommt uns auch mit seinen musikalischen Talenten trefflich zu Statten, indem er nicht nur bei Gottgeweihten Versammlungen unsern Gesang mit Instrumentalmusik begleitet; sondern auch die Zöglinge im Singen, Klavier und Violinspiel unterrichtet.

Das Leben in Schnepfenthal gestaltete sich, wie allbekannt ist, nach des Gründers und Direktors Plan und Willen zu dem einer großen durch Liebe, Freundschaft und Hochachtung innig verbundenen Familie und diesem Leben mangelten nicht die Freuden eines sittlich-heitern Umganges und einer schönen Geselligkeit, der die erfreuenden Künste der Musik, des Tanzes und auch der Poesie nicht fern blieben. Salzmann verfaßte selbst manches Lied für die Andachten und religiösen Feierlichkeiten seines immer größer werdenden Familienkreises, und seine Mitarbeiter versuchten zu niederem oder höherem Aufflug ebenfalls die Poesie-schwingen.

Ein bekannter Spruch sagt aus, jeder gute Kopf müsse mindestens einmal in seinem Leben Verse machen oder gemacht haben, wenn auch von guten Versen dabei nicht die Rede ist, und ungleich schöner und poetischer gab Uhland dieser ziemlich allgemeinen Wahrheit Worte in seinem:

„Singst Du nicht Dein ganzes Leben,
Sing doch in der Jugend Drang.
Nur im Blüthenmond erheben
Nachtigallen ihren Sang.“

Auch Bechstein ward in diesem Sinne zum Dichter, und wenn die kleinen Lieder, mit denen er Andern frohe Stunden verschaffen half und gesellig frohe Kreise belebte, auch nicht den Stempel des Genius an der Stirne tragen, so athmen sie doch bei herziger Naivität ein reines Gemüth, eine edle Natur- und Menschenliebe. Ihn selbst habe ich der poetischen Richtung seiner Jugendjahre nie gedenken hören, und meines Wissens ist nirgend etwas über dieselbe zu öffentlicher Kenntniß gelangt.

Schon während seiner Informatorzeit hatte Bechstein für die Kinder des Amtsvoigt Ritter, des Amtmann Orphal u. A. manchen kleinen Glückwunsch an den Geburtstagen der Aeltern verfaßt, ja mancher dieser poetischen Versuche wurde von ihm auch in Noten gesetzt; in Schnepfenthal, wo jeder Geburtstag der Angehörigen nicht unbeachtet vorüberging und zu einem kleinen Familienfest erhoben wurde, gab es häufige Veranlassung, das harmlose und erfreuende Talent zu üben. —

So wurde zur Geburtstagsfeier des auch bereits im Herbst 1785 in Schnepfenthal angestellten Schreib- und Zeichnenlehrers Ernst Christian Schmidt aus Waltershausen, eines Schülers von Oeser, dessen Treue, Thätigkeit und Ergebenheit an das Institut Salzmann rühmlichst gedenkt, von Bechstein ein Gedicht verfaßt, aus welchem einige Strophen lauteten:

Die Vögel hüpfen Zweig zu Zweig
Und singen froh Dir vor;
Wie oft steigt dann dein Lied zugleich
Entzückt mit ihrem Lied empor.

Du fühlst, wie Westwinds linder Hauch
Den schwülen Mittag kühlt,
Indem er hier mit Blum' und Strauch
Und dort mit Silber-Aehren spielt.

Du siehst bewundernd die Natur,
Die vor Dir offen liegt,
Bewundernd Gott in Wald und Flur,
Im Wurm, der sich im Staube schmiegt.

Salzmann empfing auch einmal ein Geburtstagsgedicht, daraus die Strophen:

Kränzt sein Haupt mit Immergrün
Und mit schönen Nelken,
Pflückt ihm Veilchen, weil sie blühn,
Da sie bald verwelken.

Manches liebe Veilchen blüh'
Unsers Vaters wegen,
Manche Rosenwange glüh'
Heute ihm entgegen.

Jeder sing': so lang ich bin
Soll er mein sich freuen,
Blumen laßt uns vor ihm hin
Auf den Weg ihm streuen.

den Geist kündeten, der den Director und die Lehrer der Anstalt beseelte.

Im Jahr 1786 gründete Andre in Verbindung mit seiner jungen Frau auch ein Institut für weibliche Zöglinge in Schnepfenthal, das sich bald zur Blüthe hob, obschon dasselbe später wieder einging. Aber noch 1788 schilderte Andre in einem Buche: Kleine Wanderungen und größere Reisen der weiblichen Zöglinge zu Schnepfenthal. Leipzig, Crusius, solche Reisen und führt darin einen Freund aus der männlichen Erziehungsgesellschaft — nämlich Bechstein unter dem Namen Finkenstein, treu charakterisirt, redend und die Kleinen belehrend, auf.

Zu den Familienfesten, welche den Schnepfenthäler Kreis belebten, wurden auch befreundete Nachbarn hinzugezogen, namentlich war dieß bei den kleinen Bällen der Fall. In Ibenhain wohnten zwei junge Mädchen unter dem Schutze einer Tante, der Wittwe des Pastor Förtsch aus Bergesdorf bei Hamburg, Johanne und Auguste Carsten, welche öfters in jene Kreise eintraten, ja auf Andre's Wunsch zog Auguste als eine freundliche Gehülfin, die selbst noch lernend manches Andere zu lehren verstand, ganz in sein Haus.

Der Jungfrau Auguste Carsten Schönheit, ihre Herzensgüte und ihr sittlicher Werth wurden von Bechstein am tiefsten empfunden; er fand Erwiderung seiner Neigung und so wurde sie seine glückliche Braut, seine treue Hausfrau. Die Verbundenen richteten ihre kleine Wirthschaft in dem Dorfe Ibenhain, später in Rödchen ein, das dicht unter Schnepfenthal liegt.

Zwei Jahre später verheirathete sich auch die ältere Schwester von Bechsteins Frau, Johanne, an den **Dr.** J. C. M. Reinecke, dessen Bekanntschaft sie in Gotha bei ihrer Freundin Förster gemacht, welche hernach die Gattin des 1790 in Schnepfenthal angestellten Herrn Le-Roux-Lasserre wurde. Dieser letztere ist in Meiningen als Herzoglicher Legationsrath und Lehrer der französischen Sprache gestorben. **Dr.** Reinecke, Bechsteins Schwager, war eine Zeitlang auch sein Gehülfe als Lehrer am Institut auf der freien Kemnotte, von welcher unten ausführlich die Rede ist, zog dann nach Weimar, arbeitete dort für das Bertuch'sche Institut und man hat von ihm mehrere gute Landkarten. Später wählte er Eisenach zum Aufenthaltsort, und kam von da nach Koburg, wo er als Director des dortigen Gymnasium Casimirianum angestellt wurde, und als solcher am 7. November 1818 starb. Er war ein sehr guter Kopf, talentreicher Dichter, schrieb Eichenblätter oder Mährchen aus Norden, 3 Bändchen, Gotha, Perthes, 1793—96. Die Erde, oder Schilderung der Natur und Sitten der Länder und Völker, 2 Theile, Weimar und Berlin, 1803 und 1804, wie mehreres Andere, und es wird desselben noch öfter in diesem Buche gedacht.

Neben der treuen Erfüllung seines Berufes als Lehrer der Salzmannischen Anstalt begann nun Bechstein die Entwickelung seiner nachmals so sehr anerkannten und erfolgreichen literarischen Thätigkeit. Die Anfänge derselben kamen gar nicht zur Kenntniß des großen Publikums. Einen Versuch über die Reitkunst möchte ich wohl als erstes selbstständiges Product seiner Feder bezeichnen. Aus der überaus bescheidenen Vorerinnerung und Vorrede dieses verschollenen Büchleins, das nur als Manuscript gedruckt wurde, und deren erste ich hier folgen lasse, ist dies zu schließen.

Vorerinnerung.

„Sollten diese wenigen in Eil und flüchtig aufgesetzte Blätter mehrern bekannt werden als denen, welchen sie ihre Entstehung zu danken haben, oder wohl gar des unverdienten Glücks gewürdigt werden, durch irgend eine Buchhandlung ins Publikum zu kommen, so muß ich, um sie aus dem gehörigen Gesichtspunkt beurtheilen zu können, erinnern, daß sie blos einigen Freunden gewidmet sind, denen ich nützlich zu sein wünschte, und welche ich des beschwerlichen Abschreibens überheben wollte. So wenig ich mich, aus Achtung für das Publikum, demselben als Schriftsteller aufdringen möchte, und so sehr ich fühle nur für wenige geschrieben zu haben, so ungern möchte ich doch verkannt, oder falsch beurtheilt sein."

Bechsteins übrige schriftliche Ausarbeitungen für den Druck beschränkten sich zunächst auf Beiträge in Zeitschriften. So rührt der Aufsatz: Von Verfertigung der Flintensteine, im Magazin für Frauenzimmer 1786. S. 260—68 von ihm her, und in Salzmanns, Hermes und Fischers Beiträgen zur Verbesserung des öffentlichen Gottesdienstes (1787) Bd. 2. St. 1. S. 214 bis 228 die Beschreibung des Rekahnischen Gottesdienstes. Nicht minder schrieb er alle naturhistorischen und ökonomischen Artikel in die ersten 4 Jahrgänge von Salzmanns Wochenschrift: Der Bote aus Thüringen, 1788—1792. In Salzmanns Unterhaltungen für Kinder und Kinderfreunde gehört ihm der Artikel: Vom Gebet, im 7. Bändchen, und der größte Theil des 8. Bändchens, das er mit Beutler und Guts Muths gemeinschaftlich ausarbeitete. In Voigts Magazin für das Neueste aus der Physik sind Bd. 6. Stück 1. S. 53—72 die Artikel: Ueber den wahren Ursprung des fliegenden Sommers, und: Von den Kukuken in Teutschland — von ihm. Im erst angeführten Artikel wies Bechstein zuerst nach, daß der fliegende Sommer von kleinen Spinnen (Aranea obtextrix) herrühre, welche Erfahrung er im Anzeiger No. 95. 1792 bestätigte.

In nützlicher Thätigkeit und in immer regem Fortstudieren, dabei ein beglückter Gatte, lebte Bechstein schöne arbeit- und genußreiche Tage, und auch die poetische Ader ergoß sich noch, die aus dem Urborn der Liebe quoll. Ein noch erhaltenes Gedicht an seine Frau beweist ebenso sehr seine Zärtlichkeit, als seinen heitern Humor, und was seinem vollen und liebevollen Herzen entquoll, immer war es ein Nachhall jener Mutterstimme der Natur, der er so innig lauschte, und die er verstand und deutete, wie Wenige.

An der gemeinnützigen Naturgeschichte begann Bechstein wahrscheinlich schon 1786 zu arbeiten, denn das 96. Stück der gothaischen gelehrten Zeitungen von diesem Jahr weißt mit folgenden Worten darauf hin:

Nachricht.

„Ein thüringischer Naturforscher beschäftigt sich gegenwärtig mit der Ausarbeitung einer vaterländischen Naturgeschichte. Er nimmt dabei zunächst auf den Jäger Rücksicht, für den schon seinem Berufe nach Studium der Naturgeschichte Bedürfniß ist, und welcher nach einer zweckmäßigen Anleitung zu derselben am ehesten im Stande wäre, dieselbe zu berichtigen und zu bereichern. Doch wird es zugleich auch so eingerichtet werden, daß Jugendlehrer, die sich nicht schon vorzügliche Kenntniß erworben haben, guten Gebrauch davon machen können. Der erste Theil wird nächstens im Druck erscheinen, und außer der allgemeinen Naturgeschichte noch die betreffenden Beschreibungen der Säugethiere Thüringens enthalten.“ —

Die dem Thüringer eigenthümliche Heimathliebe war mit allen übrigen Nationaltugenden und Nationalschwächen des Thüringer Volkes, aus dessen Schooße Bechstein hervorgegangen, ihm tief eingeprägt, und es beschäftigte ihn lange Zeit der Gedanke, eine thüringische Fauna, wie eine Flora dieses Ländergebietes vorzugsweise zu bearbeiten; daß er später davon abging, war wohlgethan, denn das Land lohnt die Heimathliebe seiner Söhne schlecht, und es wirken theils Geldmangel, theils Theilnahmelosigkeit insgemein dahin, Bücher, die sich vorzugsweise mit Thüringen beschäftigen, kein Glück machen zu lassen. Auch die in Bechsteins Schriften mehrmals versprochene thüringische Ornithologie kam nicht zur Erscheinung.

Das auf obige Weise im Voraus angekündigte Buch erschien unter dem Titel:

Gemeinnützige Naturgeschichte Deutschlands aus allen drei Reichen der Natur; ein Handbuch zur deutlichern und vollständigern Selbstbelehrung besonders für Forstmänner, Jugendlehrer und Oekonomen.

Erster Band. Leipzig mit 17 Kupfern.

Salzmanns wackerer Verleger, Siegfried Lebrecht Crusius, wurde auch der erste Bechsteins, der mit ihm lange in Verbindung blieb.

Gleichzeitig begann in Gemeinschaft mit André die Herausgabe der Gemeinnützigen Spaziergänge auf alle Tage im Jahre für Eltern, Hofmeister, Jugendlehrer und Erzieher. Zur Beförderung der anschauenden Erkenntnisse besonders aus dem Gebiete der Natur und Gewerbe, der Haus- und Landwirthschaft. Braunschweig, Schulbuchhandlung. 1790—1793. Vier Jahrgänge in 8 Theilen.

Diese Bände, von denen die drei ersten neue Auflagen erlebten, enthalten eine Fülle brauchbaren Materials, und trugen viel dazu bei, beiden Herausgebern ehrenvolle Namen zu machen.

Die Herausgeber widmeten den ersten Theil der naturforschenden Gesellschaft zu Halle, den zweiten dedicirte André seinem Freund, dem Pfarrer Georg Heim in Gumpelstadt, der dritte wurde gemeinsam der Akademie der Wissenschaften zu Erfurt dargebracht, den fünften weihte André allein der ökonomischen Societät zu Leipzig und auch den übrigen Theilen stellte er Widmungen an verdienstvolle Männer voran.

Beifall und Anerkennung blieben nicht aus. Unterm 5. December 1789 unterzeichnete Leyser als Präses und Hetzel als Secretair das „Aufnahmediplom des Herrn J. M. Bechstein, Lehrer bei dem Erziehungsinstitut in Schnepfenthal bei Gotha als auswärtiges ordentliches Mitglied der hallischen Naturforschenden Gesellschaft."

Eine vielleicht kaum erwartete Ehre und Auszeichnung wurde Bechstein dadurch zu Theil, daß er zum Gräflich Schaumburg-Lippischen Bergrath ernannt wurde Kraft folgenden Dekretes:

Von Gottes Gnaden Wir Juliane Wilhelmine Louise verwittwete Fürstin zu Schaumburg-Lippe, Vormünderin und Regentin, gebohrne Landgräfin zu Hessen 2c.

und

Von Gottes Gnaden Wir Johann Ludewig Regierender Graf von Wallmoden-Gimborn, Mitvormund und Mitregent 2c.

beurkunden hiermit: daß Wir uns gnädigst bewogen gefunden haben, den bisher bei dem Institut zu Schnepfenthal als Lehrer stehenden Johann Mathäus Bechstein aus Waltershausen zum Gräflich Schaumburg-Lippischen Bergrath dergestalt zu ernennen, daß derselbe sich dieses Prädikats öffentlich bedienen möge, und in solcher Qualität von jedermann erkannt werde. Urkundlich haben Wir dieses demselben darüber ertheilte Patent eigenhändig unterschrieben, auch dasselbe mit Unserm vormundschaftlichen Regierungs-Insiegel besiegeln lassen. So geschehen Bükkeburg, 29. May 1790, und Schloß Gimborn, den 12. Junii 1790.

Juliane verw. Fürstin zu Schaumburg-Lippe, Vormünderin und Regentin geb. Landgräfin zu Hessen 2c.

(L. S.)

J. L. Gf. v. Wallmoden-Gimborn, Mitvormund und Mitregent.

Die Fürstin Juliane von Schaumburg-Lippe war eine große Freundin der Wissenschaften, und eine Gönnerin des Salzmannischen Instituts, wo ihr Sohn Georg, der 27. Zögling desselben, von 1789 bis 17. Juni 1794 sich befand. Die Auszeichnung, die sie Bechstein angedeihen ließ, ward von ihm mit dankbarem Sinne empfangen, so wenig sein gerader und von kleinlichen Eitelkeiten freier Charakter nach Titeln geizte. Nachdem 1791 der zweite Band der gemeinnützigen Naturgeschichte Deutschlands, welcher die Einleitung in die Naturgeschichte der Raubvögel, Waldvögel und Wasservögel enthält, mit 20 Kupfern, erschienen war, widmete Bechstein der hohen Gönnerin dankbar ergeben den ersten Theil des ersten Bandes seiner: Kurtz gefaßten gemeinnützigen Naturgeschichte des In- und Auslandes für Schüler und häuslichen Unterricht. M. K. Leipzig bei Siegfried Lebrecht Crusius 1792. Bechstein empfing neben einem goldenen Danke das folgende freundliche Schreiben der Fürstin:

Wohlgebohrner,
Hochgeehrter Herr Berg Rath!

Ich hoffe, Sie sind überzeugt, daß meine Geschäfte und nicht eine Vergessenheit, oder irgend eine Gleichgültigkeit gegen Ihre mir gütigst dedizirte Naturgeschichte diese späte Antwort auf Ihr lezteres Schreiben veranlasset hat.

Haben Sie auch nicht den Namen einer Kennerin, — so haben Sie doch den Namen einer warem Freundin der Naturgeschichte vor Ihr schönes Werk gesezzet, und dieses Werk wird gewiß nicht durch meinen Namen, sondern dieser vielmehr durch Ihr — dem ganzen Publikum so willkommenes Werk bemerkbar gemacht. Sie haben mir durch dies schöne Lehrbuch ein sehr angenehmes Geschenk gemacht, und ich bezeige Ihnen dafür durch anliegende Kleinigkeit einen Theil meines Dankes.

Mein Sohn Georg, der sich sehr gesund und wohl befindet, grüßet Sie und ganz Schnepfenthal. Ich freue mich sehr über seine Munterkeit und gute Begriffe und glaube nicht, daß ihm sein Aufenthalt hieselbst nachtheilig sein wird. Alle Schmeichelei ist von ihm entfernt, und die Liebe zu seinen Schwestern mindert den Egoismus, den ich an ihm bemerkte, und macht sein Herz empfänglicher für sanfte Empfindungen. Ich wünsche, daß diejenige Erkenntlichkeit für alles das Gute, was ihm zu Schnepfenthal erwiesen wird, recht lebhaft bei ihm werde.

Ich beharre immer mit Hochachtung

Ew. Wohlgebohren

dienstbereitwillige

Bückeburg, Juliane ꝛc.

den 25. November 1792.

Die wissenschaftliche und doch durch und durch praktische Weise, die Naturgeschichte zu behandeln, verschaffte Bechstein zahlreiche Freunde und Gönner, nicht blos unter Fachgelehrten, sondern namentlich auch unter dem Publikum deutscher Jäger, Jagdfreunde, Forstmänner, darunter Männer von ausgezeichneter Tüchtigkeit und hoher Stellung, wie ein v. Burgsdorf, v. Wangenheim, Reichsgraf Mellin, Borkhausen u. A.

Bechstein trat mit vielen Gelehrten und Naturforschern in Verbindung und Briefwechsel. Auch Pastor Goeze zu Quedlinburg gehörte zu den ihm nahe Befreundeten, wie der folgende Brief bezeugt, mit dem Goeze das Geschenk seiner europäischen Fauna, Band 1, begleitete.

Quedlinburg, am 1. Junius 1791.

Da, liebster Freund! haben Sie den ersten Band meiner europäischen Fauna. O! daß er doch ihren Wünschen entspräche! Der Plan kommt ziemlich mit dem Ihrigen überein, und es ist wirklich die beste und simpelste Art, die Sachen zu behandeln, wie Linné schon in seinem Amoenitat. academ. gethan hat.

Der beigelegte zweite Theil des Cornelius ist, nebst meiner besten Empfehlung, für Vater Salzmann. Bitten Sie ihn doch die beiden Betrachtungen von der Auferstehung und meine Gedanken vom Abendmal, vorzüglich seiner Aufmerksamkeit zu würdigen, und schreiben Sie mir doch, was er davon geurtheilt hat.

In Ihrer Naturgeschichte des Schweins hab' ich unter der Nahrung bemerkt, wie mir's scheint, daß eine kleine Verwechselung des Kühnschen Heerwurms, dessen Larven sich in eine Tipula verwandeln, mit der Erdmast oder den Larven einer Raubfliege, Asilus, deren Prozeß ich im Allerley aus der Erfahrung beschrieben habe, vorgefallen ist.

Die Erdmast, oder die Klumpen Maden unter dem feuchten Moose und faulen Blättern, welche die Schweine freßen, und worauf die Krammtsvögel stark gehen, verwandeln sich in wirkliche Raubfliegen, nicht in Tipulas oder Erdschnaken.

Dürfte ich bitten, von diesem ersten Theile der Fauna, wo Sie wollen, eine kleine Anzeige zu besorgen.

Mit wahrer Freundschaft

der Ihrige
Goeze.

Aber auch Unbekannte aus weiter Ferne naheten brieflich dem Manne, der in so Vielen die Liebe zur Naturwissenschaft weckte. So schrieb ein Herr C. von Thoden aus Haide in Vorderdithmarschen im August 1791 einen zwei Bogen langen Brief voll Danksagungen, Wünsche, Vorschläge u. dgl.

Im Juni 1792 wurde Bechstein glücklicher Vater, indem ihm seine Frau mit einem Sohn beschenkte, der in der heiligen Taufe den Namen Wilhelm Eduard empfing. Später waren noch öfter Elternfreuden für die treu verbundenen Gatten in Aussicht, allein die erweckten Hoffnungen scheiterten alle an unglücklichen oder zu frühen Niederkunften, welche vielleicht darin ihren Grund hatten, daß Bechsteins Frau im Drange fast allen häuslichen Geschäften sich selbst zu unterziehen, sich nicht genug schonte, und so blieb dieser Sohn das einzige lebende Kind seiner Eltern.

Die Verhandlungen mit dem wackern Verleger Siegfried Lebrecht Crusius wurden fortgesetzt, und manches Geschäftliche brieflich besprochen. Hauptsächlich betrafen jene zunächst die kurzgefaßte gemeinnützige Naturgeschichte des In- und Auslandes für Schulen und häuslichen Unterricht.

Die Zuschriften an Bechstein von Crusius zeigen von der achtungswerthesten Ehrenhaftigkeit dieses Mannes.

Es war über das Honorar für die kurzgefaßte gemeinnützige Naturgeschichte eine Irrung entstanden, und Bechstein hatte für die folgenden Bände mehr verlangt, als für den ersten ausbedungen war, allein die freundlichen und freundschaftlichen Briefe von Crusius bestimmten ihn zum Eingehen des Geschäftes nach jenes Wünschen.

Es wird manchem Leser dieser Biographie aus dem Buchhändler-Publikum nicht unwillkommen sein, auch Briefe wackerer Veteranen ihres Geschäftes hier eingestreut zu finden. Dieselben spiegeln den merkantilen Standpunkt früherer Literatur-Perioden ab, und wirken belehrend und Winke gebend. Manches Anziehende und Merkwürdige würde zu Tage kommen, wenn jeder fruchtbare Schriftsteller, wie Adolf Müllner gethan, eine „Geschichte seiner Lämmer und ihrer Hirten" schriebe oder hinterließe, vorausgesetzt, daß er sich auf einen von Vorurtheil und von Autoreitelkeit freien Standpunkt erhöbe.

Crusius schrieb unter andern:

Leipzig, den 16. Juni 1792.

Ich freue mich ungemein, daß Sie, theuerster Freund, meinen Vorstellungen haben Gehör geben, und endlich das Bündniß über die kleinere Naturgeschichte haben schließen wollen. Ich schätze dies als einen Beweis des besondern hohen Grades der Freundschaft und Wohlwollens, in dem ich bei Ihnen zu stehen das Glück habe. Glauben Sie gewiß, daß ich dies Glück zu verdienen, und mir auf immer zu erhalten bemüht sein werde. Das sehe ich vollkommen ein, daß ich den Fleiß und die Mühe, die Ihnen die Bearbeitung dieses Werkes kostet, Ihnen nicht hinlänglich belohnen kann, aber auch kein Verleger ist im Stande, seinen Autor nach Würden zu belohnen, da die Natur des Handels ihm Grenzen vorschreibet, wie hoch er in Bezahlung eines Manuscriptes gehen kann.

Da wir auf diese Weise nun den Handschlag einander mit redlichem Herzen gegeben, und dieses unser Bündniß zu der festesten Treue geheiliget haben, so mag der Abdruck dieses Werkes in Gottes Nahmen, der es mit seinem Segen begleiten wolle, den Anfang machen, und ich habe Herrn Starklof anheute Ordre gegeben, 10 Ballen weiß median Druckpappier auf das schleunigste an Herrn Müller*) zu liefern, worauf es gedruckt werden soll. Ich bitte Herrn Müller dies gütigst zu melden, und ihm zu sagen, daß die Auflage 1500 stark werden soll.

Zu dem Geschenke des Himmels, mit welchem er Sie durch Ihre liebe Gattin in einem jungen Söhnchen erfreuet hat, wünsche ich Ihnen von ganzem Herzen Glück. Ich nehme den aufrichtigsten Antheil an dem Ihnen dadurch zugewachsenen Glücke. Gott lasse dies Kind zu Ihrer Freude und Trost aufwachsen, und erhalte es und seine würdige Mutter auf immer bei dem besten Wohlsein.

Ich muß anheute schließen, weil die Poststunde herannahet. Mit dem hochachtungsvollsten Herzen ist

der Ihrige
S. L. Crusius.

Von Ehrenbezeigungen widerfuhr Bechstein in diesem Zeitraum die Ernennung zum Ehren-Mitglied der Leipziger ökonomischen Gesellschaft.

Das Diplom, welches Bechstein irrig Professor an dem weiblichen Erziehungs-Institut zu Schnepfenthal nennt, ist vom 8. October 1792 und vom Grafen von Einsiedel als Director unterzeichnet.

Die naturforschende Gesellschaft zu Jena sandte ihr unterm 14. Juli 1793 ausgefertigtes, von A. J. G. C. Batsch und A. N. Scherer unterzeichnetes Diplom.

---

*) Joh. Friedr. Müller war der Buchdrucker des Instituts zu Schnepfenthal, dem B. gern Verdienst zuwandte, nächstdem, daß es ihm eine große Bequemlichkeit war, die Correcturen und Revisionen ohne sonderlichen Zeitverlust und Portoausgaben lesen zu können.

Die literarische Thätigkeit des regsamen fleißigen Forschers war nun bis zum Frühling 1795, wo eine neue Lebenssphäre ihn zu umschließen begann, eine ungemein rührige, und man begreift kaum, wie er bei derselben noch seinen Berufspflichten obliegen konnte, was er doch mit aller Treue that, und dabei einen immer mehr sich ausbreitenden Briefwechsel wie die Beobachtungen der Natur in Wald und Feld fortzusetzen vermochte. Nächstdem beschäftigten auch kritische Arbeiten für die Societät der Unternehmer der allgemeinen Literaturzeitung, deren Herausgeber Hofrath Schütz und Justizrath Hufeland Bechstein für das Fach der Forst- und Jagdwissenschaft und der Naturgeschichte gewannen, während die Beiträge in den Spaziergängen, im Reichs-Anzeiger u. A. fortgesetzt wurden.

Der zweite Band der Naturgeschichte Deutschlands, welcher wie der erste, vom Publikum mit großer Theilnahme aufgenommen worden war, hatte doch auch in der allgemeinen Literaturzeitung No. 265. 1791 eine sehr abfällige Recension hervorgerufen. Gegen diese vertheidigte sich Bechstein auf eine würdevolle Weise in Nummer 131 des nächsten Jahrgangs, aus welcher sein redliches Streben und sein klarer Forschergeist hervorleuchtet.

Die Verbindung mit dem gleichstrebenden Pastor Goeze wurde innige hochachtungsvolle Freundschaft mit dem Austausch verwandter Ideen und wissenschaftlicher Forschungen. So schrieb Goeze nach einer schweren Krankheit, deren Erzählung ich aber hinweglasse, folgenden Brief, der ein helles Licht auf das beiderseitige Verhältniß wirft:

Quedlinburg, den 16. März 1792.

„Bester, zärtlichster Freund!

Ihr liebes Schreiben vom 6ten dieses hat mich gleichsam überrascht, und aus dem Traume geweckt. Bald, bald hätte mich solches im Grabe gefunden.

Verstohlener Weise muß ich diesen Brief schreiben. Es soll mir aber wahre Erholung sein, mich mit meinem redlichen und zärtlichen

Bechstein zu unterhalten, den mir der Himmel wieder nach dem Verluste meines Martini gegeben hat. Es muß Sie freuen, Bester! wenn ich Ihnen sage, daß Ihre Vogelgeschichte nach meiner Krankheit meine angenehmste Lectüre gewesen ist; so wie es mich freuet, daß ein Herz und Kopf, wie die Ihrigen, in meinem Cornelius einige Nahrung gefunden haben. Wahrlich! ich hätte es nicht geglaubt, daß dieses Büchlein, ob ich es gleich aus dem innersten Gefühl der Wahrheit geschrieben habe, diesen Beifall finden würde! Schwer, höchst schwer ist es mir geworden, zumal bey den jetzigen Aspekten, mich zu entschließen, den dritten Band, den Sie nach der Ostermesse erhalten werden, herauszugeben, wenn ich nicht durch meinen Verleger und aus Göttingen dazu determinirt wäre. Es war Glück, daß er vor meiner Krankheit fertig war, und, Gott sey ewig Lob! daß ihn meine älteste Tochter, nunmehro von 15 Jahren, die Vater Salzmann als Kind gesehen, revidiren konnte. Ich kann mich wirklich auf ihre Religionseinsichten verlassen. Das ist doch auch wahre Vaterfreude, und Belohnung einer guten Erziehung, aber auch traurig, daß ich wegen meines Alters und Schwachheit das nicht an meinen übrigen Kindern thun kann. Der dritte Theil ist und bleibt der letzte, so ungern ich schließe. Freund! Sie haben mir aber wohl zu viel geschmeichelt. Ich verdiene es kaum.

Ihre Vögelgeschichte hat meinen völligen Beyfall. Besonders hat mir die Einleitung und die beiden ersten Ordnungen der Raubvögel: Geyer, Falken, vorzüglich der Eulen gefallen. Ich habe bereits auch gesammelt; aber der Himmel weiß, ob ich es erlebe. Doch bin ich auf eine neue natürliche Eintheilung gefallen: denn die alte gefällt mir nicht, so wenig als Ihnen. Papageyen, Kolibrite und Krähen in einer Ordnung!!!

Die Hauptklassen: Landvögel, Wasservögel — bleiben."

Nun giebt Goeze das Schema eines neuen Systems, und fährt dann weiter fort:

„Ich unterwerfe das alles Ihrer Prüfung, und fühle es zu stark, wie schwer es sei: Eintheilungen zu machen, welche der Natur am nächsten kommen, welches doch die Hauptsache ist.

Nun geht Goezes Brief auf ornithologische und andere naturwissenschaftliche Einzelheiten über, und schließt:

Könnte ich doch noch mit Ihnen auf die Jagd gehen! Da wollten wir nicht schießen; sondern beobachten.

Dieser Brief ist mir sauer geworden. Wünschen und erbitten Sie mir nur erträgliche Gesundheit; so will ich sehr zufrieden sein. Tausend warme Grüße an Vater Salzmann.

Ganz und ewig der Ihrige
Goeze.

Im Jahr 1792 gab Bechstein noch heraus: Musterung aller bisher mit Recht oder Unrecht von dem Jäger als schädlich geachteten und getödteten Thiere rc.*) Mit Abbildungen. Gotha.

In demselben Jahre arbeitete Bechstein die Anmerkungen und die Revisionen der Uebersetzung von Lathams allgemeiner Uebersicht der Vögel aus, für welches Werk sich die Buchhandlung von Weigel und Schneider in Nürnberg ihm zur Verlagsübernahme geboten hatte. Es war aber eine Concurrenz dabei zu beseitigen, denn Fleischer in Frankfurt a. M. hatte ebenfalls eine Uebersetzung angekündigt, und bereits mit Bechstein darüber abgeschlossen, die Revision der Uebersetzung zu besorgen.

Von Leipzig aus schrieben unterm 10. Mai 1792 Weigel und Schneider unter anderm:

„Wir haben der Freude, mit Ew. Wohlgeboren in nähere Bekanntschaft zu gerathen, ein Opfer gebracht, und Herrn Fleischer in Frankfurt a. M. seinen Latham nebst gehabten Unkosten bezahlt. Wir bitten jetzo Ew. Wohlgeboren uns an die Stelle Ihres ersten Contrahenten treten zu lassen, und den zweiten Band nach Ihrem Plan zu

*) Die vollständigen Titel wird das am Ende beigefügte Verzeichniß der Schriften J. M. Bechsteins enthalten.

bearbeiten, auch die Anmerkungen zum ersten Band dem zweiten beizufügen, und das zu ersetzen, was der Uebersetzer übersehen haben möchte.

Von der Uebersetzung von Lathams allgemeiner Uebersicht der Vögel erschienen vorerst 3 Theile von 1793—1794 in groß Quart mit vielen ausgemalten Kupfertafeln, und 1793 kam auch der Anhang zum ersten Bande heraus.

Bechstein widmete den zweiten Band des ersten Theils dem Hofrath und Professor Blumenbach zu Göttingen, dem Professor Batsch zu Jena, und dem Botaniker B. C. Otto, Professor zu Frankfurt a. d. O., dessen Dankschreiben ich mittheile, weil dasselbe wissenschaftliche Beziehungen enthält.

„Frankfurt a. O., den 30. Dec. 1793."

„Da der Herr G. B. Pauli in Berlin den zweiten Theil von Lathams Vögeln unter seinen übrigen Meßsachen verlegt hatte, so habe ich denselben so spät erhalten, daß ich Ihnen sehr undankbar erscheinen werde, wenn Sie glauben, daß ich schon lange im Besitz desselben sei und nun erst meinen Dank dafür abstatte. Ihren gütigen Brief habe ich früher bekommen und vermuthete daraus, daß es Latham sei, welchen Sie dabei geschickt hatten und so verhielt es sich auch, sobald ich diesen Theil und Ihre gütige Zueignung an mich darin sahe. Möchte ich doch diese letztere so sehr verdienen, als Sie es freundschaftlichst vermuthen! Wenigstens wird mir Ihr Urtheil eine große Aufmunterung sein, dieses Fach nicht ganz liegen zu lassen, da es das Urtheil eines ächten Beobachters, obgleich etwas zu gütig für mich, ist. Ich kann sonst bei meinen Vorlesungen und übrigen Geschäften jetzt selten einige Stunden auf die Zoologie wenden und nur in den Messen am Buffon arbeiten. Manche vormalige Beobachtung ist durch Länge der Zeit meinem Gedächtnisse ziemlich entwischt. Zum Glücke habe ich das wichtigste aufgeschrieben, und manche Bilder, die ich in Gesellschaft des lieben Bruders auf der Jagd und dem Meere sammlete, werden niemals in mir vertilgt werden. Es wird nun bald wieder ein Theil von Buffons

Vögeln fertig und Ihnen zugeschickt werden. Verzeihen Sie, daß ich mich bei dem Kukuk so sehr auf Ihre schöne Erfahrung berufen habe. Ich würde mir schon längst den 3ten Theil von Ihrer Naturgeschichte Deutschlands angeschafft haben, wenn ich nicht aus Ihrem Briefe sähe, daß Sie mir denselben gütigst zuschicken wollen. Ich bin besonders auch auf Ihre Nachricht von der Ueberwinterung der Schwalben neugierig. Ich habe nie welche im Winter erstarrt auftreiben können. So wie ich die großen Reisen der Heeringe bezweifle. Des Sommers beschäftige ich mich noch immer mit der Botanik, obgleich der Garten hier viel schlechter als in Greifswald ist. Auch werde ich mal wieder Vorlesungen über die Mineralogie halten, um die in den letzten Jahren gekauften Stücke der systematischen Sammlung einverleiben zu können. Wenn meine 4 Söhne größer werden, so hoffe ich, daß jeder derselben einen besondern Theil der Naturkunde studieren werde. Wenn sie etwas darin bewandert sind, schicke ich sie dreist zu Ihnen, um durch Ihre Anleitung Thüringens Naturschönheiten kennen zu lernen. Meine alten Lehrer, Linné u. A. leben nicht mehr! und meine besten Jahre streichen auch bald dahin. Allein mein Herz ist noch sehr warm gegen würdige Priester der Natur, für meine Freunde und besonders für Sie!

B. C. Otto.

Ich bitte, mich dem jungen Herrn von Balthasar zu empfehlen. Der Herr Prediger Piper gedenkt noch mit Freuden der Reise zu Ihnen."

Der erste Theil des zweiten Bandes von Latham wurde dem Amtshauptmann der Gotha-Altenburgischen Aemter Leuchtenburg und Orlamünde Staatsminister Sylv. Fr. L. Freiherrn von Frankenberg gewidmet.

Ein anderer gleichzeitig entworfener Plan Bechsteins scheint nicht in das Leben getreten zu sein, nämlich ein Almanach der Naturgeschichte für Kinder. Die Namenstage des neuen französischen Kalenders scheinen die Idee dazu hervorgerufen zu haben. Folgende eigenhändig geschriebene Anzeige dieses Unternehmens ist alles, was mir davon zu Gesicht gekommen:

„Künftige Ostermesse wird bei uns von Herrn Bergrath Bechstein erscheinen: Almanach der Natur für Kinder, Deutsch und Französisch in 2 Oktavbändchen. Es wird derselbe eine deutliche und gedrängte Beschreibung jedes Namenstages des neuen Französischen Kalenders, doch, wie es sich von selbst versteht, mit Beybehaltung unserer Zeitrechnung, und über jeden Artikel, wo es schicklich ist, ein kleines illuminirtes oder schwarzes Kupfer, das den Gegenstand anschaulich darstellt, enthalten. Dies Buch soll, wie wir hoffen, nicht nur ein sehr zweckmäßiges Lesebuch für Kinder, sondern auch ein schickliches Lehrmittel für Erzieher und Erzieherinnen abgeben. Die Französische Uebersetzung wird ein geborner Franzose besorgen.

Die Kaiserl. privilegirte Weigel und Schneidersche
Kunst= und Buchhandlung."

Unter den Briefen antheilnahmevoller Freunde und Gönner Bechsteins an denselben aus dieser Periode seines Wirkens befindet sich auch ein ganz eigenhändiger des oben schon erwähnten damaligen Statthalters von Erfurt, Freiherrn von Dalberg, aus dem dieses Mannes umsichtiger Blick ein Bezug auf jedes wissenschaftliche Streben und Wirken mit erhellt.

„Hochgeehrtester Herr!"

„Ich danke ihnen Verbindlichst für die mittheilung Ihrer beyden gelärten und angenehmen Werken; und ihres gründlichen Vorschlags. Sie beobachten die Natur mit Scharfsinn, und schildern sie mit darstellender Farbe der Wahrheit. Ich lese diese Schriften mit Nutzen und wahren Vergnügen und da fallen mir die Fragen ein: Ob nicht noch manche Thierarten durch Bezähmung nützliche Haußthiere werden könnten? Ob nicht Arzney-Kunst und Handwerker Von manchen Thierischen Bestandtheilen bessern Gebrauch machen könnten? Fragen deren Beantwortung nur durch manche Versuche möglich wird. Auch dafür danke ich ihnen Mein Herr, daß sie die unschädlichkeit und den nutzen mancher Thiere zeigen; und diese geschöpfe gegen ungerechtes plagen in

3*

Schutz nehmen. Ersteres macht Ihrem Kopf, letzteres Ihrem Herzen Ehre. Ich freue mich, wenn ich denke, daß sie die Zöglinge des treflichen Salzmannischen instituts zum Studium der Natur ermuntern und wünsche mir Gelegenheit diejeniche Hochschätzung zu bezeigen mit der ich bin

Dero

Erfurt, den 2. Aug. 1793.

ergebenster Diener
Dalberg.

An
Herrn Bechstein
professoren der Naturlehre.
f. Gota. Schnepfenthal."

Unterm 20. September 1793 kündigte Bechstein und die Buchhändlerfirma A. G. Schneider und Weigel in Nürnberg im Reichs-Anzeiger ausführlich die Getreuen Abbildungen naturhistorischer Gegenstände an, ein Werk, das lange günstigen Fortgang, wiewohl auch manchen Verdruß in seinem Verlaufe hatte.

Das Jahr 1794 brachte Bechstein die Ernennung zum Ehrenmitgliede der naturforschenden Gesellschaft in Göttingen. Das Diplom haben der Director Dr. med. F. L. A. Köhler, und der Secretair Heinr. Adolf Schrader unterzeichnet; es ist ohne Datum.

Die Gesellschaft naturforschender Freunde zu Berlin sandte ihr unterm 5. August 1794 ausgestelltes Diplom. Dasselbe ist von allen damals in Berlin verbundenen Mitgliedern, deren Zahl die Statuten auf nicht über 12 beschränkten, eigenhändig unterzeichnet, und zwar von Martin Heinrich Klaproth, Friedrich Wilh. Siegfried, J. Fr. Wilh. Herbst, Dr. Jacob Phil. Polisson, Friedrich August von Burgsdorf, M. Elieser Bloch, Joh. Ebert Bode, Fr. Wilh. Otto und Carl Ludw. Gronau.

In demselben Jahre fertigte die Regensburger botanische Gesellschaft für Bechstein das Aufnahmediplom unterm 22. September aus, welches der damalige Director Dr. Joh. Jacob Kohlhaas und der Secretair Arnold Bergfeld unterzeichneten.

Noch fällt in den Schluß dieser Periode die Ausarbeitung und das Erscheinen eines Buches, auf welches Bechstein den größten Fleiß, die größte Sorgfalt verwandte, das er mit aller ihm eigenen Vorliebe für die Sängerwelt der Triften und Haine ausarbeitete. Dies war die Naturgeschichte der Stubenthiere, und zwar deren erster Band: die Stubenvögel. Es erschien bei Carl Wilhelm Ettinger in Gotha, und gewann sich im höchsten Grade die Gunst und den Beifall des Publikums, welche noch heute lebendig sind, nachdem über ein halbes Säculum vergangen, seit er, am 20. October 1794, die Vorrede zur ersten Auflage schrieb, und nachdem noch manches andere brauchbare Buch über deu gleichen Gegenstand erschienen, obschon zum Theil auf das Seine sich stützend, aus dem Seinen geschöpft. Hier war alles berücksichtigt, alles erschöpfend behandelt, der Vögel Gesang und Aufenthalt, Fang, Zähmung und Wartung, Fortpflanzung und Krankheiten in der Gefangenschaft, ihr Alter und ihre Annehmlichkeiten. Der Natur im eigentlichsten Sinne abgelauscht sind jene Laut- und Gesangbezeichnungen mit Buchstaben und Worten, und dabei überall die Interpolationen aus dem Volksmund wiedergegeben, in die der einfache Sinn der Hirten und Landleute, der Fischer und Jäger die wohllautend tönende Sprache der Vögel übersetzte, und die dem eifrigen Forscher um so zugänglicher wurden, je mehr er ein Mann des Volkes war und das, was er von andern hörte, mit der eigenen Erfahrung verglich und in Einklang zu bringen verstand.

IV.

Das Forstinstitut auf der Kemnote bei Waltershausen.

Der Beifall, den Bechsteins Schriften allenthalben fanden, die vielfachen belobenden Aufmunterungen, und der Drang, seiner natürlichen Neigung für Verbesserung des Forst- und Jagdwesens selbstständig und ungehemmt folgen zu können, ließen in ihm einen Plan reifen, der ihm Lebensplan wurde, und dessen Verwirklichung er mit allen Kräften nachstrebte.

Es war der Plan, ein Forst-Institut zu errichten, denn „er glaubte, daß, wenn das Forst- und Jagdwesen besser werden sollte, dieß vorzüglich durch einen zweckmäßigern Unterricht geschehen müsse, da er bisher eine gute Forst-Verwaltung wohl in Büchern, selten aber in den Wäldern, sowohl in der Nähe, als in der Ferne gefunden hatte, vielmehr eine verkehrte, gegen alle mathematische und physikalische Grundsätze streitende Bewirthschaftung der Wälder, fast allenthalben bemerkte. Dadurch wurde der Gedanke immer lebhafter in ihm, daß, wenn alle Zweige des menschlichen Wissens zu derjenigen Vollkommenheit gelangen sollten, die er für Menschenwohl so unentbehrlich hielt, hauptsächlich auch eine Reformation der Forst- und Jagdkunde geradezu erzielt werden müßte. Und ob es gleich damals schon ausgezeichnete Forstmänner gab, welche den jungen Leuten, die bei ihnen in der Lehre standen, bessern Unterricht in diesen Fächern ertheilten, als es gewöhnlich geschah, wie z. B. im Gothaischen selbst der Oberförster Bauer in Georgenthal, so schien ihm doch jener Unterricht nicht gründlich und systematisch genug. Er arbeitete daher einen eigenen, neuen, theoretischen und praktischen Lehrplan zur Erlernung der Forst- und Jagdkunde, oder für eine Lehranstalt, die den Namen einer Forstacademie führen könnte, aus, und theilte diesen seinen gelehrten und sachverständigen Forstfreunden mit. Dieser Plan fand allgemeinen Beifall, und selbst der Oberforstmeister v. Burgsdorf gründete darauf den seinen zur Anlegung einer Forstacademie, wie er im zweiten Theil seines Forsthandbuchs abgedruckt ist."

„Bechstein glaubte nun, daß es seine Schuldigkeit sei, seine Kräfte und Kenntnisse in diesem Fache vorzüglich und zuerst seinem Vaterlande anzutragen und reichte daher im Winter 1791 den Plan bei seiner Landesherrschaft in Gotha ein. Aber die damals eben begonnenen Gährungen in Frankreich, und der Einfluß einiger Männer, die einem solchen Besserwissen nicht hold waren, machten, daß nicht darauf geachtet wurde, ohngeachtet, daß Bechstein sich erbot, für eine, nur auf etliche Jahre nöthige Unterstützung von 800 Thalern, alle Gothaischen und Altenburgischen Forsteleven unentgeldlich zu unterrichten, und sein Institut, wie Plan und Ausführung zeigten, vorzüglich wohlthätig auf die Forstmänner seines Vaterlandes wirken sollte und mußte."

„Da Bechstein fest überzeugt war, daß nur allein auf diesem Wege Harmonie in die Wälder zu bringen sei, so sparte er alles, was er durch seine Schriften verdiente, auf, um sein Vorhaben mit eigenen Kräften und auf eigene Hand auszuführen, wozu ihm auch alle seine Freunde und Gönner riethen, namentlich der Oberhofmeister von Zach und der Oberforstmeister von Burgsdorf."

Das passendste Lokal für sein Institut hatte Bechstein mit Kennerblicken längst gefunden; es war die sogenannte freie Kemnote*),

*) Wenn auch nicht für das große Publikum, so doch für das in der betreffenden Gegend, werden die hier gegebenen nähern Notizen über das Freigut die Kemnote, nicht ohne einiges Interesse sein.

ein dicht vor dem Burg-Thore der Stadt Waltershausen und dicht am Burgberg und dem Aufgang nach Schloß Tenneberg gelegenes Haus und Freigut.

Diese Kemnote war als Oekonomie-Haus für die Burg Tenneberg schon im Mittelalter erbaut worden, und diente damals Burgmännern zur Wohnung.

Im Jahr 1588 belehnte Herzog Johann Casimir zu Coburg als damaliger Landesherr mit der Kemnote, dem Hof und zweien Gärten die Edelleute Georg und Friedrich von Vttenrodt (Uetterodt) wie auch Curt Veit von Witzleben wegen seiner Frau, Catharina, Andreas Vettenrodt sel. Tochter. Später 1617 verkaufte Herzog Johann Casimir die Kemnote an den Schösser Breithaupt. Ernst der Fromme belehnte 1651 die Erben Georg Breithaupts, gewesenen Schösser auf Schloß Tenneberg als: Johann, Johann Caspar, und die hinterlassenen Kinder ihrer verstorbenen Schwester: Anna Catharina, Johann Ernst, Kunigunde Magdalene, Catharine Marie, Anne Margarethe, Marthe Elisabethe, und Christiane Margarethe mit „der freien Behausung, die Cämmeten genannt", welche Johann Casimir dem genannten Schösser, sammt einer „Wieten und Gestrüppich, so vordessen zur Cämmet gehöret," acht Acker und fünf und sechzig Ruthen groß, nebst zehn Klaftern Buchen- und Tannenholz, Holz zur Unterhaltung der Röhrenfahrt, und allen übrigen Pertinenzien 1617 verkauft hatte.

Ein weiterer Lehnbrief, unterzeichnet vom Herzog Friedrich I. von Sachsen Gotha vom Jahr 1680 läßt Burckhardt Sellnstädten als Besitzer der Kemnote erscheinen, und zugleich geht aus demselben hervor, daß Selnstadt die Kemnote unterm 4. August 1679 von Johann Heckspann, Amtsverwalters zu Niestädt hinterlassenen Erben erblich erkauft habe, der sie 1663 von Friedrich Bernhard von Wangenheim erkaufte, welcher letztere sie von dem Hofmeister Herzog Johann Casimirs Georg von Kötschau zu Wangenheim, an dem die Kemnote durch die Breithauptischen Erben gelangt war, käuflich erworben.

Weiter erscheint ein Lehnbrief, von Herzog Friedrich II. unterzeichnet, und 1708 ausgefertigt, der dem Rath und Amtmann Georg Röhnen zu Tenneberg und seinen Erben die zum Theil von Just Heinrich Sellenstedten, zum Theil subhasta erkaufte 2c. freie Behausung, die Kemnote genannt, sammt allen Zugehörungen, bestätigt.

Nach Georg Rhön wurde von Herzog Friedrich III. unterm 19. Mai 1733 der Cammer-Consulent Johann Caspar Hopf als Besitzer der Kemnote mit allem, was dazu gehörte, und was Herzog Johann Casimir mit ihr verkauft hatte, bestätigt.

Nach Johann Caspar Hopfs Absterben fiel die Kemnote an seine Enkelinnen, von denen zwei verehelicht waren, und der Mann der jüngsten, Henriette Sophie, Obrist-Lieutenant Georg August Wilhelm Schrader wurde Lehenträger des Freiguts. Als auch dieser verstorben war, wurde der Consistorialsecretär Johann Benjamin Lottermann Lehenträger der 6 Hopfischen Geschwister, und als solcher von Herzog Ernst 1774 bestätigt.

Schon 1789 fanden Unterhandlungen mit den Hopfischen Erben wegen Verkaufs der Kemnote in Waltershausen und in Schnepfenthal Statt, welche aber André, der wahrscheinlich, weil Bechstein vorläufig ungenannt bleiben wollte, leitete, und es wurden 6000 Thaler, den Laubthaler zu 1 Thlr 15 Gr., ein für allemal geboten.

Erst im Jahr 1794 ward der Kauf vollzogen.

Die Gebäude waren im erbärmlichsten Zustande, nur der Grundbesitz und die vielen auf der Kemnote haftenden Gerechtsame, nächst der für Bechsteins Zwecke günstigen und wünschenswerthen Lage machten den Besitz angenehm. Es bestand das Gut aus folgenden Stücken*), deren Beschreibung analog eines authentischen Actenstücks, eine naive Komik entwickelt.

1) Ein altes dreistöckiges Wohnhaus, die alte Kemnotte genannt, fast total verwüstet und fast nicht zu repariren.

---

*) Diese Mittheilung beruht auf der vom Herzogl. Oberlehnhof angeordneten, mit dem Siegel des Steinsetzer-Collegiums versehenen Taxation durch den Geometer und verpflichteten Steinsetzer Joh. Matth. Sahlender sen. zu Waltershausen.

2) Das alte vordere Wohngebäude, gar nicht mehr wohnbar, und gar nicht mehr zu repariren.
3) Das Seitengebäude, Schoppen und Ställe, von schlechter Beschaffenheit.
4) Das Brauhaus und Branntweinbrennerei-Gebäude, ohne Gefäße, und die kupferne Braupfanne gestohlen worden.
5) Die Scheuer, wovon ein Theil noch gut, der andere aber einstürzen will; Sparren, Balken und Schwellen verfault.
6) Das Taubenhaus, welches zwar unten auf einer steinernen Säule ruht, oben aber verfault ist.

(Diese Steinsäule ist sehr artig verziert. Man erblickt oben 2 Füchse heraussehend, aber nur einen in eine Oeffnung kriechenden Hinterleib des Fuchses).

7) Bei 3 Acker Obstbaum-, Gras- und Grabe-Garten mit dem Hof- und Grundrecht sämmtlicher Gebäude, „allhier ist dünner, kalksteinigter Boden."

Besser lauten die Gerechtsame. Diese waren in der Kürze: Das Recht einen Springbrunnen auf dem Hofe zu halten, zu welchem die Herrschaft die nöthigen Brunnröhren waldmiethfrei abgiebt, das miterkaufte Lehnbuch und die Lehnsgerechtigkeit über eine Menge Waltershäuser Grundstücke, Brauhöfe u. dgl., wo bei jedem Kauf 7½ Procent Lehngeld an den Besitzer der Kemnote zu entrichten war.

Dies allein war mit 1800 Thaler angeschlagen, während alles vorher Angeführte noch nicht 1400 Thaler taxirt war. Ferner die Erbzins-Gefälle und Naturalien, die Brau-Gerechtigkeit, die Schaftrift-Gerechtigkeit, die Begnadigung mit 10 Klafter waldmiethfreiem Scheitholz, und mit 8 Ackern erb- und lehnfreien Wald- und Grummets-Wiesen, einem Krebswasser, und einem Teiche hinter dem Burgberg.

Dazu kamen noch die miterkauften Allode 1¼ Acker Wald- und Grummetswiesen unterm Stimmelsberge, 12 Acker Land in der Waltershäuser Flur, zwischen dem Schwarzhäuser Fahrweg, und den Steinbrüchen, an die Langenhainer Flur angrenzend, 11¼ Acker vor dem Ziegenberge, zwar schlechtes Bergland, aber von Bechstein in einen großen Garten verwandelt; ein kleiner Teich über dem Löbers Gute, in dessen Nähe die Quellen springen, die den Kemnate-Brunnen speisen, endlich das sogenannte Langenhainer Gut, 36 Acker Land 2c.

Die Taxe des Gutes, nach Abzug mehrerer Gefälle, betrug 6594 Reichsthaler.

Nachdem der Kauf 1794 abgeschlossen war, galt es vor allem die Gebäude wieder wohnlich und brauchbar herzustellen.

Auf den Lehnbrief von 1794 hat Bechstein eigenhändig geschrieben:

> **Bemerkung: Bei Abreissung des Erkers am Vorderhause auf der Kemnotte fand sich an zwey Bändern eingeschnitten, dass dasselbe 1576 von Wilhelm von Uetterodt erbaut war. Bechstein. D. 1. Juli 1794.**
>
> **Ich habe diese Bänder wieder als Riegel lassen einziehen neben der Hausthür an der Vorderseite.**

Während nun der Bau und die Wiederherstellung rasch und eifrig betrieben wurde, war Bechsteins Plan der von ihm zu errichtenden Forstlehranstalt sowohl brieflich, als durch den Reichsanzeiger 1794. 7. Oct. viel verbreitet worden, und es gingen eine Menge theils aufmunternder, theils anfragender Schreiben ein. Auch der Coadjutor von Dalberg äußerte sich im ersteren Sinne gegen Bechstein im folgenden Briefe:

„Hochgeehrter Herr!"

„Ihre Ankündigung einer Forst-Accademie hat mich sehr erfreuet; und da Ew. Wohlgeboren mit vielem Scharfsinn unermüdet alles erforschen, sammeln und ordnen, was dazu beitragen kann, die so nützliche Forstwissenschaft auszubilden und zu verbreiten; so bin ich überzeugt, daß Sie Ihr Vorhaben sehr zweckmäßig ausführen werden. Ich werde jede Gelegenheit benutzen die mitgetheilte Nachrichten bekannt zu machen.

Ich bin mit besonderer Hochschäzung

Dero ergebenster Diener
Carl Coadj."

Erfurt, den 18. July 1794.

Die das neue Forstinstitut zu Waltershausen betreffende Ankündigung ist auch in der Diana oder Gesellschaftsschrift zur Erweiterung und Berichtigung der Natur-, Forst- und Jagdkunde, herausgegeben von Johann Matthäus Bechstein, erster Band, Waltershausen, 1797. abgedruckt.

„Die Ankündigung war kaum erschienen", schrieb Bechstein selbst nieder: „als auch schon, ehe er noch mit den Wohnungen und der nöthigen Einrichtung in seinem Hause fertig war, ihm Söhne und Empfohlene der angesehensten Forstmänner und Jäger Deutschlands zugeschickt wurden, so daß schon im Sommer 1794 der Unterricht seinen Anfang nehmen konnte. An diesem nahmen der Sohn des sich eine Zeit lang in Waltershausen aufhaltenden Reichsgrafen von Mellin und mehrere Söhne der Bechstein befreundeten Forstmänner aus der Nähe Theil."

Besonders förderlich für das Unternehmen hatte die Ankündigung durch den Reichs-Anzeiger gewirkt.

Bechstein war im Frühjahr 1795 mit Dank und Rührung ganz aus Salzmanns Institut geschieden, und eröffnete am 10. Mai desselben Jahres seine Lehranstalt mit einer passenden Feier, zu welcher seine nahe wohnenden Freunde und Gönner geladen waren, mit Reden nebst Ceremonien, die im oben angeführten Band der Diana mitgetheilt sind.

Die Eröffnungsrede erwähnte der Anlegung eines Sittenbuches. Dasselbe ist noch in meinem Besitz, es enthält die Einzeichnungen über Fleiß, sittliches Betragen und Fortschritte der anvertrauten Zöglinge so treulich und gewissenhaft, wie es der redliche Mann versprach. Bei jedem Eleven steht zunächst die von demselben beim Eintritt in das Institut eigenhändig unterschriebene Eidesformel voran. Die drei ersten Eleven Bechsteins unterzeichneten am Tage der Eröffnung der Anstalt Peter Aichner, Arnold Friedrich Wilmanns, und Carl Ernst von Oerzen, Sohn des Landrathes von Oerzen zu Großen Viehlen in Mecklenburg.

Die Hülfslehrer am Bechsteinischen Forstinstitut waren sein Schwager, Dr. Reinecke, welcher deutsch, französisch und Zeichnen, Rector

Beutler, welcher lateinisch, v. Liebhaber, welcher praktischen Unterricht in den Jagdkenntnissen, und Sahlender jun., welcher Geometrie lehrte und praktischen Unterricht im Feld-, Wald- und Bauriß machen gab. Es bestand ein Vertrag mit diesem Lehrerpersonale, der gegenseitige halbjährige Vorauskündigung einschloß.

Der nächste Zögling, welcher in das Institut eintrat, war der königlich Preußische Forst-Eleve Carl Wilhelm von Burgsdorf, Sohn des Geheimerath ꝛc. von Burgsdorf zu Berlin. Diesen und einen andern ebenfalls königl. preußischen Forst-Eleven, den jungen Baron Friedrich Ludwig August von Schilden führte Geheimerath von Burgsdorf der Anstalt selbst zu, und hocherfreut über die persönliche Anwesenheit eines so bedeutenden Mannes veranstaltete Bechstein einen feierlichen Aufnahmeakt am 14. Junius 1795, nachdem die Einschreibung ins Sittenbuch bereits am 12. erfolgt war, zu welcher Feier er wiederum die Gönner seines Instituts versammelte. Von Burgsdorf hielt bei dieser festlichen Gelegenheit eine anerkennende Rede, welche von Bechstein erwidert wurde.

„Um sich zweckmäßig in seinem Fache, (der Jägerei) eingeweiht zu sehen" zeichnete Bechstein von sich auf: „ob er gleich seither mehr Jagden mitgemacht und mehr geschossen hatte, als die meisten alten, bei einem Lehrprinzen in der Lehre gestandenen Jäger, ließ er sich durch Geheimerath von Burgsdorf examiniren und erhielt von demselben einen förmlichen auf Pergament zierlich geschriebenen und mit dem großen Siegel des Königlich Preußischen Forstdepartements zu Berlin besiegelten Lehrbrief.

Dieses anziehende Document ist noch im Original in meinem Besitz und lautet:

„So wenig es bei der Forst- und Jagdwissenschaft darauf ankömmt, drey Jahre lang in die Lehre gedungen gewesen zu seyn, Waldbüßer gepfändet, und ein Stück Wildbret geschossen zu haben; so gewiß ist es, daß der Lehrbrief den zünftigen Jäger macht."

Daß Vorzeiger dieses, der Herr Johann Matthäus Bechstein, Gräflich Schaumburg-Lippischer Bergrath, Vorsteher einer Anstalt zur Bildung junger Forstmänner und Jäger auch Kameralisten, der naturforschenden Gesellschaft in Halle, der Churfürstlich Manzischen Akademie nützlicher Wissenschaften, der Churfürstlich Sächsischen ökonomischen Sozietät zu Leipzig, der Gesellschaft naturforschender Freunde zu Berlin, der botanischen Gesellschaft zu Regensburg, und der physikalischen Privatgesellschaft zu Göttingen Mit- oder Ehrenmitglied. — durch sein Forst- und Jagd-Unterrichts-Institut, nicht nur, sondern auch durch seine rühmlichen Schriften über Forst- und Jagdwesen, welche der Welt vor Augen liegen, weit mehr Kenntnisse bewiesen habe, als von einem förmlich ausgelernten Jäger erwartet werden können; Solches darf wohl keinen Widerspruch befürchten, und die dargethane Grundsätze des Herrn ꝛc. Bechstein, welchen ich auf dessen Verlangen über diese Wissenschaften heute mündlich geprüfet habe, bestimmen mich zur Ablegung der Vorurtheile, um Denselben nicht nur als einen ausgelernten Jäger und Forstmann anzuerkennen, sondern auch Demselben hierüber dieses Zeugniß anstatt eines Lehrbriefes, und zur nemlichen Wirkung, ausfertigen zu lassen. So geschehen zu Waltershausen, den 15. Junius 1795.

Friedrich August Ludwig von Burgsdorff.

(L. S.)

Beigeschrieben ist von Burgdorfs ganzer Titel.

Am 20. Junius desselben Jahres traten wieder zwei neue Eleven ein: Johann Friedrich Meyer und Johann Carl Philipp Wilhelm von Löwenclau; im October kam Friedrich von Tettenborn.

Die für die wachsende Zahl der Hausgenossen sich auch naturgemäß steigernde Sorge und Mühe gab der Hausfrau genug zu schaffen, und vermehrte die Arbeiten des Directors, der auch über die Ausgaben der Eleven Buch führte, und sich selbst zur Pflicht machte, den Aeltern fleißig Bericht über die Söhne abzustatten.

Immer suchte Bechstein neben der Wissenschaft, deren treuer und gewissenhafter Priester er war, in den Zöglingen das sittlich-religiöse Element fortzupflanzen durch Erhebungen des Gemüths und durch Hinweisung auf Gott in der Natur, bei angemessenen Feierlichkeiten, für die er Sinn und Neigung aus Schnepfenthal mitgebracht hatte. So hielt er, als im Winter 1795 einige Eleven öffentlich aufgenommen wurden, eine, wie es scheint verloren gegangene Rede über die Schönheiten und Vortheile des Winters, welcher er folgenden Gesang vorher gehen ließ:

Mel.: Freude schöner Götterfunken.

So beginnt die heil'ge Feier!
Wünscht der Mutter Erde Ruh!
Stürme! mit dem dichtsten Schleier
Decket sie im Schlummer zu!
Vor des Schnitters Sichel sanken
Klee und Halmen, Purpurwein
Schmückte des Geländers Ranken,
Und der Eiche Frucht den Hain.

Chor.

Nach der Arbeit ist gut rasten;
Wünscht der Erde sanfte Ruh!
Mutter, laß uns so wie du
Nach vollbrachtem Tagwerk rasten.

Wo die Winde schüchtern schweigen,
In der Tannen Finsterniß,
Wo sie immer grünen Zweigen
Einen Tempel bilden hieß,
Hält die Schöpferin des Lebens,
Die Natur, den Ruhetag;
Darum blieben nicht vergebens
Um ihr Bett die Wesen wach.

Chor.

Auf! kein Wintersturm entschuldigt!
Ihres Tempels Diener, eilt

Zu dem Haine, wo sie weilt,
Wo ihr jedes Wesen huldigt!

Grüner wird des Mooses Teppich,
Färbt und bläht sich wundersam,
Grüner windet sich der Eppich
Um den weißgefleckten Stamm;
Um das Dach der grünen Hallen
Zittert funkelnd eine Last
Reingeschliffener Krystallen
Vom gebognen Fichtenast.

Chor.

Auf zum grünen Tannenhügel!
Laßt den blanken Spiegelsaal!
Schöner ist des Hains Krystall,
Schöner seiner Teiche Spiegel!

In des Heiligthumes Schatten
Wird ein neuer Frühling wach,
Schöner färben sich die Matten,
Dunkler wird sein grünes Dach.
Zapfen hängen um die Aeste,
Und die Flechte blüht im Thal;
Vögel baun am neuen Neste,
Sonnen sich am Mittagsstrahl.

Chor.

Auch des Weisen Ruhetage
Zeichnet stille Thätigkeit,
Saaten, scherzend ausgestreut,
Reifen auch dereinst zum Schlage.

Wenn des Haines Wipfel glänzen
Perlenklar und schleierweiß,
Paart in selbstgewundnen Kränzen
Epheu mit dem Tannenreis.
Fliegt zum Haine, der zu Ehren
Seiner Göttin sich erneut,
Schwört! die Wipfel sollen's hören!
Ewig frohe Thätigkeit.

Chor.

Wer vom Winterschläfer stammet,
Schließe sanft die Augen zu;
Brüder! wünscht ihm ewge Ruh,
Der sich selbst zum Schlaf verdammet!

Die poetische Schönheit des obigen Gedichtes zeugt von dessen Verfassers Dr. Reinecke sehr glücklicher Begabung auch in diesem Gebiete.

Folgende sind die Namen der später aufgenommenen Eleven: Carl Balduin Ernst Heinrich Schubart von Kleefeld, Graf Ludwig zur Lippe, Wilhelm von Arnim, Johann Philipp Wittwer, Maximilian Baron von Elking, von Lützow, von Motz, Alexander Graf Platen und Hallermund, von Exter, von Minnigerode, von Imhof.

An vielen der Zöglinge erlebte Bechstein die größte Freude, nicht an Allen. Die Strenge, mit der über das sittliche Betragen gewacht wurde, hielt grobe Ausschweifungen gänzlich fern, aber übler Wahl des Umgangs, kleinen Zwistigkeiten, unerlaubten Excursionen, Schuldenwirken u. dergl. mußte wohl bisweilen in den Censuren gedacht werden. Die meisten Eleven hatten ein gutes Lob des Fleißes, nur einen Einzigen sah Bechstein ohne Hoffnung aus der Anstalt scheiden, nennt ihn „ein Muster aller Lüderlichkeit," und notirte von ihm: „Er declarirte: er könne nicht fleißig sein."

Obschon die im Druck ausgegebenen Ankündigungen die Einrichtungen der Forstlehranstalt enthalten, wird es für Pädagogen unter meinen Lesern doch nicht ohne Interesse sein, zu erfahren, daß auch ein im Ganzen strenges und umsichtig ausgearbeitetes Hausgesetz bestand, das Bechstein für seine bei ihm wohnenden Pensionairs 1796 ausarbeitete.

Dasselbe wurde, von des Directors eigener Hand gut und deutlich geschrieben, dem erwähnten Sittenbuche einverleibt. Wilmans, Aichner, von Arnim, von Schilden, von Kleefeld, von Löwenklau, von Burgsdorff, von Motz und Witwer haben es eigenhändig unterschrieben. Es geht daraus hervor, daß zum Beginn der Stunden geschellt, daß zuerst Betstunde mit Gesang (wie in Schnepfenthal) gehalten wurde, daß Strafgelder, die von den Taschengeldern abgezogen wurden, eingeführt waren, daß ein eigenes Garderobezimmer bestand, zu dem wöchentlich Einer den Schlüssel als Custos führte; gegen Schuldenmachen wurde keine Bürgschaft geleistet, Borgen und Tauschen war untersagt, ebenso Selbsthülfe, Fluchen, Schwören, Kartenspielen, Branntweintrinken u. s. w.

Es fehlten im Leben des Instituts nicht die kleinen Illusionen, die sich aufblühende Jugend so gern macht, sie wurden aber nicht in alle Wege gepflegt und gut geheißen. Der Vater eines der Zöglinge schrieb dem Sohn über eine derselben, das Tragen der Hirschfänger und Federbüschen folgendes:

„Du bittest mich um die Erlaubniß, einen Hirschfänger tragen zu dürfen, und um einen dergleichen mit einem alten Wehrgehänge von mir. Ich schreibe dem Herrn Bergrath darüber umständlich, daß die Lehrjungens nicht nach edlem Jägerei-Gebrauch zieme, Hirschfänger zu tragen, und daß das Institut sich dadurch dem Hohn und Spott aller vernünftigen Männer aussetze. Wenn daher auch sämmtliche Jungens, die dort in der Lehre sind, das heißet nicht studieren, Hirschfänger tragen, wenn sie alle gleich Livree-Jägerburschen Federbüsche auf großen unflätigen Hüten mit Bummeln tragen, so sollst Du es doch durchaus nicht, sondern Dich uniformmäßig stricte tragen. Denn Dir als — — — — kömmt es nicht zu, an Deiner Uniform etwas zu ändern, die

Du von hier mitgebracht hast. Ich hoffe, die Herren von S. und von A. werden auch so vernünftig sein, und sich nicht daran kehren, was andere thun. Ihr müßt den Gedanken von Studenten gänzlich verbannen, und euch für weiter nichts als Lehrjungens ansehen, da ihr in der That weiter nichts seid, denn die wahren Studenten sagen nicht auf, sondern ihnen werden blos Collegia gelesen. Dieses wird mit euch alsdann geschehen, wenn ihr diese Schule verlassen habt, alsdann seid ihr Studenten.

Ich kann heute dem Herrn Bergrath nicht schreiben, gieb ihm diesen Brief zu lesen wegen der Hirschfänger und Federbüschel.

Lebe wohl!" — —

Dieß Unerhebliche bei Seite, so war, dieß war nicht zu läugnen, die Forstlehranstalt auf der Kemnote zu einem erfreulichem Blüthestand binnen kurzer Zeit gediehen. Von der Dankbarkeit und Liebe, mit welcher die einstigen Zöglinge auch noch in spätern Jahren an dem väterlichen Freund und Lehrer und seinem Hause hingen, empfing derselbe oft rührende Beweise, und ich werde manche Briefstelle noch reden lassen, die jene Anhänglichkeit bestätigt, welche letztere Bechstein auch im höchsten Grade verdiente.

Auch das Lehrerpersonal wurde bald ein zahlreicheres, und bestand im Jahr 1798 nächst dem Director aus den Herren Dr. Wilkens aus Braunschweig, Rommrodt, Dr. Braun, Geometer Sahlender, Diacous Credner, Dr. Reinecke, Conrector Ritz, le Roux Laserre, Rector Straube u. A.

Welchen innigen und besondern Antheil von Burgsdorff an diesem Institute nahm, welche Hoffnungen im Bezug auf sein Institut Bechstein selbst noch nährte, aber auch welche Schatten in jener Zeit auf die gothaischen Forste fielen, das erhellt zum Theil aus einigen Stellen eines Briefes, den von Burgsdorff unterm 7. September 1795 an Bechstein schrieb:

„Es ist ein guter Gedanke vom Herzog, daß er das Institut zu einer Forst-Academie erheben will, und Ihr Plan, eine

Forst- und Jagd-Societät zu errichten, hat ebenfalls meinen Beifall. Ich stehe dabei zu Diensten sowie Wangenheim, auf welchen Sie gewiß rechnen können. Reichsgraf v. Mellin wohnt auf Damitzow bei Stettin und ist königl. Preußischer Kammerherr. Der Herr von W. ist zur Zeit nur noch als ein Jagd-Schwärmer bekannt, der mitunter die Rehe mit Bürzeln abbildet, und allerlei närrisches Zeug schreibet, den lassen Sie vor der Hand noch weg. Aber als Censor in Jagdsachen rathe ich den Königl. Preußischen Vice-Oberjägermeister Freiherrn von und zum Stein zu Anspach. Sie können sich auf mich berufen!"

Eine von Bechstein hingeworfene Idee, welche den Wunsch aussprach, den nur der Eifer für seine Anstalt ihm eingeben konnte, nämlich selbst Inhaber einer Försterstelle zu sein, mißbilligte und widerrieth der ebenso erfahrene als freimüthige Freund geradezu mit den Worten:

„Sie haben bei der ganzen Aufmerksamkeit, welche Sie Ihrem Institut und der neuen Societät zu widmen haben, wahrlich nicht Zeit dazu, den Forstbedienten zu spielen. Wie, wenn ein Jagen gegeben würde, und der Herr Director sollte da mit dem Jagdzeuge operiren?" —

„Da ich glaube, daß Ihnen in diesem Augenblick dasjenige nützen könnte, was ich im zweiten Theil meines Forsthandbuchs über Bildung und Akademien sagte, der Druck aber vor Weihnachten nicht fertig werden wird, so überschicke ich die abgedruckten Manuscriptbogen von Zeit zu Zeit. Diese können Sie nach davon gemachtem Gebrauch cassiren."

„Mit Verlangen erwarte ich Ihren Plan, welchen Sie dem Herzog vorlegen lassen. Was will aber eigentlich der Herzog mit der Akadamie machen? Ihnen 2 oder 3 Zöglinge anvertrauen? Immer keine Forsten vermessen, abschätzen und eintheilen lassen, und sehen, wie erbärmlich er bedient wird? Ihr Herren lebt im Holz-Ueberflusse, in einem Lande, wo kein Holzmangel zu besorgen ist, und wo man die Forsten so schlecht nuzzet, daß das Holz am Ende verfault, wahrlich höchst Unrecht ein Licht aufstecken zu wollen, welches Forstwissenschaft leuchtet. Die Oberforstmeister im ganzen Gothaischen Lande müßten mir bis auf einen in Gotha in und mit der Kammer sitzenden — eingehen. Wo jetzt Oberforstmeister sind, da setzte ich tüchtige Oberförster hin, welche Holz anweisen und abzählen, und alle übrigen Förster wären Förster — und weiter nichts.*) Eben so im Altenburgischen.

Rechnet man nun, wie viel Gehalt hierbei gewonnen wird, so dürfte die Nutzung der Wälder, wenn solche vermessen und abgeschätzt wären, leicht um sehr viel höher zu stehen kommen, und jedermann der Holz braucht, würde sich nicht schnöd müssen abweisen lassen.

Aber so ist es eine Titelsucht, vor welcher keine reellen Einrichtungen zu Stande kommen können: da habt ihr Oberlandjägermeister, Landjägermeister, Oberforstmeister, Wildmeister, Jagd-Junker, Jagd-Pagen, und zu allen diesen eine Handvoll Wald und sehr viel Leute, die davon leben wollen.

Leben Sie übrigens wohl und schreiben Sie mir bald.

Der Ihrige

Burgsdorff."

Im Jahr 1796 erhob, wie aus der im ersten Band der Diana, S. 458 ff. befindlichen zweiten Ankündigung erhellt, der regierende Herzog Ernst II. zu Sachsen-Gotha die bisherige Privatanstalt zu einer öffentlichen Lehranstalt der Forst- und Jagdkunde, also nicht, wie Bechstein Anfangs wünschte und hoffte, und wie man ihn hatte hoffen lassen, zu einer Forstacademie, und es war mit dieser Erhebung der Anstalt im Grunde weder etwas genützt, noch etwas gewonnen. Sie durfte so heißen und fortbestehen, so lange des Gründers und Directors Mittel, Ruf und Kräfte sie hielten. Von einer Unter-

*) Eine Wahrheit, die man nur sehr allmälig, sehr langsam hat einsehen lernen, und deren Gültigkeit sich noch heute bewährt.

stützung derselben, wie sonst öffentliche Anstalten genießen, war keineswegs die Rede, und die Anordnung einer Justizcommission als Stellvertreterin eines academischen Senates, der in Schuld- und Polizeisachen die Studierenden unterstellt wurden, war wohl nicht als eine sonderliche Wohlthat der Anstalt zu betrachten. Dennoch zeigte sich Bechstein treuanhänglich und dankbar; er veranstaltete am nächsten Geburtstage des Herzogs Ernst II. ein Festmahl, das ein „Rundgesang" am Geburtstage unsers besten Landesvaters gesungen von den Kemnotern und ihren Freunden den 30. Januar 1797" froh belebte, und sprach noch in dem Jahre, in welchem er sein so innig geliebtes Vaterland verließ, durch die ehrfurchtsvolle Dedication des ersten Bandes der zweiten Auflage seiner gemeinnützigen Naturgeschichte Deutschlands seinen Dank aus für den landesväterlichen Schutz, unter dem er bisher das wissenschaftliche Feld bearbeitet habe, von welchem er jetzt die Erstlinge einzusammeln wage, und als er diese Dedication, im October 1800, niederschrieb, war das Institut bereits seit einem Jahr aufgegeben. Was in Beziehung auf dieses hemmend einwirkte und zwar in solchem Grade, daß das Eingehen der Forstlehranstalt nach wenigen Jahren herbeigeführt wurde, werde ich meinen Lesern nicht vorenthalten, zuvor aber sei eines anderweiten Instituts gedacht, das Bechsteins Geist und Scharfblick ins Leben rief, und das der glücklichen Idee nach ganz geeignet war, den Kreis seiner Verbindungen zu erweitern und durch ganz Deutschland die Zahl seiner Freunde zu vermehren.

V.

Die Societät der Forst- und Jagdkunde.

Erste Periode.

Eine Menge gelehrte Gesellschaften blühten in Deutschland und ließen sich je nach Mitteln und Kräften die sorgliche Pflege jener Wissenschaften, von denen sie den Namen entlehnt, angelegen sein. Die Forst- und Jagdkunde begann erst ihre Entfaltung; ihr zartes Stämmchen gewann aber kräftigen Boden und trieb nach allen Seiten junge Sprossen. Da wurde in Bechstein, ihrem treuen Schirmhüther, der Gedanke wach, alle Gleichstrebenden, alle bedeutenden Forstmänner Deutschlands, ja selbst des Auslandes, zu einem großen Gelehrtenbunde zu vereinigen, nach einem gemeinsamen Ziele hinzuarbeiten, und die gewonnenen Resultate eifrigen Strebens in einer Gesellschaftsschrift zu vereinigen.

Bechstein entwarf den Plan eines solchen Vereins, den die zweite Ankündigung seiner Lehranstalt entwickelt, und dieser fand einestheils die Anerkennung und Zustimmung des ganzen, ihm schon ohnehin verbundenen und befreundeten forstmännischen Publikums, anderntheils gern und willig die nachgesuchte landesherrliche Bestätigung. Der Feuereifer des Gründers für die gute Sache, der er sein Leben geweiht, hätte gern die Doctrin, welche er pflegte, zu einer Facultät erhoben gesehen, und ihr aller Orten die besten Altäre: öffentliche Lehrstühle erbaut. Lag dies ausführen zu helfen auch noch nicht in den Ansichten der Zeit, so knüpfte sich doch bald ein schönes Band der Gleichgesinnten fest. Am innigsten war dies zwischen Bechstein und dem wackern und gleich ihm unermüdlich thätigen von Burgsdorff geknüpft. Als die Societät bestätigt war, sendete Bechstein seinen Freunden Diplome und sah es gern; daß diese ihm wieder andere wackere Männer vorschlugen, deren Kenntnisse und Eigenschaften sie zur Aufnahme berechtigten.

Die Eröffnung der Societät ging in Verbindung einer angemessenen Feier vor sich, zu welcher alle die, welche die Sache an sich hätte anziehen müssen, in der Nähe und weitern Umgegend eingeladen waren. Eine große Zahl der Bechstein befreundeten Oberförster und Förster des gothaischen Landes wohnte dieser Feier bei, viele der Berufenen aber zeigten sich, nach dem Bibelspruch, nicht unter den Gekommenen, und auch nicht als Auserwählte.

Der Gründer eröffnete die Societät mit folgender Rede:

„Hochgeschätzte Herren Collegen
und Freunde!"

„Ich zähle den heutigen Tag mit unter die glücklichsten meines Lebens, da ich die Freude habe, ein Band unter Männern geknüpft zu sehen, um in einer Gegend, die wenigstens in Deutschland unter die schönsten, und in einem Lande, das auch da unter die glücklichsten gehört, die erste und angenehmste aller Wissenschaften, ich meine die Naturwissenschaft und die mit derselben verschwisterte Forst- und Jagdkunde — genauer zu ergründen, zu erweitern und zu verbreiten."

„Wir sind hoffentlich alle darin einverstanden, daß unsere Thüringer Waldungen unter die vorzüglichsten, fruchtbarsten und am besten bestandenen Gebirgswaldungen Deutschlands gehören, auch darin, daß sie von der Mitte dieses Jahrhunderts an, wo noch in ganz Deutschland, ja ich kann sogar behaupten in allen Gegenden der Welt dicke

Finsterniß über zweckmäßige Forstbewirthschaftung herrschte, und der Name Forstwissenschaft noch unter die unerfundenen Dinge gehörte, musterhaft behandelt wurden, aber auch darin, daß in den neuern Zeiten viele unserer nahen und entfernten Waldungen zweckmäßiger, vortheilhafter, mit einem Worte besser behandelt worden sind, als mehrere der unsrigen. Es ist zwar wahr, uns hat noch nicht der durchgreifende Sporn zu aller Kultur der Wissenschaften und Künste, die Noth, gedrungen, wie alle jene, welche es in vielen Stücken besser machen, als wir. Wir haben noch Waldungen, die nicht nur die Bedürfnisse des Inlandes befriedigen, sondern auch dem holzarmen Auslande in vielerlei Rücksichten aushelfen können. Desto edler werden unsere Bemühungen sein, wenn uns nicht die unedle Triebfeder, die Noth reizt, eine Wissenschaft uns zuzueignen und ihre richtig erfundene Vorschriften anzuwenden, sondern blos unser reiner Wunsch und unser Bestreben nach mehrern, bessern, richtigern Einsichten, der Wunsch unser Nachdenken zu üben, zu vervollkommnen und dadurch unsern Nebenmenschen so nützlich zu werden, als es nur immer unsere Kräfte erlauben."

„Wohlan denn, edle Männer, lassen Sie uns mit vereinten Kräften dahin arbeiten, daß auch unser Thüringerwald bald ein Wallfahrtsort für diejenigen werden mag, die einen guten, einen trefflichen Forsthaushalt kennen lernen wollen, lassen Sie uns die Wünsche unseres Durchlauchtigsten Herzogs, der den Plan zu unserer Societät mit Beifall aufgenommen und huldreich bestätigt hat, die Wünsche unsers erlauchten Ministeriums, und unsers so gemeinnützig denkenden Herrn Kammerpräsidenten von Thümmel, die sich von uns große Hoffnungen machen, aus allen Kräften und wo möglich im vollsten Maaße zu erfüllen suchen! Wie aufmunternd muß es nicht für uns sein, daß sich die ersten Männer Deutschlands mit uns verbunden haben, an diesem großen Werke, Ordnung, Zweckmäßigkeit, Plan, Kunst, Leben und Schönheit in die Wälder zu bringen, mit zu arbeiten, und welcher ehrenvollen Zukunft dürfen wir entgegen sehen, da uns die Hoffnung gewiß ist, daß das Publikum unsere Bemühungen als rühmlich anerkennen und mit Beifall krönen wird."

„Jeder reiche daher heute bei unserer ersten Zusammenkunft dem andern brüderlich die Hand, und zeige dadurch, daß es nicht blos sein heißer Wunsch, sondern auch sein eifrigster Wille ist, Gutes auf dem Wege, den ihm die Vorsehung hier vorgezeichnet hat, um sich her zu verbreiten!"

(Umarmung.)

„Der Schöpfer der schönen Natur kröne alle unsere Bemühungen mit seinem besten Segen!"

Nach dieser Rede ließ Bechstein nach Art akademischer Sitzungen über den Satz disputiren:

> Die wahre Brunftzeit der Rehe fällt in das Ende des Novembers, in den December und in die erste Hälfte des Jänners.

Ueber Art und Weise dieser von ihm beliebten Methode einen aufgestellten wissenschaftlichen Satz zu beleuchten, zu bestreiten und zu vertheidigen mag Diana 1. S. 495. u. f. nachgelesen werden.

Ein zweiter Satz, über welchen disputirt wurde, hieß:

> Beweiß, daß Buchenhochwald in mittlern Gebirgs-Lagen bei schicklichem Boden vortheilhafter und holzergiebiger ist, als dergleichen Stangenholz. (Diana 1. S. 507. u. f.)

Die statutarische Einrichtung der Societät finden diejenigen Leser, die sich noch näher für dieselbe interessiren dürften, mit allen diesen Disputationen und Abhandlungen in der erwähnten Gesellschaftsschrift derselben, Diana. Die Societät zerfiel in

- A. ordentliche Mitglieder
  - a) inländische thätige Mitglieder
  - b) correspondirende thätige
- B. Ehrenmitglieder.

Das Centrum der Gesellschaft war die öffentliche Forst- und Lehranstalt zu Waltershausen. Die oberste Leitung lag dem Director, Bechstein, ob, ihn assistirte ein Secretair, Dr. Reinecke. Die für die Societätsschrift eingehenden Abhandlungen unterlagen den Censuren kundiger und hochgestellter Mitglieder im Forstfach, der Herren Oberforstmeister von Burgsdorff in Berlin und von Wangenheim in Lithauen, und im Jagdfach des Herren Reichsgrafen v. Mellin und des Herrn Oberforstmeister von Wildungen zu Marburg. Geldbeiträge wurden nicht gefordert. Der Ertrag der Gesellschaftsschriften sollte die Gesellschaft erhalten, und zugleich den Fonds zu Sammlungen und einer Bibliothek abwerfen.

Wer als Schriftsteller aufgetreten war, konnte seinen Wunsch, der Societät anzugehören, der Gesellschaft unmittelbar eröffnen, Nichtschriftsteller vorzuschlagen, behielt sich der Director allein vor.

Es erfolgten viele Anmeldungen, und bald gingen auch lehrreiche und fleißig ausgearbeitete Abhandlungen ein. Vor Allen war von Burgsdorff bemüht, in Gemeinschaft mit Bechstein einen umfassenden Plan zur vollständigen Lehre der Jagdwissenschaften auszuarbeiten, den er bald nach der feierlichen Eröffnung der Societät übersandte, begleitet von einem Briefe (ohne Datum), der wieder einige anziehende Streiflichter auf Verhältnisse der Bechsteinischen Lehranstalt und der Societät warf.

„Wohlgeborner Herr,

Insonders hochzuehrender Herr Bergrath!“

„Die Schuld, daß ich so lange nicht geschrieben habe, lieget in dem Fleiße, welchen ich anwendete, das beikommende Werk zu beenden. Möge es Ihren Beifall, und den aller Kenner erlangen!

Finden Sie bei der Naturgeschichte noch etwas hinzuzufügen nöthig, so thun Sie es. Ich habe immer den Endzweck vor Augen gehabt, die Sache in der Theorie möglichst kurz darstellen zu müssen!

Meine Meinung über das Ganze gehet dahin, den Plan, so wie er ist, in Quarto weitläufig auf Schreibpapier drucken zu lassen, und das Jäger-Publikum in einer Vorrede aufzufordern, den Plan Revue passiren zu lassen; und

1) einzuschalten was mir entgangen sein dürfte.

2) zu bestimmen, welche Kapitel ein jeder auszuarbeiten und an Sie einzuschicken übernehmen wolle.

Die Naturgeschichte müssen Sie selbst nach Anleitung Ihres Werkes bearbeiten.

Auch werden Sie nicht vor der Vollendung des Ganzen behindert sein, nach diesem Plane Ihren Eleven die Jagdwissenschaften systematisch dociren zu können; wenn Sie nur Döbels Jäger-Praktika, Mellins und Jesters Schriften dabei anwenden wollen. Thun Sie dieses ja gleich auf Michaelis, um keine Zeit zu verlieren. Mein Lectionsplan wird zu Allem anleiten. Der vorläufige Druck des Planes kann der Societät erst noch einen schönen Thaler erwerben.

Natürlich wünsche ich, daß mein Carl vom Unterricht, wenigstens von der Theorie der Jagdwissenschaften in Waltershausen profitiren möge; dieser Wunsch war Sporn für mich bei der Bearbeitung des Planes, und ich bin auch von Ihnen versichert, daß Sie meinen Wunsch baldigst erfüllen werden.

Ich bin durch Ihre beiden Briefe vom 4. und 29. Juli sammt deren Beilagen hinreichend von allen überzeugt worden, wie Sie in der That einen recht schweren Stand haben. Die mir communicirte Briefe remittire ich andurch. Sie sollten doch suchen den Doctor Reinecke zu conserviren, weil er Ihnen beim Unterricht im Zeichnen und Französischen unentbehrlich ist. Es ist Unrecht von Herrn Cotta, daß er die jungen Leute, welche von Waltershausen entlaufen, ohne ein Attest von Ihnen annimmt. Ich war Willens das dritte Jahr meinen Sohn auch dahin wegen Erlernung der Jagdwissenschaft zu geben; aber nun dürfte schwerlich daraus etwas werden; um so mehr, wenn Sie bald anfangen, diese theoretisch zu dociren: und ich denke, daß zur Uebung der Jägerkunst alsdann nach überstandenen drei Lehrjahren sich noch Zeit und Gelegenheit finden wird! Soviel bleibt gewiß, daß es nicht gut ist, in Waltershausen große Studenten aufzunehmen, und daß daselbst kein anderer angenommen werden müsse, als der von seinen

Eltern rc. Ihnen unmittelbar untergeben worden ist und stricte auch in moralischer Rücksicht pariren muß u. s. w.

Der Ihrige

Burgsdorff."

So auch von vielen andern Seiten her thätig unterstützt wuchs bald ein reichliches Material für die Gesellschaftsschrift an, die im eignen Verlag unternommen wurde. Der Buchdrucker J. F. Müller in Schnepfenthal und die Buchhandlung dieses Instituts besorgten Druck und Debit, nächstdem daß von Waltershausen aus eine große Anzahl Exemplare versendet wurden. So erschien demnach bereits zur Ostermesse 1797 der erste Band von Diana oder Gesellschaftsschrift zur Erweiterung und Berichtigung der Natur-, Forst- und Jagdkunde. Herausgegeben von Johann Matthäus Bechstein, mit Kupfern, und war den Mitgliedern des Herzogl. Kammer-Collegiums zu Gotha, den Geheimeräthen, Kammerpräsidenten, Kammerräthen, Kammerherren und Kammerjunkern von Thümmel, von Scheliha, von Münchhausen, von Schlotheim und von Wangenheim gewidmet.

Den Inhalt bildete eine Anweisung zum Ausstopfen und Aufbewahren der Thiere, aus der Feder des gelehrten Abbe Manesse, welche Dr. Reinecke aus dem Französischen ins Deutsche übersetzt hatte, eine kleine Abhandlung über die Nahrung der Rehe im Freien, vom Kammerassessor und Jagdjunker von der Borch, eine vergleichende Beschreibung einiger noch unbekannten oder doch weniger bekannten deutschen Holzarten, vom Herausgeber; Grundsätze der Stangenholzwirthschaft; über zweckmäßig einzurichtende Forstreisen, dann der vorhin erwähnte Plan zum Unterricht in den gesammten Jagdwissenschaften von v. Burgsdorff, endlich Nachrichten, die Lehranstalt und die Societät betreffend.

Im Jahr 1797 zählte das Mitgliederverzeichniß der Societät 35 in- und ausländische thätige Mitglieder und 13 Ehrenmitglieder auf, deren Zahl aber im Jahr 1801, als der zweite Band der Diana erschien, sich auf 67 Ehrenmitglieder, 27 ordentliche inländische und 54 ausländische Mitglieder erhöht hatte. Unter diesen Mitgliedern waren

Männer, deren Namen mit unvergänglichen Lettern in der wissenschaftlichen Literaturgeschichte geschrieben stehen, wie Blumenbach, Gmelin, Latham, Merrem, Tromsdorf, Voigt, Wildenow, Borkhausen, Cotta, Hartig, Hermbstädt, Laurop, und Andere, und es läßt sich leicht denken, in welch hohem Grade belehrend, anregend und erfreulich die durch die Societät angeknüpfte Verbindung mit solchen Männern auf Bechstein wirken mußte.

Fast jede Zuschrift auch von den minder bekannten und noch nicht berühmt gewordenen Societätsmitgliedern brachte theils dankenswerthe Schrift- und Büchergaben, theils enthielt sie Anfragen, Bemerkungen, Ansichten, die, auch wenn letztere vielleicht irrig waren, doch zu lebhaftem Ideenaustausch, zur Bereicherung oder Berichtigung eigener Ansichten, Beobachtungen und Erfahrungen hinlenkten, und es ist gewiß eine Erfahrung, die Viele machten, daß nichts mehr die Spannkraft eines von Natur lebhaften und strebsamen Geistes erhält und stärkt, als ununterbrochene Rührigkeit im Kreise des liebgewordenen Schaffens und ein stetes Umblicken nach allen Seiten hin, gleich dem muntern Vogel, um für das geistige Ich fortdauernden sichern Halt zu gewinnen und zu behaupten.

Der erste von den Schülern des Forstinstituts, Herr Aichner, verließ im Frühling des Jahres 1797 die Anstalt, und begab sich mit Bechsteins Empfehlungen zum Oberforstmeister von Hagen in Ilsenburg am Harz, um sich dort weiter praktisch auszubilden. Dieser rühmte in dankbaren Briefen die Kenntnisse seines Prinzipals, empfahl zum Mitglied der Societät den Rath und Amtmann Wilhelmi zu Ilsenburg, der sich bei jeder Gelegenheit für die Anstalt ausnehmend interessirt zeige, rühmte die Gelehrsamkeit eines Hannöverischen Jagdjunkers, von Schulte, im forstwissenschaftlichen Gebiete, und sprach den Plan aus, daß er mehrere Hannöversche und Braunschweigische tüchtige Forstmänner, z. B. von Uslar, Oberförster zu Herzberg, Haase, Forstinspector zu Leuterberg, und Andere besuchen wolle, wenn ihm Bechstein in seiner Heimath die Erlaubniß längeren Aufenthaltes auf dem Harze auswirken werde.

„Thun Sie, guter Herr Bergrath, Ihrem Schüler und Schuldner diesen Gefallen, der Erfolg wird gewiß nach Ihrem Vorschlag ausfallen und ich werde diese Zeit gewiß so anwenden, wie es meine Pflicht und der gute Zweck Ihrer Anstalt von mir fordern. Ich schmeichlemir, daß wenn ich diese Einwilligung erhalte, Ihre Societät sowohl an tüchtigen Mitgliedern, als auch durch diese an Abhandlungen gewiß sehr zunehmen soll."

In gleichem Sinne und mit gleicher Liebe waren auch Andere für die Societät wirksam. Jeder Neuaufgenommene half dankbar das Ganze fördern, sei es durch Bücher und bereits gedruckte Abhandlungen, sei es durch schriftliche Ausarbeitungen, und so kamen zahlreiche Bereicherungen theils der Societät, theils Bechsteins eigenen Schriften zu Gute. Um darzuthun, daß nicht ein blindes Herausgreifen angesehener Namen, um nur mit zahlreichen Mitgliedern zu prangen, den Gründer der Societät leitete, will ich nur einige Männer nennen, die schon vor Errichtung derselben mit Bechstein in freundlicher Verbindung standen und deren Namen dann aus wissenschaftlicher Ueberzeugung nächst seinem eigenen dankbaren Gefühle den Mitgliederverzeichnissen zugesellt wurden.

Der Regierungs- und Cammerrath Freiherr von Plank zu Eichstädt an der Altmühl, hatte sich schon vor Errichtung der Lehranstalt, als Bechstein noch in Schnepfenthal war, mit ihm in freundlichen Briefwechsel gesetzt, hatte sich der Vertheilung des Planes jener Anstalt beim Forstpublikum seiner Gegend, obschon wenig Hoffnung auf Erfolg hegend, unterzogen, zeigte sich als eifrigen Abnehmer der Schriften Bechsteins, als passionirten aber wissenschaftlich strebenden Jäger, und erbot sich zur Mittheilung aller seiner Beobachtungen. Auch er sprach, wie viele andere die ungeduldige Erwartung auf die Naturgeschichte der Thüringer Vögel aus, rieth, diese im Selbstverlag auf Subscription herauszugeben, und verhieß, einen geschickten Zeichner, Stecher und Illuminirer in seiner Gegend ausfindig zu machen, und unter seiner Aufsicht arbeiten zu lassen.

Eine nicht unanziehende Anfrage richtete von Plank an Bechstein: „Wie hoch könnte man die Mühe und Kosten eines Mannes anschlagen, dem man die Sammlung aller deutschen Zug-, Strich- und Standvögel, wovon der Hahn, die Henne, das Nest, die Eier, der Vogel in der Mauserzeit, wie er flügge wird, oder die ersten Federn bekommt, und wie er vom Nest abfliegt, in Natura vorhanden sein müßte?"

Ob wohl irgend in Deutschland je der Versuch gemacht wurde, ein solches Ideal eines ornithologischen Cabinets zu verwirklichen?

Der königl. Preuß. Oberforstmeister v. Hünerbein in Thale bei Halberstadt hatte durch Verwendung für die Aufnahme des jungen Löwenclau in Bechsteins Institut Verbindung angeknüpft; in gleicher Weise war der Oberforstmeister Freiherr von Tettenborn mit Bechstein verbunden, ebenso der Vater des erwähnten jungen Aichner, Forstmeister zu Scheere, der Oberforstmeister Freiherr von Imhof zu Dischingen, dessen Sohn Ernst später als Forstadjunct daselbst auch den Mitgliedern der Societät zugesellt wurde. Auch dieser schrieb, nachdem er Waltershausen verlassen, öfters mit dankbarer Gesinnung an Bechstein und bat um alle seine forstwissenschaftlichen Schriften gleich nach deren Erscheinen. Se. Durchlaucht der Erbprinz von Thurn und Taxis war der hohe Gönner des jungen Aichner, unterstützte dessen Studien, und die Correspondenz mit Bechstein ging durch die Hände des Geheimerath und Regierungspräsidenten Freiherrn von Eberstein zu Regensburg, der auch den jungen von Imhof an Bechstein angelegentlichst empfohlen hatte, mit welchem letztern Bechstein ausgezeichnet zufrieden war, und der ebenfalls, nachdem er das Institut verlassen, nach Ilsenburg am Harz abging.

Um nicht allzu weitläuftig zu werden, da die Mittheilung über die befreundete Correspondenz Bechsteins noch viele Bogen füllen könnte, erwähne ich nur noch des Cammerrath Dr. M. B. Borkhausen zu Darmstadt, des eifrigen Ornithologen, den gleiches Lieblingsstreben Bechstein innig gesellte und befreundete. Ihm war die Aufsicht über das damals noch landgräfliche ornithologische Cabinet übertragen, und es mögen am besten einige seiner Briefe bezeugen, in welchem Verbande beide Forscher mit einander standen, zugleich gewähren Einzelstellen dieser Briefe einen Einblick in die damaligen politischen Zeitverhältnisse, welche immer und überall nicht ohne hemmenden Einfluß auf die Entwickelung wissenschaftlicher Forschungen sind, daher sie in einer Schilderung solcher Bestrebungen nicht ganz unbeachtet bleiben dürfen.

„Darmstadt, den 15. Nov. 1795.“

„Es freut mich ungemein, daß Sie meine geringe ornithologische Bemerkungen so gütig aufgenommen haben, und dieses ermuntert mich, die in dem Cabinete unseres Landgrafen befindlichen Vögel noch genauer zu studieren und Ihnen mehrere Bemerkungen mitzutheilen.

Der Dickschnabel, den ich Ihnen unter dem Namen **Lox. ilica** characterisirte, ist Pennant's gefleckter Dickschnabel, **Lox. maculata Gmelini**, und zwar ein Weibchen, welches noch nirgends beschrieben oder abgebildet ist. Das Männchen selbst ist von Pennant fehlerhaft beschrieben, indem er sagt, es laufe ein schwarzer Strich über die Augen, da es doch ein weißer ist. Vom Männchen unterscheidet es sich 1) durch die stärkere Größe, 2) durch die blassere Grundfarbe, welche beim Männchen hochbraun, bei ihm aber **color spadiceus** ist. 3) Die untern Deckfedern des Schwanzes sind nicht gelb, sondern schmutzig weiß, und die Ruderfedern sind alle unten einfarbig weißlich. 4) Nur die obern Deckfedern des Schwanzes haben trüb weißliche Spitzen, die übrigen Rückenfedern aber sind mattbraun und weißlich gesäumt. 5) Der weiße Streif, welcher den Kopf der Länge nach theilt, ist trüb und gefleckt. 6) Von den beiden weißen Binden über die Flügel ist die hintere kaum sichtbar. Gmelin sagt vom Männchen sehr irrig: **pennis corporis superioris atris.** Sie sind nur dunkelbraun.

Vor einigen Tagen erhielte ich für das Landgräfliche Cabinet einen sehr seltenen Vogel vollkommen gut erhalten, den Reispirol, **Oriolus oryzivorus Gmel.** welchen Latham nach einem sehr defecten Exemplare beschrieb. Da der Vogel noch nirgends vollständig beschrieben, auch noch nie abgebildet ist, so verdient er beides zu werden, denn es ist ein sehr schöner Vogel.

Ich habe unsern Landgrafen um die Erlaubniß gebeten, die Vögel für Ew. Wohlgeboren abmalen zu lassen, und solche sogleich erhalten. Der Landgraf sagte: er mache sich jederzeit ein Vergnügen daraus, einen Gelehrten unterstützen zu können, und es freue ihn vorzüglich sehr, zur Vervollkommnung des Lathamschen Werks, das er selbst besitzt, etwas beitragen zu können. Ich habe daher sogleich die Veranstaltung zum Abmalen getroffen und schon sind **Turdus Trichas L.** und **Ficedula marylandica Briff.** fertig. Der Maler will indessen das Stück nicht unter einem Gulden (Reichsgeld) malen, er arbeitet aber auch mit Fleiß und äußerster Genauigkeit. Aus dem Cabinete habe ich zur Abbildung genommen: 1) **Turd. Trichas**, 2) **Ficed. marylandica**, 3) **Fringilla leucomelas**, 4) **Fringilla passerina**, 5) **Fringilla olivacea**, 6) **Oriolus oryzivorus**, 7) **Loxia maculata foem.**, 8) **Motacilla Curucoides**, 9) **Trochilus elegantissimus mas et foem.** und 10) **Ardea Nycticorax foemina**, welche ich an einer Reihe weg werde abbilden lassen. Ob Ihnen mit Abbildungen von **Rallus carolinus**, **Scolopax Glottis**, **Rallus ferrugineus** (der noch nirgends abgebildet ist, und von Lathams Beschreibung in manchen Stücken abweicht), **Oriolus fuscus** (besser **pallaeocephalus**) und **Sterna minuta**, (welche, so wie **Rallus carolinus** und **Scolopax Glottis**, merklich von der gemeinen Beschreibung abweicht, bin ich zweifelhaft, es kommt aber nur auf Ihren Willen an, und ich werde mir ein Vergnügen daraus machen, Ihnen zu dienen.

Ihrem Forstinstitute, einem vortrefflichen, gemeinnützigen Unternehmen, wünsche ich den besten Fortgang. Aus einer besseren Bildung der Forstleute muß für die Naturgeschichte der größte Nutzen erwachsen. Ich hoffe, daß, wenn der fatale Krieg einmal geendigt ist und Deutschland wieder Ruhe hat, Ihr Unternehmen auch bessern Fortgang gewinnen werde.

Würden Sie sich nicht entschließen, von der neuen so vollständigen Ausgabe der Pennantschen **Synopsis of Quadrupeds** eine deutsche Uebersetzung zu liefern? Dieses Werk ist gegenwärtig das vollständigste so man über die Säugethiere hat, und von Ihnen im deutschen Gewande dargestellt, würde es ein würdiger Bruder von Lathams Uebersicht der Vögel werden. Der Naturforscher würde sich gewiß freuen, auch von den Säugethieren alles beisammen in einem Werke zu finden, was er jetzt zerstreut in mehreren suchen muß.

Durch die Tapferkeit der Kaiserlichen sind wir von dem Abgrunde des Verderbens errettet, an dessen Rande wir unwissend standen. Bei einem gefangenen Generale wurde der schriftliche Befehl gefunden, wann die Kaiserlichen bei Mannheim geschlagen wären, unsere Gegend rein auszuleeren und sämmtliche herrschaftliche Gebäude in der Stadt und auf dem Lande niederzubrennen.

Die Belagerung von Mannheim ist heute in vollem Gange, wir hören hier den Kanonendonner schrecklich, und auf einer Anhöhe vor unserer Stadt sah man heute Nachts einen schrecklichen Brand.

Leben Sie wohl, edler Mann, und bleiben Sie gewogen

Ihrem

ganz ergebenen

Borkhausen."

„Darmstadt, den 2. Mai 1796."

„Hochzuehrender Herr Bergrath!

Vorgestern kam ich von einer naturhistorisch-ökonomischen Reise zurück und fand mit sehr großem Vergnügen Ihren Brief vom 8. April, welchen ich hierdurch sogleich beantworte.

Um Ihren in Ihrem vorletzten an mich erlassenen Briefe geäußerten Wunsch, die seltenen Vögel des hiesigen herrschaftlichen Musäums abgebildet zu erhalten, zu erfüllen, machte ich sogleich Anstalt dazu und bereits sind 12 Stücke fertig geworden und so sauber gemacht, daß ich glaube an Ihrem Beifalle nicht zweifeln zu dürfen. Bei diesen 12 Stücken findet sich auch bereits **Ardea Nycticorax foem.** und der **Tantalus**.

Was die übrigen Abbildungen, welche Sie zu haben wünschen, betrifft, so habe ich gestern gleich Anstalten dazu gemacht und der Künstler hat mir schnelle Beförderung versprochen. Sobald sie fertig sind, werde ich sie Ihnen mit einigen Bemerkungen zuschicken.

Für die gute Aufnahme meiner oberkattischen Flora sage ich den verbindlichsten Dank. Ich habe alle darin aufgenommene Pflanzen, wenige ausgenommen, selbst aufgesucht und genau untersucht, und was ich niederschrieb, war das Resultat vieljähriger Bemühungen und unsäglicher Strapatzen.

Es ist mir nun leid, daß ich sie in die compendiöse Bibliothek gegeben habe, besonders da ich bei der geringen Zahlung, die ich dafür zu empfangen habe, noch darüber mit Herrn André in einen unangenehmen Streit gerathen bin, was mir eine starke Abneigung zur Fortsetzung der oberkattischen Flora in der compendiösen Bibliothek eingeflößt, und vielmehr den Gedanken erweckt hat, nach einigen Jahren, wenn ich noch verschiedene merkwürdige Gegenden untersucht haben werde, eine weitläuftigere Flora nicht nur über die Obergrafschaft Catzenellnbogen, sondern auch über die Niedergrafschaft dieses Namens und über das Oberfürstenthum Hessen und die ganze Wetterau herauszugeben. Noch vier Botaniker, die in diesen Gegenden wohnen und deren Kenntnisse mir für die Richtigkeit ihrer Beobachtungen bürgen, haben mir alle Unterstützung versprochen. In Oberhessen zeichnet sich besonders der Vogelsberg aus. In dieser dem Naturforscher in aller Rücksicht merkwürdigen Gegend fand ein junger v. Schenck, der erst 19 Jahre alt ist, und so solide botanische Kenntnisse und einen so unermüdeten Eifer hat, als man wohl schwerlich öfters bei einem so jungen Menschen und zumal einem reichen Adelichen finden wird, viele Pflanzen, die man sonst nur als Bewohner des südlichen Deutschlands und der Alpen kennt, z. B. eine **Gentiana lutea, Fumaria spicata, Moehringia muscosa, Saxifraga umbrosa, Globularia cordifolia, Phyteuma orbicularis**, und **hemisphaerica** u. dergl. seltene Pflanzen und ich verspreche mir von den Bemühungen dieses thätigen jungen Mannes noch sehr viele Schätze aus dieser merkwürdigen Gegend.

Eben in dieser Gegend wurde im Januar dieses Jahres ein schneeweißer Fuchs geschossen, welchen ich für das herrschaftliche Museum ausgebalgt und wirklich gegenwärtig auf meiner Stube habe. Er ist kleiner als der gemeine Fuchs, hat aber verhältnißmäßig einen sehr starken Schweif. Von Farbe ist er rein weiß, nur die Haare der Fußsohlen sind schmutzig röthlich. Sie haben in Ihrer Naturgeschichte Deutschlands keiner weißen Spielart des Fuchses gedacht.

Daß Sie mich würdigen wollen ein Mitglied Ihrer gelehrten Societät der Forst- und Jagdliebhaber zu werden, ist mir sehr schmeichelhaft und ich werde gewiß meine Bemühungen dahin gerichtet sein lassen, mich dieser Ehre würdiger zu machen, als ich mich jetzt schon fühle. Wahrscheinlich bekomme ich in kurzer Zeit mehr Gelegenheit im Forst- und Jagdwesen nützlich zu sein. Unser Landgraf nimmt gegenwärtig mehrere Veränderungen im Forstwesen vor und hat mich zum Mitgliede des Forstcollegii bestimmt. Ich habe mich bereits mit einem jungen Manne von hier, Namens Koch, welcher auch als Mitglied des Forstcollegii wird angestellt werden, verbunden, ein System der Winter-Forstbotanik, wenn ich mich so ausdrücken darf, aufzustellen, nämlich aus der Beschaffenheit der Rinde, der Knospen (welche der Zahl, Gestalt und dem Ueberzug ihrer Theile nach zergliedert und bestimmt werden müssen,) nach den Ramificationen, Stand und Richtung der Aeste und Zweige ein jedes Holzgewächs zu bestimmen. Vielfache Beobachtungen gehören hierzu, allein in Gesellschaft meines Freundes Koch, der ein eben so guter Beobachter und Naturforscher als gründlicher Forstmann ist, glaube ich so etwas zu Stand zu bringen. Ich glaube eine solche Arbeit soll von Nutzen und dem Forstmanne angenehm sein. Um uns die Beobachtungen zu erleichtern, haben wir den Anfang gemacht, unsere meisten deutschen Waldhölzer in einen kleinen Raum zusammen zu pflanzen.

Es freuet mich sehr, daß sie Pennants Synopsis der Säugethiere auch auf deutschen Boden verpflanzen wollen. Sie können gewiß auf den herzlichen Dank jedes deutschen Naturforschers rechnen.

Unsere armen Landleute werden recht mit doppelten Ruthen gepeitscht. Lange trugen sie nun schon die Lasten eines verderblichen Krieges und noch werden sie von Durchmärschen und Einquartirungen geplagt, und nun wird ihnen auch noch ihr Hornvieh durch eine von Ungarn hergewanderte wüthende Seuche weggerafft. Die Krankheit ist ruhrartig, fängt mit blutiger Diarrhöe an und tödtet in 2, 3 Tagen. Einige aufgeklärte Landwirthe sind ihrem Vieh mit Laxiren und Clystieren theils praeservative, theils beim Anfange der Krankheit zu Hülfe gekommen. Ich wurde auf dem Lande herumgeschickt, um die Leute zu vermögen, die erwähnten Präservative zu gebrauchen, allein ich predigte tauben Ohren; sie glaubten, Präservative zu gebrauchen, wäre ein Eingriff in Gottes Rechte!!!

Mit wahrer Verehrung und Freundschaft stets

der Ihrige
M. B. Borkhausen."

Durch diese Briefe bietet sich ein schicklicher Uebergang, der wissenschaftlichen Thätigkeit Bechsteins während des Bestehens seiner Lehranstalt näher zu gedenken, und den Weiterverlauf des Lebens der Societät der Forst- und Jagdkunde später am geeigneten Ort fortzusetzen.

VI.

Literarische Thätigkeit in dem Zeitraum von 1795 bis 1800.

Während Bechstein der Leitung der Forst- und Lehranstalt, der Societät für Forst- und Jagdkunde und der Redaction von deren Zeitschrift unausgesetzten Fleiß widmete, entwickelte er eine Staunen erregende Thätigkeit, und man kann nicht umhin, die geistige Kraft und die leibliche Ausdauer zu bewundern, mit welcher er in einem kurzen Zeitraume Werke schuf und verbreitete, deren wissenschaftliche Geltung durch ein halbes Jahrhundert in vielen Stücken noch ungeschwächt ist.

Zunächst wurde die Uebersetzung und Bearbeitung des Latham eifrig weiter gefördert. Latham selbst wußte um diese Uebertragung seiner trefflichen Arbeit in das Deutsche, davon giebt unter andern folgender Brief des außerordentlichen Professors der Medicin, Gottfried Christian Reich in Erlangen Zeugniß:

„Erlangen, den 25. Nov. 1794."

„Sie haben doch meinen Brief, und den Index ornithologicus erhalten?

Gestern empfing ich einen Brief von Herrn Latham, worinnen Folgendes, was Sie angeht, enthalten ist. J am ferry J connot comply with the requeſt of Mr. Bechstein of ſending him my private additions to my Index et Synopſis, asthy muſt be reſervet for my own uſe, to ſerve for a future edition, which J believe will not be long before it is wonted by the continued ſale of the preſent ones; but ony particular queſtion Mr. B. wiſhes to be ſatiſſied in, J ſhall have no objection to reſollue.

Nächſtens ſchreibe ich wieder. Haben Sie etwas zu erinnern, ſo erwarte ich Ihre Winke. Die Einrichtung Ihres Inſtituts hindert Sie wohl an vielem, und macht es unthunlich für Sie, Ihren Freunden einige Nachricht von Ihrem Befinden, und von dem Fortgang Ihrer Unternehmung zu geben? Ich nehme den herzlichſten Antheil, wenn alles nach ihren Wünſchen ausſchlägt, und verharre ganz der Ihrige

Reich."

Der zweite Theil des zweiten Bandes erſchien 1795 und war dem Königl. Preußiſchen Kammerherrn Reichsgrafen von Mellin zu Schloß Domi in Vorpommern zugeeignet. Den erſten Theil des dritten Bandes, mit der Dedication an den Fürſtl. Thurn und Taxisſchen Geheimerath und Regierungspräſidenten Freiherrn von Eberſtein Excellenz zu Regensburg, brachte das Jahr 1796.

Mit einer andern Nürnberger Verlagshandlung wurde 1795 brieflich die Ueberarbeitung, Verbeſſerung und Neuherausgabe des Buchs: Gründliche Anweiſung, alle Arten Vögel zu fangen, beſprochen und in der Michaelis-Meſſe deſſelben Jahres darüber mit den Verlegern Monath und Kußler contrahirt.

Der Herausgeber übernahm Umarbeitung und Verbeſſerung, die Kupfer blieben mit Ausnahme der Tafel IX. und des Titelkupfers, welches letztere Reinecke zeichnete, unverändert, und es wurde für jeden gedruckten Bogen 1 Carolin Honorar zugeſichert, bei einer ſpätern Ausgabe die Hälfte, nebſt 24 Freiexemplaren; Format, Lettern und die ganze typographiſche Einrichtung ſollte die der alten Ausgabe bleiben.

Die Arbeit wurde raſch und eifrig betrieben, und im Sommer 1796 erſchien das Buch ſammt dem Anhang: Mitellis Jagdluſt, welches die Hochachtung und Freundschaft des Herausgebers dem Fürstl. Hessen-Darmstädtischen Oeconomie-Deputations-Assessor Dr. Moritz Balthasar Borkhausen widmete.

Die Verleger schrieben unterm 8. November 1796 an den Herausgeber:

„Es hat dieses Werk unsern ganzen Beifall, und wir können uns mit Recht einen guten und schleunigen Absatz davon versprechen rc.“

Und am Ende dieses Briefes: „Besonders angenehm und schätzbar soll es uns sein, wenn Ew. Wohlgeboren uns Dero ferneres Zutrauen schenken und mehrere Ihrer gelehrten Arbeiten zum Verlag überlassen wollen. Wir sind hierzu willig und bereit, und werden uns angelegen sein lassen, alle Bedingungen jederzeit auf das pünktlichste zu erfüllen. Sehr angenehm würde es uns sein, wenn wir für die bevorstehende Ostermesse ein neues Werk von etwa 20 Bogen zum Verlag von Denenselben erhalten könnten rc.“

In der Verlagshandlung des Latham, A. G. Schneider und Weigel erschienen 1795 mit der Jahrzahl 1796:

Gespräche im Wirthshause zu Klugheim gehalten über Gegenstände aus der Natur und Oeconomie.

Erstes und zweites Bändchen; und diesem für Landleute berechneten Buche stellte der Verfasser die Widmung voran:

Meinem Vater
dem
Huf- und Waffenschmied
Meister Andreas Bechstein
aus
kindlicher Liebe und Dankbarkeit
gewidmet.

Den Inhalt bildeten meist Artikel aus den früheren Jahrgängen von Salzmanns Boten aus Thüringen.

Eine Irrung mit der Verlagshandlung im Betreff des Werkes: Getreue Abbildungen war Ursache, daß Bechstein die Fortsetzung der Gespräche unter dem Titel:

„Neue Gespräche im Wirthshaus zu Klugheim rc.“ in seinem eigenen Verlag und in Schnepfenthal bei Joh. Fr. Müller in der Herbstmesse 1796 herausgab, und sie „der ehrbaren Gemeinde zu Langenhain (seinem Stammort) aus alter Verwandt- und Bekanntschaft“ zueignete. Später erschienen noch zwei Bändchen der älteren Gespräche in Nürnberg. Die Ankündigung dieser neuen Gespräche enthielt Nr. 100 des Reichs-Anzeigers 1796.

Im Jahr 1797 brachte Ettinger in Gotha den zweiten Band der Stubenthiere unter dem Titel: Naturgeschichte oder Anleitung zur Kenntniß und Wartung der Säugethiere, Amphibien, Fische, Insecten und Würmer, welche man in der Stube halten kann. Der Verfasser widmete diesen Band seinem Freunde, dem Cammer-Commissär Friedr. Bernhard Kästner in Gotha.

Das Werk: Getreue Abbildungen naturhistorischer Gegenstände in Hinsicht auf die Naturgeschichte des In- und Auslandes, welches bei Schneider und Weigel erschien, später aber von Bechstein an Monath und Kußler übertragen werden sollte, fand allgemeinen großen Anklang, machte aber nicht minder, wie Latham, viel zu schaffen, und die Correspondenz über die Bildblätter namentlich, und deren bisweilen gegenseitig gerügte Mängel, theils der Zeichnungen, theils des Colorits und des Papiers hatte manches Unangenehme und Verdrießliche.

Der Styl, dessen sich die Firma Schneider und Weigel gegen Bechstein bisweilen bediente, war jener derbe Dreschflegelstyl, den manche Handlung gegen einen Gelehrten sich dann erlauben zu dürfen glaubt, wenn sie in ihm einen Fabrikarbeiter erblickt, den sie dazu für erschaffen hält, für ihr Interesse thätig zu sein, ohne Rücksichtnahme auf seine Wissenschaft und seine Stellung zur Literatur.

Zum Glück war dieß nur eine Ausnahme, und das Verhältniß Bechsteins zu seinen vielen übrigen Verlegern hielt sich meist auf der Höhe einer gegenseitig achtungsvollen Freundschaft.

Erfreuender wirkten Anerkennungen seiner wissenschaftlichen Thätigkeit von außen her, und die wachsende Liebe der Freunde in allen Gegenden Deutschlands.

So schrieb unter andern der Ornitholog Manesse zu Münster, während seiner Anwesenheit in Erfurt, folgenden Brief an Bechstein:*)

„Erfurt, den 30. Decbr. 1795."

„Dürfte ich wohl, mein Herr, mich in der Eigenschaft als Naturforscher an Sie wenden, um Sie zu bitten, mir das Nest und zwei oder drei Nesteier des Kreuzschnabels zu verschaffen, der ein, Ihrem Lande eigenthümlicher Vogel ist, und den ich mir trotz mehrjähriger Bemühungen noch nicht habe verschaffen können?

Ich würde sehr erfreut sein, wenn ich dieselben durch Sie erhalten könnte, und ich ersuche Sie, in Beziehung auf die Leute, welche Sie brauchen würden, um mir dieselben zu verschaffen, nichts zu sparen, und werde, außer der Erkenntlichkeit, zu welcher ich mich verpflichtet fühlen muß, mich beeilen, Ihnen Ihre Auslagen sogleich wieder zu erstatten.

Sollte ich meinerseits als Ornitholog und Fortsetzer von Buffons Naturgeschichte Ihnen irgend von Nutzen sein können, so zählen Sie auf meine Bereitwilligkeit und meinen Eifer, Ihnen zu Diensten zu sein.

Außer dem Neste und den Eiern des Kreuzschnabels bitte ich Sie noch, mein Herr, um die Erlaubniß, aus Ihrem Werke einige Artikel über die Sitten und Gewohnheiten dieser Vögel entnehmen zu dürfen, welche Sie mir als Mann von Fach und gelehrter Naturforscher beobachtet zu haben scheinen; ich werde jedoch Ihre Artikel nur mit der Ihnen schuldigen Anerkennung Ihres Verdienstes in mein Werk aufnehmen.

Empfangen Sie die Versicherung meiner Achtung und meiner vollsten Dankbarkeit, mit welcher ich stets sein werde, mein Herr

Ihr ergebenster und verbundenster Diener

der Abbé Manesse."

*) Das Original war französisch.

Monath und Kußler mochten mit Schneider und Weigel nicht auf bestem Fuße stehen. Sie tadelten in Briefen an Bechstein, daß die von Schneider verlegten getreuen Abbildungen so „äußerst elend" geliefert würden, schrieben dies dem übertriebenen Geiz des Verlegers zu, und äußerten, daß sie, wenn ihnen das Werk übertragen worden wäre, es in ungleich empfehlenderer und eleganterer Gestalt geliefert haben würden."

Die politischen Zeitereignisse hemmten einerseits vielfach das wissenschaftliche und literarische Streben. Es herrschte Theuerung, die auch Bechstein bei den Ausgaben seiner zahlreich besuchten Anstalt drückend empfand, und die Buchhändler klagten.

Ich theile im Bezug auf die damaligen Zeitverhältnisse einen Brief Borkhausens mit, weil man nie genug daran erinnern kann, wie die Franzosen nicht bloß unter ihrem Napoleon, sondern auch vor seiner glorreichen Despotie sich in Deutschland aufführten, da die mächtigen Sympathien für Frankreich immer noch hie und da so vielen Anklang finden, und man in Deutschland 1848 nichts Eiligeres thun zu müssen glaubte, als Frankreich nachäffen, die Fürsten verjagen und Republik spielen; so wie auch in der neuesten Zeit eine gewisse Partei gar zu gern Oesterreich und Preußen zum schleunigen Bündniß mit Frankreich, Deutschlands Berauber und geschworenem Erbfeinde, hinzudrängen versuchte, während Deutschland nur die eine Aufgabe hat, auf eigenen Füßen zu stehen, und weder vom Osten, noch vom Westen etwas Gutes zu hoffen oder zu erwarten. —

„Darmstadt, den 26. September 1796."

„Hochzuehrender Herr Bergrath,
Hochgeschätzter Freund!

Endlich nach einer langen in den größten Trübsalen zugebrachten Periode athmen wir wieder frei. Der achte Tag des Septembers war der Tag der Erlösung von dem eisernen Joche, das uns die Franzosen auferlegt hatten, und das uns gerade zu einer Zeit abgenommen wurde, wo die sämmtlichen Bürger unsers Landes erst recht anfingen, es im höchsten Grade drückend zu fühlen und einverstanden waren, ohnerachtet aller nur möglichen Gegenvorstellungen, die ihnen von ihrer Obrigkeit, und selbst im Namen ihres Fürsten gemacht wurden, es durch ein fürchterliches Blutbad, ähnlich der sizilischen Vesper oder dem Vendeerkriege, abzuschütteln. Die Requisitionen und Brandschatzungen der Franzosen waren unerschwinglich. Nicht nur alles, was die bei Mainz stehende Belagerungsarmee an Kriegs- und Lebensbedürfnissen nöthig hatte, wurde gefordert, sondern auch alles, was den Generalen und Staabsoffizieren zum Luxus, zur Kützelung ihrer Gaumen dienen konnte, mußte geliefert werden. Sie forderten Bisquit, Zitronen, Rosinen, Arrak, Ananas; sie ließen sich Pfeifenköpfe mit Silber beschlagen; sie forderten kostbares Pferdegeschirr, Kleidungen für sich und ihre Leute, und drei Tage vorher, ehe uns der Himmel erlöste, wollten sie noch 12 Waschmädgen, die schön und nicht über 25 Jahre wären, gestellt haben, welches aber von hiesiger Commission mit Unwillen verworfen wurde. Das Hauptquartier des General Kostolants in Maynbischoffsheim kostete das Amt Rüsselsheim täglich 300 fl. und das Hauptquartier des General Marceau, der nunmehr den Lohn seiner Unthaten empfangen hat, indem er mit 7 Wunden in die Hände der Oesterreicher gerathen und gestorben ist, kostete das durch den langen Kriegsschauplatz, der es war, ruinirte Amt Wallau täglich 700 Gulden. Unsere Landleute wollten nichts mehr liefern, General Marceau nahm nun Geiseln, sowohl aus Darmstadt, als aus den Landstädten, welche leider noch nicht zurück sind; aber auch das stimmte die Gesinnungen nicht um, sondern erbitterte noch mehr. Da Marceau sah, daß er durch das Geiselnehmen seinen Zweck nicht erreichen konnte, drohte er mit Execution und wirklich sollten 1000 Mann Franzosen den 10. September mit Kanonen in den Odenwald und die Bergstraße, die Gegenden, welche am widerspenstigsten waren, einrücken. Aber auch dieses schreckte die Landleute nicht, sondern sie machten nun Vertheidigungsanstalten und beschlossen festen Muthes die Execution zu erwarten. Unsere Lage war verzweifelnd. Wir sahen keine Rettung, wir mochten hinblicken, wohin wir wollten. Zwar gingen dumpfe

Gerüchte herum, Jourdan sei geschlagen und müsse retiriren, aber die daraus entspringende Hoffnung wurde bald wieder durch gegentheilige Gerüchte, nach welchen er wieder vorgedrungen sein sollte, verscheucht. Noch den 6. September wurde sogar Jourdans Rückzuge in öffentlichen Blättern widersprochen und als von Uebelgesinnten ausgestreut erklärt und noch den 7. kam ein Executionscommando Franzosen von ungefähr 30 Mann in hiesige Stadt, um einige gemachte Forderungen zu erpressen, die Ablieferung der bürgerlichen Gewehre zu verlangen und 150 Wägen zu fordern, welches so lange, bis alles dieses geleistet wäre, liegen bleiben sollte. Aber morgens um 8 Uhr den 8. Sept. änderte sich auf einmal die Scene, als plötzlich eine halbe Eskadron Uhlanen und eine halbe Eskadron Vecsai Husaren mit Jubel und mit Musik und Gesang (sie sangen und spielten das schöne Freudenlied: „Freut euch des Lebens, weil noch das Lämpchen glüht ꝛc.") in unsere Stadt sprengten und das wie vom Donner gerührte Corps Franzosen gefangen nahm. Wir waren bestürzt vor Freude über eine solche gar nicht vorhergesehene Wendung der Dinge, und kaum konnten wir fragen wie alles dieses sich so schnell habe zutragen können, als wir schon mehrere Züge österreichischer Cavallerie ankommen sahen. Nach der Schlacht bei Würzburg war gleich ein Corps abgegangen, um der Besatzung von Mainz die Siegesnachricht durch seine Gegenwart zu bringen; dieses Corps war in 2 Tagen von Würzburg bis hierher geritten und schickte sogleich Patrouillen gegen Mainz, welche durch steigende Raketen ihre Ankunft der Garnison bekannt machten, und noch denselben Tag that der Gouverneur einen wüthenden Ausfall, schlug die Belagerungsarmee, machte viele gefangen und eroberte fast alles Belagerungsgeschütz. Die Franzosen zündeten ihren Munitionsdepot an, welcher mit großem Gepraſſel in die Luft flog und viele Kanonen und Kugeln rollten sie in den Rhein. Ihre Schaluppen, welche sie der Flottille des Obristlieutenants Williams entgegen setzen wollten, verbrannten sie nebst ihren durch Requisitionen zusammengebrachten Magazinen und das Vieh stachen sie tod. So endigte sich unsere Trübsalszeit. Ich war während der ganzen Zeit in doppelter Angst. Weil Jourdan in einer Proklamation an die Bewohner des rechten Rheinufers versprochen hatte, das Privateigenthum zu respectiren, so übergab mir der Landgraf vor seinem Weggehen sein physikalisches und Naturalienkabinet nebst seiner physikalischen Bibliothek, um alles für das Meinige auszugeben. Die ersten Franzosen, welche herkamen, sagten gleich, sie wüßten, daß der Landgraf seine meisten Sachen in die Stadt gegeben habe, und sie erwarteten nur Befehl vom Convent, um sie herauszubringen. Auch drohten sie zuletzt mit Beschlagnehmung aller herrschaftlichen Revenüen. Nun denken Sie sich meine Lage! Ich wußte schlechterdings keinen Entschluß zu fassen und keinen Rath zu holen. Doch Gott lob! nun ist's vorüber, und ich hoffe, es soll nie wieder so weit kommen.

Mein Freund Koch, mein treuer Gefährte und Begleiter auf botanischen und forstwissenschaftlichen Excursionen, ist nebst seinem alten Vater, dem Cammerrath Koch, als Geisel weggeführt worden. Er stand eben auf dem Punkt Assessor beim Forstcollegio zu werden. Noch haben wir nicht in Erfahrung bringen können, wohin die Geiseln sind geführt worden. Die Auslösung derselben ist uns vom Erzherzog Carl untersagt worden, indem er Mittel in den Händen habe sie ohne Lösungsgeld frei zu machen. Aber auch ohne dieses verbietet es sich von selbsten sie auszulösen, da die Franzosen eine Forderung von nah an 2 Millionen Gulden machen, welche das Land unter den jezigen Umständen, nach so übermäßigen vorhergegangenen Prästationen, nicht aufzubringen vermag.

Ich lege Ihnen hier ein Verzeichniß von sämmtlichen in des Landgrafen Museum befindlichen ausländischen Vögeln bei. Vielleicht kann ein Tausch getroffen werden, da ich die Erlaubniß habe die Dupletten gegen fehlende zu vertauschen. Und wenn Sie mehrere davon wollen gezeichnet haben, so wird sich Herr Schneeberger ein Vergnügen daraus machen Ihnen zu dienen.

Leben Sie recht wohl und bleiben Sie gewogen Ihrem Sie stets hochachtenden Freunde

M. B. Borkhausen."

Auch ein mit Bechstein freundlich verbundener Gelehrter, der Waisenpfarrer und nachherige Landschuleninspektor Keyßner in Meiningen, der sich die Verbreitung mancher Schriften in seinem Kreise angelegen sein ließ, und vieles von den Bücherniederlagen in Waltershausen und Schnepfenthal bezog, schloß einmal unterm 29. Juli 1796 einen Brief mit den Worten: „Leben Sie wohl und ruhiger als wir, die wir mit jedem Tage die Franzosen zu erwarten haben."

Die Zeichnungen zu Latham lieferten Dr. Reinecke und F. Stötzel. Auch lag es, wie aus Briefen der Firma Weigel und Schneider hervorgeht, in deren Plane, daß Bechstein einen Auszug dieses großen und weitschichtigen Werkes bearbeite.

Aus einem Briefe dieser Firma vom 16. September 1797 erhellt, daß Bechstein mit ihr wegen der Uebertragung von Pennants allgemeiner Uebersicht der vierfüßigen Thiere in Unterhandlung getreten war, welches Verlagsunternehmen jedoch mit ziemlicher Schroffheit in ungewisse Aussicht gestellt wurde.

„Wegen Pennant ist dermalen gar keine Aussicht vorhanden, bis der Latham fertig ist, was nutzt es, wenn wir ihn annehmen, und in Jahr und Tag nichts liefern? Wir haben an den Abbildungen und an Latham alle Hände voll zu thun, und da mehrere Hände da sind, die ihn nehmen, so wird es nicht schwer fallen, ihn bald ans Licht treten zu lassen."

Die letztere Aeußerung bewährte sich, denn im darauf folgenden Jahre schloß Bechstein mit dem Bertuchschen Industrie-Comptoir zu Weimar über die Herausgabe des Pennantschen Werkes ab.

Eine Nachschrift des letztern Briefes enthielt die Worte: „Mit dem Frieden sieht es mißlich aus und steht noch im weiten Felde, indessen werden wir arme Republikaner." (!)

In diese Zeit fällt auch die erste Idee und der Plan einer eigenthümlichen literarisch-merkantilen Speculation Bechsteins, der später erst reifte und ihm viel zu schaffen machte, nämlich einer Naturgeschichte für Kinder mit der Beigabe von Thierfiguren aus Holz oder Papiermaché, von der weiter unten ausführlicher die Rede sein wird.

Bei den thätigen Verlegern Monath und Kußler in Nürnberg erschien ferner im Laufe des Jahres 1797 aus Bechsteins Feder: Le Vaillants Naturgeschichte der afrikanischen Vögel. Aus dem Französischen übersetzt und mit Anmerkungen und Zusätzen versehen. 10 Hefte, die 5 ersten Hefte kamen jedoch bei Ettinger in Gotha heraus, dessen Handlung Bechstein aber diesen Verlag mit ihrem Einverständniß wieder abnahm, und sie theils durch Monath und Kußler entschädigen ließ, theils selbst entschädigte. Der unterm 25. Januar 1797 abgeschlossene Vertrag lautete dahin: daß der Druck in Schnepfenthal unter Bechsteins Aufsicht analog dem Latham mit schönen Didotschen Lettern besorgt, die Auflage in 4. 1000 Exemplare gemacht und an Honorar pro Bogen 4 Laubthaler bezahlt werden solle, Freiexemplare 16.

Das Jahr 1798 sah nicht minder manches ehrenwerthe Zeugniß der Thätigkeit des unermüdet wirksamen Naturforschers. Im Januar sandte Bechstein das Manuscript des Buches über die schädlichen Waldinsecten an Monath und Kußler in Nürnberg ab, die mit Freuden den Verlag übernahmen, und das Manuscript sofort zurücksandten, damit Bechstein selbst es dem Druck in Schnepfenthal übergebe.

Die Auflage wurde 1500 stark gemacht, und die Bildtafeln wurden in Nürnberg gestochen und colorirt. Da sich Schneider und Weigel daselbst in vieler Hinsicht und wiederholt unfreundlich zeigten, so wollte Bechstein dem Wunsch jener freundlicheren und artigeren Verleger willfahren und ihnen den Verlag der getreuen Abbildungen überlassen, worauf jene schrieben:

„Die Fortsetzung der getreuen Abbildungen übernehmen wir mit Vergnügen, und sind bereit, die Bedingungen, so Schneider und Weigel erfüllten, in gleichem Maaße zu erfüllen ꝛc."

Monath und Kußler beklagten wiederholt, daß sie zuviel andern Verlag übernommen, um nicht auch Pennant übernehmen zu können.

Mit den Kupfern zu Le Vaillant wurde Kupferstecher Nußbiegel in Nürnberg beschäftigt, und als der erste Band 1797 erschien, widmete ihn Bechstein dem Erbprinzen Carl Alexander von Thurn und

Taxis Durchlaucht, Kaiserlichen Prinzipal-Commissär zu Regensburg, mit der Bezeichnung eines großen Kenners und thätigen Beförderers aller wahren und nützlichen Kenntnisse, besonders der Naturgeschichte und der damit verwandten Wissenschaften.

Der Inhalt der Schneider und Weigelschen Briefe war eine fortlaufende Kette von Verletzungen, und Niemand aus dem naturwissenschaftlichen Publikum, der sich an Latham erfreute, mag eine Ahnung von dem Verdruß und der Pein gehabt haben, die dieses Werk seinem Bearbeiter verursachte.

Die Fortsetzung der getreuen Abbildungen wurde von Schneider und Weigel nicht aus den Händen gelassen, und darüber äußerten sich ihre Rivalen im August 1798:

„Von Herrn Schneider war es nicht anders zu erwarten, als daß er bei der Aufkündigung der Abbildungen nicht gleichgültig bleiben würde; wenn er auch solche anfänglich annahm, so mußte er vermöge seines Charakters und in Rücksicht des künftigen Verlegers dieser Fortsetzung Lärmen schlagen, mit dem derselbe zwar nicht weitkommen würde, wenn der Herr Verfasser im Ernst seiner sich entledigen möchte. Doch bleibt es immer das Beste, wenn Dieselben eine schickliche Gelegenheit abwarten, um ganz von demselben loszukommen."

Die letztere Handlung ließ sich die Fortsetzung des Le Vaillant äußerst angelegen sein, obschon die kriegerisch bewegte Zeit dem Absatz eines so theuren Werkes nicht günstig war. Bis Ende 1798 waren 6 Lieferungen vollendet, und mehr war bis dahin von der Pariser Originalausgabe nicht erschienen.

„Trifft der sehnlichst erwünschte Friede bald ein," so schrieben die Verleger: „dann hoffen wir, soll der Absatz dieses kostspieligen Werkes ergiebiger werden, und gedenken mit der Originalausgabe gleiche Schritte in Rücksicht der Erscheinung der Hefte halten zu können."

Mittlerweile hatte Bechstein mit dem Industrie-Comptoir in Weimar angeknüpft; die erste Frucht dieser Verbindung waren die Taschenblätter der Forstbotanik. Ein bewährtes Hülfsmittel beim Botanisiren. Erster Theil. Die deutschen Bäume, Sträucher und Stauden

1798. Der Verfasser widmete das Buch seinen Zuhörern, für die dasselbe auch mehr, als für ein großes Publikum bestimmt war. Auch in der Vorrede zu diesem Buche rühmte Bechstein, und mit Recht, die Reichhaltigkeit des Burgbergs über seiner Wohnung an deutschen Holzarten, von denen bei weitem die meisten auf diesem Berge angetroffen werden.

Die Nummer 119 des Reichsanzeigers brachte unterm 25. Mai 1798 aus Bechsteins Feder: Einige Bemerkungen bei Gelegenheit einer kleinen Forstreise durch den Thüringerwald.

Ueber das wichtige Werk: Die Uebersetzung von **Pennants History of Quadruped's**, wurde im August 1798 mit dem Industrie-Comptoir abgeschlossen, und die Bedingungen waren: 2 Quartbände, Schrift wie bei Latham, Druck bei Müller in Schnepfenthal, 1000 Exemplare Auflage, und Acht Thaler Conventionsgeld **pro** Bogen Honorar nebst 12 Freiexemplaren. Künftige Nachträge sollten das Werk zu einem vollständigen Repertorium der gesammten Säugethiere machen, und 1799 an jeder der beiden Messen ein Band erscheinen. Der erste Band erschien auch noch 1799 unter dem Titel: Thomas Pennants allgemeine Uebersicht der vierfüßigen Thiere. Aus dem Englischen übersetzt und mit Anmerkungen und Zusätzen versehen ꝛc. und war „dem regierenden Herzog Georg Friedrich Carl, dem Weisen und Verehrten, dem gerechtesten und gütigsten Vater seiner Unterthanen, dem großen Kenner und thätigsten Beförderer aller wahren und nützlichen Kenntnisse, besonders der Naturgeschichte und der damit verwandten Wissenschaften“ in tiefster Verehrung gewidmet.

Daß die in dieser Dedication vom Herzog Georg zu S. Meiningen gerühmten Tugenden keine leeren Schmeicheleien waren, werden diejenigen meiner Leser, denen das Leben dieses Fürsten nicht ohnehin bekannt sein sollte, aus dem Weiterverlauf dieser Biographie genugsam ersehen und wahrnehmen.

Der Herzog interessirte sich in der That für jede fördernde Wissenschaft, wie für jede productive Literaturkraft, er war es, der gern dem jenaischen Professor und H. S. Weimarischen Rath Schiller durch einen von demselben wegen seiner beabsichtigten Verheirathung erbetenen höheren Titel ein Zeichen seiner Anerkennung gab; er befreundete sich mit edlen Geistern; wie Jean Paul, Ernst Wagner und sah nach jeder Richtung menschlicher Thätigkeiten hin mit prüfenden und aufmerksamen Blicken. Ein großer Freund auch der Thierwelt und namentlich der Vögel, hielt er kleine Menagerieen und Volieren. Der oben erwähnte Waisenpfarrer Keyßner, der selbst großer Naturfreund war, schrieb unter andern scherzhafterweise im December 1798 an Bechstein: „Herr Dr. Panzerbieter empfiehlt sich Ihnen. Er hat den Herzog vermocht, sich den Latham kommen zu lassen. Wenn er aber nicht alle Vögel enthält, die der Herzog lebendig besitzt, so werden Sie in die Bastille kommen."

Der Herzog besaß auch das französische Original der afrikanischen Vögel von Le Vaillant und andere kostbare ornithologische Werke.

Der zweite Band von Pennants Uebersicht konnte erst im Jahr 1800 erscheinen.

Ein Zeichen, daß die öffentliche Aufmerksamkeit mehr und mehr auf den verdienstvollen Verfasser so vieler naturhistorischen Werke sich lenkte, war auch, daß die allgemeine deutsche Bibliothek ihren 1798 erscheinenden 39. Band mit Bechsteins Brustbild schmückte, das freilich wenig oder keine Aehnlichkeit zeigte.

Noch am letzten Tage des Jahres 1798 ging ein Brief von dem Sohne des im Herbst desselben Jahres verstorbenen Kunsthändlers Wirsing in Nürnberg an Bechstein ein, der die wiederholte Bitte aussprach, ein Vogelwerk im Verlag dieser Firma, das bereits begonnen sei, fortzusetzen. Doch scheinen die darüber gepflogenen Verhandlungen kein Resultat erzielt zu haben. Am 6. März 1800 schrieb der nachherige Besitzer dieser Firma Johann Jac. Adam Widemann abermals, daß von dem Vogelwerk bereits 108 Tafeln fertig, der Text aber nur bis zur 50. Tafel heraus sei. Bechstein möge doch sich gefälligst mit der Fortsetzung befassen, „denn traurig wäre es, wenn das Werk, welches schon so geraume Zeit uncomplettirt daliegt, nicht die Fortsetzung des Textes, und zwar von Euer Wohlgeboren als einem so ganz fürtrefflich und rühmlich bekanntem Manne! in balden erhielte."

Bechstein lehnte den Antrag nicht ab, sondern schrieb unterm 14. Mai zusagend, und empfing ein Exemplar des Werkes, soweit es vorhanden war. Da es Bechstein an Zeit mangelte, die Fortsetzung selbst ganz zu besorgen, so sollte der Graf Alexander von Platen und Hallermund, Bechsteins ehemaliger Schüler, dabei hülfreiche Hand leisten, und das Werk unter folgendem Titel erscheinen: Sammlung meistens deutscher Vögel, gemalt von Barbara Regina Dietzschin, gestochen von Adam Ludwig Wirsing und geschrieben von Johann Matthäus Bechstein. Drittes Heft. Nurnberg, in der A. L. Wirsing, jetzt J. J. A. Widmannischen Kunsthandlung. 1800. In der Vorrede des fragmentarisch noch vorliegenden Manuscripts sagte Bechstein: „In der Art der Behandlung bin ich, um Gleichheit in das Werk zu bringen, meinem Vorgänger gefolgt, und die kleinen Abweichungen sind Folgen der neuen Literatur in der Ornithologie. Die Beschreibungen der Vögel selbst und ihrer Farben sind nach mehreren Exemplaren unter meiner Anleitung von dem jungen Grafen Alexander von Platen und Hallermund aus Schwabach, der viel Talent und Eifer zur Naturgeschichte und besonders zur Ornithologie zeigt, und vielleicht in Zukunft diesen Zweig der Naturgeschichte mit neuen Beiträgen zu bereichern im Stande sein wird, verfertigt."

Im Frühling des Jahres 1799 begannen mit Crusius in Leipzig Unterhandlungen im Betreff der neuen Ausgabe der Gemeinnützigen Naturgeschichte Deutschlands. Der wackre Crusius sprach darüber mehrere Wünsche aus, nämlich für Papier und Druck in Leipzig sorgen zu dürfen, (er hatte selbst eine Buchdruckerei,) sagte für die Bearbeitung neuer, das Werk bereichernder Zusätze ein höheres Honorar, als für die bloße Revision zu, bat, ihn in der Auflage nicht auf 1000 zu beschränken, sondern zu gestatten, daß diese bis auf 1500 ausgedehnt werde ꝛc.

Bechstein erhob einige Bedenken und schrieb dann weiter: „Wenn Sie dem Schriftsteller seine Arbeit nicht so genau (karg) bezahlten, und mir nicht schon mehrere Male auch bei den besten Artikeln ein Refus gegeben hätten, so würde ich Ihnen jetzt wieder ein Verlagswerk angetragen haben, das gewiß sehr gut gehen wird," und wofür ich für den Bogen bei 1500 Auflage ungefordert 2 Carolin erhalte."

Welches Werk hier gemeint war, soll gleich erwähnt werden, zuvor aber sei der Uebertragung von La Cepede's Amphibien gedacht, welche Bechstein ebenfalls herauszugeben beschlossen und die Arbeit bereits begonnen hatte. Im März 1799 schrieb der Chef des Industrie-Comptoirs Bertuch in einem Geschäftsbrief:

„Es folgt der 1. Band von La Cepede, den ich mit dem verbindlichsten Dank zurückgebe. Wollen Sie dies Werk sowie den Pennant vollends bearbeiten, und eine vollständige Synopsis der Amphibien daraus machen, so bin ich bereit, es auch auf dieselben Bedingungen wie beim Pennant in Verlag zu nehmen, und dann druckte es Müller gleich wie den Pennant fort. Hierzu müßten aber mehr Kupfer als zum Pennant und vorzüglich illuminirte kommen."

„Ich komme den Dienstag nach den (Oster) Feiertagen auf den Seeberg zu Herrn M. v. Zach und bleibe Mittwoch da. Könnten Sie, l. Fr., Mittwoch früh einen Flug nach Gotha machen, so sprächen wir uns wohl ein Paaar Stunden im Mohren über den La Cepede und allerlei. Sagen Sie mir doch, ob Ihnen das so Recht wäre, und leben Sie indeß recht wohl. Mit freundschaftlicher Hochachtung verharre ich

der Ihrigste

F. J. Bertuch."

Hierbei ein Briefchen von Ihrem Herrn Schwager.

Bechstein erwiederte:

„Mit Ostern erhalten Sie, verehrungswürdigster Freund, den ersten Theil des Pennant als geendigt, in natura. Ich hoffe Sie und das Publikum soll mit meiner und Herrn Müllers Arbeit zufrieden sein."

„Schwerlich werde ich diesen Sommer Zeit finden, den La Cepede zu bearbeiten, da ich bis Pfingsten noch mit Pennant zu thun habe, und die neue Auflage meiner Naturgeschichte Deutschlands besorgen muß. Allein künftigen Winter bin ich dazu bereit, wenn mir Gott Leben und Gesundheit schenkt. Ich bitte, daß Sie sich einstweilen ein

Exemplar in Quarto aus Paris kommen lassen. Wahrscheinlich hat man schon eine neue Auflage."

„Wenn nicht unvorhergesehene Umstände es unmöglich machen, so bin ich gewiß den Dienstag nach dem Feste früh 9 Uhr bei Ihnen zu Gotha im Mohren, und widme Ihnen alle diejenige Hochachtung und Freundschaft, mit welcher ich stets bin Ihr ganz ergebenster Diener

J. M. Bechstein.

Die nähere und innige Befreundung mit einem Manne, wie der einsichtvolle, thätige, im Gebiete des Schönen nicht minder wie in dem des Wissenschaftlichen heimische Friedrich Just Bertuch war, konnte nur wohlthätig und anregend, ja belebend auf Bechstein wirken. Es ist für jeden Schriftsteller als ein Glück zu erachten, wenn er in dem Verleger seiner Werke nicht nur den Kauf- und Handelsherrn, sondern den wohlwollenden Freund gewinnt, der mit ihm Hand in Hand die Wissenschaft zu fördern bemüht ist. Aus solchen Verbindungen gehen dann auch meist Werke von dauerndem Werth hervor, an denen die Speculation auf ephemere Erfolge keinen Antheil hat.

Während alle diese Arbeiten beschäftigten, reifte die Idee, nach jenem mit von Burgsdorff gemeinschaftlich ausgearbeiteten Plane ein Handbuch der gesammten Jagdwissenschaften heraus zu geben. Dieses Werk war es, das Bechstein im letzt mitgetheilten Briefe an Crusius meinte, indem er sagte, daß ihm ungefordert 2 Carolin pro Bogen geboten seien.

Ueber dieses weitschichtigen und umfassenden Werkes ursprüngliches ins Leben Treten fanden mancherlei Verhandlungen statt, von denen ich nur die wichtigsten im Auszug berühre.

Monath und Kußler schrieben:

„Nürnberg, den 7. März 1799."

P. P.

„Einen abermaligen Beweis des Zutrauens, so Dieselben uns mit Antragung eines kostbaren Werks: Handbuch der gesammmten Jagdwissenschaften, zu ertheilen belieben, erkennen wir vorläufig mit dem gehorsamsten Dank. Der Plan ist vortrefflich, dessen Ausführung unter der Leitung genannter großer Forstmänner nicht anders als gut, und für den Verleger vortheilhaftes Gedeihen gewähren muß." Das geforderte Honorar von 4 Louisd'or wurde zu hoch befunden und es wurde 2 Carolin pro Bogen bei 1500 Auflage geboten.

Bechstein erwiederte:

P. P.

„Ich gestehe es ein, daß das Anerbieten des Honorars für das Handbuch der Jagdwissenschaften von 2 Carolin bei 1500 Auflage nicht zu verwerfen ist. Allein da die Sache nicht bloß von mir allein abhängt, so kann ich dieß leider nicht eingehen; Herr von Burgsdorff schrieb mir neulich, daß er, wenn ich das Honorar nicht erhöhen könnte, in Berlin 3 Louisd'or für den Bogen erhalten würde. Ew. Hochedelgeboren sehen also, daß ich auf diese Art sehr übel fahre, und bei meinen vielen Arbeiten, die mir, wenn Sie die Vorrede zu Diana gelesen haben, der Plan und dessen Ausführung verursacht, noch Einbuße hätte u. s. w.

In Erwartung einer baldigen Antwort verharre ich hochachtungsvoll

Ew. Hochedelgeboren

ganz ergebenster Diener

J. M. Bechstein."

Monath und Kußler äußerten darauf ihre Bedenken, und erwiederten, daß wenn Herr von Burgsdorff den Verlag einer Berliner Handlung mit 3 Carolin übertrüge, der Preis so hoch ausfallen müßte, daß das Werk von allen Seiten nachgedruckt und unter der Hälfte des Preises verkauft werden würde. Berlin sei nicht geeignet, dergleichen Räubereien zu hintertreiben, und die dortigen theuren Papierpreise erhöhten noch die Preise für Verlagswerke. Im Mittelpunkt Deutschlands ließe sich jenes Uebel eher ablehnen, wenn die Honorarforderung nicht zu hoch gestellt wäre. Die Handlung müsse nach nochmaliger reiflicher Ueberlegung und den Kostenüberschlag bei ihrem ersten Gebot von 2 Carolin bleiben.

Burgsdorff schrieb über die Ausarbeitung des Werkes im Mai sehr ausführlich an Bechstein:

In demselben Monat forderte Bertuch zur raschen und ununterbrochenen Druckförderung des zweiten Theiles von Pennant auf, und schrieb im Betreff des Le Cepede Folgendes:

„Weimar, den 20. Mai 1799."

„In Ihrem letzten lieben Briefe schrieben Sie mir zwar, daß Sie die Vollendung des La Cepede bis auf den Winter verschieben wollten; dies, lieber Freund, würde dem Werke in mehrerer Rücksicht nachtheilig sein; und wenn ich es noch unternehmen soll, so würde es eine der ersten Bedingungen sein, daß der Druck des La Cepede sich an den Pennant anschlösse, und wenigstens etwas davon zur Ostermesse geliefert werden könne; denn ein neues wichtiges Buch darf durchaus nicht zur Michaelismesse, die immer unbedeutender wird, zuerst erscheinen. Es fragt sich also, ob Sie nicht die Revision der Uebersetzung Ihres Herrn Schwagers und Ihre Anmerkungen dazu diesen Sommer durch so bearbeiten könnten, daß Sie der Druckerei nach der Michaeli-Messe immer etwas davon geben könnten! Dr. Reinecke, der noch etwas davon bei sich hat, will Ihnen den Abschnitt von den Molchen schicken, da es jetzt noch Zeit ist, Beobachtungen damit zu machen. Die neueste Quart-Ausgabe vom La Cepede habe ich aus Paris verschrieben, und sie wird bald ankommen. Ich weiß nicht, haben Sie auch mit Schneider in Frankfurt a. d. O. über den La Cepede correspondirt, da dieser doch unser Haupt-Amphibiolog ist, und Ihnen vielleicht gute Beiträge liefern könnte? Da es unsere Absicht ist, im La Cepede eine vollständige Uebersicht der bekannten Amphibien zu liefern. u. s. w.

Leben Sie recht wohl, verehrter Freund! Ich verharre mit freundschaftlichster Hochachtung

der Ihrigste

F. J. Bertuch."

Der Erfolg dieses Briefes war, daß Bechstein sofort auch diese Arbeit beschleunigte, daß er sich mit Professor Schneider in Frankfurt an der Oder, dem er den ersten Band des La Cepede „aus reinster Hochachtung und Dankbarkeit für das Licht, das er über die Naturgeschichte der Amphibien verbreitet hat," widmete und den er in der Vorrede seinen gelehrten und würdigen Freund nennt, — nicht minder mit Professor Blasius Merrem und andern Gelehrten dieses Faches in Verbindung setzte, und es möglich machte, daß der erste, 33 Bogen starke Band doch Ostern 1800 erscheinen konnte. Einiges von jenen wissenschaftlich freundschaftlichen Verbindungen enthält der folgende Abschnitt.

In einem Briefe der Firma Monath und Kußler vom 11. Juni 1799 klagte diese über die Mißgunst der Zeit, und daß die Zahlungen aus den Rheingegenden und der Schweiz zurückblieben, daß sie an ihrem Ort drückende Lasten empfinden müsse, und bedauerten, den Verlag von dem schönen Werke, dem Forst- und Jagdhandbuch, weil das Honorar auf die gebotenen 2 Carolin von Seiten der Redaction nicht ermäßigt werden könne, einer andern Handlung überlassen zu müssen.

Inzwischen hatten die getreuen Abbildungen ihren ungestörten Fortgang, und von Zeit zu Zeit erfolgten die Sendungen der Kupfer nach Waltershausen, immer begleitet von unzarten Aeußerungen und Seitenhieben.

Nach einem Volksspruch macht Handeln und Bieten einen Kauf. Obschon nun dieses beim Verwerthen von Geistesproducten keine Anwendung erleiden sollte, so ist es dennoch sehr häufig der Fall, und wird nie ganz aus dem merkantilen Theil wissenschaftlicher Betriebsamkeit zu verbannen sein. Es reicht hier ein berühmter Name kaum aus, um unbedingtes Eingehen in jede Honorarforderung von Seiten des Verlegers zu bewirken, und oft möchte auch von derselben Seite der beste und redlichste Wille allzusehr auf Ueberschätzung der eigenen Geistesproducte von Seiten des Autors stoßen. Es führen indeß, wenn in beiden Theilen Rechts- und Billigkeitsgefühl, Redlichkeit und Treue lebendig sind, der Autor den Schaden des Verlegers nicht will, der Verleger dem Autor gern den verdienten Lohn seiner Mühen und Aufopferungen gönnt, jene Geschäftstugenden leicht zur Verständigung.

Bechstein gab dem Gebote der Firma Monath und Kußler Gehör, theilte derselben v. Burgsdorffs Wünsche und Bedingungen hinsichtlich des Quartformates mit, und unterm 4. Juli erklärte sich jene Handlung, ohngeachtet der früheren Ablehnung, nun wieder zur Verlagsübernahme bereit, wünschte aber zu größerer Sicherstellung eine Pränumerationseröffnung. Sie genehmigte das Quartformat, hoffte das Ganze auf 72 Bogen gebracht zu sehen, und die Abdrücke der Schreberschen Säugethiere dazu zu erhalten, und wünschte ebenfalls zur Ostermesse 1800 den ersten, zur Michaelismesse den zweiten Band bringen zu können.

Auf diese Zuschrift erfolgte keine Antwort, wahrscheinlich weil Bechstein sich erst mit v. Burgsdorff berathen mußte, daher erinnerte die Handlung im August daran und schrieb, daß sie bereits Vorkehrungen getroffen habe, daß Herr Müller sobald als möglich den Druck des Forst- und Jagdhandbuchs beginnen könne. Erst Anfang September war es Bechstein möglich, befriedigend antworten zu können, und es ging sofort ein Papiertransport von Nürnberg nach Schnepfenthal ab.

Auch über Le Vaillant war ein veränderter Entschluß ausgesprochen: „So wenig unser aufgewandtes Kapital bei diesem Vögelwerk bis jetzt noch gedeckt ist, und wir noch in einem großen Vorschuß dabei stehen, so müssen wir es dennoch unserer Ehre wegen, und in der Hoffnung, daß es mehrere Liebhaber finden wird, fortsetzen."

Noch am 20. December des Jahres 1799 wurde von dieser Firma um den Entwurf des Contractes über das Handbuch gebeten, und es zog sich daher diese Angelegenheit ziemlich in die Länge, was gewiß nicht der Fall gewesen wäre, wenn Bechstein freie Hand gehabt hätte, allein zu unterhandeln und abzuschließen.

Leider scheint es nicht in der Möglichkeit gelegen zu haben, die Wünsche der ehrenwerthen Handlung so rasch zu erfüllen, als dieselbe erwartete und hoffte. Es fehlte darüber nicht an Klagen, die gerechtfertigt waren durch das unbenutzt in Schnepfenthal lagernde Papier, wie durch das Liegenbleiben anderer Unternehmungen, welche zur Ausführung gekommen wären, wenn nicht auf das Erscheinen des Jagdhandbuchs sich verlassen worden wäre. Im März baten Monath und Kußler nur wenigstens den Titel und den ersten Bogen abziehen zu lassen, um diesen den Buchhandlungen vorlegen und das Werk vorläufig berechnen, auch dasselbe im Meßkatalog anzeigen zu können. Aber es kam der December des Jahres 1800 herbei, ohne daß ein Weiterschritt geschehen wäre. Die Unruhen des Krieges vermehrten die Verlegenheiten der Buchhandlungen. Monath und Kußler schrieben:

„Der Schade, so uns durch diese Wendung zugefügt wurde, ist groß, den wir nur allein und kein anderer, so unsere Verhältnisse nicht kennt, berechnen können. Bei den Unruhen, mit denen wir umgeben sind, muß das kostspielige Opfer, so wir liefern wollten, scheitern, wenn der Friede in wenigen Monaten nicht eintritt. Der Kriegsschauplatz ist nun vor unsern Thüren und wir erfahren die schwersten Bedrückungen, die uns den Muth zu allen Unternehmungen benehmen. Bei dem fatalen Umstand, der so äußerst nachtheilig für uns geleitet wurde, bitten wir mit umgehender Post uns zu benachrichtigen, ob nun der erste Theil ununterbrochen kann bearbeitet werden, wie bald solcher beendigt wird, und was wir zur Ostermesse davon zu erwarten haben?"

Auch Schneider und Weigel schrieben im Herbst dieses Jahres: „die Requisitionen und Contributionen gehen hier, ohngeachtet der Verlängerung des Waffenstillstandes, dennoch fort, zu denen alle Bürger beitragen müssen. Ein Drittel ist bezahlt und um Minderung angehalten worden."

„Mitten in der Unruhe und unter dem Geklirr der Waffen expediren diese Packete" u. s. w.

Den größten Antheil und ein zahlreiches Publikum hatte die Naturgeschichte der Stubenvögel gewonnen, und der Verfasser sah sich veranlaßt, eine zweite Auflage zu veranstalten. In der Vorrede zu dieser sprach er sich dankbar für den Beifall aus, der seinem Werke zu Theil geworden sei, und in Wahrheit habe ich selbst oft die Wahrnehmung gemacht, daß Leute, die von Bechsteins großen Verdiensten um die Wissenschaft und seinen zahlreichen Werken keine Ahnung hatten, ihn doch als den Mann kannten, der die Naturgeschichte ihrer Lieblinge, der Stubenvögel, geschrieben. Welch eine Fülle von wichtigen und anziehenden Erfahrungen ist aber auch in dieser Schrift, auf die ich noch öfter zurückkommen werde, niedergelegt!

Oben wurde bereits des Planes gedacht, eine Naturgeschichte für Kinder verschiedener Stände zu beschaffen, bei welcher anschauliche Figuren von Holz oder Papiermaché die Stelle der Abbildungen vertreten, und kurze erläuternde Texte den Eltern und Erziehern Gelegenheit geben sollten, den Kindern die Anfangsgründe der Naturgeschichte, mindestens die Kenntniß der bekanntesten Thiere, oder wie bei Pferden und Hunden, verschiedene Racen derselben, spielend beizubringen. Bechstein räumte einem geschickten Arbeiter, Schulz, einen Platz auf seiner Kemnotte ein, und ließ den ganzen Winter 1799 über unter seiner unmittelbaren Aufsicht und nach den besten Vorbildern die verschiedenen Säugethiere fertigen. Auch reiste er nach Leipzig zur Messe, schloß dort mit einem sehr geübten Thierschnitzer aus Tyrol, Namens Gudaner, Verträge ab, und bereitete so ein Unternehmen vor, von dem er sich, wie wir später hören werden, nicht nur lebenslänglichen Vortheil versprach, sondern auch seinem hoffnungsvoll aufblühenden Sohne eine Erwerbsquelle zu begründen vermeinte. Aber ach — was sind Hoffnungen? Was sind Entwürfe! — Namenloser Verdruß war fast das einzige Ergebniß dieser kostspieligen und fast gänzlich verfehlten Speculation.

Mehreres auf das wissenschaftliche Streben und die literarische Thätigkeit in dieser Periode von Bechsteins nützlichem Wirken dem folgenden Abschnitt vorbehaltend, schließe ich diesen mit einer Zusammenstellung der in dem namhaft gemachten Zeitraum von nicht ganz 6 Jahren herausgegebenen und begonnenen Werke. Diese waren: Latham in Quart. II. 2. III. 1. 2. Anweisung, Vögel zu fangen. Gespräche im Wirthshause zu Klugheim. I. II. Neue Gespräche. Naturgeschichte der Stubenthiere. II. Le Vaillant. Getreue Abbildungen. 30 Hefte (300 Abb. mit Text). Taschenblätter der Forstbotanik. Pennant in Quart. I. II. Schädliche Waldinsecten. Naturgeschichte des In- und Auslandes II. 1. 2. Naturgeschichte Deutschands neue Auflage. I. La Cepede. I. und II. Naturgeschichte der Stubenthiere I. 2. Auflage. Diana I.

Ein projectirter Auszug aus Latham trat nicht in das Leben.

VII.

Aufhören der Forst- und Jagdlehranstalt in Waltershausen. Uebertritt in Herzoglich Sachsen-Meiningensche Dienste.

Die Lehranstalt der Forst- und Jagdkunde, der wir uns nun wieder zuwenden, blühte in dem Zeitraum von 1795 bis 1798 fort, ohngeachtet mancher Hindernisse, die ihr Gedeihen in dem Umfang hinderten, welchen ihr Gründer und unermüdlicher Leiter wünschte. Viele Mühe und Sorge machte Bechstein neben seinen übrigen Geschäften die Rechnungsführung für seine Pensionairs, denn es konnte nicht fehlen, daß diese jungen Leute zu Zeiten etwas mehr brauchten, als die Aeltern für nöthig und glaubhaft hielten und das burschikose

„Ach wenn die lieben Aeltern wüßten
Der Herren Söhne große Noth!"

fand im Kleinen auch hier, wie auf jeder Studienanstalt, seine Anwendung. Da galt es manchen Zweifel zu heben, manche Klage zu widerlegen, manchen Unwillen zu beschwichtigen, und die Zöglinge fort und fort zu ermahnen, zu warnen, mit aller Liebe und aller Strenge.

Der Aufwand, den das Institut erforderte, war nicht unbeträchtlich; die Lehrer mußten anständig honorirt werden; Bedienung war auch viele erforderlich und es war der Lohn für einen Bedienten jährlich 16 bis 20 Thaler nebst einer Uniformsjacke. Mit der Zeit und der Wissenschaft fortzugehen, und dem eigenen Drange nach Fortbildung zu genügen, als auch um keines erreichbaren Hülfsmittels verlustig zu gehen, mußte Bechstein darauf Bedacht nehmen, seine Büchersammlung zu vermehren, und daß er dieß bis an sein Lebensende gethan, davon hat der Catalog seines Büchernachlasses das rühmlichste Zeugniß gegeben.

Die Lebensbedürfnisse waren in jener unruhevollen Zeit nicht billig, und um ein anschauliches Bild von Bechsteins hausväterlichem Wirken im Bezug auf die Eleven zu geben, lasse ich ihn selbst sprechen. Ein Herr von Adel, von dem ein Sohn in Bechsteins Institut war, hatte im October 1796 sich brieflich dahin ausgesprochen, daß er für einen andern seiner Söhne in Magdeburg jährlich nur 180 Thaler Courant zahle, und jener dabei „mehr **Maitres** und besseres Logis habe," und sehr gut gehalten werde, nicht minder hatte jener Herr den an ihn gelangten Wunsch Bechsteins, ihm einen Zuschuß von 10 Louisd'or, wegen der Theurung zu bewilligen, nicht billig befunden.

Darauf antwortete nun Bechstein:

„Da ich 10 Jahre lang Lehrer und Erzieher in Schnepfenthal gewesen bin, so kann ich schon einigermaßen berechnen, welche Ausbeute Privatinstitute, die von aller öffentlichen Unterstützung entblößt sind, geben, zu geschweigen, daß der Herzog von Gotha Herrn Salzmann nicht nur bei dem Ankauf des Gutes, sondern auch bei dem Bau seiner neuen Häuser mit mehrern tausend Thalern beschenkt, ja ihm für alle sein Bauwesen das Geld ohne Interessen vorgestreckt hatte, und er für seine Eleven, die alle ohne Ausnahme den ganzen Tag in den Lehrsälen, als außer der Zeit unter einem Aufseher in Einer Stube beisammen sind, sich 50 Louisd'or zahlen läßt. Meine Anstalt ist für erwachsenere junge Leute bestimmt, ich habe noch keinen Pfennig Unterstützung erhalten, habe auch nie etwas verlangt, und fordere nicht mehr als 40 Louisd'or jährlich. Was ich dabei, doch auch nur in wohlfeilen

Zeiten, gewinnen werde, läßt sich im Voraus berechnen, da die Anzahl meiner Eleven sich eben nicht hoch belaufen wird, indem die Unverbesserlichen und Unfolgsamen nicht geduldet werden. Es ist also nichts als Nothwendigkeit, daß ich von Eltern, deren Vermögensumstände der Art sind, daß sie für ihre Angehörigen ein mehreres zahlen können, (aber auch blos von diesen allein) so lange die Theurung dauert, einen Zuschuß verlange, weil ich außerdem das Institut eingehen lassen, oder mich in eine große Schuldenlast stecken müßte. Mit Herrn Rath Funks (in Magdeburg) Pensionairs können die hiesigen gar nicht verglichen werden, weil dieser einer öffentlichen Schule vorsteht, und also für alles was der Aufwand für Unterricht kostet, nicht zu sorgen hat. An meinem Wunsch und Willen fehlt es auch gar nicht, jedem der bei mir wohnenden Forsteleven ein eigenes Zimmer zu geben, allein an dem Vermögen zur Vollbringung. Doch hoffe ich, die Vorsehung soll uns bald Frieden geben, alsdann kann ich mich hierin mehr aufthun rc.

Ein Beweis von Bechsteins Sorgfalt für das Beste seiner Anstalt sind folgende eigenhändig von ihm niedergeschriebene Bedingungen, welche der Umstand ins Leben rief, daß einer der Lehrer, Herr von Liebhaber, sich zu Repetirübungen mit den Eleven bereitwillig gefunden hatte:

Bedingungen wegen der Repetirübungen, welche die Forsteleven vom Herrn von Liebhaber verlangen.

1) Dürfen dadurch die öffentlichen Lectionen und Uebungen nicht beeinträchtigt werden, noch viel weniger die öffentlichen Stunden so gegeben werden, daß die Repetirübungen nothwendig werden.
2) Dürfen keine neuen Lectionen veranstaltet, noch viel weniger solche gegeben werden, durch welche meinem Unterrichtsplane vorgegriffen wird.
3) Müssen die Stunden von dem Taschengeld bezahlt, oder mir wenigstens die schriftliche Einwilligung der Eltern vorgezeigt werden.
4) Darf dadurch der Selbstfleiß nicht gestört werden.
5) Müssen sie wieder eingestellt werden, sobald diejenigen, deren Vermögen es nicht erlaubt, Ursache finden, sich zu beschweren, daß

sie das nicht in den Lectionen lernen könnten, was die Privatschüler in selbstgewählten Stunden lernen könnten, noch vielmehr, wenn etwa von Eltern oder in öffentlichen Blättern dagegen protestirt werden sollte.

Diese Sorge des Directors für das Beste des Instituts wie der Schüler war nach allen Seiten hin in ihm rege und lebendig, aber er konnte weder sich selbst noch Andern es verhehlen, daß ihm noch sehr Vieles zu wünschen übrig blieb. Besonders war die praktische Wirksamkeit der Forstlehranstalt in Feld und Wald gehemmt, was er mit eigenen Worten folgendermaßen beklagte:

„Wer hätte nicht denken sollen, daß ein solches Werk, das dem Staate noch nicht einen Heller Geldaufwand verursacht hatte, noch je verursachen sollte, aller derjenigen Unterstützung sich nicht zu erfreuen habe, welche es mit dem bekannten Eifer des Stifters zur größtmöglichen Vollkommenheit hätte erheben müssen! Selbst einige alte Förster schickten junge Leute, die ihnen in Zukunft ihr Forstwesen verbessern sollten, dahin, und es fehlte der Anstalt nichts, als ein Forst- und Jagdrevier, wo die in den Lehrstunden vorgetragenen Theorien praktisch angewandt werden könnten. Der † † † Förster, der sich vorher mit dem Director zur Uebernahme der herbstlichen Jagdübungen verbunden hatte, trat gleich bei Eröffnung des Instituts zurück, und zwar, wie man sagt, auf Veranlassung derjenigen, denen eine solche Anstalt ein Dorn im Auge war. Es mußte daher um eine nöthige Verbesserung in dieser Sache wenigstens herbeizuführen, um die Pachtung eines Jagdreviers bei Herzogl. Kammer angehalten werden, wodurch ein eigenes Forst- und Jagdrevier entbehrlich wurde. Denn ohne die thätige Freundschaft der geschickten Förster Hellmann zu Waltershausen, Bürger zu Groß-Tabarz, Clauder zu Friedrichroda und des hessischen Försters Schmidt zu Schmalkalden, wäre es fast unmöglich gewesen, daß die Zöglinge eine Flinte hätten losschießen können. Selbst zu den Taxationsübungen mußte erst die specielle Erlaubniß von der Kammer und dem Herzogl. Geheimerathscollegio eingeholt werden; alle praktischen Uebungen wurden fast unmöglich gemacht; ohne eine Anzeige befürchten zu müssen, durfte kein Studirender ein Gewehr abdrücken."

Wie ungleich günstiger waren dagegen in dieser Beziehung die Verhältnisse einer glücklichen Nebenbuhlerin der Waltershäuser Forstlehranstalt, die des Forstinstituts zu Zillbach unter Herrn Heinrich Cotta gestaltet! Der sehr beträchtliche Forst war in 6 Reviere eingetheilt, und das Begehen, Vermessen und Taxiren derselben ganz der Anstalt anheim gegeben.

„Der Director erbot sich selbst," klagte Bechstein weiter: „zu einem oder dem andern Amte, wodurch er Gelegenheit bekäme, seinen Lieblingsplan zu vervollkommnen und denselben zum Besten der Wissenschaft und des Vaterlandes zu erweitern. Es erfolgten auch einige Versprechungen und Tröstungen, aber sie blieben beständig ohne Erfolg; ja sogar die Erfüllung des Wunsches, eine Jagd zu pachten, blieb ihm versagt. Das Herzogliche Ministerium verkannte zwar nicht die Nützlichkeit der Anstalt, aber alles was geschah, bestand darin, daß man ihm endlich die Stelle eines Forstcommissarius auf dem Forstamte zu Hummelshayn bei Kahla zu übertragen sich geneigt zeigte."

Kahla ist ein Herzogl. S. Altenburgisches Städtchen im Saalthale zwischen Jena und Orlamünde, das für Bechstein eine Bedeutung nicht haben konnte, und er konnte diese Stelle deshalb nicht annehmen, weil er in dem fürstlichen Lustort Hummelshayn die Anstalt selbst nicht einrichten konnte, weil die angebotene Stelle mit zu vielen und meist mechanischen Arbeiten verbunden war, die ihm keine Zeit würden übrig gelassen haben, weder seiner Lehranstalt gehörig vorzustehen, noch seine schriftstellerischen Arbeiten fortzusetzen, und weil ihm endlich auch die Nähe der Universität Jena aus pädagogischen Gründen nicht angenehm war.

Gleichwohl muß doch in Waltershausen, wie auf der Kemnote selbst von einer Uebersiedelung nach Kahla die Rede gewesen sein, denn im Februar 1796 äußert der Vater des jungen von Löwenclau sich brieflich darüber, daß sein Sohn ihm geschrieben: „Ich muß Ihnen auch noch um Geld bitten, um die Reise nach Kahla zu machen, die schon Ende März ihren Anfang nimmt."

Während nun ohnerachtet dieser Hemmungen das Institut sich häufigen und erwünschten Besuches erfreute, rastlose Thätigkeit des Directors Lebenstage regelte, und ihm das gute Bewußtsein redlich erfüllter Berufspflichten verlieh, das ewig ein Balsam für unverdiente Kränkungen, Verkennung und Zurücksetzungen bleibt, wurde mancher strebende Jüngling zum wackern Forstmann in jener Lehranstalt herangebildet, und verließ sie mit dankbaren Erinnerungen. Von diesen schrieb schon 1799 einer, Johann Friedrich Meyer, der vom Sommer 1795 bis 1796 die Anstalt besucht hatte, und von dem es in dem Sittenbuche hieß: Im Examen bestand er unter allen am besten. Wird von Herrn von Burgsdorff wegen seiner Abhandlung über den Rennsteig so gelobt, daß man sie des Drucks würdig hält 2c. — über seine glückliche Laufbahn, was natürlich seinen Freund und Lehrer innigst freuen mußte: „ich werde das Gute, das ich wirklich von Ihnen genoß, wie Ihren Rath, den Sie mir ertheilten und dessen Befolgung wahrscheinlich jetzt Ursache meiner gegenwärtigen, meinen Wünschen und Neigungen fast ganz angemessenen Lage ist, nie vergessen, sondern immer mich dessen dankbar erinnern. Auf Ihren Rath bin ich der edlen Forstwissenschaft treu geblieben und sie hat meine Huldigung belohnt und mir in meiner Vaterstadt (Schwäbisch Hall) einen sehr ehrenvollen und einträglichen Wirkungskreis als Forstverwalter verschafft."

Im ferneren Verlauf seines Briefes berichtete nun Herr Meyer über den Umfang seiner Waldungen und Gehölze, seine Verbesserungspläne, fragte nach dem Fortgang des Instituts und der Societät, und trug Empfehlungen und Grüße auf an alle Waltershäuser Freunde, an die Lehrer, an Bechsteins Gemahlin und an den „lieben Eduard" Bechsteins Sohn.

Unterm 11. Januar 1798 langte ein Briefchen des Mineralogen Lenz in Jena an, das ein Diplom seiner vor kurzem gestifteten Mineralogischen Societät mitbrachte, ausgefertigt unterm 8. Dec. 1797 und von Graf Dominik Teleki von Szék als Präsident, Johann Georg Lenz als Director, Johann Friedrich Fuchs als Secretair unterzeichnet.

Freundschaftliche Verbindung nach außen hin blieb dauernd unterhalten, und es kamen von vielen Seiten her auch außer den für die Societät bestimmten wissenschaftlichen Ausarbeitungen noch manche andere, welche dazu beitragen sollten und zum Theil auch beitrugen, Bechsteins eigene Erfahrungen und Beobachtungen zu bereichern.

Ein Gymnasiast zu Gotha: Christoph Polykarp Schneegaß,*) that sich in einem verbindlichen Briefe als jungen Ornithologen und fleißigen Naturbeobachter kund, schrieb, daß er sich eine kleine Sammlung von einigen 60 thüringischen Vögeln gebildet habe, und sandte ein Heft seiner Beobachtungen, mit den Worten schließend: „Verschiedene meiner Bemerkungen über die Naturgeschichte mehrerer Wasservögel z. B. des großen Reihers, des gemeinen Reihers, daß diese Vögel auch bei uns überwintern, der mittlere Wasserralle und einige Singvögel, als der Rohrammer, **Emberiza Schoeniclus**, der auch bei uns nicht selten nistet, und sehr zärtlich gegen seine Jungen ist, und eine Motazillenart: **Motaz. salicaria Lathami**, die ich in Deutschland zuerst entdeckt zu haben mich freue, sind nicht ganz zu verachten und neu."

Noch in höherem Grade erfreuend und anregend mußte der Briefwechsel mit den beiden Ornithologen Becker in Darmstadt sein, welche damals in Verbindung mit Borkhausen, Lichthammer und Lempler ihr großes Werk: **Deutsche Ornithologie** begannen, von der von 1800 bis 1811 20 Hefte erschienen.

Mit der dankenswerthesten Bereitwilligkeit erbot sich George Becker zu den getreuen Abbildungen gute Zeichnungen von Vögeln zu liefern. Ich lasse seinen für Ornithologen gewiß nicht unanziehenden Brief hier ganz folgen.

---

*) Sein Vater, der dieselben Vornamen führte, war Stadtkirchner zu St. Margarethen in Gotha. Der jüngere Schneegaß studierte Medizin und Naturwissenschaften und machte eine glückliche Laufbahn in Rußland, wo er auch gestorben ist. Er gab unter andern eine anziehende Schrift über die Vorausbestimmung des Geschlechtes bei der Zeugung heraus, die ihrer Zeit Beifall fand.

„Darmstadt, den 22. Januar 1799."

„Wohlgeborner
Hochzuverehrender Herr!"

„Den Brief von Ew. Wohlgeboren vom 1. dieses habe ich mit vielem Vergnügen gelesen und ich danke für das nachsichtsvolle Urtheil, womit Dieselben meine Aufsätze so gütig beehrt haben.

Um Ihrem Wunsche möglichst entsprechen zu können, lege ich hier einen Katalog über diejenigen deutschen Vögel bei, die theils in meinem, theils in einem andern hiesigen Kabinette stehen und welch letztere mir zum Abzeichnen nicht verweigert werden. Nicht sowohl der größern Vollständigkeit wegen trug ich Vögel aus dem letzteren Museo in meinen Katalog über, als hauptsächlich deswegen, weil ich Ihre Naturgeschichte des Inn- und Auslandes, sowie die dazu gehörigen Abbildungen nicht besitze, folglich auch nicht weiß, welche deutsche Vögel in den 18 Heften bereits erschienen sind. Sollten nun Ew. Wohlgeboren aus dem anliegenden Verzeichniß Exemplare wünschen, so bitte ich nur um Auswahl derselben und ich hätte dann folgenden unmaßgeblichen Vorschlag zu thun, in der Ueberzeugung, daß durch meine Mitwürkung, Ihre Abbildungen positiv ganz der Natur getreu hier in Darmstadt verfertigt würden. Ew. Wohlgeboren bemerkten mir nämlich diejenigen Vögel, die zu Ihrem Zwecke dienlich wären, sendeten mir zugleich ein Format in Rücksicht der Größe, und zeigten mir den Preis an, den Sie bisher Ihren Nürnberger Künstlern für die radirte Platte sowohl, als für die Zahl der darauf abgedruckten und illuminirten Exemplare bezahlt haben. Ich würde Ihnen sonach einen der begehrten Vögel hier radirt und illuminirt, blos zur Probe zuschicken und Ihnen alsdann dabei bemerken, ob der hiesige Kupferstecher und Illuminateur sich mit dem angezeigten Preis begnügen könnten oder nicht. — Darüber nun und ob Dieselben meinen unvorgreiflichen Vorschlag approbiren, oder etwas dagegen erinnern wollen, erwarte ich baldigste Antwort, denn auf den Fall, daß ich einen oder den andern Vogel Ihnen, nach dem geäußerten Wunsche, blos gezeichnet zusenden soll, will ich Ihnen dies Anliegen-

mit aller Bereitwilligkeit besorgen, und es hängt jetzt mithin die Wahl lediglich von Ew. Wohlgeboren ab."

„So viele Mühe ich mir seit einigen Jahren auch gab, die Rostweihe — **Falco aeruginosus** — in hiesiger Gegend für mein Kabinet zu erbeuten, so war doch all mein Bemühn vergeblich. Wollten mir daher Ew. Wohlgeboren, durch Ihre Bekanntschaft mit Thüringens Jägern, einen schönen Vogel dieser Art (oder noch lieber ein Paar derselben) auf der Post besorgen, so würde ich dafür, neben Vergütung der Auslagen, mich zu jedem Gegendienste verbindlich machen. Gleiche Bewandtniß hat es auch mit **Falc. haliaetus**, denn nur ein einziges mal habe ich diesen Vogel vor 2 Jahren im Frühjahr über einem hiesigen Teiche fliegend gesehen. Blos in der Ueberzeugung, daß zufolge Ihrer Naturgeschichte, diese Vögel in Thüringen gemein sind, erlaube ich mir diese Anmuthung. Ueberhaupt fehlen mir noch manche deutsche Vögel (denn nur diese zu sammeln ist mein Zweck), die ich in hiesiger Gegend, wo Rhein und Main nur 5 Stunden entfernt sind, bisher nicht erhalten konnte, z. E. **Tringa pugnax** und mehrere Strandläufer, Regenpfeifer 2c., denn die meisten Vögel dieser Gattungen in dem anliegenden Katalog stehen nicht in meiner Sammlung und sind auch in hiesiger Gegend, so viel ich weiß, nicht geschossen worden. Auf den Fall nun, daß Ew. Wohlgeboren mir die obigen Raubvögel zusendeten, wünschte ich blos, daß, nachdem solche von dem Gescheide entblößt, nur die innern fleischigten Theile mit etwas Salpeter ausgerieben und so in einer Schachtel wohlverwahrt mir zugesendet würden. Bei kaltem Wetter hält sich das Fleisch bekanntlich lange, und wenn der Vogel gar einmal gefroren ist, selbst mit dem Eingeweide mehrere Wochen, wie ich dies aus Erfahrung weiß. Zugleich bitte ich recht sehr, wenn Dieselben entweder sich nicht selbst mit Ausstopfen beschäftigen, oder taugliche Arbeiter in Ihrer Nähe haben, mich keineswegs mit dergleichen Arbeiten zu verschonen, es mögen nun Vögel oder Säugethiere sein, sobald ich dergleichen für Ihr Kabinet bestimmte Subjecte nur unbeschädigt in den Haupttheilen des Körpers und sehr schnell auf der Post erhalte. Ich würde mir in der That ein wahres Vergnügen daraus machen, Ew. Wohlgeboren, für Welche ich so viele Hochachtung fühle, solche kleine Gefälligkeit erzeigen zu können.

Bei der schon über 5 Wochen anhaltenden heftigen Kälte, wo der Rhein ganz zugefroren ist, haben alle Enten und Gänse ꝛc. kurz alle Wasservögel unsere Gegend verlassen, ja ich habe auf meinen kleinen Jagdstreifereien außer Raubvögeln, gemeinen Raben (Corvus corone) Nebelkrähen, Elstern, Dohlen, gemeinen Reihern, Haus- und Feldsperlingen, Goldammern, Meisen und Goldhähnchen, und selbst diese Vögel nur in geringer Anzahl — beinahe keine andere befiederte Kreatur entdeckt. Seit 8 Tagen sind selbst die Holzheher verschwunden. Die Wälder sind wie ausgestorben, denn jene Vögel wohnen jetzt ganz nahe an Dörfern und Städten, und Rabenkrähen sieht man hier mitten auf die Straße fliegen — gewiß eine seltene Erscheinung bei diesem sonst so scheuen Vogel. Wahre Wintervögel, z. E. Kreuzschnäbel, Seidenschwänze ꝛc. sind bis jetzt noch nicht gesehen worden. Sehr wahrscheinlich sind diese Vögel blos durchgestrichen und haben sich, so wie alle übrigen, in südlichere Gegenden nach der Donau hingezogen. Eine gelindere Witterung wird uns wahrscheinlich eine Menge verschiedener Vögel zuführen, wenn sie sich wieder dem gewohnten Klima nähern.

Herr Aß. Borkhausen und Herr Zeugmeister Lichthammer empfehlen sich mit mir bestens und ich habe das Vergnügen, mich mit besonderer Hochachtung zu nennen

Ew. Wohlgeboren

ergebenster Freund und Diener

George Becker."

„N. S. Auch die Saatkrähe — c. frugilegus — kann ich hier nirgends erhalten."

Dagegen empfahl Bechstein die Ornithologie im Reichsanzeiger selbst auf eine eben so freundliche, als nachdrückliche Weise.

Der schweizer'sche Botaniker Clairaille, dessen Bekanntschaft mit Bechstein eine persönliche und lange fortgepflegte war, und der sich damals mit seiner Frau eine Zeit lang in Erlangen aufhielt, hatte für Canarienvögel die größte Vorliebe, und machte anziehende Mittheilungen über deren Wartung und Zucht. Herr Clairaille schrieb unter andern in einem französischen Briefe:

„Erlangen, den 28. August 1799."

„Meine Frau und ich sind außerordentlich erkenntlich für die Güte, welche Sie haben wollen, und für die Mühe, welche Sie sich geben wollen, uns die Art der Canarienvögel zu verschaffen, welche wir wünschen. Wir werden Ihnen sehr verbunden sein, wenn Sie uns das Männchen und die beiden Weibchen schicken wollten, von welchen Sie in dem Briefe sprechen, den Sie mir die Ehre erzeigten, mir zu schreiben, und den ich so eben erhalte: Ich werde drei große französische Thaler unter Ihrer Adresse franco auf die Post geben, mit welchen Sie zunächst die drei Vögel bezahlen können. Der Ueberschuß wird zum Ankauf eines kleinen Vogelbauers und derjenigen Dinge dienen, welche zum bequemen Transport hierher nöthig sind. Wenn etwas übrig bleibt, so würde dies dem Boten auf Rechnung einzuhändigen sein, der es übernimmt, die kleinen Lieblinge zu überbringen. Der Rest von 4 Reichsthalern, welche er für seine Mühe verlangt, wird ihm bei seiner Ankunft hier in Erlangen ausbezahlt werden, und wenn wir finden, daß die Vögel sich wohl befinden und gut abgewartet sind, so werde ich ihm noch ein, dem von Ihnen bedungenen Lohne entsprechendes Trinkgeld geben. Ich setze voraus, daß es ein zuverlässiger Mann ist, der uns getreulich die Vögel überbringt, welche Sie ihm übergeben werden; sollte unglücklicher Weise einer unterwegs sterben, so wünsche ich, daß er ihn selbst todt mitbringt, damit es ersichtlich ist, daß er ihn Niemand gegeben hat. Das Alles sind freilich viele Beschwerlichkeiten, welche wir Ihnen verursachen, mein Herr, wir müssen dabei eben so sehr auf Ihre liebenswürdige Gefälligkeit rechnen, als auf Ihr vortreffliches Herz, wenn wir uns so viele Freiheit erlauben. Sie werden aber zwei Personen verpflichten, denen nichts so sehr am Herzen liegt, als eine Gelegenheit zu finden, ihre ganze Dankbarkeit zu bezeugen."

„Es ist mir angenehm, Ihnen die Beobachtung meiner Frau in Beziehung auf den Vortheil des Badens der jungen Vögel mitgetheilt zu haben, wenn allzugroße Trockenheit nämlich das Hervorkommen der Federn verhindert, da diese Beobachtung Ihnen interessant ist und Ihnen Vergnügen macht. Ich kann noch hinzufügen, daß wenn bei sehr trockener Witterung die Eier einer Brut an dem bestimmten Tage nicht auskriechen wollen, man wohl thut, um dieß zu erlangen, die Eier in laues oder warmes Wasser zu tauchen, welches ohngefähr der Wärme unter der Bruthenne entspricht, und sie hier je nach der Dicke der Schale (z. B. die Hühnereier länger als Taubeneier) einige Augenblicke zu lassen. Man setzt sie sodann wieder unter die Bruthenne, und in kurzem hat man das Vergnügen, den Erfolg dieses Bades zu sehen.

Sie sind allzugütig, mein Herr, die Ehre dieser Beobachtungen meiner Frau zuerkennen zu wollen, aber außerdem, daß Sie ihr nicht ausschließlich angehört, macht sie keinen Anspruch auf Berühmtheit, und bittet Sie, in Ihrem Werke sie nicht zu nennen. Es steht Ihnen frei, diese Beobachtungen als die Ihrigen zu geben, oder als diejenigen von denen, welche Ihnen darüber Mittheilungen machten, und welche Sie durch Erfahrung erprobt haben. Ich bin nicht erstaunt, Sie mit einer neuen Ausgabe Ihrer Naturgeschichte der Stuben- und Ziervögel beschäftigt zu wissen. Dieses Werk hatte in der Literatur nichts ihm Aehnliches, wenigstens nichts, was ihm gleich käme; ich sollte meinen, daß eine französische Uebersetzung von allen Liebhabern begierig aufgenommen würde, welche die deutsche Sprache nicht verstehen. Wenn Sie mich für diese Arbeit geeignet hielten, so würde ich sie mit dem größten Vergnügen unternehmen, besonders, wenn Sie die Güte hätten, mich mit Ihrem Rath und Ihrer Einsicht zu unterstützen. Ist sie vollendet, so können Sie nach Gefallen darüber verfügen; ich werde mich hinlänglich belohnt fühlen, wenn sie das Verdienst hat, Ihnen zu gefallen und wenn ich Gelegenheit finde, Ihnen die Achtung, Hochschätzung und Dankbarkeit ausdrücken zu können, mit welcher ich die Ehre habe, zu sein Mein Herr

Ihr ergebenster Diener
Clairaille."

„N. S. Sie werden mich für allzu unbescheiden halten. Dürfte ich mir aber noch die Anfrage erlauben, ob der Bote, der die drei Canarienvögel bringen wird, einige Beeren oder Früchte von **Trientalis europaea**, welche in Ihrer Gegend wächst, hier aber nicht zu haben ist, mitbringen könnte? Ich bin ein großer Freund der Botanik und möchte sehr gern diese Pflanze bei meiner Zurückkunft in die Schweiz in meinen Garten säen. Entschuldigen Sie den Liebhaber.*)“

„Ich wünsche, daß der Bote ein Billet von Ihnen mitbringe, welches das mit ihm geschlossene Uebereinkommen in Betreff der 4 Reichsthaler für seinen Lohn enthalte, damit wegen seiner Bezahlung keine Weiterungen stattfinden.“

Die in diesem Brief erwähnte Beobachtung im Betreff der Nachhülfe beim Ausbrüten der Vogeleier durch warmes Wasser findet sich in einer Anmerkung der Naturgeschichte der Stubenvögel, 2. Auflage, S. 307.

Im Jahr 1798 verließ Bechsteins Schwager Dr. Reinecke die Anstalt, und übersiedelte nach Weimar, doch ließ er vorerst seine Familie in Ibenhain zurück. Er hatte sich für Bertuch zur Uebernahme von Correcturen, Uebersetzungen, Landkartenzeichnungen und dergl. verbunden, und blieb dort bis zum Jahr 1804.

Der Oberforstmeister Graf von Platen und Hallermund zu Ansbach, dessen Sohn noch 1799 im Institut auf der Kemnote war, sandte Falkenzeichnungen und Nachrichten über Falkoniere, um welche Bechstein wahrscheinlich gebeten hatte. „Der Oberjägermeister von Stein ist ohnlängst gestorben, und die alten Falkoniere wissen von nichts, sind auch wirklich nicht im Stande, etwas aufzusetzen. Einer von den besten gewesenen Falkonieren würde sich leicht dazu verstehen, zu Ew. Wohl-

---

*) Es möchte sehr zu bezweifeln sein, daß das Aussäen der Samen von Trientalis europ. in irgend einem Garten dauernden Erfolg haben werde. Diese im Thüringerwalde häufige, liebliche und zarte Pflanze gedeiht nur auf dem ihr eigenthümlichen Waldboden, und zwar vornehmlich über Granit, Basalt und Porphyr.

Anm. des Herausgebers.

geboren hinzureisen; es ist derselbige, der vor einigen Jahren nach Weimar berufen wurde, um die dortige Falkonerie mit einzurichten. Ein alter Herr v. Freudenberg, gewesener Falkonier-Oberjägermeister, lebt auch noch hier, vielleicht würde der über Manches Auskunft geben können, wird sich auch gern hierzu verstehen, soweit seine Kräfte reichen."

Der Waisenpfarrer Keyßner in Meiningen correspondirte fleißig fort, und fragte im Sept. 1799 an, ob nicht eine Fortsetzung von jenem Leitfaden über Bechsteins Naturgeschichte herausgekommen sei? Dieses Buch war unter dem Titel: Leitfaden beim naturhistorischen Unterricht nach Bechsteins Naturgeschichte von J. C. Richter, Leipzig, F. C. W. Vogel 1795 erschienen, und Keyßner schrieb später als Landschulen-Inspector und Lehrer der Naturgeschichte am damaligen Lyceum illustre zu Meiningen, einen ähnlichen Leitfaden.

Er war gar ein freundlicher milder Mann und wackerer Lehrer, und zeigte uns, seinen Schülern, getreulich die Abbildung jedes Thieres, dessen Naturgeschichte er uns vortrug. Im angeführten Briefe äußerte er: „Den Latham hatte der Herzog schon, wie ich Ihnen zum erstenmal davon schrieb."

Die persönliche Bekanntschaft des Herzogs Georg zu Sachsen-Meiningen soll Bechstein auf einer Kirmse in der Ruhl gemacht haben. Dieses Volksfest, an welchem noch vorzugsweise die altthüringische Nationalität sich lebenvoll kund gab, wurde von weit und breit besucht, und oft nahmen an demselben die beiden Landesherren, Herzog Carl August zu Sachsen Weimar-Eisenach und Herzog Ernst II. zu Sachsen Gotha-Altenburg mit ihrem hohen Freund und Vetter Herzog Georg zu Sachsen Coburg-Meiningen persönlichen Antheil.*) Mit der Kirmse waren Vogel- und Scheibenschießen, Bälle und sonstige Lustbarkeiten verbunden und schon das Schießvergnügen war für alle die zahlreichen

*) Der Stadtflecken Ruhla ist bekanntlich halb Sachsen-Weimarisch, halb Sachsen-Gothaisch. Wer über das Volks- und Kirmsenleben jener Zeit etwas recht Anschauliches und Lebendiges lesen will, lese die Novelle: Förberts Henns, von Ludwig Storch. Leipzig 1830.

Schützen der die Ruhl umlagernden meilenweiten Forste des Thüringer Waldes ein wichtiger Grund, die Ruhlaer Kirmse zu besuchen.

Herzog Georg war ein Fürst von entschieden kräftiger Männlichkeit, militärisch erzogen, durch Reisen gebildet, den Wissenschaften befreundet, und die Bewegungen der Zeit am Ende des scheidenden Jahrhunderts mit ruhig prüfendem Blick würdigend und beachtend, ihnen eher zugethan als abhold. Sein Land und sein Volk glücklich zu machen durch nützliche Einrichtungen und weise Gesetzgebung war sein lebendiges Streben, das sich in zahlreichen Verbesserungen der Gerechtigkeitspflege, des Unterrichtswesens, der Polizei, des Straßenbaues, der Landesökonomie, durch Landesverschönerung, wie durch Bauten, Anlagen, durch Vorrathsmagazine, neue Handwerksordnungen, Sanitätsanstalten u. s. w. meist probehaltig kund gab, ohne seinen wohlthätigen Reformen den Schein des Gewaltsamen zu geben, das mehr drückt, als erfreut. Er machte die von seinen Vorfahren angesammelten Literatur-, Natur- und Kunstschätze dem Publikum zugänglich und vermehrte sie nach Kräften; er pflegte und übte selbst schöne Künste, gründete ein Seminar, hob das Lyceum auf eine höhere Stufe und wandte auch dem Forstwesen seines Landes, dessen bisherige Mängel er fühlte, und denen er auf alle Weise abzuhelfen strebte, lebhaften Antheil zu.

Bechstein hatte, obschon seine Anstalt auf der Kemnote sich blühenden Gedeihens erfreute, keinen Augenblick die sehnsüchtigen Wünsche nach einer Emporhebung und Erweiterung derselben fallen lassen, und fuhr auch nach jener Ablehnung der Stelle in Hummelshayn fort, geeignete Wege einzuschlagen, die Hemmnisse, die ihm fort und fort entgegentraten, zu beseitigen. Dies war aber nur dadurch möglich, wenn es gelang, die bisherige Privat-Forstlehranstalt zu einer Landes-Anstalt empor zu heben. Mit allen Kräften strebte er dahin an, sein Ziel und mit ihm die Verwirklichung eines ihm vorschwebenden Ideales zu erreichen.

Er hat aber jenes Ziel in seinem Vaterlande nicht erreicht, analog dem bekannten nullus propheta in patria — obschon er nichts unversucht ließ, demselben nahe zu kommen. Und wie oft in der Leitung großer Geschicke das Getriebe kleinlicher Neigungen, Launen und Wunderlichkeiten werkthätig eingreift, so trat auch hier ein unvorherzusehender Zufall entgegen, der den Faden aller weiteren Hoffnungen abschnitt.

Ein hochgestellter glaubwürdiger Mann hat mir die wahre Ursache mitgetheilt, weshalb jene so billigen Wünsche scheiterten, deren Erfüllung dem Gothaischen Lande gewiß zum Nutzen gediehen wäre, wie er dieselbe mehr denn einmal aus Bechsteins eigenem Munde vernommen.

Herzog Ernst II. zu Sachsen Gotha-Altenburg hatte bei ungemein vielen Regententugenden einen Fehler, der schon manchem edlen Fürsten einen Theil seines Lebensglückes geraubt hat: er war im hohen Grade mißtrauisch. Bechstein hat oft geäußert, daß nur drei Männer im Lande des Herzogs vollstes Vertrauen besessen: der Astronom, Oberhofmeister v. Zach, Kirchenrath Stieler — und Professor Salzmann in Schnepfenthal. Stieler war ein Freund Bechsteins, und führte ihn bei v. Zach ein, dem er seine Pläne und Entwürfe für eine zu begründende Landesanstalt entwickelte. Der Oberhofmeister billigte alles, und forderte Bechstein auf, jene Ansichten nur getrost dem Herzog selbst vorzutragen, welcher gewiß gern und beifällig darauf eingehen werde. Zugleich aber gab er Bechstein den freundschaftlichen Rath, ja nicht früher, als bis er den Herzog gesprochen, gegen irgend Jemand von dieser Sache weiter zu sprechen, und sich Niemand darüber mitzutheilen. Bechstein befolgte diesen sehr wohlgemeinten Rath auf das Genaueste, und wurde einige Tage darauf durch v. Zach selbst mit in das Schloß genommen, und mit jenem zugleich dem Herzog angemeldet. Während nun v. Zach zuerst vorgelassen wurde, und Bechstein in einem Vorzimmer wartete, trat die Herzogin ein, die Bechstein von Schnepfenthal her, das die Herrschaft bisweilen besuchte, gut kannte, begann ein Gespräch mit ihm, und fragte, was er denn für ein Anliegen bei ihrem Gemahl habe?

Bechstein konnte die hohe fürstliche Frau doch nicht unwahr berichten, dachte wohl auch nicht im entferntesten daran, daß er von dieser Seite zu fürchten habe, und theilte offen seine Wünsche mit, die er seinem gnädigsten Landesherrn vortragen wollte, und darauf ging die Herzogin in die Zimmer ihres Gemahls.

Nach einer Weile trat von Zach zu dem Harrenden heraus, und sprach zu ihm: Mit Ihrem Anliegen, lieber Herr Bergrath, ist es nun nichts, soviel kann ich Ihnen voraussagen. Der Frau Herzogin Durchlaucht haben bereits drinnen beim gnädigsten Herrn davon gesprochen, und Serenissimus lieben es nicht, wenn Andere früher von solchen Sachen Kenntniß haben, als Höchstdieselben selbst. Ich bedaure.

Und so war es! Zwar nahm der Herzog den durch diese Worte Erschreckten noch an, empfing ihn aber äußerst kühl, und entließ ihn, ohne ihm Hoffnungen zu machen — worauf denn seine eigenen im Lande Gotha auch keinen Ankergrund mehr finden konnten.

Wie schön ging aber nun ein neuer Hoffnungsstern für Bechstein auf, als er die Bekanntschaft des Herzogs von Meiningen gemacht, der aufrichtiges Wohlgefallen an ihm fand, und theilnehmende Fragen über seine Anstalt, sein Ergehen und Wirken an ihn richtete. Da ließ er freudiger und unbefangener die Wünsche laut werden, die ihn beseelten, und in des Herzogs Seele zündete der Gedanke, seinem Lande den Nutzen und die Vortheile einer in ganz Deutschland noch fehlenden öffentlichen Forstlehranstalt zu gewähren, während seine liebenswürdige Leutseligkeit ihm Bechsteins ganze Hingebung gewann. Das geistige Samenkorn zur Gründung der künftigen Forstacademie Dreißigacker ward nun in den Boden gelegt, und der Herzog, wie Bechstein, achteten, wie eifrige und begeisterte Gärtner, auf sein Keimen mit Sorgfalt und Liebe.

So von einer Seite her geistig erhoben, von der andern sich niedergedrückt fühlend, beschloß Bechstein, sein Institut Ostern 1799 eingehen zu lassen.

„Er hatte vorher nichts unversucht gelassen, um die Forstmänner seiner Gegend für sein Interesse zu gewinnen, hatte aus dieser Absicht die meisten Förster der Umgegend mit der Societät der Jagdkunde, die er blos aus den Mitteln erhielt, welche er ihr verschaffte, vereinigt, allein es blieb alles ohne Wirkung, da auf keine Weise für das Beste der praktischen Ausbildung der jungen Leute, die meist Grafen und Edelleute, Söhne aus den angesehensten Häusern waren, von oben und von außenher etwas Thätiges geleistet wurde. Auf diese Weise entschlief ein Unternehmen, das in den 4 Jahren seines Bestehens nicht nur manchen guten Forstmann erzogen, sondern auch der Stadt Waltershausen eine Einnahmequelle geöffnet, ja sogar zur Verschönerung derselben manches beigetragen hatte."

Diese, Bechsteins eigenhändig aufgezeichnete Worte, bilden den Commentar zu der Anmerkung im zweiten Band der Diana, S. 375, wo es heißt: Die Rubrik von der öffentlichen Lehranstalt der Forst- und Jagdkunde allhier, bleibt für die Zukunft leer, da der Director durch den Mangel an Gelegenheit zur gehörigen nöthigen und praktischen Ausbildung der ihm anvertrauten jungen Leute sich genöthigt gesehen hat, dies Institut, das so manchen geschickten Mann gebildet, und bei dem Beifall, den es von Anfang bis zu Ende von den vorzüglichsten Forstmännern Deutschlands sich erhielt, und bei den schönen Aussichten, die sich zu dessen Ausbreitung fast täglich öffneten, und bei den geschickten Lehrern, die mit Eifer an seiner Vervollkommnung arbeiteten, so großen Nutzen hätte stiften können, aus einander gehen zu lassen.

Als die Nachricht in das Publikum gelangte, daß Bechstein seine Anstalt aufgebe, veranlaßte eine Aufforderung im Intelligenzblatte der allgemeinen deutschen Bibliothek ihn zu einer Erwiderung, die er mit folgenden Zeilen an den Redacteur des Reichs-Anzeigers sandte:

„Waltershausen, d. 1. Oct. 1799."

„Hochzuverehrender Herr Doctor!

Hierbei habe ich die Ehre, einen Aufsatz beizulegen, für welchen ich um einen kleinen Platz im Reichsanzeiger bitte. Er betrifft eine Sache, die für mich äußerst wichtig ist, und die ich so gern verschwiegen und nur gelegentlich berührt hätte (da sie diejenigen wissen, die sie wissen mußten), wenn ich nicht öffentlich dazu aufgefordert wäre. Ich hätte meinem Herzen gern noch besser Luft machen mögen, wenn ich nicht fürchten müßte, daß man mich dann im Winter erfrieren ließe.

Mit wahrer Hochachtung Ihr ganz ergebenster Diener

J. M. Bechstein."

Die Aufnahme des sehr ausführlichen Aufsatzes erfolgte in Nr. 234 des Reichsanzeigers unterm 9. October und entwickelte Grundsätze wie Gründe ausführlich.

Wer selbst mit Lust und Liebe, mit Thätigkeit und Eifer irgend eine Schöpfung mühevoll und mit Opfern aufbaute, und sie in Trümmern zerfallen sieht, während rings die Mittel nahe liegen, die sie hätten erhalten können, wird das bittere Gefühl erwägen, das Bechsteins sich bemächtigen mußte, als der unvermeidliche Schritt geschah. Hätte er nicht mit so inniger und glühender Heimathliebe an seinem Vaterlande gehangen, so würde er bereits früher Mittel und Wege gefunden haben, im Auslande seine Pläne umfassender durchzuführen. „Allein er liebte theils sein Vaterland zu sehr, theils fesselte ihn die Neigung zur Oekonomie, die er auf seinem Gute selbst leitete, verbunden mit dem Reiz der unvergleichlichen Gegend, als daß er frühern Aufforderungen hätte Gehör geben können. Oft hat ihn die Lauigkeit und das Verkennen seiner guten Absichten in seinem Vaterlande so muthlos gemacht, daß er alle Hoffnung aufgab, irgend anderswo zum zweitenmale an die Ausführung seines Lieblingsplanes zu gehen."

Nr. 287 des Reichsanzeigers, vom 12. December brachte folgende:

Bitte an Deutschlands Regenten, das Bechsteinische Forst- und Jagdinstitut nicht aufhören zulassen.

Mit vielem Leidwesen muß jeder Menschenfreund, der nur einigermaßen die so nöthige Cultur der Forstwissenschaft fühlt, die Nachricht im Reichsanzeiger Nr. 234 lesen, daß ein Mann, wie Bechstein, sein Forst- und Jagdinstitut aus der Ursache aufgehoben hat, weil ihm die Gelegenheit zur nothwendigen und hinlänglichen practischen Ausbildung der ihm anvertrauten jungen Leute in den Forst- und Jagdwissenschaften mangelte, oder ein Forst- und Jagdrevier fehlte, das entweder unter der Aufsicht des Instituts unmittelbar, oder eines Lehrers desselben, oder doch unter einem Manne stund, der mit dem Institute verbunden war.

Obgleich das Hartig'sche und Cotta'sche Institut und andere noch fortdauern, so muß doch jeder Menschenfreund, dem das Wohl und die Verbesserungen der Waldungen einigermaßen am Herzen liegen, die Fortdauer des Bechsteinischen Instituts wünschen. Wie viel würde nicht das Land und die Gegend gewinnen, wo es aufgenommen würde? Eine so gute und nützliche Sache bedarf keiner Anpreisung.

Es fragt sich nun, wo der schicklichste Platz für ein solches Institut ist, und wo Bechstein seinen Plan am besten ausführen könnte?

Ich schlage hierzu einige kleine Städte vor: Usingen, welches des Fürsten von Nassau-Usingen, Weilburg, wo ein berühmtes Gymnasium ist, und welches dem Fürsten von Nassau-Weilburg, Nestätten, zwischen Langenschwalbach und Nassau, welches dem Landgrafen von Hessen-Rothenburg, und Neuwied, welches dem Fürsten dieses Namens gehört.

Diese Gegenden sind sehr volkreich, ihre Regenten lieben die Wissenschaften und suchen solche auf alle mögliche Art zu befördern.

Der allerschicklichste Ort aber für jenes Institut wäre unstreitig Usingen. Und daß ein so wohldenkender Regent, wie der Fürst von Nassau-Usingen ist, dasselbe nicht mit Vergnügen aufnehmen und nicht alles, was Bechstein zur Ausführung seines Lieblingsplanes wünschen kann, verwilligen sollte, daran wird Niemand zweifeln, der denselben einigermaßen kennt.

Wiesbaden, am 29. Oct. 1799. J.

Dieser an sich gewiß wohlgemeinte Vorschlag trug doch die Natur des Seltsamen in sich und bewog Bechstein in Nr. 293 des Reichs-Anzeigers vom 18. December zu einer

Antwort und letzten Erklärung auf die Aufforderung im Reichs-Anzeiger Nr. 287.

Es haben sich dergleichen Gelegenheiten, die hier der Verfasser des Aufsatzes erwähnt, schon während der Dauer des Instituts mehrere auf Veranlassung solcher Forstmänner, die mich besuchten und sahen, wie sehr ich in Ansehung des practischen Unterrichts gehemmt war, um das zu leisten, was mein Plan erheischte, gezeigt; allein ich habe sie theils aus Liebe zu meinem Vaterlande, theils deswegen ausgeschlagen, weil es wohl schwerlich viele solcher Gegenden in Deutschland geben möchte, wo ein dergleichen Institut so auf seinem rechten Platze stünde, wie in Waltershausen. Ich kann mich in letzter Rücksicht dreist auf das Zeugniß aller Sachkundigen berufen, die die Gegend kennen, und deren sind nicht wenige unter den berühmtesten ausländischen Forstmännern. Da mir nun hier an dem schicklichsten Orte diese Unternehmung, die sicher über alle Erwartung von dem auswärtigen Publikum unterstützt wurde, und wo der mancherlei Nutzen derselben für In- und Ausland klar vor Augen lag, gescheitert ist, so habe ich in der That allen Muth verloren, mich selbst wieder mit etwas der Art zu befassen. Ich kenne wenig Bedürfnisse, befinde mich also hier auf meiner Kemnote ziemlich wohl, und kann und werde auch noch ferner, wo nicht unmittelbar, doch mittelbar, soviel meine Zeit und Kräfte erlauben, gewiß zur Vervollkommnung der Forst- und Jagdkunde und ihrer Anwendung beitragen, werde auch gern allen denen, die eine solche nöthige und nützliche Sache beginnen wollen, es mögen edeldenkende Fürsten oder Privatpersonen sein, wenn sie glauben, daß ich durch Nachdenken, Beobachtung und Erfahrung mir die dahin abzweckenden Kenntnisse erworben habe, auf Verlangen mit meinen Rathschlägen an die Hand gehen; allein zur Uebernahme der Direction selbst über eine solche Anstalt kann ich mich vor der Hand nicht verstehen. Uebrigens wünsche ich gar sehr, daß mir niemand diese unangenehme Seite wieder berühren möge. Die gute Sache wird doch gewiß, auch ohne ein Institut von mir, siegen. Es ist jetzt gerade der Zeitpunkt in der Forstwissenschaft, wie er es vor etwa 20 bis 25 Jahren in der Theologie war; was sträubte sich nicht die Masse der Orthodoxen gegen die einzelnen Heterodoxen? und jetzt — ist fast alles heterodox.

Waltershausen, im December 1799.

Joh. Matth. Bechstein.

Doch gerade in dieses Dunkel der Muthlosigkeit fiel ein lichter Strahl der Ermuthigung, das Zeichen einer Anerkennung, die selbst dem kräftigsten Geist Bedürfniß ist, wenn er nicht allmählig Hoffnung und Vertrauen verlieren soll. Das Weihnachtsfest 1799 brachte Bechstein folgendes Decret:

Von Gottes Gnaden Wir, Georg, Herzog zu Sachsen u. s. w. u. s. w. urkunden hiermit und bekennen:

Demnach Wir die Entschließung gefaßt haben, den Hochgelahrten auch lieben Besondern, Herrn Johann Matthäus Bechstein, dermaligen Gräflich Schaumburg-Lippischen Bergrath, wegen dessen gründlicher und ausgebreiteter Kenntnisse in der Forst-Wissenschaft, so wie übriger guten Eigenschaften halber, zu Unserm Forst-Rath solchergestalt zu ernennen, daß derselbe aller mit diesem Charakter verbundener Vorzüge sich zu erfreuen haben soll;

Als ist hierüber gegenwärtiges, von Uns eigenhändig unterschriebenes, mit dem Geheimen Canzlei Insiegel wissentlich bedrucktes Decret ausgefertigt und ersagtem Herrn Forstrath Bechstein, nach Waltershausen im Gothaischen zu übermachen befohlen worden. So geschehen Meiningen zur Elisabethenburg den 13. December 1799.

(L. S.) Georg, Herzog zu Sachsen.

Dieses Decret war nur der ehrenbezeugende Vorläufer von Bechsteins wirklichen Anstellung und Berufung in Meiningische Dienste.

Der Herzog von Meiningen fand in Bechstein den Mann, den er brauchte und suchte, ein neuer Wirkungskreis that sich diesem auf, und glänzend breitete sich das grüne Land der Hoffnung vor seinen Blicken aus, überflammt vom Morgenroth einer schönen Zukunft.

Bechstein hatte 1799 bereits das 42. Lebensjahr zurückgelegt, er stand im Alter männlicher Reife und Vollkraft, in einem Alter, wo Manche schon ihr Ziel erreichten, ihre Bahn beschlossen, oder doch sie schon halb müde und unfreudig durchwandeln. Ihm öffnete sich gleichsam die Pforte einer zweiten Jugend, und mit aller Freudigkeit eines noch strebemuthigen Geistes, mit ungeschwächter Willens- und Wirkenskraft grüßte er die künftige neue Stellung.

Da jedoch noch vieles vorzubereiten war, bevor das, was der Herzog beabsichtigte, ins Leben treten konnte, so setzte Bechstein ruhig auf seinem Gute seine bisherige schriftstellerische Thätigkeit fort. Den größten Theil derselben hat der vorige Abschnitt bis zu diesem Zeitpunkt nachgewiesen. Hauptsächlich war es die Arbeit der Uebertragung von La Cepedes Amphibien, welche anhaltend beschäftigte. Zwei Briefe, einer an Dr. Seetzen in Jever und einer an Professor Merrem zu Duisburg geben Kunde davon, mit welchem Ernst Bechstein dieser Arbeit sich hingab. Der erste lautet im Auszug:

„Wohlgeborner, verehrungswürdiger Herr Doctor!“

„Es ist nicht blos aus Schriften bekannt, welch ein großer Freund und Verehrer der Naturgeschichte Ew. Wohlgeboren sind, sondern ich weiß es auch noch besser durch unsern beiderseitigen Freund, den Dr. Meyer in Göttingen und noch mehr schon aus der letzten Schrift, wie gern Sie auf Gemeinnützigkeit abzweckende Naturforschungen zu unterstützen pflegen. Ich wage es daher um so zuversichtlicher, obgleich ich Ihnen unbekannt, Sie auch um eine dergleichen naturhistorische Unterstützung zu ersuchen.

Ich gebe nämlich jetzt den ersten Theil von La Cepedes Naturgeschichte der Amphibien heraus. Ew. Wohlgeboren werden als Kenner wissen, mit welchen Schwierigkeiten man noch in der Amphibiologie zu kämpfen hat, noch mehr aber, wie viele derselben dem genannten französischen Werke fehlen. Vorzüglich gehäuft sind die Verwirrungen bei den Eidechsen und Schlangen. Ob nun gleich diese Uebersetzung, der Natur der Sache nach, so wenig wie das Original selbst, gar nicht dazu geeignet ist, die Wissenschaft selbst zu bereichern, sondern das Gepräge des Werkes blos Liebhaber zu diesem Zweige der Naturgeschichte werben soll, so wünschte ich doch im Stande zu sein, die Species gehörig zu beschreiben, nach Ihren Schriften, nach Liné und Andern genau zu ordnen und zu bestimmen.

Ich ersuche Sie also in meinem und im Namen des ganzen naturhistorischen Publikums, wenn Sie bei Durchlesung des La Cepedeischen Werkes etwa Bemerkungen in der Hinsicht gemacht haben, diese mir gütigst mitzutheilen. Sollten Sie etwa sogar neue Arten von Amphibien entdeckt, dahin einschlagende Abbildungen besitzen, und beides nicht in einer eigenen Schrift dem Publikum übergeben wollen, so bitte ich darum für meine Uebersetzung. Ich werde beides, wie sich von selbst versteht, auf die von Ihnen verlangte Weise vergüten. In der Hoffnung, daß Sie meine Bitte nicht übel aufnehmen werden 2c."

Der Brief an Merrem drückte in ähnlicher Weise dieselbe Bitte aus, die Bechstein „um so zuversichtlicher an einen Mann richtete, der durch seine vortrefflichen Schriften gezeigt hat; wie leicht er sie zu erfüllen im Stande sei." Den Brief begleitete ein Diplom.

„In Auftrag der hiesigen Societät der Forst- und Jagdkunde habe ich das Vergnügen in der Beilage Ew. Wohlgeboren ein Diplom derselben zu überreichen. Dieselbe rechnet es sich zur vorzüglichen Ehre, mit Männern verbunden zu sein, die sich um die Naturkunde ein so großes Verdienst erworben haben, wie Sie, und wünscht, daß Sie diese Verbindung nicht ungern sehen mögen 2c."

Bechstein durfte um so mehr von den lebenden Naturforschern freundliche Förderung seiner Arbeiten hoffen, als er selbst stets bereit war, anderseitigen Bestrebungen, wenn sie nur ächt und tüchtig waren, auch öffentlich Beifall zu zollen, und sie durch sein vielgeltendes Wort zu empfehlen, ja ihnen selbst Abnehmer zu verschaffen. Dies that er unter andern bei der Deutschen Ornithologie von Borkhausen, Lichthammer und Becker, wofür ihm Georg Becker in einem auszugsweise hier folgenden Brief lebhaften Dank aussprach.

„Darmstadt, den 13. Jänner 1800."

„Wohlgeborner Herr Bergrath,
Hochzuverehrender Freund!

Für Ihre im 249. Stück des Reichs-Anzeigers von 1799 gütigst gefertigte Nachschrift zu der Ankündigung unsrer teutschen Ornithologie sind wir — Lichthammer, Borkhausen und ich — Ihnen den verbindlichsten Dank schuldig. Messen Sie es ja keinem Mangel an freundschaftlicher Dankbarkeit bei, wenn ich, nach etwas geraumer Zeit, jetzt erst die Feder ergreife, um das niederzuschreiben, was wir beim ersten Anblick jener Anzeige einstimmig laut aussprachen. Es hatte die gehoffte Würkung sicherlich hier und da hervorgebracht, denn ungleich häufiger als vorher, sahen wir unsere Subscribentenliste sich mehren.

In einem der Dezemberstücke der Jenaer allgemeinen Literaturzeitung las ich kürzlich eine rühmliche Anzeige meiner Schrift über das Ausstopfen der Thiere ꝛc. Wenn ich mich nicht sehr irre, so glaube ich die Hand nicht zu verkennen, und Ihnen den Dank für eine Recension schuldig zu sein, die mein Werkchen so nachsichtsvoll beurtheilt hat.

Lichthammer und Borkhausen empfehlen sich Ihnen bestens und ich vereinige damit meine volle Hochachtung und herzliche Freundschaft mit der ich unwandelbar bin

Ew. Wohlgeboren

ergebenster Freund und Diener

Georg Becker."

Ein anderer Brief Georg Beckers, den Bechstein im Sommer empfing, drückt nicht minder dankbare Gesinnung aus, hat aber auch im Bezug auf einige ornithologische Erläuterungen wissenschaftliches Interesse. Es heißt darin:

„Darmstadt, den 17. Juni 1800.

Ihre und Herrn Clairvilles*) Vorsorge zur Besorgung eines französischen Textes verdient unsern wärmsten Dank. Längst war dies auch unser Wunsch und ist es noch, wie Ihnen die auf einem besondern Blatte beigelegte Ankündigung und die ebensallsigen Avertiss. im Reichs-Anzeiger und dem Int. Blatte der Jenaer Literaturzeitung bewiesen haben werden. Wollten Sie daher Herrn Clairville, — dem ich uns hochachtungsvoll zu empfehlen bitte, — melden, daß wir mit allem Danke sein gütiges Anerbieten acceptirt, so würden Sie uns sehr verbinden. Ersuchen Sie ihn daher zu dem Ende den teutschen Text sowohl der 6 Vögel als auch des Titels und der Nachschrift vollständigst zu übersetzen. Herzlich gern würde ich zu Herrn Clairville's größerer Bequemlichkeit den teutschen Text in halb gebrochenen Blättern geschrieben Ihnen hier mitgesendet haben, wenn ich nur die Zeit zum Schrei-

*) Dieser Name ist oben irrig Clairaille geschrieben.

den jetzt dazu finden könnte. Die mit unsrer Unternehmung verknüpften Geschäfte und Arbeiten sind ungeheuer, da wir das Werk bekanntlich in eignem Verlage haben. Dies trifft dann zumal mich, indem ich nicht nur das merkantilische sammt der Correspondenz im ganzen Umfange der Entreprise besorge, sondern auch noch obendrein den deutschen Text zum Werke schreibe. In dieser letzten Rücksicht würden Sie mich daher auch ganz besonders verbinden, wenn Sie mir solche Bemerkungen zu den oben beschriebenen Vögeln des zweiten Hefts mittheilen wollten, die Sie etwa seit dem Abdruck Ihrer großen Werke zu machen Gelegenheit gehabt haben. Ich habe mir die Freiheit genommen, dies nämliche auch hier und da bei solchen Vögeln nach und nach aufzunotiren, was ich in Ihren Schriften in Vergleichung mit eignen Naturbeobachtungen nicht ganz übereinstimmend gefunden habe. Dies ist z. E. (wie mir eben beifällt) bei **Alauda pratensis** und **Motacil. ficedula** der Fall, die beide von Ihnen aus dem Systeme ausgemerzt worden sind. Dennoch aber habe ich beide Vögel als besondre Arten hier genug gefunden; und **alauda trivialis** ist von erster, sowie **Muscicapa muscipeta** von letzter hinlänglich unterschieden. Wenn Sie meine desfallsigen Bemerkungen lesen wollen, so will ich Ihnen solche demnächst mittheilen, so wie auch von **Mot. fidecula** Ihnen ein Exemplar zum Geschenke, zur eignen Ueberzeugung, senden. Darin wird eigentlich am meisten gelernt, wenn man die irrigen Gegenstände mit einander vergleicht. **Alauda pratensis** habe ich immer nur in den ersten Frühlingstagen auf Wiesen gefunden.

Verflossnen Winter habe ich auch eine Menge Wasservögel erhalten; unter andern 6 Exemplare von **Anas cygnus**, wovon gegenwärtig noch eins herrlich und in Freuden lebt, dem blos das Daumengelenke am Flügel durch ein Schrotkorn gelähmt war und welches ihn dann hinderte, dem Trupp seiner Kameraden folgen zu können. Diesen lebendigen Schwan habe ich an **Dr.** Meyer in Offenbach, (den Sie hoffentlich auch kennen) in seine kleine Menagerie abgegeben. Gewiß eine seltne Acquisition in unserm hiesigen Bezirke. Auch an diesen Schwänen habe ich manches Abweichende von Ihrer Beschreibung und wiederum manches gefunden, was ich bis jetzt noch in keinen Schriften deutlich finden konnte.

Für die Mittheilung Ihrer Bemerkung der Charakteristik bei Falc. lagopus danke ich herzlich. Auch ich finde das nemliche an vier Exemplaren bestätigt, und werde die Diagnose bei unserm zweiten Heft darnach einrichten ꝛc."

Von Burgsdorff war im Beginn des Jahres 1800 an seinem Jagdhandbuche äußerst thätig, da aber Bechstein der eigentliche Redakteur desselben war, der alles las, ordnete und revidirte, so verursachte die Arbeit eine sehr lebhafte Correspondenz mit dem erstgenannten, der hinwiederum die seinige mit dem Grafen Mellin und A. Bechstein communicirte.

Der Graf Mellin hatte damals seine in demselben Jahre erschienene Schrift über die „eingesperrten Wildstände *)" vollendet, und meldete, daß er diese Bearbeitung nach v. Burgsdorffes Plane noch einmal für das Handbuch vornehmen wolle. „Ich kann es nun um so mehr mit gedrängter Kürze und mit gänzlicher Ersparung der Kupfer thun, da ich auf jenes größere Werk über diese Materie und dessen Kupfer mich um so eher beziehen kann, weil dasselbe wahrscheinlich mit dem zweiten Theil des Lehrbuchs zugleich erscheinen wird. Ich thue dieses sehr gern, einestheils um mein gegebenes Versprechen vollkommen zu erfüllen (und ich glaube über diesen Zweig der Jägerei, den ich mit so vieler Aufmerksamkeit und Erfolg so leidenschaftlich über 20 Jahre vorgestanden, belehren zu können, und die erforderlichen Kenntnisse dazu zu haben), anderntheils um das sehr ansehnliche Honorarium für jemanden, dem ich es versprochen habe, abverdienen zu können. Zu mehrern Materien haben Sie mich ja nicht aufgefordert, und Sie haben auch in der That recht in meiner Seele gewählt, als wüßten Sie genau, welcher Bearbeitungen Uebernahme für mich die unterhaltendste sind."

*) Unter dem Titel: Unterricht, eingefriedigte Wildbahnen ohne große Thiergärten anzulegen und zu behandeln. Mit Kupfern, gr. 4. Berlin, Maurer. 1800.

Weiter beklagt Graf Mellin den Verlust des Freiherrn von Stein für das Handbuch, da dieser verstorben war, während er für dasselbe den Abschnitt über die Falkonerie u. A. bearbeitete. Dann heißt es:

„Ew. Hochwohlgeboren haben S. 310 Ihres Plans ein Kapitel über Elennwildpret eingerückt. Das haben Sie wohl in Rücksicht auf Preußische Jäger gethan, denn meines Wissens sind in Deutschland gar keine, und sogar die ehemaligen Thiergärten, welche die Sächsisch-Polnischen Könige mit diesem Wildpret in Sachsen besetzt hatten, eingegangen. Ich kenne diese Wildpret-Art nur von Ansehen, habe aber nicht Gelegenheit gehabt, es in seinem wilden Zustande kennen zu lernen ꝛc."

Während von Dr. Seetzen und Professor Merrem die erwünschten Antworten ausblieben, schrieb um so freundlicher im Bezug auf die Bearbeitung des La Cepedes der Amphibiolog Schneider in Frankfurt an der Oder, obgleich auch er sich der Säumigkeit im Briefschreiben anzuklagen hatte. Zuerst ein Brief von ihm vom 17. October 1800 im Anszug:

„Ich bin nun leider, theuerster Herr und Freund, so tief in die Schuld bei Ihnen gekommen, daß ich nicht wüßte wie ich mich entschuldigen und herauswickeln sollte, wenn ich nicht gleich einen sehr triftigen Grund der Säumniß, ein fünfmal wiederkehrendes Fieber, angeben könnte, womit schon alles gesagt ist. Aber leider hat das Fieber solche Folgen, daß ich jetzt nicht mehr zwei Stunden hintereinander denkend lesen oder schreiben kann. Der Himmel gebe, daß es sich mit dem Winter, den ich sonst immer mehr zu fürchten habe, ändern möge.

Ich will nun versuchen, Ihre Briefe nach der Reihe zu beantworten, soweit als es nicht schon geschehen sein kann. Mittlerweile werden Sie hoffentlich auch von H. Merrem und Seetzen Unterstützung und Beiträge erhalten haben, denen Sie unmaßgeblich den zweiten und dritten Band zuschreiben könnten. Fast aber glaube ich, daß Merrem aus einer mir unbekannten Ursache der Naturgeschichte abgestorben sei. Ueber seine Schlangen werde ich Ihnen einmal eine Anecdote mittheilen.

Zuletzt erhielt ich die Kupfer zu Ihrer Uebersetzung nebst einem sehr freundlichen Briefe. Für beides danke ich Ihnen herzlich. Ihr Buch hat mich während meiner Krankheit oft angenehm unterhalten. Ich wünsche, daß alle folgenden Bände mehr solcher Beiträge und Zusätze erhalten mögen als z. B. die Beschreibung des langschnablichten Krokodils ist, wovon ich in Barby einen 2½ Fuß langen Kopf sehr gut erhalten, in Hannover aber ein kleines Exemplar in Sp. eben so lang als der Kopf in B. fand. Warum haben Sie diesen nicht nach Ihrem Ex. zeichnen lassen? Ich gestehe Ihnen, daß in diesem kleinen Octav-Formate, kopirte Figuren, wenn sie auch von guten Mustern und von guten Künstlern kopirt wären, ich glaube, daß alle Kupfer schlecht ausfallen müssen, und scheue mich daher meine Zeichnungen, welche meistens, nur wenige ausgenommen dies Format überschreiten, zum Kopiren an denselben Künstler abzugeben; denn so gewinnt die Wissenschaft nichts durch Kupfer, wenn der Zeichner und Kupferstecher von der Sache selbst nicht unterrichtet oder nach Anwerbung sehr geübt ist. Meine Amphibien sind fast alle von demselben Künstler gezeichnet und gemalt, der Merrems Schlangen und Blochs Fische gezeichnet, gemalt und gestochen hat. Könnte ich durch diesen meine Amphibien verkleinern lassen, so möchte der Leser dabei nicht soviel verlieren.

Ihren Brief mit den Kupfern erhielt ich sehr spät durch die Post, da ich ihn, sowie alle Päckchen durch Frommann in Jena oder Fritsch in Leipzig zu erhalten gewünscht und gebeten hatte. Meine Lage zwingt mich zu jeder Art von Sparsamkeit, und Sie werden mir diese Erinnerung verzeihen, wenn Sie sich im allgemeinen die Lage eines preuß. Professors und noch dazu hier in Frankfurt und in meinem Fache als Philolog **ex professo** wollten und könnten von jemand schildern lassen. Was ich erübrigen kann, wende ich auf die Naturgeschichte und meine Büchersammlung; aber dies reicht nicht weit: und nun habe ich leider meinen Bloch nicht mehr, bei dem ich sonst jährlich einige Wochen zubrachte und mich mit allen Neuigkeiten nährte. Kein ähnlicher Liebhaber ist mehr in Berlin, nur im botanischen Fache erhält Wildenow so ziemlich alle Neuigkeiten; aber nicht alle Gelehrte haben Blochs Dienstfertigkeit.

Wenn ich bei Zeiten noch **Histoire naturelle de la montagne de St. Pierre par Faujas St. Foud** erhalte, wo neue Krokodile beschrieben sein sollen, so erscheint der zweite **Fascicul. hist. amph.** zu Ostern, worinnen Krokodile und **Boae** sowie **Pseudoboae, Stinci, Chalcides** u. s. w. abgehandelt sind, doch aber Krokodile und Riesenschlangen sehr ausführlich, weil ich da am meisten nach eigener Kenntniß sprechen und viel neues sagen konnte.

Mittlerweile ist auch herausgekommen **histoire naturelle des Salamandres de France précédée d'un Tableau methodique des autres reptiles indigenes, avec 6. planches colorées par P. A Latreille Paris 1800. 61. et XLVII pages**, wovon sich die Anzeige im neuesten Hefte des **Magazin encyclop.** findet; das Buch habe ich noch nicht gesehen oder angezeigt gefunden. Vielleicht erhalte ich es bald von Göttingen. Sie werden es doch wohl haben müssen, um der Uebersetzung diese Zugabe als nöthig beizufügen. Denn durch des genauen L. Arbeit können Sie gewiß noch einmal so viel falsche Nachrichten und Beschreibungen in den Noten sparen. Zugleich könnten Sie davon eine Recension in die All. L. Z. machen und einrücken lassen. Vielleicht beantwortet der Mann auch Ihre Zweifel über **viridis Lac.**, welche ich nicht lösen kann. Denn was Linnee unter **viridis** verstanden haben mag, mag Gott wissen! unsre sind nur vorzüglich zur Zeit der Begattung am männlichem Geschlechte grün. Aber ich habe noch keinen Sommer der Paarung und Untersuchung der beiden Geschlechte genau nachspüren können, so wenig als dem Umstande, daß einige unsrer Arten lebendige Jungen gebären, andre Eier legen. Die lebendigen Jungen habe ich selbst an mehreren Exemplaren in Spiritus bei einem meiner Freunde an einem lebendigen aber sehr zerquetschten Exemplare gesehen. Die Eier fand ich im vorigen Jahre zu Ende des Octobers am Fuße einer Erdäpfelstaude halb ausgebrütet und frisch. Diese konnten aber doch nicht mehr im Herbste oder Winter ausgebrütet werden; denn wie hätten die Jungen sich erhalten können? Eben so wenig habe ich noch die Zeit des Ausbrütens der Schildkröteneier selbst untersuchen und erfahren können.

Mittlerweile empfehle ich mich Ihrer ferneren Freundschaft und verbleibe mit der vollkommensten Hochachtung

17. October 1800.

Ihr

Diener und Freund

Schneider."

Ein anderer Brief Schneiders vom December drückt Verwunderung darüber aus, daß Merrem und Seetzen noch nicht geantwortet, verheißt die Zusendung von Abzeichnungen aus dem kostspieligen und sehr großen Kupferwerk Russels, und anderes zweckdienliches Material, da dessen Erlangen für Bechstein von der Göttinger Bibliothek große Schwierigkeiten haben werde, am wenigsten könne es Blumenbach verschaffen. Zum Nachstechen von Kupfern aus Russel empfiehlt Schneider Eberlein den Vater in Göttingen und äußert sich im Bezug auf literarische Hülfeleistung:

„Möchten Sie nur bei andern, welche mehr zu geben haben, als ich, die nemliche Bereitwilligkeit finden. Aber ich habe noch selten das Glück gehabt, doch aber auch an Männern Gehülfen gefunden, wo ich es zu hoffen gar nicht einmal wagte. Dafür bin ich dadurch dankbar, daß ich Andern mittheile, was ich sogleich entbehren kann."

Der Brief schließt mit den Worten:

„Nun leben Sie wohl, und wenn Sie sich verändern, so bedenken Sie ja vorher alle Bequemlichkeiten, welche Sie jetzt haben. Ich verbleibe 2c.

Dieser Rath war gut gemeint, allein der strebsame und thätige Mensch, der ein großes Ziel im Auge hat, dem zuzueilen seine Seele alle Schwingen entfaltet, der denkt zu allerletzt an die Bequemlichkeiten, die er aufgiebt, oder vielmehr, er verzichtet von vornherein auf dieselben. Bechstein verließ keine, und fand keine, weil für schaffende Geister keine vorhanden sind.

Unterm 15. September war für Bechstein das von J. Ch. D. Schwet unterzeichnete Diplom der Kaiserlichen Akademie der Naturforscher Leopoldina Carolina ausgefertigt, und als ein lateinischer Brief besonders gedruckt worden.

In Meiningen hatte Bechstein einen Universitätsfreund, dies war der damalige Consistorialassessor und Hofprediger später Generalsuperintendent Vierling, der es stets treu und wohlwollend mit ihm meinte, und ihm seine Angelegenheiten daselbst, bevor die Uebersiedelung vor sich ging, besorgen half. Ja man sagt für gewiß, daß Vierling es gewesen, der, nachdem ihm Bechstein seine Mißverhältnisse in Beziehung auf sein Institut geklagt, dem Herzog von Meiningen jenen empfohlen, und auf Schloß Altenstein vorgestellt habe.

Die officiellen Vorbereitungen zum ins Leben Treten des neuen Forstinstituts waren in Meiningen zunächst die Folgenden.

Unterm 16. Sept. 1800 wurde höchsten Orts beschlossen, den Plan commissarisch durch den Oberjägermeister Geheimerath von Bibra, den Oberforstmeister von Pfaffenrath, den Forstrath Cramer in Meiningen, den Doctor Heinrich David Wilkens aus Braunschweig (früher Lehrer am Institut auf der Kemnote) und Bechstein entwerfen zu lassen. Da die ganze Idee, wie sich dieselbe naturgemäß erst später entwickelte und zur Reife gelangte, noch im Reifen war, so kam zum Vorschlag, daß am Institut auch der Oberforstmeister von Pfaffenrath, der Forstrath Cramer *) und der Inspector (nachherige Director der Lyceums) Consistorialrath Schaubach, desgleichen der Bauinspector Feer den aufgenommenen Zöglingen mit Unterricht ertheilen sollten, auch sollte ein Canzlist die Uebungen im Rechnen und Schreiben leiten.

Der Herzog bestimmte gleich Anfangs mit wahrhaft landesväterlicher Fürsorge und Gesinnung, daß auch die schon auf den Revieren angestellten Jägerbursche nach und nach das Institut zu ihrer wissenschaftlichen Vervollkommnung besuchen, und alle einheimischen Zöglinge den Unterricht völlig frei bekommen sollten.

---

*) Ueber diesen folgt später Ausführliches.

Bechstein hatte sich von Waltershausen nach Meiningen begeben, und die erste Berathung über den zu entwerfenden Plan fand am 17. September 1800 in der Behausung des Geheimenrath und Oberjägermeisters von Bibra Statt, wobei oben genannte Männer mit Ausnahme des Bauinspectors zugegen waren. In dieser Sitzung bat zunächst der Herr von Pfaffenrath um Dispensation von Ertheilung irgend eines theoretischen Unterrichts. Man beschloß, von den Aufzunehmenden einige Vorkenntnisse zu verlangen, die Jägerbursche, wo deren 2 auf einem Forst wären, allvierteljährlich alterniren zu lassen, und danach den Unterrichtscursus einzurichten, eine Maßregel, die nicht lange Bestand haben konnte. Dr. Wilken erbot sich, wenn ihm der Unterricht mit anvertraut werden sollte, die Forstwissenschaft nach Anleitung der von ihm herausgegebenen Bücher zu lehren, mit Ausnahme der reinen Mathematik und der Botanik, welche erstere wahrscheinlich der Inspector Schaubach übernehmen werde, letztere könne wohl der Hofgärtner Zocher lehren.

Inspector Schaubach erklärte, daß seine vielen Geschäfte ihm nicht gestatteten, besondern Unterricht am Forstinstitut (für das damals Dreißigacker noch nicht definitiv bestimmt war) zu ertheilen, könnten aber die Zöglinge an seinem öffentlichen Unterricht Theil nehmen, so wolle er sehr gern ihnen die Mathematik bis zur Trigonometrie und zur Lehre von den Kegelschnitten vortragen.

Forstrath Cramer erbot sich zu den Uebungen im deutschen Styl, und der Bauinspector Feer sollte nun praktische Geometrie und Planzeichnen übernehmen. Doctor Wilken that noch mehrere Vorschläge im Betreff der Cameralwissenschaft, praktischer Uebungen, der nöthige Fonds nicht nur für die Lehrergehalte, sondern auch für Bücher, Sammlungen, Instrumente rc. und forderte für seine Person 400 Thlr. einschließlich einiger Naturalstücke nebst einem Antheil von dem, was die das künftige Institut besuchenden Fremden zahlen würden.

Bechstein scheint anfänglich gar nichts gesagt zu haben. Was hätte er auch sagen sollen? Er gab blos einen sorgfältig gearbeiteten und eigenhändig aufgesetzten Plan, überschrieben:

Versuch eines Lectionsplans für das Herzogl. S. Meiningische Forstinstitut,

zu den Acten, an dessen Stirne die Bemerkung stand: Es kann kein Subject in diese Anstalt aufgenommen werden, welches nicht wenigstens die 4 Species der Rechenkunst nebst Regel Detri versteht und nothdürftig schön und recht schreiben kann.

Diesem umsichtig und zweckmäßig entworfenen Plan waren noch einige Bemerkungen angehängt, des Inhalts, daß dieß Lectionsverzeichniß vorzüglich nur beim Anfang des Instituts oder in Hinsicht der schon in Diensten stehenden Jägerbursche gelten könne, und für die Eleven, die das Forst- und Jagdwesen vom Anfang an in dem Institut erlernen wollten, wurde auf den Plan im von Burgsdorffschen Handbuch und in Bechsteins Diana verwiesen. Sodann forderte Bechstein für die künftige Anstalt eigene Gesetze und ein eigenes Gericht, öffentliche feierliche Aufnahme mit Angelöbniß, Anlage eines Sittenbuches mit periodischen Noten über der Zöglinge Fleiß und sittliches Betragen, periodische Examina u. dergl. und es wurde über diese ganze Verhandlung Protocoll geführt.

Nach dieser aus etwas wunderlich gemischten Elementen zusammengesetzten Berathungs-Commission, von der Ersprießliches im Voraus nicht zu hoffen war, scheint irgend etwas vorgegangen zu sein, was den Herzog verstimmte, oder man konnte noch zu keiner rechten Einigung gelangen, genug im October 1800 schrieb der Doctor Wilckens an den Herzog und äußerte: „Darf ich unterthänigst bitten, so geben Ew. Herzogliche Durchlaucht die höchste Idee für ein Forstinstitut doch nicht zum Nachtheile Höchstdero Landen gänzlich auf" und bat dann unumwunden: ihm gnädigst zu gestatten, daß er in Meiningen, vielleicht schon auf bevorstehende Ostern unter des Herzogs landesväterlicher Beihülfe auf seine Kosten und sein Risico zwar kein Forstinstitut, denn dazu seien seine Kräfte zu schwach, aber die Gründung eines dereinstigen Herzogl. Forstinstituts wagen dürfe. Dieses Ansuchen hatte keine andere Folge, als das gänzliche Verschwinden des Dr Wilckens aus der Geschichte des Instituts. Denn in demselben Monat erklärte sich Bechstein bestimmt zur Uebernahme des ihm angetragenen Directoriums und einen Theil des Unterrichts bei dem anzulegenden neuen Forstinstitut und es wurden höchsten Orts in einem Rescript an Herzogl. Cammer vom 2. Nov. die Mittel für die Anstalt und die Lehrerbesoldungen angewiesen. Diese flossen zunächst aus einigen herrschaftlichen Cassen, dann aus Beiträgen der sämmtlichen Jägerei, und die deshalb nöthigen weiteren Herzogl. Rescripte ergingen sofort an die betheiligten Behörden.

Da in der Residenzstadt sowohl, wie in deren naher Umgebung ein schicklicher gelegener Ort als das Jagdschloß Dreißigacker gar nicht zu finden war, so erfolgten nun alle deshalb nöthigen Einrichtungen.

Vierling schrieb im November:

Lieber Bechstein!

Deine Angelegenheiten sind, wie mir Serenissimus versichert, alle in Ordnung und mit dem Januar geht Deine Besoldung an. Er wünscht aber, daß Du vor Weihnachten noch eine Reise hierher machtest, um die nöthigen Details zu besprechen und zu ordnen. Dreißigacker scheint immer noch der schicklichste Ort für das Institut zu sein. Du darfst es Dir nicht als ein altes verfallenes Schloß vorstellen, es ist ganz modern und liegt vortrefflich. Die jungen Leute brauchten auch nicht hierher (in die Stadt) zu kommen. Die Lehrer wohnten zum Theil oben, und die übrigen gingen von hier aus hinauf. Das Beste ist, Du kömmst so bald als möglich hierher, um mündlich darüber zu reden, denn sonst ist des Schreibens kein Ende. Du mußt aber vor Weihnachten kommen, wegen der bevorstehenden Niederkunft der Frau Herzogin. Nicht als Cammer-Assessor, sondern als Cammerrath wirst Du angestellt. Empfiehl mich einstweilen mit meiner Frau der Freundschaft Deiner Frau Cammeräthin.

Dein Freund
Vierling.

Im Anfang des Decembers empfing Bechstein sein Anstellungsdecret, das ihn nun nach einem neuen Wirkungskreise hinrief.

Das Decret lautet:

Von Gottes Gnaden Wir Georg, Herzog zu Sachsen u. s. w. u. s. w. urkunden hiemit und bekennen:

Demnach Wir die Entschließung gefaßt haben, den Hochgelahrten auch lieben Getreuen, Unsern Forstrath Herrn Johann Matthäus Bechstein aus Waltershausen im Gothaischen, wegen dessen bekannter Geschicklichkeit und ausgebreiteter Kenntnisse im Forstwesen, zu Unserm wirklichen Forstrath mit Sitz und Stimme in Herzogl. Cammer in Forstsachen, solchergestalt zu ernennen, daß derselbe aller hiermit verbundenen Vorzüge des Ranges und sonstiger Vorrechte sich zu erfreuen, für die zu übernehmende Direction eines anzulegenden Forst-Instituts aber, eine von dem 1. Januar künftigen Jahres, anfangende jährliche Besoldung von u. s. w.

Als ist hierüber gegenwärtiges, von Uns eigenhändig unterschriebenes, mit Unserm Geheimen Insiegel wissentlich bedrucktes Decret ausgefertigt und ersagtem Herrn wirklichen Forstrath Bechstein zu seiner Legitimation zugestellt worden. So geschehen Meiningen zur Elisabethenburg den 5. December 1800.

(L. S.) Georg, Herzog zu Sachsen.

War auch die Besoldung nur eine geringe, denn unter den zugesicherten 400 Thalern waren rheinländische zu 1 fl. 30 kr. verstanden, so war Bechstein doch damit zufrieden, da er sich einen Wirkungskreis nach Herzenswunsch gegründet, und ein großes Feld natur- und forstwissenschaftlicher, wie cameralistischer Thätigkeit sich geöffnet sah. Nicht die Höhe der Besoldung giebt den Ausschlag für die Würdigkeit eines Dieners, sondern daß er mit Eifer und Liebe diene.

Dem Decret folgte unter gleichem Datum noch die Abschrift eines Registraturrescriptes nach.

Actum.

Meiningen zur Elisabethenburg den 5. December 1800.

Nachdem Ihro des Herrn Herzogs Durchlaucht geruht haben, den zeitherigen caracterisirten Forstrath Herrn Johann Matthäus

Bechstein aus Waltershausen im Gothaischen, zum wirklichen Forstrath mit Sitz und Stimme in Herzogl. Cammer, in Forstsachen zu ernennen; Als ist von Höchstdenenselben noch überdies gnädigst befohlen worden, nachrichtlich zu bemerken, daß besagtem Herrn Forstrath Bechstein der Rang eines wirklichen Raths derer Herzogl. Landes-Collegien vorbehalten sein, auch ihm zu seiner Legitimation von gegenwärtiger Registratur Abschrift ertheilt werden soll.

Actum uts.

Carl Heinrich Ludwig Jacobi.

Ehe ich zur Geschichte der Gründung der neuen Forstlehranstalt in Dreißigacker übergehe, muß ich noch einen Abschnitt einschalten, welcher die weitern Vorbereitungen zu derselben umfaßt und Bechsteins Thätigkeit in dem Zwischenraume, ehe er seine Stelle antrat, vor Augen legt.

VIII.

Vorbereitung und Ankündigung der öffentlichen Lehranstalt der Forst- und Jagdkunde zu Dreißigacker bei Meiningen.

Bevor die Uebersiedelung Bechsteins von Waltershausen nach Meiningen erfolgte, und bevor das vom Herzog beabsichtigte neue Forstinstitut ins Leben gerufen werden konnte, gab es der Vorarbeiten und Vorbereitungen noch mancherlei. Eine der ersteren war die Verwirklichung einer Lieblingsidee des Herzogs, die Redaction und Herausgabe eines gemeinnützigen Taschenbuchs, mit welcher Derselbe Bechstein und Vierling beauftragte. Den Plan zu diesem Taschenbuche, das sich einzig mit dem Sachsen-Meiningenschen Vaterlande beschäftigen sollte, hatte der Herzog selbst entworfen, und es sollte dasselbe, wie G. Emmrich im Jahrgang 1805 S. 116 sagt: „mehr Licht" über das von den meisten Geographen nur nachlässig behandelte Land verbreiten, aber auch neben den Bedürfnissen desselben die Quellen des Reichthums in demselben sichtbar und dadurch fühlbar machen."

Der Druck erfolgte auf Bechsteins Wunsch, damit er die Revisionen schneller lesen konnte, in Schnepfenthal bei Müller ganz auf des Herzogs Kosten.

Der Titel, dem ein Portrait-Kupfer der Herzogin Mutter, Charlotte Amalie, gebornen Prinzessin von Hessen-Philippsthal, von G. Bährenstecher gegenüberstand, lautete:

Herzoglich Coburg-Meiningisches
jährliches
gemeinnütziges Taschenbuch
1801.
Mit Kupfern.
Meiningen, zu haben bei dem Hofbuchdrucker Hartmann
und Buchbinder Klein.

Es war für den Anfang schon ein reichhaltiges Material zusammengebracht, wobei Bechstein die Einrichtung getroffen hatte, daß allgemeine Beiträge nur mit Anfangs- und Endbuchstaben ihrer Verfasser unterzeichnet wurden.

Herzog Georg hatte im Frühling des Jahres 1800 das v. Fischernsche Schloß und Dorf Liebenstein erkauft, nachdem am 28. Juni 1799 beim Bau der Caussee nach Altenstein die große Höhle bei Glücksbrunn entdeckt worden war, und vor seiner Seele standen lebhaft die Bilder aller Neubauten und Verschönerungen, die er aufführen und vornehmen wollte, um die Gegend von Liebenstein und Altenstein zu dem reizenden Naturpark zu machen, der sie in der That durch seine schöpferische Grundlage und durch seiner Wittwe, wie seines Sohnes beharrliche Nachhülfe geworden ist. Daher mußte eine Reihe Ansichten und Grundpläne dort aufzuführender oder neu zu gestaltender Gebäude das neue vaterländische Taschenbuch schmücken.

Dem Vorwort, darin beide Herausgeber die Mangelhaftigkeit dieses ersten Versuchs entschuldigten, folgte ein S—dt. unterzeichnetes Gedicht, diesem I. der Kalender von Bechstein hergestellt. Ihm folgte II. Kurze Data der Regentengeschichte des Herzogl. Sachsen Coburg-Meiningischen Landes, von K—n.

Hierauf III. unter der allgemeinen Ueberschrift: Physikalische Geschichte des Landes, eine kurze Beschreibung von Liebenstein, der ein recht wackres Bild der Ruine beigesetzt war, aus der Feder des oben schon erwähnten Dr. Panzerbieter. Rubrik IV. betrachtete unter dem Gesammttitel: Politische Geschichte und dermalige Verfassung des Landes. 1) Die Armenanstalten, von Keyßner, 2) Die Meiningischen Schulanstalten, besonders Land- und Bürgerschulen von demselben, 3) etwas von der gegenwärtigen Einrichtung der Schule zu Römhild von S—r. 4) endlich brachte: Plan und Ankündigung der Herzoglich Meiningischen öffentlichen Lehranstalt der Forst- und Jagdkunde, von Bechstein mit vollem Namen und als Forstrath und Director der Lehranstalt unterzeichnet. Daran reihten sich die Gesetze für die Studierenden in der öffentlichen Lehranstalt der Forst- und Jagdkunde zu Dreißigacker bei Meiningen; (auf Plan und Gesetze komme ich noch öfter zurück). Diesen Gesetzen folgte die Instruction für das Gericht der Lehranstalt ꝛc., vom Herzog selbst unterzeichnet.

Außerdem bildeten noch vierzehn Rubriken den fast allzureichen Inhalt des ersten Jahrgangs des Meiningischen Taschenbuchs, dessen Redaction aber bei den folgenden Jahrgängen an den damaligen Konrektor, später Hofkaplan, zuletzt Oberhofprediger Georg Emmrich überging, der noch 5 Jahrgänge voll meist gediegenen Inhaltes herausgab, bis der lastende Druck der Zeit des nützlichen Unternehmens Fortgang nach 1807 gänzlich hemmte.

Zum Sitz der Forstacademie war vom Herzog das Jagdschloß zu Dreißigacker, einem Dorfe, nur ½ Stunde weit von der Residenzstadt Meiningen entlegen, bestimmt worden, wohin ich nun zunächst meine Leser, besonders solche, denen die Oertlichkeit fremd ist, führen, und sie mit derselben bekannt machen muß. Das Dorf liegt dicht über der Absenkung einer durch buchtige Einschnitte zerklüfteten, auf der Höhe aber umfangreichen kalkigen Platte. Von der Stadt führt ein Weg mit einigen malerischen Theilen zwischen ziemlich steilen Anhöhen empor; in der Wegmitte sondert sich von der Fahrstraße ein Fußweg ab, der eine Strecke oberhalb steil zum Dorfe leitet, während die letztere ebenfalls in sehr beträchtlicher Steigung an Felsenwänden vorüber unmittelbar zum Herzogl. Jagdschlosse führt.

Das Dorf gehört zum Verwaltungsamte Meiningen, hat gegenwärtig über 70 Wohnhäuser, gegen 400 Einwohner, (da durch die Aufhebung der Academie deren frühere Zahl verringert ist) eigene Kirche, Pfarrei und Schule. Historisch bedeutsam ist Dreißigacker nur erst durch seine Forstacademie geworden. Es war in den früheren Zeiten ein geringer Ort, der 1580 ganz ausstarb, und, als er wieder nothdürftdig bevölkert war, 1418 abbrannte. 1441 kommt er urkundlich Driesigacker und 1504 Dreißigacker vor, Dreßk-acker nennt das Dorf noch heute der Meininger Volksdialect. Im Bauernkriege sah es blutige Hinrichtungen und 1562 stieg in dem sonst sehr wasserarmen Dorfe, das lange Zeit nur einen einzigen Brunnen hatte, die Fluth eines Wolkenbruchs über die Höhe des Brunnenstocks.

Im dreißigjährigen Kriege wurde 1641 durch das kaiserliche Leibregiment Gilli de Haes das Dorf wieder in Asche gelegt.

Das Jagdschloß war äußerst günstig auf einer freien Anhöhe südlich über dem Dorfe, das sich an die nördliche Wand des Thaleinschnittes lehnt, massiv, von Herzog Ernst Ludwig zu Sachsen Meiningen, nebst noch einigen tiefer liegenden Häusern, erbaut, und im Geist jener Zeit ausgeschmückt worden. Zwei und dreißig Stück Hirschköpfe mit schönen, zum Theil seltenen Geweihen, und den Namen der fürstlichen Erleger zierten das Treppenhaus, und große Deckengemälde zeigten in der raumvollen Flur die Mythe der Jagdgöttin. Im Jahr 1743 starb in diesem Schlosse Herzog Carl Friedrich, Herzog Ernst Ludwigs vierter Sohn im 31. Lebensjahre.

Bechstein kam nach Meiningen, besah die Oertlichkeit dieses Jagdschlosses, fand dieselbe über Erwarten gut geeignet, und der Herzog gab nun Befehle, das Schloß für die neue Anstalt herzurichten; es sollte Lehrsäle, Schlafsäle, Wohnungen für den Director und einige Lehrer, wie für die Zöglinge enthalten.

Das Gebäude ist 109' lang, 62' 8" breit, 2 Stockwerke hoch; eine 10' breite doppelarmig gebrochene Treppe führt zur Gallerie im zweiten Stock. Die untere Etage hat dermalen 11 Piecen, die obere zehn, und außer den Bodenräumen befinden sich noch sechs Mansarden, meist mit Alkoven im Dachraum. Vor dem Schloß südlich sind Holz- und sonstige Stallungen befindlich, und der Hof ist von einer Mauer mit 3 Thoren umgeben, die zwei Gärten einschließt. Südwestlich ist ein überdachtes Kellerhaus, das Fundament des früher projectirten Kammergutspachthauses, das dorthin gebaut werden sollte, später aber seine Stelle im Dorf erhielt. Noch gehörte zum Schloß ein, dem langen Bau gegenüber liegendes kleines Wasch- und Backhaus, das wechselsweise von den Lehrerfamilien benutzt wurde.

Nächst dem Schloß waren noch an herrschaftlichen Gebäuden vorhanden: der neue oder lange Bau, ein am Abhang des Berges liegendes, theils zwei- theils einstockiges Haus mit geräumigen Zimmern, Boden und Stallungen; das sogenante Herrenhaus, minder zweckmäßig eingerichtet, noch ein kleines einstockiges Häuschen, die Schloßvoigtswohnung, 30' lang, 30' breit, und das durch einen Neubau vergrößerte Wirthshaus, das später einen Schild „zum Edelhirsch" erhielt.

Der Ort war von vielen Judenfamilien bewohnt, theils wohlhabenden, theils sehr dürftigen, viele derselben waren in den herrschaftlichen Häusern eingemiethet, und im Herrenhause hatten sie ihre Synagoge. Im langen Bau saß Jacob Israel, der später sehr ungern das Feld räumte.

Mehrere Zeitungen, namentlich der Reichsanzeiger 1801. Nr. 1. und später die Beilage zu Nr. 33 der Frankfurter Kaiserlichen Reichs-Ober-Post-Amts-Zeitung, 24. Februar 1801 brachten den Plan und die Ankündigung einer öffentlichen Lehranstalt der Forst- und Jagdkunde zu Meiningen, darin der Zweck der zu errichtenden Anstalt kund gegeben, und die Oertlichkeit beschrieben wurde. Im Bezug auf letztere war unter andern gesagt:

„Das Schloß Dreißigacker liegt eine halbe Stunde von Meiningen, ist mit verschiedenartigen Waldungen umgeben, hat einen zur Forst-Baumschule bestimmten großen Schloßgarten, eigene Jagd, gränzt an den Thiergarten und die Fasanerie, und genießt also eine zum Unterricht in der Forstökonomie und Jägerei ganz geschaffene Lage."

Es folgte in dem Plane nun die Beschreibung des Innern des Schlosses, der ausführliche Unterrichtsplan, die Mittheilung, daß die ganze Anstalt unter den Chef der Herzogl. Cammer, den Herrn Geheimerath und Oberjägermeister von Bibra gestellt sei, die Einrichtung eines Lehrer-Senates über Fleiß und Sittlichkeit der Zöglinge, die der Examina, der Wehrhaftmachung und Lehrbriefe für ausgelernte Jäger, so lange dieser Brauch noch nöthig befunden werde, die Tagesordnung, Hinweise auf das ökonomische der Zöglinge 2c.

In dieser Ankündigung hatte sich Bechstein in seinem Eifer für die Sache zu einigen Aeußerungen hinreißen lassen, die besser unterblieben wären, wenn sie zum Theil auch auf seinen eigenen Erfahrungen beruhten, denn er machte sich dadurch gleich eine ganze Körperschaft zum Feind, und wenn und wo die Feindschaft gegen ein Individuum en corps anrückt, ist es überall eine sehr mißliche Sache, wenn sich das Individuum nicht starken Schutzes oder einer eisernen Stirne zu erfreuen hat.

Das Meiningische Forst- und Jagdwesen war zu jener Zeit in drei Forstdepartements (Oberforste) getheilt. Chef des Ganzen und zugleich Dirigent des ersten Oberforstes, der aus den Aemtern Sonneberg, Neuhaus und Schalkau, dem Gericht Rauenstein und den Kammergütern Calenberg und Gauerstädt bestand, war der wirkliche Geheimerath und Oberjägermeister Eugen Georg August Freiherr von Bibra; den zweiten Oberforst, bestehend aus den Aemtern Wasungen, Sand, Frauenbreitungen, Salzungen und Altenstein, auch den Gerichten Oepfershausen und Liebenstein, dirigirte als Oberforstmeister der Hofjägermeister Franz Carl Freiherr von Ziegesar; der dritte Oberforst, den die Aemter Meiningen und Maßfeld (zu letzterem gehörte Dreißigacker) bildeten, wurde vom Oberforstmeister Carl von Pfaffenrath in Meiningen geleitet.

Bechstein saß noch ruhig auf seiner Kemnote, von der er bald nicht ohne Wehmuth sich trennen, und ihre Pflege fremden Händen überlassen sollte; die eigene Bewirthschaftung der Ländereien machte ihm viele Freude, er hatte als tüchtiger, nicht nur theoretischer, sondern auch praktischer Oekonom, Gärten, Felder, Wiesen und Teiche gebessert, die Gebäude erneut, sich wohnlich eingerichtet, schönen Viehstand angeschafft, hatte einen köstlichen Flug Tauben, die er besonders liebte, und aus dem bereits gezogenen und verkauften Vieh manches Stück Geld gelöst — er saß und redigirte am Meininger Taschenbuch, als wie ein Blitz aus heiterem Himmel folgende Schreckensnachricht von Freundes Hand eintraf:

„Morgen, lieber Bechstein, ist Estomihi. Es ist Zeit, daß Deine Leiden auf Golgatha, das ist verdolmetscht: Dreißigacker — nur ihren Anfang nehmen. Vernimm denn, was ich Dir zu sagen habe und trag's mit christlicher Geduld. Gestern bittet mich der Oberjägermeister zu sich und legt mir zwei Briefe von unserem Hofjägermeister von Ziegesar vor. Der eine war an ihn, der andere an Dich gerichtet. In dem ersten verlangt er von ihm, daß wenn er Dich nicht sogleich selbst zu einem förmlichen Widerruf Deiner den hiesigen Chefs des Forstwesens in Deiner im R. A. befindlichen Ankündigung des Instituts zugefügten Beleidigung anhalten würde, er Dir seinen beiliegenden Brief sogleich zuschicken sollte. In diesem Opus macht er Dir nun die bittersten Vorwürfe über Deine Anzüglichkeiten, die Du Dir gegen die hiesige Jägerei erlaubt hättest, besonders in der Stelle, wo von den sonstigen Besetzungen der Stellen die Rede ist, z. B. Bediente — und deutet dieses denn sehr weise auf die Meininger Chefs, fordert Dich zu einem förmlichen Widerruf im R. A. auf und droht im Gegentheil, Dich auf dem Weg Rechtens und namentlich bei dem Jenaischen Hofgericht zu belangen. Herr v. Bibra hatte sich irre leiten lassen und bestand auch auf diesem Widerruf, wobei ihn ein gegenwärtiger junger Esel bestärkte. Ich suchte ihn zu überzeugen, daß niemand arges aus der angeführten Stelle für die hiesige Jägerei schöpfe — daß Dir nicht der entfernteste Gedanke an Beleidigung gekommen sei — daß Du Dich zwar wahrscheinlich nicht weigern würdest, eine genauere Erklärung der Stelle quaest. einrücken zu lassen, daß aber erst dann die

Leute aufmerksam gemacht und die Sache verdächtig würde. Da ich ihn nicht völlig überzeugen konnte, so bat ich ihn, die Sache einige Tage ruhen zu lassen und den Herrn v. Hendrich als Unpartheiischen alsdann darüber zu befragen. Und so hängt denn nun die Sache. Ich überlasse es Dir, ob Du einstweilen an den Oberjägermeister schreiben, oder warten willst, bis er oder ich Dir weitere Nachricht geben.

M., den 14. Jan. 1801." † †

Es lag Verletzungssucht und heimtückische Bosheit durchaus nicht in Bechsteins Charakter und Wesen, und er war deren so wenig fähig, als Jemand etwas nachzutragen; seine Natur war allerdings derb; er liebte es die Dinge gerade herauszusagen, sie beim rechten Namen zu nennen, und er wählte im Zorn die Worte keineswegs, er legte sie auf gar keine, vielweniger also auf eine Goldwage, aber hier wo es galt, Andere zu gewinnen, absichtlich zu verletzen, konnte nicht sein Wille gewesen sein, und so ging er denn ohne säumen daran, sich würdevoll zu rechtfertigen. Er schrieb u. a. an den Freiherrn v. Bibra:

„Die Nachricht, die ich eben von einem Freund erhalte, daß der Herr Hofjägermeister von Ziegesar glaubt, durch meine Ankündigung der künftigen Forstanstalt sei die ganze dortige Jägerei und vorzüglich die Herren Chefs derselben beleidigt worden, hat mich sehr geschmerzt, um so mehr, da ich glaube, den dortigen Vorstehern des Forstwesens bei mehreren Gelegenheiten meine Verehrung und Ergebenheit bezeugt zu haben, und auch namentlich dem Herrn von Ziegesar schon lange als einen Beförderer solcher Unternehmungen in meiner Diana S. 458 genannt habe. Es ist mir schlechterdings unerklärbar, wie der Hofjägermeister v. Ziegesar, den ich als einen sehr richtig und scharf sehenden Mann kenne, meinen Worten einen solchen Sinn habe beilegen können, und ich kann nicht anders glauben, als daß irgend ein Dritter, dem die gute Sache zuwider ist, ihn auf eine solche Erklärung hingewiesen hat."

Dieser Brief, in welchem Bechstein auf Verlangen sich selbst zum Widerruf bereit erklärte, sich aber auch ganz furchtlos und unerschrocken äußerte, war schon abgesandt, als Bechstein ein Schreiben des Oberjägermeisters Geheimerath von Bibra empfing, welches dieselbe Angelegenheit und die erregte Unzufriedenheit zum Hauptgegenstand hatte. Sein Inhalt erhellt aus Bechsteins Antwort, der wirklich alles aufbot, zu versöhnen, wo er gefehlt zu haben beschuldigt wurde, obschon er in der Hauptsache Recht gehabt, und wenn auch nicht im Meininger Lande, doch in andern es durchaus und noch in weit späterer Zeit, gar nichts so ungewöhnliches war, Livre-Jägern, die vorher hinter den Stühlen und den Kutschen ihrer Herrschaften gestanden, ohne weitere Prüfung ihrer Kenntnisse im Forstfach, einträgliche Forststellen zu geben, eben weil sie doch Jäger waren. Bechstein schrieb nun auch an v. Bibra in versöhnlicher Weise und suchte den Sturm zu beschwichtigen.

Sein Brief wurde an den wohlwollenden Freund, der zuerst Nachricht von dem aufziehenden Ungewitter gegeben, zur Uebergabe abgesendet. Es war Bechstein bei dieser ganzen Angelegenheit nicht gerade wohl zu Muthe; sein Gemüthszustand erhellt aus dem halb ernst- und halb scherzhaften Briefe, den er dem Freunde schrieb, und darin eine Stelle lautete:

„Ueberzeugt mein Brief nicht, so ist die Verschwörung gegen mich so gut als ausgemacht, und es steht der Tod eines Märtyrers der Wahrheit bevor; denn über lang oder kurz schießt mich ein aufgebrachter Jägerbursch, wenn ich nach Dreißigacker gehe, aus einem Hinterhalt über den Haufen."

„Hätte ich mich doch nicht von allem, ja von allem, was zur Oekonomie gehört, entblößt, sogar mein Haus vermiethet, so würde ich gleich Serenissimum bitten, mir meinen Abschied zu geben. So aber muß ich leider meinem dunkeln oder vielmehr schwarzen Schicksale entgegen gehen. Du siehst, lieber † †, daß ich mein Publikum kenne, Du siehst den Kampf der Orthodoxie mit der Heteroxie im Forstwesen, wie er sonst in der Theologie war. Ist es nicht gerade, wie wenn ich die Trinität der Gottheit geläugnet hätte, daß ich die Trinität des dasigen Forstwesens nicht in meiner Ankündigung namentlich gelobt und gepriesen habe? Der Gott der schönen Natur stehe mir in allen Kämpfen, die meiner warten, bei! Von dem auf der Kemnote ruhig angelegten Fleische werden sie mir bald helfen, und ich habe dabei weiter keinen Trost, als daß mir die alten Westen, die ich deswegen ablegen mußte, bald wieder passen werden. Antworte mir, wo möglich, noch diese Woche ein Paar Worte, denn in der folgenden werde ich ja wohl abgehen müssen."

Ob nun mit obigen beiden Briefen der erregte Sturm ganz beschworen war, will ich nicht zu behaupten wagen, da die bösen Wetter verletzter Eitelkeit lange innerlich nachzugrollen pflegen, indeß blieb versprochenermaaßen der in Rede stehende Satz, um nicht abermals als Stein des Anstoßes und Aergernisses vor aller Augen zu treten, aus jener Anzeige, wie sie in den ersten Jahrgang des Meininger Taschenbuchs überging, hinweg. Und da Bechstein gerade damit beschäftigt war, den zweiten Band der Diana zu redigiren, so legte er, einem in seinem ersten Briefe angedeuteten Versprechen getreu, den Balsam einer Dedikation auf die geschlagene Wunde, und widmete den drei obengenannten Dirigenten der drei Meiningischen Oberforste diesen zweiten Band, „als den würdigen Vorstehern des Herzogl. Sachsen-Koburg-Meiningischen Forst- und Jagdwesens aus inniger Hochschätzung Ihrer so wesentlichen Verdienste."

Dieser zweite Band, der 1801 mit Kupfern in Gotha bei C. W. Ettinger erschien, enthielt recht werthvolle forstwissenschaftliche Beiträge verdienstvoller Naturforscher und Forstmänner, darunter von Burgsdorff, Bekker, Käpler, von der Borch, und vom Herausgeber; ein fortgesetztes reichhaltiges Mitgliederverzeichniß der Societät der Forst- und Jagdkunde zu Waltershausen, ein Verzeichniß der noch ungedruckten eingegangenen Abhandlungen an die Societät, etwas über die Thätigkeit und Nützlichkeit der Societät bei ihren Versammlungen, u. s. w.

An den Herzog gelangte glücklicherweise nichts von jenem verdrießlichen Zwiespalt und Bechstein schrieb unterm 12. Februar 1801 mitten unter den Vorbereitungen zum Abzug an seinen Durchlauchtigsten Gönner theils manches Erfreuliche für die zu begründende Anstalt, theils ihn selbst und seine künftige Einrichtung betreffendes:

Durchlauchtigster Herzog!
Gnädigster und verehrungswürdigster
Fürst und Herr!

Heute habe ich die letzte Correctur vom Taschenbuch gehabt, und mit der kommenden Dienstagspost wird der Buchdrucker Müller die letzten Bogen von demselben an den Buchbinder Klein schicken *). Ich wünsche und hoffe, daß Ew. Herzogl. Durchlaucht diesem Versuche Höchstdero Beifall nicht ganz versagen werden; künftiges Jahr, wenn ich selbst mit allem dazu gehörigen mehr vertraut bin, soll hoffentlich das Taschenbuch zu Höchstdero gnädiger Zufriedenheit ausfallen u. s. w.

Die Anzeige des Meininger Forstinstituts fängt schon an, ihre gute Wirkung zu äußern, denn es haben sich bereits 6 Eleven gemeldet; ein Herr v. Pfuhl aus Berlin, v. Wieckede, Starostensohn aus Meklenburg-Strelitz, v. Bärenstein aus dem Altenburgischen, Grieshammer, Hofjägerssohn aus Hermannsgrün bei Greitz, Herold, Apothekerssohn aus Münster, Hocker, Superintendentensohn aus dem Gothaischen **) — allen habe ich die genauesten Bedingungen erst in Meiningen zu schreiben versprochen, wenn mir Ew. Durchlaucht selbst hierüber die nöthigen Aufträge gegeben haben. Auch ein gewisser Häfeli aus Bern, der nämlich Lehrer und Zögling zugleich sein will, und zwei Lehrer: Geometer Wiede aus Weimar und D. Kappel aus Gießen haben sich angetragen, von welchen ich dem ersten nur einige Hoffnung habe machen können. Ich hoffe, wenn die Anzeige erst in der Jenaischen Literaturzeitung und der Frankfurter Oberpostamts-Zeitung steht, so sollen sich ohngeachtet der Concurrenz mit so vielen Privatinstituten, eine ziemliche Anzahl Fremde melden. Ich habe daher auch geglaubt, daß es besser wäre, wenn ich, dem sonstigen Vorschlage des Herrn Oberjägermeisters von Bibra zu Folge, Ew. Herzogl. Durchlaucht

---

*) Die sämmtlichen Exemplare erhielten farbigen Einband, Schnitt und ein Futteral von dünner Pappe.

**) Es kamen nicht alle Angemeldeten.

bäte, mir statt des Schloßlogis, das im neuen Bau gnädigst zu geben. Hier hat alles schon, was ich nöthig habe, seine Einrichtung und Bestimmung, Garten, Keller, Stallung, alles ist fertig und in der Nähe, und der größere Raum im Schloß, den ich nach meinen Bedürfnissen mit Küche, Speisekammer ꝛc. versperren müßte, könnte viel leichter und schicklicher zu Zimmern für die Studierenden eingerichtet werden. Auch bliebe dann das ganze Institut mehr unter den Augen der Inspektoren, die alle nicht soviel Gelaß nöthig haben als ich, und auch meine Inspektion würde nicht nur nicht verlieren, sondern insofern gewinnen, daß weder Lehrer noch Eleven wüßten, wenn ich visitirte, da sie mich nicht so genau, wie im Schloß, zu beobachten im Stande wären. Die Miethe würde sich im Schlosse auf diesem Wege gewiß auch erhöhen, statt sich zu vermindern. Es wird nöthig sein, daß ich einige Wochen früher, als meine Familie, also in der ersten Woche des März, von hier abreise, dürfte ich also Ew. Durchlaucht nicht nur unterthänigst ersuchen, mir wenigstens eine Stube in meinem Logis ausräumen zu lassen, damit ich dort schlafen, und meine nothwendigsten Sachen um mich haben kann, sondern auch Höchstdero gnädigstem Versprechen gemäß, einstweilen einen Wagen mit vier Pferden, der mir diese Sachen hinüber fährt, hierher kommen zu lassen.

Welchen innigsten Antheil ich am Glücke Ew. Herzogl. Durchlaucht und des Landes bei der Geburt des theuern Erbprinzen genommen, wird Höchstdenenselben Herr Vierling gesagt haben; ich habe deshalb auch noch am Ende des Taschenbuchs einen Auszug von den Feierlichkeiten jener frohen Tage angehängt. Bald werde ich es thätig zu beweisen im Stande sein, wie sehr es mein Wille ist, mit allen meinen Kräften mich des großen Zutrauns und der ausgezeichneten Gnadenerweißungen würdig zu machen, womit mich Höchstdieselben beglückt haben. Unterdessen erstrebe ich mit der tiefsten Verehrung

Ew. Herzogl. Durchlaucht

unterthänigster Diener
J. M. Bechstein.

Der Herzog genehmigte alle Wünsche und Bitten Bechsteins, und dieser betrieb nun seinen Umzug, nachdem er vollends sein Vieh, seine Ackergeräthschaften ꝛc. verkauft und sein Gut verpachtet hatte, auf welchem er sich jedoch eine Wohnung zurück behielt, denn er hing mit ganzer Seele an jenem Grundstück, dem sein Fleiß wieder Werth gegeben hatte, und es bildete später fast in jeder Oster-Ferienzeit, oft auch in den Michaelisferien den Zielpunkt einer Erholungsreise, obschon er auch dorthin Arbeit mitnahm, da er zu den Naturen gehörte, denen aus der Arbeit selbst Freudigkeit und Lebensluft quillt.

Weder die sich zu Lehrern am neuen Forstinstitut angemeldet habenden Herren Häfeli, Hofmeister bei dem Grafen von Budissin, Dr. Kappel, welcher ein halbes Jahr Erzieher in Schnepfenthal gewesen war, und Wiede erhielten die gewünschten Stellen, noch war bei deren Besetzung weiter eine Rede von den zu oben angeführter Berathungcommission gezogenen Männern, mit Ausnahme Bechsteins, und nur der Forstrath Cramer erlangte weit später und nicht ohne Mühe, eine Lehrerstelle in Dreißigacker. Später wird weiter von ihm die Rede sein.

Zum Lehrer der mathematischen und physikalischen Wissenschaften an dem neuen Forstinstitut wurde der bisherige Schulsubstitut Wilhelm Hoßfeld, aus dem Meiningischen Dorfe Oepfershausen, wo sein Vater Schullehrer, aber kurz vorher verstorben war, designirt, und ihm freie Wohnung im Schloß und eine baare Besoldung von 250 Thalern bewilligt. Sein Anstellungsdecret wurde unterm 19. Mai 1801 ausgefertigt. Er erhielt das Prädicat eines Forst-Commissars.

Gleichzeitig mit Hoßfeld und unter demselben Datum erfolgte für das Fach des Unterrichts im Hand- und Planzeichnen nebst Anleitung zur praktischen Geometrie die Anstellung des Junkers Hans v. Meis, aus Zürich, der früher eine Zeitlang in Weimar gelebt hatte; zugleich wurde er, wegen seiner Geschicklichkeit in den mathematischen und andern Wissenschaften zum Ingenieur-Lieutenant ernannt, ihm die Führung der Casserechnung beim Institut übertragen, auch freie Wohnung im Schloß nebst einer Baarbesoldung von 300 Thalern und einigen Naturalien bewilligt.

Ein dritter Lehrer, Friedrich Beck, stammte aus dem Meiningischen Dorfe Friedelshausen und war Herzoglicher Büchsenspanner. Da er gute Anlagen gezeigt, ließ ihn der Herzog eine Zeitlang das Forstinstitut in der Zillbach besuchen, und es wurde ihm dann eine provisorische Anstellung in Dreißigacker für einige Hülfswissenschaften übertragen.

Den Unterricht im Latein und Schreiben für solche Individuen, die dessen noch bedurften, übernahm der Pfarrer zu Dreißigacker, Kalbe.

Ein Brief Bechsteins an den Bauinspector Feer, kurz vor des Ersteren Ankunft in Dreißigacker, läßt einen Blick in die erste Einrichtung des Forstinstituts thun, und zeigt, wie sehr der Director bemüht war, Allen die nöthige Bequemlichkeit zu verschaffen.

Bechstein schrieb mit Bezugnahme auf seinen oben mitgetheilten Brief an den Herzog:

„Hochgeschätzter Freund!"

„Ich habe vorige Woche Serenissimo selbst vorgeschlagen, daß es besser sei, das Schloß bleibe ganz für das Institut, weil sich viel mehr Zimmer dort einrichten lassen, die Zöglinge alle unter guter Aufsicht sind, welches gestern der Vater des Herrn von Bärenstein ausdrücklich verlangt hat, und ich zöge dann in den neuen Bau. Es scheint auch, nach einem erhaltenen Briefe, wie wenn es Sr. Durchlaucht gnädigst genehmigen wollten. Ist dies, so braucht es im neuen Bau gar keiner Veränderung und im Schlosse bliebe Nr. 1 und 2 dem jungen v. Bärenstein, Nr. 4 und 3 (wo in 3 ein Ofen zu setzen wäre) den dreien Zöglingen Hocker, Herold und Grieshammer. Es wäre also weiter nichts nöthig, als die Wohnung für Herrn von Meis und Herrn Hoßfeld. Den übrigen Vätern der Zöglinge, die sich noch gemeldet haben, habe ich erst Antwort versprochen, wenn ich in Meiningen mit Serenissimo selbst gesprochen hätte. Da im Schloß weiter nichts zurück ist, als Wände einzuziehen, das doch jetzt bei der Kälte nicht geschehen kann, so dächte ich, bliebe dieß, bis ich selbst komme. Nur müßten die Lehrsäle und die Säle für die einheimischen Zöglinge fertig sein.

Dies ist es, was ich auf Ihre Anfrage zu erwidern im Stande bin. Ich empfehle mich 2c."

Und so rückte denn der Tag des Abschieds von Waltershausen und der Ankunft in Dreißigacker immer näher, und es schloß sich mit jenem eine Lebensepoche Bechsteins, während er mit dem zweiten eine neue, wichtige und erfolgreiche begann.

Die Reise erfolgte in den ersten Tagen der zweiten Woche des März, dessen erster Tag, ein Sonntag, und der Geburtstag der treuen Hausfrau, zum letztenmal im Freundeskreise zu Waltershausen begangen wurde.

IX.

Eröffnung der Forst- und Jagdlehranstalt zu Dreißigacker, und ihr Bestehen bis zum Herbst 1803.

Bechstein war in Dreißigacker angekommen, und hatte begonnen, sich in seiner Wohnung, dem neuen später sogenannten langen Bau, einzurichten. Seine ersten Ausgaben dort waren für eine Wachtel, für Mehlwürmer, sonstiges Vogelfutter, und für 2 kleine Microscope. Eine Anzahl seiner Lieblingsvögel, Finken, brachte er gleich mit.

Der Erfolg der Ankündigungen war über alles Erwarten; außer den 6 jungen Leuten, von deren Anmeldung Bechstein dem Herzog geschrieben hatte, waren J. F. Martin, Försters Sohn aus Roschitz, Baron von Hermann aus Memmingen, Heim aus Langen im Darmstädtischen, Freiherr von Semen aus Wetzlar, Gießer aus Oberroden im Rodgrund Vogteiamts Dieburg und noch sechs andere angemeldet und gekommen.

Im Vater eines der zuerst angemeldeten Zöglinge, des Herrn von Bärenstein aus dem Altenburgischen hatte Bechstein einen Universitätsfreund entdeckt, der ihm voll Herzlichkeit schrieb. Ich theile einige

Stellen des Briefes mit, die im Bezug auf den biographischen Theil dieser Schilderung nicht unanziehend erscheinen dürften.

„Zweitzschen, den 9. Februar 1801.“

„Liebster bester Bechstein!“

„Möchten Sie doch sehen, mit welcher Freude ich diesen Brief so anfange! Möchten Sie meine Bitte gewähren und das alte freundschaftliche Verhältniß unter uns wieder stattfinden lassen! Ja, lieber Bechstein, ja ich bin der Bärenstein, der mit Sie zugleich in Jena war; welche Freude hatte ich, als ich in Ihrem geehrten Schreiben las, daß Sie sich meiner erinnern und daß Sie derselbe sind, den ich damals kannte und mit dem ich angenehme Stunden zugebracht. Aber werden Sie sagen, „das hätte er lange wissen sollen.“ — Aber nun auch meine Entschuldigungen. — — Sobald als Sie anfingen vor dem Publiko Ihren Namen zu den ersten und beliebtesten Schriftstellern einzuschreiben, fragte ich einige Bekannte, ob Sie nicht der Bechstein wären, der unser Bekannter und Freund gewesen, aber sie meinten, da irrte ich, mir würde ja wohl wissend sein, daß jener Bechstein Theologie studiert und sich auf diese Wissenschaften nicht leicht mit solchem Ernst gelegt, darzu schiene dieser ein viel älterer Mann zu sein rc. Ich fragte zwar nach der Zeit noch ein paarmal, da aber für einen sehr großen Theil Altenburger das uns so nah angehende Gotha terra incognita ist, so konnte ich keine Auskunft erhalten und beruhigte mich. Daß Sie sehen, wie viel Antheil ich an Sie genommen, so schreibe ich Sie, wie sehr ich mich noch jener Zeit und vieler Umstände erinnere. Wenn ich nicht irre, so wohnten Sie bei dem Schwerdtfeger am Rathhause, waren ziemlich groß und stark und sehr aufgeweckten Temperaments. Bei einer von unsern freilich famösen Gesellschaften lasen Sie einmal einen, ich glaube etwas anstößigen Aufsatz vor, welchen der alte Roux (in seinem weißgrauen Oberrock mit grünen Futter und kleinen Pfeifchen sehe ich ihn noch) im Spaß mißbilligte und Sie lächelnd mit dem Finger drohte, indem er mit dem Kopfe schüttelte. — Dieses und viel Aehnliches, so ich noch weiß, sei Beweis, daß ich mich noch sehr gut des lieben Bechsteins erinnere. — Nun zur Beantwortung Ihres lieben Briefs: — Der Plan des Instituts hat mir sehr wohl gefallen rc. Wie wird sich mein Sohn, der sich jetzt noch in Düben befindet, freuen, wenn er hört, daß es ein alter Freund seines Vaters ist, unter dessen Directorio er künftig steht! — Hätte ich nicht auf Ihre gütige Nachsicht gerechnet, so hätte ich Sie freilich nicht mit einem, einem Tractätchen ähnlich sehenden, Briefe behelligt — aber so unbescheiden bin ich nicht, daß ich etwa eine abermalige Antwort darauf erwartete, sondern verbitte sie durchaus bis ich in Meiningen mündlich von Sie höre, ob Sie es recht ist, daß Sie aufrichtig schätzt und liebt

Ihr

Freund und Diener

v. Bärenstein."

Unterm 25. März schrieb Bechstein von Dreißigacker aus an den Herzog:

Durchlauchtigster Herzog!

Gnädigster und höchst verehrungswürdiger Fürst und Herr!

Die Zeit nahet heran, daß sowohl der Plan als die Gesetze der hiesigen öffentlichen Lehranstalt der Forst- und Jagdkunde gedruckt werden, um beide theils an Fremde, die dies gemeinnützige Unternehmen interessirt, zu versenden, theils letztere bei der feierlichen Eröffnung der Anstalt den Forsteleven zur Nachachtung einzuhändigen. Ich wage daher jetzt die unterthänigste Bitte, daß Ew. Herzogl. Durchlaucht geruhen mögen, nicht nur beides noch einmal einer gnädigen Durchsicht zu würdigen, und es mit denjenigen Berichtigungen, Verbesserungen und Zusätzen, die Höchstdero weisestem Ermessen nöthig scheinen, zu versehen, sondern auch, wegen Handhabung der Gesetze, das dazu nöthige Gericht zu organisiren, und die Gesetze selbst, zur Würde anderer Landesgesetze erhoben, gnädigst zu confirmiren. Mit der tiefsten Devotion ersterbe ich

Ew. Herzogl. Durchlaucht

unterthänigster

Joh. Matthäus Bechstein.

Diese Genehmigung erfolgte; **Plan und Gesetze** für die Herzoglich Coburgisch-Meiningische **öffentliche Lehranstalt der Forst- und Jagdkunde** zu **Dreissigacker** bei Meiningen wurden gedruckt, und ihnen die vom Herzog unterzeichnete Instruction für das Gericht der Lehranstalt in 14 Paragraphen beigefügt.

In einem Rescript an Herzogl. Cammer vom 11. April wieß der Herzog die Mittel für die Besoldungen der Lehrer v. Meis und Hoßfeld an. Es begann: Wir Georg ꝛc. Da das in Dreißigacker anzulegende Forstinstitut seinen Anfang nehmen soll ꝛc. und schloß: So glauben wir hierdurch und die von den auswärtigen und wohlhabenden Zöglingen für den Unterricht zu erwartenden Beiträge (1149 fl. rhn.) die dermaligen Bedürfnisse dieses neuen Instituts hinlänglich gedeckt zu haben. Zugleich wurde Befehl zur Verpflichtung und Einweisung des Directors ertheilt.

Der zuerst in Dreißigacker anlangende Eleve war Herr v. Wickede aus Ratzeburg, und einige Tage nach ihm kam am 13. April der eben erwähnte Herr von Bärenstein mit seinem Sohne. Bis zum 19. April war die Zahl der angemeldeten Ausländer schon auf 20 gestiegen. Da mehrere derselben nebst den Inländern bereits angelangt waren, so begann Bechstein einstweilen mit 23 Anwesenden botanische Excursionen, und am sechsten Mai, noch vor der feierlichen Eröffnung des Instituts, ließ er die Lectionen ihren Anfang nehmen. Da der Herzog der Eröffnung gern selbst beiwohnen wollte, so geboten Umstände, sie bis zum 12. Mai zu verschieben. In Gegenwart der höchsten Herrschaften, des Hofstaates, der Chefs und der Dirigenten des Forstwesens, der Lehrer und Eleven, wie manches Freundes der Sache, wie der Person Bechsteins begann die Feier im großen, raumvollen Hörsaal des Schlosses. Eine Jagdsymphonie, von Seiten der Herzogl. Hofcapelle vorgetragen, eröffnete die Feier; dann hielt Bechstein eine sehr umfassende Rede, in welcher er über die frohen Aussichten sprach, die sich bei Begründung den Vaterlandsfreunden eröffneten, und die Wichtigkeit der erstern namentlich für die Holzkultur hervorhob. Diese gediegene Rede, deren

Mittheilung ich mir an dieser Stelle nur ungern, durch Raummangel gezwungen, versage, ist Diana Bd. 3 S. 502 u. ff. abgedruckt.

Der Rede folgte ein Gesang nach der Melodie des Reiterliedes aus Schillers Wallenstein, den auf Bechsteins Ersuchen der poesiemächtige Schwager, Dr. Reinecke in Weimar, für diese Feier gedichtet hatte:

„Was soll uns der leere Becher der Zeit?
Er kann den Durst uns nicht stillen!
Drum sollen der Geist und die Thätigkeit
Mit goldnem Wein ihn erfüllen.
Wer mit Geist und Arm nichts erwirken kann,
Mag er Mensch sein, aber er ist kein Mann.

Es ist des Verdienstes noch viel zurück;
Hab's nur! die Welt wird's kennen.
Sei groß und gut; mit begeistertem Blick
Wird Sohn und Enkel dich nennen!
Wer der Gegenwart schnödem Sold nur fröhnt,
Wird vom Kranze der Nachwelt nie gekrönt.

Wer der Nachwelt nicht giebt, was der Nachwelt gebührt,
Der Vorwelt Saaten nur schneidet,
Die Sichel und nimmer das Sätuch führt,
Der sei von uns nicht beneidet.
Wer vom Ahnen borgt und dem Sohn nicht zahlt,
Den hat nie Edelsinn angestrahlt.

Jahrhunderte wölbet die stille Natur
An des Haines heiligen Domen,
Beharrlich verfolgt sie die heimliche Spur
Und bauet den Wald aus Atomen.
Im Wurf eine Wohlthat nur selten gelingt,
Beharrlichkeit selbst das Größte zwingt.

Im Geist und im Arme, wer Schnellkraft fühlt,
Der lasse den Bogen nicht rosten;

Wer mit sicherem Auge den Kranz erzielt,
Wird des Sieges Herrlichkeit kosten.
Wer mit Geist und Arm nichts erwirken kann,
Mag er Mensch sein, aber er ist kein Mann.

Eine besondere Stiftungs- oder Gründungs-Urkunde der Anstalt von Seiten des Herzogs ist nicht vorhanden. Plan und Gesetze, deren Eingang und des Herzogs Unterschrift ersetzten dieselbe vollkommen.

Die Lectionen im ersten Sommerhalben-Jahre bestanden in Botanik, Algebra, Geometrie, Forstkultur, bürgerlichem Rechnen, Plan- und Bauzeichnen, Deutsch und Latein, nebst Meß-, Schieß- und Jagdübungen,*) und botanischen Excursionen. Im ersten Winterhalbjahr Jagdnaturgeschichte, Trigonometrie, Forstcultur, künstliche Holzzucht, Rechnen, Potenzen und Logarithmen, bürgerliches Rechnen, Deutsch, Latein, Handzeichnen, praktische Geometrie und Jagdübungen.

Die Anmeldungen dauerten im Laufe des Sommers beständig fort, unter andern meldete sich am 22. August Johannes Herrle aus Oettingen Wallerstein, der beim Forstmeister Grahner zu Ernstthal als Forstpракticant verweilte und dessen noch oft gedacht wird.

Von den forstwirthschaftlich-cameralistischen Arbeiten, welche Bechstein neben seinem Lehramt übertragen wurden, wird im folgenden Abschnitt die Rede sein.

Unterm 11. Mai 1802 ernannte der Herzog Bechstein zum wirklichen Cammerrath, und erhöhte seine Besoldung.

Für mehrere der ihm besonders empfohlenen und anvertrauten Zöglinge mußte Bechstein Rechnung führen, und ihre Ausgaben bestreiten, was nicht nur viele Mühe und Zeit, sondern in mehr als einem Falle baare Verluste nach sich zog.

---

*) Um diese Uebungen zu regeln, welche unter Anleitung des Directors und des Lehrers Beck wöchentlich zweimal Statt fanden, erging an den Hofjäger Schnell zu Meiningen und die Forstbedienten Stöckert, Abesser und Breitung zu Jüchsen, Wölfershausen und Bettenhausen unterm 3. September 1801 besondere Instruction, indem diese selbst oder ihre Jägerbursche zum Mitgehen befehligt wurden.

Das Honorar für die Zöglinge war für Ausländer zwar mit 12 Louisd'or angesetzt, allein die Wenigsten haben dasselbe voll bezahlt.

Unterm 17. November 1801 verfügte der Herzog, daß wegen Zuwachses der Anstalt durch auswärtige Zöglinge im Bezug auf Logis und Mobiliar erweiterte Einrichtungen im Schloß getroffen werden sollten, und seine Gnade erstreckte sich auch dahin, daß armen inländischen Forsteleven auf Vorzeigen eines Scheins vom Director unentgeltlich Schreibmaterialien an Tinte, Federn, Papier und Bleistiften von der Herzoglichen Cammer abgegeben wurden, und daß ein jeder Inländer Reißbrett und Schiene erhielt. Den einheimischen Zöglingen wurde im Winter ein gemeinsames Wohnzimmer geheizt, und es waren zum Verbrauch der Anstalt 20 Klaftern Buchenholz und 6 Klaftern Reisig angewiesen.

Die Lectionspläne wurden vom Sommerhalbjahr 1801 an im Reichsanzeiger, später allgemeinen Anzeiger der Deutschen veröffentlicht. Zuerst theilte man die Zuhörer nach ihrer Befähigung in zwei Säle, dann aber im Jahr 1802 in zwei Classen, 1803 in drei Classen, bei welcher Eintheilung es blieb, bis die Errichtung der Landwirthschaftsacademie neben der Forstacademie für jede dieser gesondert vorgetragenen Doctrinen eine Abtheilung in 2 Classen als nothwendig erscheinen ließ.

So war die Anstalt im besten, erfreulichsten Gange, und nichts störte den Beginn ihres nützlichen Wirkens, auf das des Herzogs gnadenvoller Blick mit aller Liebe fiel, der für dasselbe zu thun suchte, was möglich war, wie er denn nach allen Richtungen hin nur des Landes Wohl, der Unterthanen Glück und Zufriedenheit im Auge hatte. Am 28. October 1801 versprach er Bechstein ein Reitpferd zum Geschenk, und erfüllte dieses Versprechen im April des folgenden Jahres durch Uebersendung eines schönen Rappen, da er treu anhänglichen Dienern gern Zeichen seiner Zufriedenheit gab.

Im Frühling des Jahres 1802 war Getreidemangel entstanden, wie denn jene Zeit sich als eine theure allgemein sehr fühlbar kund that, und der Herzog ordnete beträchtliche Kornankäufe im Auslande an. Daß Bechstein auch in dieser Beziehung mit thätig war, erhellt aus einer eigenhändigen Antwort des Herzogs vom Altenstein aus auf die Meldung eines durch jenen im Gothaischen während dessen Ferienreise nach Waltershausen bewirkten Kornkaufs:

„Allerdings haben Sie, mein lieber Bechstein, recht gehabt, das Korn zu kaufen, und ich gebe Ihnen hiermit den Auftrag und die Vollmacht, nicht allein die 150 Malter zu kaufen, sondern noch 200 Malter zu erkaufen, wenn sie zu haben sind, also in Summe 350 Malter.

Ich werde das Korn in Eisenach übernehmen, und bitte Sie den Accord so einzurichten, daß mir vorhero Nachricht von der Ankunft des Korns in Eisenach gegeben werden muß, daß das Korn gut und rein, nicht schimmlich und müfzend, und vollwichtig sein muß, versteht sich. Ueber den Abschluß des Accords bitte ich mir sogleich Nachricht aus. Längstens in 8 Tagen muß das Korn hier sein. Wenn Sie hier durchkommen, besuchen Sie mich.

Altenstein 1802. Georg, Herzog zu Sachsen."

In diese Zeit fiel die Absicht der Gründung einer churfürstlich-sächsischen Forstacademie in Freiberg, und es wendete sich der damalige Cammerrath, H. v. Lindenau, im Auftrag seines Oheims, des Oberforstmeister v. Lindenau in Schneeberg brieflich an Bechstein, da zu jener Academie zwei Lehrer, einer für die Hülfswissenschaften und einer für die Forstwissenschaften bestimmt seien, von denen der erstere bereits gefunden, der zweite dazu bestimmte aber vor drei Wochen plötzlich verstorben sei, — zu Besetzung dieser Stelle einen andern Mann in Vorschlag zu bringen. Das Finanz-Collegium in Dresden, in dessen Auftrag der Oberforstmeister von Lindenau handelte, verlangte von dem zu Berufenden Kenntniß der Forstwissenschaft in allen ihren Theilen nebst der Gabe deutlichen Vortrages, und sicherte einen Gehalt von 600 bis 1000 Thalern zu. In gleicher Angelegenheit schrieb auch der Oberforstmeister v. Trebra in Schleusingen, indem er sich zugleich für das ihm von der Societät der Forst- und Jagdkunde übersandte Diplom bedankte. „Man ist jetzt in meinem Vaterlande (Chursachsen) von der Nothwendigkeit, eine Forstacademie zu errichten, freilich spät genug, überzeugt worden, hatte auch für die Person des ersten Lehrers eine nicht unglückliche Wahl getroffen, aber dieser Mann ist vor einiger Zeit gestorben. Einem meiner Collegen ist die Wahl eines andern Lehrers aufgetragen worden, und da dergleichen Subjecte leider nicht zu häufig sind, so hat er mich ersucht, ihm Vorschläge zu thun ɪc." nun sollte Bechstein rathen. Dieser antwortete unter Andern:

„Wenn der Ruf zum Lehrer an der neuen Chursächsischen Forstacademie ein Jahr früher gekommen wäre, so würde ich ihn herzlich gern selbst angenommen haben; allein jetzt habe ich nicht Ursache, mich nach einem andern Platz zu sehnen, besonders da ich sehe, daß meine Bemühungen nicht verkannt werden. Ich weiß schon durch den Herrn v. Lindenau die Bedingungen zu der Stelle, habe ihm auch zugleich einige Männer vorgeschlagen (es waren deren, nach einem Briefe des Oberforstmeisters v. Lindenau, darin auch dieser für das erhaltene Ehrendiplom der Societät dankt, vier) und warte nur auf Antwort, ob mir in dieser Sache weiterer Auftrag geschieht."

„Ob aber nach einem ganz academisch eingerichteten Plan das bezweckt werden wird, was man von einer gemeinnützlichen Forstanstalt erwartet, daran zweifle ich fast. Auf einer Academie können meiner Einsicht nach nur Leute von Bildung und vom Stande mit Nutzen unterrichtet werden, aber nicht gemeine Jägerbursche oder solche, die keine Schulkenntnisse haben, also nicht an's Schreiben gewöhnt sind. Es giebt hier einen Mittelweg, den ich in meiner Privatanstalt und hier zu Dreißigacker in der öffentlichen eingeschlagen habe, und nach welchem alle Forsteleven ohne Ausnahme, wenn sie die Natur nicht selbst verbildet hat, etwas lernen müssen. Ebenso kann bei einer völlig academischen Einrichtung nicht auf das sittliche Betragen der Studierenden geachtet werden, welches doch bei allem Unterricht, er mag Knaben oder Jünglingen ertheilt werden, eine Hauptsache ist, da dem Forstmanne Staats-Güter anvertraut werden, die nicht blos einen geschickten, sondern einen braven Mann erfordern. Der Nutzen meiner eingeschlagenen Methode liegt schon am Tage; nach derselben hoffe ich, sollen auch die fast veralteten Jägerbursche, die jetzt in Dreißigacker studiren müssen, nach brauchbare Forstmänner werden. Es herrscht allgemeiner Fleiß und gutes sittliches Betragen ꝛc."

Aus mancherlei Gründen verließ der bisherige provisorische Lehrer Beck Dreißigacker, und die erledigte Stelle wurde auf Bechsteins Verwendung dem Cammerreferendar C. P. Laurop zu Schleswig angetragen, der bereits im November 1801 Bechstein zur neuen Stelle beglückwünscht, seine neueste, dem Herzog von Meiningen gewidmete Forstschrift: Ideal einer vollkommnen Forstverfassung und Forstwirthschaft übersandt, und zu der von ihm und dem Würtembergischen Hofrath Hartmann eben beabsichtigter Zeitschrift für die Forstwissenschaft um Beiträge gebeten hatte. Laurop schrieb von Kopenhagen aus unterm 13. Juli 1802 unter Andern an Bechstein:

„Das Anerbieten Ihres Herzogs ist so gut und meinen Wünschen so entsprechend, daß ich keinen Anstand nehmen werde, es anzunehmen, und ein mir von der hiesigen Rentenkammer gethanes, nicht weniger vortheilhaftes Anerbieten deshalb auszuschlagen."

In demselben Briefe, worin er zugleich seine Bedingungen stellte, äußerte Laurop weiter: „So eben erhalte ich von einem Oberforstmeister v. Lindenau aus Schneeberg den Antrag, als Director und erster Lehrer bei der Forstlehranstalt zu Freiberg einzutreten, wobei es mir überlassen ist, die nähern Bedingungen zu machen. Dieß sowohl als der wirklich vortheilhafte Antrag zur Anstellung hier im Lande setze ich dem Dienste des Herzogs nach, und hoffe also um so mehr, daß der Herzog meine gewiß nicht unbilligen Bedingungen alle eingehen werde."

Als Bechstein darüber an den Herzog berichtet hatte, schrieb dieser eigenhändig

Altenstein 1802.

„Mit vielem Vergnügen habe ich aus Ihrem Brief, mein bester Bechstein, gesehen, daß Laurop würklich Lust hat, zu uns zu kommen. So einen Fisch fängt man nicht alle Tage, dahero muß man ihn festhalten. Allein vorhero, und ehe ich mich bestimme, möchte ich gerne mit Ihnen sprechen, und bitte Sie, morgen Mittag bei mir in Liebenstein zu essen. Nur einstweilen Ihnen meine Meinung zu sagen, so glaube ich, daß er vor der Hand mit 450 Thlr. zufrieden sein kann, wenn Natural-Besoldung dabei ist und er das Versprechen erhält, Assessor beim Ober-Forstamt zu werden, und bei einer aufgehenden Besoldung die seine sich bis auf 600 Thlr. erhöhen soll.

Ihr

G. D.

(Herrn Forstrath Bechstein sogleich zu besorgen nach Dreißigacker.)

Laurop erhielt sein Anstellungsdecret unterm 26. Juli 1802 ausgefertigt, und zwar als Assessor und öffentlicher Lehrer der Forstwissenschaft bei dem Forstinstitut zu Dreißigacker.

Auch wurde er nach seiner Ankunft zum Beisitzer des Herzogl. Oberforstamtes ernannt. Dieses war unterm 29. Mai desselben Jahres errichtet worden, und wurde gebildet vom Oberjägermeister Freiherrn v. Ziegesar als Chef, (Geh. Rath und Oberjägermeister v. Bibra war am 2. Mai verstorben*) und unterm 29. Mai der Hofjägermeister von Ziegesar zum Oberjägermeister ernannt worden) dem Oberforstmeister von Pfaffenrath, Bechstein, Hoßfeld als Secretair, Laurop und Hofjäger Schnell. Es wurde Laurop nachgelassen, bis zur Vollendung eines in Dreißigacker neu zu erbauenden Wohnhauses für zwei Lehrerfamilien in Meiningen zu wohnen, und ihm dafür die Hausmiethe vergütet. Unterm 14. Mai des Jahres 1803 wurde er zum Forstrath ernannt, und zugleich im Herzogl. Cammercollegium als Auditor auf 6 Monate, und nach deren Verlauf als Cammerassessor mit Sitz und Stimme angestellt, und seine Besoldung erhöht.

Den halbjährigen Prüfungen im Institut wohnte jedesmal der Herzog in Person bei, wodurch dieselben an Wichtigkeit und Würde gewannen, auch geschah derselben öffentliche Erwähnung in den Wochenblättern.

---

*) Eine kurze Biographie im 3. Jahrgang des Meiningischen Taschenbuchs giebt diesem Manne das merkwürdige und seltsame Lob: er habe überhaupt gegen alles Neuere einen Verdacht gehegt.

Im 26. Stück der Meiningischen wöchentlichen Nachrichten von 1802 wurde ein Auszug aus den Gesetzen der Lehranstalt, das Creditwesen der Studierenden betreffend, veröffentlicht.

Der Herzog besaß in der Nähe des Weges von Meiningen nach Henneberg ein Grundstück, ohnweit der Reumelser Brücke, den sogenannten Kirschgarten; dieses bestimmte derselbe zu einem Pflanzengarten für das Forstinstitut, gab ihm eine sichernde Einfriedigung und ließ ein Häuschen in demselben erbauen. Allein die große Entfernung von Dreißigacker, 3/4 Stunden, ließ jene Anlage wieder aufgeben, und es wurde dicht beim Schloß ein Stück des Hofes zu einem Pflanzengarten bestimmt und umgewandelt, dessen Boden sich leider nur gar zu unfruchtbar und ungünstig erzeigte.

Von der gnädigen Gesinnung des Herzogs gegen die Anstalt zeugt ein Brief des damaligen Hofverwalter Werner (starb als Geheimer Hofrath 1841, und war 30 Jahre lang Badedirector zu Liebenstein) an Bechstein:

Meiningen, den 27. Nov. 1802.

P. P.

Serenissimus haben mir gestern gnädigst befohlen, daß künftighin jeden Sonntag 5—6 Eleven nebst einem derer Herren Lehrer von Dreißigacker hierher an Hof zur Tafel kommen sollen. Ich setze daher voraus, daß Sie ebenfalls hiervon schon unterrichtet sind, und da morgen als den 28. dieses die erste Cour sein soll, so schicke ich Ihnen deswegen einige gedruckte Reglements, um sich künftig darnach richten zu können.

Mit wahrer Hochachtung

Dero

ergebenster Diener

Werner.

Anmeldungen und Anfragen, die Lehranstalt betreffend, drängten sich in rascher Fülle, und alle mußte Bechstein genügend und ausführlich beantworten. Unter den vielen Briefen, welche diesen Gegenstand in jener Zeit betrafen, erwähne ich nur einiger. Der berühmte Geheime Etatsrath Eberhard August Wilhelm von Zimmermann zu Braunschweig schrieb am 10. Dec. 1801, und wünschte genaue Nachricht über Dreißigacker, nachdem ein Versuch desselben, selbst dorthin zu reisen, von der Ungunst der Jahreszeit geradezu vereitelt worden war.

Bechstein beantwortete diesen Brief ganz ausführlich, bedauerte, um das Glück einer so angenehmen Bekanntschaft gekommen zu sein, da er schon seit langen Jahren unter die Verehrer v. Zimmermanns gehöre und seinen Schriften vieles verdanke. Auch dem Herzog würde die Bekanntschaft sehr erfreulich gewesen sein. Die Umgegend wurde geschildert, ihre Holzarten angegeben, desgleichen die Zahl der Lehrer, die alle genannt und empfohlen wurden. Die Anzahl der Studierenden belaufe sich auf 40, die das ganze Schloß einnähmen, doch sei dafür gesorgt, daß noch mehr Logis disponibel würden rc.

Bei einer ähnlichen Erkundigung zeigte Professor J. G. Meinhert in Prag das baldige Erscheinen der von ihm herausgegeben werdenden Vierteljahrsschrift Libussa an.

Immer ging Bechsteins Bemühen dahin, die Anstalt, der er vorstand, bestens zu empfehlen, und that es aus innerster Ueberzeugung, wobei er seiner eignen Wirksamkeit entweder gar nicht, oder nur sehr flüchtig erwähnte.

Als er im Decbr. 1802 von dem Cur-Erzkanzlerischen Husaren-Lieutenant und Hofcavallier Freiherrn von Leoprechting, der die Anstalt noch in Waltershausen glaubte, um den Plan des Instituts gebeten wurde, berichtete Bechstein bei dessen Uebersendung: „Das Institut existirt nicht mehr in Waltershausen, sondern hier in Dreißigacker, wo es durch die Begünstigung unsers guten Herzogs einen hohen Grad der Vollkommenheit erlangt hat. Der beigelegte Plan giebt über alles Auskunft, und ich füge nur noch hinzu, daß die jungen Leute, und deren sind jetzt 57, sich durch Fleiß, Ordnungsliebe und ein gutes sittliches Betragen auszeichnen. Wir haben jetzt auch den als Forstschriftsteller bekannten Laurop unter der Zahl der hiesigen Lehrer. Der Herzog spart keine Kosten, um die Anstalt so gemeinnützig als möglich zu machen. Da es seine Lieblingssache ist, so besucht er die Lehrstunden öfters, und muntert durch Beifall und Liebe auf. Auch hat er die Einrichtung getroffen, daß von den jungen Leuten vom Stande und guter Erziehung alle Sonntage 5—6 zur Tafel und zu den Gesellschaften bei Hofe eingeladen werden, um sich zugleich an einen feinen gesellschaftlichen Ton zu gewöhnen, bei welcher Gelegenheit den Forsteleven eine eigene Jagduniform, die aber nicht kostbar ist, nöthig wird."

Der Zuwachs der jungen Anstalt mehrte sich so sehr erfreulich, daß im Anfang des Jahres 1803 Bechstein dem Geheimerath Freiherrn von Zwierlein zu Winnerod bei Grüneberg, welcher über die Aufnahme für seinen ältesten Sohn anfragte, schreiben mußte, indem er für das in die Anstalt gesetzte Zutrauen dankte: „ich bedaure aber auch zugleich, daß sich auf dem Schlosse zu Dreißigacker kein Logis mehr findet, das ich Dero Herrn Sohn einräumen könnte, indem alle Zimmer mit 2, 3 auch 4 Forsteleven besetzt sind, und schon sehr viele in der Stadt wohnen müssen, weil kein Platz mehr da ist."

Da der Vater wegen der Gesundheit seines Sohnes in Sorgen war, schrieb Bechstein: „In Meiningen sind drei vortreffliche Aerzte: die Doctoren Fromm, Panzerbieter und Jahn, die meine Freunde und in ihren Curen sehr glücklich sind, einem derselben will ich Ihren Herrn Sohn empfehlen rc.

Wie gnädig und liebevoll, aber auch mit väterlichem Ernst der Herzog seine Anstalt überwacht, erhellt aus einem an Bechstein erlassenen höchsten Rescript, das ich ungekürzt mittheile.

Wir Georg, Herzog zu Sachsen rc.

Da zu Unserer besondrer Zufriedenheit und gnädigstem Wohlgefallen, das neue Forst-Institut zu Dreißigacker durch Euren und der übrigen dabei angestellten Lehrer, bis daher angewendeten Fleiß und Bemühung binnen kurzer Zeit zu einer solchen Aufnahme und Flor gediehen ist, daß Wir hoffen dürfen, dasselbe werde immer noch bekannter werden und bei Auswärtigen in den verdienten Ruf kommen; so gehet vornehmlich Unser Wunsch dahin, daß die Eleven desselben, sich nächst ihrer wissenschaftlichen Vervollkommnung, auch durch ihre gute Aufführung und sittliches Betragen auszeichnen und von etwaigen Ausschweifungen, so viel möglich, abgehalten werden mögen.

Hierzu wird aber eine fleißige und beständige Aufsicht der Lehrer des Instituts das mehreste beitragen und Ihr werdet daher vorzüglich dahin bedacht sein, daß auch außer den Lehr-Stunden die Eleven sich niemals ganz allein überlassen bleiben, und wenn ja einer, oder mehrere Lehrer sich in ihren eigenen Verrichtungen von Dreißigacker zu entfernen genöthigt sind, wenigstens einer derselben sich jederzeit allda befinden möge, so wie hiernach in Einverständniß mit den sämmtlichen Lehrern, die erforderliche Einrichtung treffen.

Meiningen zur Elisabethenburg den 5. Juli 1803.

Georg, Herzog zu Sachsen.

Im Schlosse wurden noch Zimmer eingerichtet, so viele als möglich; von den größern Zimmern mit Kammer, deren 4 waren, trug jedes 3 Carolin Miethe, zwei Zimmer ohne Kammer oder Alkoven 2 Carolin, und die übrigen Zimmer mit Alkoven, an der Zahl 6, ebenfalls 2 Carolin.

Das Lehrerpersonal wurde bald ansehnlich vermehrt; da der Lehrer v. Meis im April 1802 Urlaub zu einer längern Reise in die Schweiz erbat, so schlug Bechstein dem Herzog vor, den Forstpracticanten Herrle aus Wallerstein, (jetzt Oberforstrath,) der sich noch auf der Anstalt befand, wegen seiner vorzüglichen Kenntnisse die erledigten Lehrstunden während jenes Abwesenheit zu übertragen. In dem Sittenbuche steht von Bechstein bei Herrle eingezeichnet:

Johannes Herrle angek. Michaeli 1801.

1803 18. Mai. Musterhaft in allem. Soll auf Befehl des Herzogs Durchlaucht in Abwesenheit des Herrn v. Meis in Planzeichnen und Geometrie Lectionen geben, und die Aufsicht über die Inländer und bei den Schießübungen haben, und dafür die ¼jährige Besoldung des Herrn Lieutenant v. Meis erhalten.

Und da v. Meis auch zugleich den Zeichnenunterricht zu leiten hatte, so wurde der letztere erst provisorisch, später definitiv dem damaligen Herzogl. Büchsenspanner, nachherigen Rath Johann Salomon Hausen übertragen.

Am 3. April reiste v. Meis in die Schweiz, und Bechstein nach Waltershausen ab.

Obschon die Ansichten Bechsteins im Betreff des Unterschiedes einer Forstlehranstalt und einer Forstacademie, die er im oben erwähnten Brief an den Oberforstmeister v. Trebra in Schleusingen geäußert, in seiner Ueberzeugung wurzelten, so mögen doch eines Theils wohl die lebhaften Hoffnungen, die er selbst für sein Privatinstitut früher gehegt, in seiner Seele nicht ganz entschlummert gewesen sein, andern Theils lenkte der überaus zahlreiche Besuch junger Ausländer von Bildung und aus den höhern Ständen von selbst dahin, den enggezogenen Kreis einer Forstschule möglichst zu erweitern. Der Wunsch des Herzogs, den inländischen Forstgehülfen einige wissenschaftliche Ausbildung zu geben, war bei den bereits im Dienst stehenden nun erreicht, dem Nachwuchs war der vorherige Besuch der Anstalt zur Pflicht gemacht, und so nahm der Herzog keinen Anstand, sein mit so viel Liebe gepflegtes Institut, das bereits eines namhaften Rufs in Deutschland sich erfreute, eine wichtige Stufe höher zu stellen.

Indem ich aber die Erhebung der öffentlichen Lehranstalt der Forst- und Jagdkunde zu Dreißigacker zu einer **Forst-Academie**, und den Fortlauf ihrer ferneren Geschichte einem spätern Abschnitt aufspare, schalte ich zuvor, um nichts aus dem Auge zu verlieren, wieder Mittheilungen über Bechsteins amtliche sowohl als fernere literarische Thätigkeit, über sein Privatleben, und seinen Verkehr mit Freunden ein, denen er, troß seiner vielen Geschäfte und rastlosen Thätigkeit, stets offene Hand und offenes Herz entgegentrug, denn dieses letztere schlug in seiner Brust warm und empfänglich für jene hohen und edlen Gefühle, ohne die der Mensch nichts ist, säße er auch dem Glück im Schooße, oder wäre er mit aller Wissenschaft und Kenntniß gewappnet, wie Minerva aus Jovis Haupt geboren.

X.

Dienstliche und außerdienstliche Nebenbeschäftigungen. 1801 bis 1803.

Als das Forstinstitut zu Dreißigacker unter den günstigsten Auspicien begonnen war, benutzte der Herzog Kopf und Feder des Directors desselben auch anderweit zur Ausführung mancher Ideen und Lieblingswünsche, welche alle theils seine landesväterliche Sorgfalt, theils die menschlich schöne Richtung seines Gemüthes beurkunden.

Dem Herzog war zunächst daran gelegen, über den Bestand und die Bewirthschaftung aller und jeder Gemeinde- und Privatwaldungen in seinem Lande eine genaue und richtige Uebersicht zu gewinnen. Zu diesem Behuf setzte er eine Forstcommission ein, bestehend aus dem Hofjägermeister von Ziegesar, dem Regierungsrath von Künsberg und Bechstein, welcher der nachherige Amtssecretair Schulz zu Maßfeld, (mein Schwiegervater) als Protocollführer zugesellt wurde. Die Commission begann ihre Arbeiten im Herbst 1801 während der Ferien, und erforschte nun von Dorf zu Dorf in diesem und den folgenden Jahren die Zahl der Nachbarn, worin das Nachbarrecht und Deputatholz bestehe, was die Nachbarn sonst für Emolumente von ihren Holzungen zu beziehen hätten, durchsah die Erbbücher und aus ihnen die Ackerzahl des Nadel- und Laubholzbestandes, das Alter der Holzungen, und ordnete die nöthigen Verbesserungen im Bezug auf Hutbeschränkung, Hegezeit, Umtrieb und Schläge, genauere Vermessung und dergl. an. Bei diesem Geschäfte bewies sich Bechstein besonders einsichtsvoll, und mein Schwiegervater, der als ein Greis von 80 Jahren gestorben ist, sprach sich brieflich also darüber aus, als er mir seine jene Commission betreffenden Privatacten mittheilte.

„Was mir aber außer dem Inhalte der Acten aus jener Zeit noch im Gedächtniß schwebt und mir als merkwürdig erscheint, ist, daß Bechsteins Ansichten bei den gemeinschaftlichen Berathungen und Vorschlägen zur Verbesserung der Forste die der andern Herren Commissare meistentheils übertrafen. Diese mit anzuhören, war für mich, den Neuling in diesem Fache, sehr lehrreich.“

„Von jener Zeit an hob sich die Cultur der Forste mehr und mehr, als Folge der von dem umsichtigen Herzog Georg angeordneten Revision.“

Nebenbei hatten Bechsteins munteres und offenes Wesen, seine gute Laune, seine vielfach eingestreuten naturhistorischen Bemerkungen dem Geschäft viel Angenehmes und Erheiterndes verliehen.

Die Eigenschaft des Lebensfrohsinnes, die Bechstein zu einem guten und angenehmen Gesellschafter machte, verschaffte ihm auch einen Auftrag des Herzogs, den man für den ersten Augenblick für heterogen mit des Naturhistorikers und Lehrers anderweiten Beschäftigungen hätte halten müssen, gleichwohl war letzteres keineswegs der Fall. Es war der Auftrag, für das dem Herzog sehr am Herzen liegende Bad Liebenstein ein Liederbuch zusammen zu stellen.

Dasselbe sollte Lieder geselliger Freude im allgemeinen und eine Anzahl Badelieder insonderheit enthalten, und für alle Phasen des harmlosen Zusammenlebens einer erlesenen Badegesellschaft irgend eine oder mehrere poetische Anregungen bieten, nächstdem auch durch das süße Band des gemeinsamen Gesanges die Gesellschaft selbst verknüpfen und harmonisch zusammenhalten.

Freund der Poesie, der Musik und des Gesanges, wie einer schönen Geselligkeit, schritt Bechstein rasch zum Werke, und setzte für die Badelieder die Federn in- und ausländischer Poeten in Bewegung. Ich würde, wenn man mir hierin ein Urtheil zugestehen will, die Auswahl trefflich nennen, auch wenn jeder Andere sie zusammengestellt hätte. Den

Inhalt bildeten 122 Lieder, darunter die beliebtesten und bekanntesten, deren Leben im deutschen Volke unverwelklich ist, und er zerfiel in Lieder über die Natur und ihre Schönheiten, Lieder der Freude, Schillers hohes Lied an diese Göttin voran, Lieder der Liebe, Lieder der Freundschaft, Trinklieder, und Bade- und Gesundheitslieder. Dichternamen wie Schiller, Matthisson, Altdorffer, v. Stolberg, Gleim, von Salis, Jacobi, Voß, Fried. Brun, Hölty, Mahlmann, Bouterweck, von Herder, Bürde, Heinse, Gotter, Baggesen, Claudius ꝛc. verkünden den geläuterten Geschmack, der sich bei der Auswahl dieses Liederbuchs bethätigte. Für die Badelieder spendeten Beiträge Reinwald, Schillers Schwager, Georg Emmrich, Sickler, der auch in einem besondern größern Gedicht Liebenstein feierte, Vulpius, Voigt und Dr. Reinecke, Bechsteins Schwager, der sich bei Gelegenheit humoristisch genug über seine Beisteuern äußerte.

Das Buch wurde auf des Herzogs Kosten in Meiningen gedruckt, und dem Buchhändler C. Fr. E. Richter zu Leipzig mit 50 Procent Rabat in Commission gegeben. Es erschien unter doppeltem Titel:

Lieder zur Erhöhung geselliger Freuden,

und

Lieder zur Erhöhung gesellschaftlicher Freuden vorzüglich im Bade zu Liebenstein.

Ein Gegenstand ernsterer Art beschäftigte in jener Zeit den Herzog von Meiningen sehr lebhaft: Die Verbesserung des Gesindes. Dieser sollte durch eine zweckdienliche Anstalt aufgeholfen werden, und der Herzog zog deshalb erfahrene Pädagogen zu Rathe, namentlich Bechstein und Salzmann, mit welchem letzteren sich Bechstein in dieser Angelegenheit in Briefwechsel setzen mußte.

Salzmann schrieb an Bechstein:

„Schnepfenthal, 24. Nov. 1801.“

„Hochzuehrender Herr Forstrath!

Das Zutrauen, welches Ihr Durchlauchtigster Herzog mir schenkt, indem er von mir die Entwerfung eines Plans zu Einrichtung einer Erziehungsanstalt für Dienstboten verlangt, hat mich sehr gerührt. Ehe ich aber daran Hand legen kann, muß ich erst wissen, ob der Durchlauchtigste Herzog geneigt sei, der Anstalt eine solche Einrichtung zu geben, daß der Vorsteher der Anstalt seine Zöglinge nach meinem Vorschlage zu Gelde machen kann. Dies ist, nach meinen Einsichten das wesentliche einer solchen Anstalt. Der Mensch ist ein eigennütziges Geschöpf und wenn er eine solche Anstalt zu leiten bekommt, so sieht er sie bald als ein Erwerbungsmittel an. Dies ist die vorzügliche Ursache, warum die mehresten Waisenkinder so elend werden. Man zieht die Einnahme, um die Pflege der Kinder ist man unbekümmert, man braucht sie zu seinen Diensten, und legt ihnen oft Arbeiten auf, bei denen sie den Rest der Gesundheit, die ihnen noch übrig ist, zusetzen müssen. Man nehme also den Menschen wie er ist, und mache ihm die Erziehung zu einem Erwerbungsmittel! Der nämliche Eigennutz, der ihn antreibt, auf die Erziehung seiner Lämmer, Kälber und Fohlen allen Fleiß zu wenden, wird ihn auch bewegen für die Erziehung seiner ihm anvertrauten Kinder sein Möglichstes zu thun.

Haben Sie die Güte, bei dem Durchlauchtigsten Herzoge anzufragen, ob Er diesen Vorschlag auszuführen geneigt sei. Dann will ich gern mit meinen wenigen Einsichten dienen, soviel ich kann. Ueber den guten Fortgang Ihrer Forstanstalt habe ich mich herzlich gefreut. Sein Sie ferner standhaft, und lassen sich durch eintretenden Verdruß, Hindernisse und Schwierigkeiten nicht muthlos machen: so wird alles gut gehen. Mit Liebe und Hochachtung bin ich

Ihr

treuer Freund

C. G. Salzmann."

Nachdem Bechstein mit dem Herzog fernere Rücksprache genommen, und an Salzmann die von diesem gewünschten Eröffnungen gemacht hatte, theilte derselbe seine Idee der Einrichtung eines Gesindeinstituts, oder vielmehr einer Anstalt, aus Waisenkindern künftiges brauchbares Gesinde zu erziehen, mit, freilich eine höchst spartanische Einrichtung, bei der wohl manches Kind würde davon gelaufen sein. Doch ich lasse den wackern Salzmann selbst reden.

„Schnepfenthal, den 13. December 1801."

„Hochzuehrender Herr Forstrath!"

„Hier sind einige Gedanken, die bei Errichtung einer Erziehungsanstalt für künftige Dienstboten zur Grundlage dienen können.

Beide Geschlechter müssen ganz von einander getrennt sein, sonst ist Unordnung unvermeidlich.

Die Erfordernisse der Gebäude sind eine gesunde Lage, Helligkeit und Reinlichkeit. Sie enthalten außer den Zimmern, die der Vorsteher inne hat, ein Lehr- und Arbeitszimmer, einen Speise- und einen Schlafsaal; das Frühstück der Kinder kann im trocknen Brode, die Mittagsmahlzeit in gut zubereitetem Gemüse, das Vesperbrod in trocknem Brode, und das Abendbrod in Milchspeisen bestehen. Die Rumfordische Suppe könnte auch gute Dienste leisten, der gewöhnliche Trunk ist gesundes Wasser. Die Sonn- und Festtage müssen sie Fleisch bekommen.

Die Kleidung besteht in blauem Linnen, Hüte und Mützen haben sie weder im Sommer noch im Winter nöthig. Schuhe und Strümpfe können sie wenigstens im Sommer entbehren.

Das Bette besteht aus einem Strohsacke, einem mit Moose ausgestopften Pfühle und einer mit Lammwolle durchnäheten Decke.

Die Arbeiten im Sommer, Frühlinge und Herbste sind Gartenbau, im Winter Flachsspinnen und Korbflechten (ich habe zehnjährige Zöglinge, die niedliche Körbchen flechten), die größern können auch wohl zum Weben angeführt werden.

Sie müssen aber auch ihre Spielstunden haben, damit der Geist nicht stumpf wird. Ein Paarmal in der Woche, so lange es noch nicht friert, unter guter Aufsicht baden, ist auch nöthig.

Könnte jedem Zöglinge Gelegenheit verschafft werden, z. E. durch Anlegung einer Baumschule, sich ein kleines Eigenthum zu erwerben: so wäre es sehr gut.

Gelehrt braucht diese Kinder nichts zu werden, als Lesen, Schreiben, Rechnen, etwas vaterländische Geographie und Naturgeschichte und Religion nach dem Landeskatechismus. Zu dem letztern wird freilich ein Mann erfordert, der den Geist des Christenthums kennt, und ihn seinen Schülern mitzutheilen weiß. Sucht er das Wesen des Christenthums im Glauben an die heil. Dreifaltigkeit, und in dem Genusse der heiligen Sacramente; so wird er damit nicht viel ausrichten: Glaube an einen alles liebevoll leitenden Vater, und Treue im dem angewiesenen Berufe sind das Hauptwerk; zu diesem Unterrichte sind, wenn die Zahl der Kinder nicht zu groß ist, zwei Stunden täglich hinlänglich.

Was die Behandlung der Kinder betrifft, so läßt sich darüber nicht viel sagen. Es kommt dabei alles auf die Person an, der sie untergeben sind. Diese muß die große Kunst verstehen, die Kinder dahin zu bringen, daß sie alles von der rechten Seite ansehen — ihre Vorgesetzten als solche, die an Gottes Statt ihr Wohl besorgen, und denen sie zu gehorchen verbunden sind; ihre Arbeiten, als Uebung ihrer Kräfte; ihre Entbehrungen, als Uebungen in der Selbstbeherrschung; ihre ganze Lage, als Vorbereitung zu dem Stande, in den sie künftig treten sollen.

Sapienti sat. C. G. Salzmann."

Hierauf arbeitete nun Bechstein einen Plan aus, dem er die Ueberschrift gab:

Unvorgreifliche Gedanken zur Anlegung eines Gesinde-Instituts in den Herzogl. S. Coburg-Meiningischen Landen.

In dieser Ausarbeitung sprach sich der Verfasser zunächst über die Nothwendigkeit einer solchen Anstalt aus, schlug zum Ort derselben die Herzogl. Meierei, ein vom Herzog dicht am englischen Garten erbautes freundliches dreistockiges Haus, vor, bestimmte das Alter der Zöglinge vom achten bis zehnten Jahre an; schlug vor, den Unterricht mit dem der Industrieschule zu verbinden, und legte dabei Salzmanns Ansichten zu Grunde, und zwar was den Satz über Religionsunterricht betraf, wörtlich. Weiter bezeichnete er die Arbeiten der Kinder, soweit dieselben sich im Voraus andeuten ließen, sprach ebenfalls auf Salzmanns Vorschläge sich stützend über die Spiele, das Baden, die Kost, das Nachtlager, dann über die Behandlung der Kinder, über Vorsteher und Aufseher, und zuletzt über den Fond zur Unterhaltung der Anstalt.

Nachdem alles reiflich erwogen und durchdacht worden war, beschloß der Herzog ans Werk zu gehen, und Bechstein mußte in seinem Auftrage ein Publicandum ausarbeiten, welches separat gedruckt im Lande verbreitet wurde.

Sahen wir hier den thätigen Bechstein in einer Sphäre wirksam, in der mit zu wirken, er als Pädagog berufen war, um die Wünsche eines menschenfreundlich gesinnten Fürsten verwirklichen zu helfen, so wollen wir ihm jetzt in eine andere folgen, in der er sich zum erstenmal versuchte, mehr aus treuer Anhänglichkeit an seinen wahrhaft verehrten und geliebten Herrn, als aus innerer Neigung, nämlich in der politisch-diplomatischen Sphäre.

Napoleons Stern war glänzend emporgestiegen und erfüllte die Welt mit Bewunderung; der Mann des Jahrhunderts kündigte sich an als den Messias einer neuen Aera voll Glück und Frieden. Pomphafte Verheißungen wurden nicht gespart; die bekannte Entschädigungsangelegenheit war im vollen Gang, und so richteten große und kleine Staaten Blicke voll Hoffnung, oft mit Furcht untermischt, nach Frankreich hinüber, das alle Zuschickung traf, Europa Gesetze vorzuschreiben.

In dieser Zeit von äußerster politischer Bedeutung schrieb der Tribunalrichter Andreas Georg Friedrich von Rebmann*) zu Trier, ein sehr tüchtiger und ehrenwerther Character, an Bechstein, um die Aufnahme des Sohnes eines seiner Freunde, und ehemaligen Collegen, Mitgliedes des Gesetzgebungscorps, B. Lintz zu Trier, in Dreißigacker zu vermitteln und schloß mit den Worten: Nichts würde meinem Freunde sowohl, als mir, willkommner sein, als irgend eine Gelegenheit Ihnen in unsern Gegenden einige Gegengefälligkeit erzeigen zu können."

*) Verfasser mehrerer belletristischen Schriften: Heinrich von Neideck, Nelkenblätter, Hans Kikindiewelts Reise, starb 1824 als Appellationsgerichtspräsident zu Wiesbaden. Er führte die gerichtliche Untersuchung über den sogenannten Schinderhannes.

Der Briefbogen Rebmanns trug einen Holzschnitt an der Stirne, auf welchem sich zwei weibliche allegorische Figuren, die eine mit der Jacobinermütze, die andere mit einem Richtscheit zeigten, und um ja Niemand in Unklarheit über die mögliche Bedeutung dieser Figuren zu lassen, zu beiden Seiten die Worte:

Liberté — Egalité

Name und Character **REBMANN, Juge au tribunal de Revision etabli pour les quatres nouvaux Departements situés sur la rive gauche du Rhin** bildeten den Briefkopf und die Datirung war die neue französische: **le 12 thermidor, de l'an 10. de la Republique française une et indivisible** (August 1802).

Bechstein bemerkte in seiner freundlichen, alle Fragen erörternden Antwort, die erst unterm 26. August erfolgen konnte, daß er so eben von einer fünfwöchentlichen Revision der Forste des Herzogl. Oberlandes zurückgekommen sei, und den Brief vorgefunden habe. Rebmann sandte seinem Freunde Bechsteins Antwort, der nun selbst schrieb, und bald darauf seinen Sohn auf ein Jahr nach Dreißigacker sandte.

Diese Annäherung Rebmanns rief in Bechstein den Gedanken hervor, durch den Einfluß bedeutender und vielgeltender Staatsmänner in Frankreich seinem gnädigen Herrn und dessen Lande Vortheile zu verschaffen, deren Gegenstand er in einer besondern Ausarbeitung umfaßte, welche dem damaligen Minister Freiherrn von Könitz mitgetheilt wurde.

Könitz erkannte die Wichtigkeit des Dienstes an, den Bechstein dem Herzogl. Hause leisten wollte, bezweifelte aber die Ausführbarkeit desselben auf dem angedeuteten Wege.

Bechstein ließ sich durch die abweichende Meinung des Ministers nicht in seinem Vorhaben irre machen, und sandte ein ausführliches Schreiben an Rebmann, aus welchem hervorging, wie sehr ihm die Sache am Herzen lag, so daß er sogar als Historiker, mit wenigen, aber größtentheils richtigen Grundzügen die Angelegenheit, die er vertrat, vor Augen stellte.

Rebmann, jetzt schon **Ex-Juge**, antwortete unterm 24. Vindemiaire, des 11. Jahres der Republik (15. Oct. 1802.):

„Nichts würde mir angenehmer gewesen sein, mein Herr, als einem so schätzenswerthen Manne, wie Sie, nützlich sein zu können, indem ich zugleich das Interesse eines Fürsten vertheidigte, der allgemein dafür bekannt ist, nur das Wohl derjenigen zu wollen, welche er beherrscht, da ich aber unglücklicherweise seit 5 Jahren ununterbrochen bei der Justiz beschäftigt bin, so habe ich keine Verbindung mit dem Ministerium des Auswärtigen, seitdem die Bürger Reinhard und Theremin, welche ich kannte, es verlassen haben.

Indessen — die Zeit drängt, und man behauptet, daß die Regierung viel auf eine schnelle Erledigung der Entschädigungen hält und um meinerseits nichts zu vernachlässigen, habe ich Ihren Brief an den Bürger Lavaux, Sachwalter am Cassationshof **quartier André des arts rue du Ballois No. 11** in Paris adressirt, der mir als ein Mann bekannt ist, der in Verbindungen ist. In der That glaube ich, daß es nur eines Schrittes des Ministers einer verbündeten oder neutralen Macht bedürfte, wie etwa Preußen ist, um die Sache zu einem erwünschten Ende zu bringen, der Einzige aber, an den ich mich hätte wenden können, dürfte nicht allzuwohl gewählt sein, nämlich der Herr Graf von Cetto, Minister des Kurfürsten von Baiern. Für den Fall, daß Se. Durchlaucht, der Herzog von Meiningen, irgend einen directen Schritt zu thun geneigt wäre, so zweifle ich keinen Augenblick, daß die Unterhandlungen bald und glücklich geendigt sein würden. — Der Sohn des Herrn Lintz wird jetzt in Meiningen angekommen sein. Er ist ein braves Subject, der sich beeifern wird, die Gelegenheit sich zu unterrichten, zu benützen. Empfangen Sie mein Herr, die Versicherung meiner tiefsten Verehrung

G. F. Rebmann."

Bald nach Rebmanns Brief empfing Bechstein eine unmittelbare Zuschrift des Bürgers Lavaux zu Paris, welcher schrieb:

Paris den 27. Vend.

„Mein Herr!"

„Herr Rebmann, ehemaliger Richter an dem Revisionstribunal in Trier, hat mir den Brief zukommen lassen, den Sie ihm den 28. September geschrieben haben, er hat meiner Sorge die wichtige Angelegenheit anvertraut, bei welcher Sie betheiligt sind.

Indem ich der Zartsinnigkeit, welche Sie antreibt, dem Herrn Herzog Georg eine angenehme Ueberraschung durch einen unerwarteten Erfolg zu bereiten, meinen Beifall zolle, muß ich Ihnen einige Bemerkungen über die Schwierigkeiten machen, welchen diese Unternehmung begegnen kann, wenn sie den Gang nimmt, den Sie vorschlagen.

Der erste Consul, der die Last der europäischen Angelegenheiten trägt, ist schwer zugänglich, und die Personen, welche ihn umgeben, übernehmen es nicht leicht, ihm Bitten für andere zukommen zu lassen, wenn nicht Familienverbindungen, Herzensneigungen oder sonstige gewichtige Gründe sie dazu bestimmen. Ich kenne mehrere dieser Leute von Geltung und es sind unter ihnen einige, welche mir verpflichtet sind; aber ich bin sicher, daß keiner von ihnen auf Ihre Absichten eingehen würde — aus bloßem Vergnügen, eine schöne Handlung zu vollbringen. Sie würden sagen, daß das französische Gouvernement Europa versprochen habe, alle andere Gouvernements zu achten, von welcher Art sie sein mögen, und daß die Kette der Feudalbande, die einen so großen Theil Deutschlands umzieht, nicht durch den Mißbrauch von Frankreichs Einfluß gebrochen werden dürfe.

Sie sind vielleicht überrascht, mein Herr, durch die Sprache, welche ich Republikanern leihe, aber ich übertreibe nicht um e i n W o r t. Diese Sprache würde eine andere sein können, wenn der Impuls, von welchem ich oben gesprochen habe, das Herz ins Spiel brächte, und wenn der Herr Herzog bei unsern Mächten Freunde hätte, wie Sie.

Die Angelegenheit, von welcher Sie sprechen, kann nur auf dem Wege directer Unterhandlungen im Namen des Herrn Herzogs selbst eingeleitet, reüssiren, und wenn Sie glauben, ihn zu diesem Entschlusse bewegen zu können, so werde ich mit eben so viel Achtung als Vergnügen ein Actenstück empfangen, welches mich ermächtigt, den Vorschlag, um den es sich handelt, dem Minister des Innern zu machen, und ihn mit dem unermüdlichen Eifer zu verfolgen, welche ich den mir anvertrauten Geschäften zu widmen pflege.

Diese Art zu verhandeln, würde dem Geheimniß nichts schaden und — angenommen, daß wir nicht reüssiren, so würde niemand das Mißlingen des Erfolgs erfahren. Ueberhaupt können Angelegenheiten dieser Art aufgegeben, oder auch wieder aufgenommen werden — je nach Umständen; die Kunst des Unterhändlers besteht darin, sich niemals der Gefahr einer unbedingten und definitiven Abweisung auszusetzen.

Nach diesen Bemerkungen, welche ich Ihrer Einsicht und Klugheit anheim gebe, werden Sie die Güte haben, mich von Ihrer letzten Entschließung in Kenntniß zu setzen, und wenn Sie mir die Ehre erzeigen, meinen Vorschlag anzunehmen, werden Sie mich in den Stand setzen, in dem Namen des Herrn Herzogs zu handeln mit der Vorsicht und allen Mitteln, welche die Umstände erfordern werden.

Die Betrachtungen, welche Ihr Brief enthält, sind sehr gewichtig. Sie kündigen andere Documente an, welche ich in einem ausführlichen Aufsatze zusammenzufassen bitte, und welchen es passend sein wird, die Stücke beizufügen, welche Sie Sich verschaffen können und vorzüglich eine beglaubigte Abschrift des Briefes des General Jourdan an den Herrn Herzog, wie auch die andern Gründe und Thatsachen, welche seine Anhänglichkeit an Frankreich während der Revolutionskriege beweisen. Ich habe nicht nöthig, Ihnen zu sagen, daß die Unterhandlung Ausgaben veranlassen wird, auf welche Rücksicht zu nehmen sein dürfte.

Wenn Sie alle diese Maßregeln ergreifen und nichts übereilen, so können Sie durch meine Bemühungen Ihren Zweck zu erreichen hoffen und ich bitte im Voraus, auf die unbedingteste Thätigkeit und Hingebung zu rechnen

Ihres

ergebensten und gehorsamsten Dieners

Lavoux, Jurisconsulte

Rue du battoir St. André des arts."

Höchst wahrscheinlich bewährte sich die Ansicht des Ministers v. Könitz, und Zeit und Mühe waren in dieser Angelegenheit vergeblich angewendet.

Eine weitere Lieblingsneigung des Herzogs zu Sachsen-Meiningen war die Hebung und Förderung des Tabaksbaues im Meiningischen Unterlande. Dasselbe hat blühenden Tabaksbau; diesen suchte der Herzog nicht nur durch Verbesserung und Veredlung in agronomischer Hinsicht aufzuhelfen, sondern wünschte auch, daß die rohen Pflanzen im Lande selbst veredelt und zubereitet würden. Ueber diesen Gegenstand mußte Bechstein eine Aufforderung in den Reichs-Anzeiger besorgen, und Briefwechsel mit auswärtigen Kaufleuten anknüpfen. Es fehlte nicht an Anträgen. Zunächst meldete sich ein einsichtsvoller Geschäftsmann, Herr Dunger aus Stuttgart, zu Heilbronn; auch andere Tabaksfabrikanten schrieben und baten um die Bedingungen der Geschäftsübernahme. Als Bechstein Herrn Dunger den Wunsch des Herzogs, daß ein Mann von Kenntniß das Werk (die Anlage einer Tabaksfabrik) auf sein Risico einrichten möchte, bekannt gemacht hatte, äußerte sich dieser dahin, daß ein solches Werk, wenn es zum Nutzen eines Landes etablirt werden sollte, schlechterdings vom Fürsten selbst unternommen werden müsse, der in den ersten Jahren nicht gerade darauf sehen dürfe, daß es gleich großen Nutzen abwerfe, sondern den Nutzen darin finden müsse, wenn arme Unterthanen dadurch beschäftigt würden. Später ergäbe sich Lohn und Nutzen von selbst ꝛc.

Für diesen Fall bot Dunger seine Dienste an, es war aber mittlerweile ein anderer Bewerber ihm zuvorgekommen, der Bürgermeister Lender, welchem vom Herzog ein sehr vortheilhaftes Privilegium zur Errichtung einer Tabaksfabrik in Frauenbreitungen und zum Ein- und Verkauf des in- und ausländischen Tabaks ertheilt wurde. Derselbe erhielt auf 10 Jahre freies Logis in dem dortigen herrschaftlichen Gebäude, welches seinetwegen mit vielen Kosten hergerichtet wurde, und völlige Abgabenfreiheit. *)

Wieder ein anderer Beweiß landesväterlicher Fürsorge war, daß der Herzog seinen Blick auf einen für den Landbau so unendlich wichtigen, und doch lange nicht genug beachteten Gegenstand lenkte, auf

*) Meiningisches Taschenbuch 1805, S. 143, 144.

den Dünger. Bechstein mußte eine kleine Schrift ausarbeiten, welche den Titel führen sollte: Goldgrube für den Landmann, oder nothdürftiger Unterricht vom Dünger, was und wie vielerlei er sei? wie er aufbewahrt werde? und was, wann und wie man damit dünge. Herausgegeben zum Besten seiner Landleute von G., H. z. S. C. M. (Georg, Herzog zu Sachsen Coburg-Meiningen).

Das Büchlein wurde im Herbst 1803 mit der Jahrzahl 1804 in 12. auf Schreibpapier gedruckt, und bekam die Einrichtung, daß immer das Blatt der ungleichen Seitenzahl für Anmerkungen leer blieb.

Des Herzogs gegen das Ende des Jahres 1803 erfolgter früher und allgemein schmerzlich empfundener Tod setzte seinen wohlthätigen Entwürfen ein plötzliches Ziel, und so hinterließ er das Düngerbüchlein, zu dem er sich selbst als Herausgeber bekannte, und davon jede Landgemeinde ein Exemplar unentgeldlich zugesandt bekam, gleichsam als letztes Andenken eines auch für sein Landvolk liebevoll besorgten Vaters. —

Ungemein lebhaft war in dem ersten Triennium des neuen Jahrhunderts Bechsteins Privatbriefwechsel außer dem amtlichen für das Forstinstitut und dem geschäftlichen in seinen literarischen Angelegenheiten. Ich führe nur Einiges daraus an, was zur Person Bechsteins und zu seinem Wirkungskreise in naher Beziehung steht. Sein früherer Zögling Alexander Graf v. Platen und Hallermund (so und nicht Platen-Hallermünde schrieben sich Vater und Sohn) älterer Bruder des bekannten Dichters, gab im November 1801 Nachricht von seinem Ergehen, und wünschte durch Bechsteins Vermittlung eine Anstellung in Meiningischen Diensten, da er in seiner Heimath, Anspach, wo sein Vater Oberforstmeister war, kaum die Aussicht habe, es nur bis zum Forstmeister zu bringen, ja ihm bliebe kaum die Hoffnung, Oberförster zu werden, da der Landjägermeister v. Hardenberg, der alle Anzustellenden vorschlage, ein großer Feind seines Vaters sei, könne Bechstein ihm Hoffnung auf Anstellung machen, so wolle er noch eine Zeitlang Dreißigacker besuchen. —

Die ehemaligen Zöglinge Bechsteins: Wilmanns und v. Arnim studirten jetzt in Erlangen.

Professor Merrem schrieb in diesem Zeitraum häufiger als früher, wie der nächste Abschnitt darthut. Der durch zahlreiche mathematische, physikalische und forstwissenschaftliche Werke und Abhandlungen bekannte Johann Leonhardt Späth zu Altdorf sandte sein Handbuch der Forstwissenschaft, das von 1801 bis 1805 in 4 Theilen bei Raspe zu Nürnberg erschien.

Der Geheimerath Ludwig Friedrich v. Bibra zu Hildburghausen schrieb anfragend über den Safthieb (Abtrieb der Laub- oder lebendigen Hölzer beim Ausbruch der Knospen), auf welchen durch Käpler, ehe noch dessen bekannte Schrift über diesen wichtigen Gegenstand erschien, wie durch Andere alle denkenden Forstmänner und Cameralisten aufmerksam geworden waren, und bezog sich auf die Stelle im Forstjournal des Regierungsrath Medicus (Leipzig, Gräff 1798—1801), Band 1. Theil 2. S. 425: „Nun ist der Safthieb für neun Zehntel von Deutschland unbekannt, wer ihn also in neun Zehnteln einführt, hat nicht allein was Neues eingeführt, sondern auch seinem Vaterlande eine ganz unschätzbare Wohlthat zugefügt." — Uebrigens war der Safthieb nichts Neues mehr, sondern von den beiden Käpler, Vater und Sohn, schon in den 1760er Jahren anempfohlen worden. Der Geheimerath v. Bibra wünschte den Safthieb im Hildburghäuser Lande einzuführen, und fragte an, ob nicht auch im Meiningischen Versuche mit demselben gemacht worden seien. Er schrieb in dieser Beziehung: „Die preiswürdige Sorgfalt und das unermüdete Bestreben Ihres vortrefflichen Herzogs für das Wohl seines Landes wird bei noch fortwährendem Holzmangel auch diese unschätzbare Wohlthat zu verschaffen wissen, und ein einsichtsvolles Herzogliches Institut, das alle Verehrung verdient, wird sicher den Vorzug dieses Safthiebes nicht verkennen, weil unter den hauptsächlichsten Kennzeichen desselben der Bestand des Gehölzes nicht nur dichter wird, sondern auch der Umtrieb in der Folge immer kürzer werden kann."

Bechstein äußerte seine Absichten über den in Rede stehenden Gegenstand, wie folgt:

„Ob ich gleich der Meinung bin, daß man Wälder, die auf Winterschlag bewirthschaftet werden, nicht mitten im Winter, oder gar im Herbst abtreiben müsse, so kann ich doch auch nicht unbedingt der Meinung der Herren Käpler, die den Safthieb in neuern Zeiten vorzüglich doch, wie am Tage liegt, ohne einen physikalischen Grund anzugeben, empfehlen, beitreten, und zwar um deswillen, da man nicht im Stande ist, besonders bei großen Schlägen, mit wenigen Holzhauern gerade die Punkte zu treffen, wo man keinen Schaden bringen soll. Dafür giebt die Physiologie der Pflanzen hinlängliche Gründe, daß bei bedeutender Reizbarkeit, welches der Zeitpunkt des Vorrückens oder der Vergrößerung der Knospen ist, der eigentliche Zeitpunkt sei, das Holz abzuschlagen rc.

In diese Zeit fiel die Ueberfiedelung der Jenaischen allgemeinen Literaturzeitung nach Halle, und die Neubegründung der späteren allgemeinen Jenaischen Literaturzeitung durch Heun, Eichstädt als Redacteur an der Spitze, wodurch in der literarischen Welt einiger Lärm erregt wurde, für die Recensenten aber konnte das Bestehen zweier gleichartigen Institute nur angenehm sein. Bechstein erhielt Zuschriften von beiden Redactionen, der alten, wie der jungen, und es suchte eine Anstalt die andere durch höhere Honorarofferten zu überbieten.

Herr Christian Polycarp Schneegaß in Gotha setzte die Verbindung mit Bechstein durch Uebersendung vieler ornithologischer Ausarbeitungen und Zeichnungen fort, die für Bechsteins Schriften gute Dienste leisteten; L. K. von Wildungen zu Marburg sandte für Bechstein und Laurop die Fortsetzungen seines Taschenbuchs für Forst- und Jagdliebhaber, „als schuldigen Tribut seiner redlichsten und freundschaftlichsten Hochschätzung."

Pfarrer Scharfenberg in dem Meiningischen Dorfe Ritschenhausen, der tüchtige Ertomolog, mit dem später Bechstein gemeinschaftlich die vollständige Naturgeschichte der schädlichen Forstinsecten herausgab, berichtete mancherlei Insectologisches; der Kupferstecher Susemihl jun. in Darmstadt bot auf G. Beckers Veranlassung Zeichnungen von Vögeln für den Stich an rc.

In Canarienvogel-Angelegenheiten gab es auch mancherlei zu briefwechseln. Dem erprobten Kenner gingen von vielen Orten Anfragen,

Wünsche und Aufträge zu. Ein enthusiasmirter Liebhaber, Herr Hofrath Bacmeister zu Zelle im Lüneburgischen correspondirte blos in dieser Liebhabereisache sehr ausführlich, und beklagte sich einmal bitterlich darüber, daß ein Paar thüringische Canarienvogelhändler zu ihm gekommen, von denen sich der eine für den Waltershäuser Thieme ausgegeben, und ihm für 4 Pistolen neun Vögel als Männchen verkauft habe, worunter der größte Theil Tyroler Sänger und Nachtigallenschläger, einige auch Lerchenschläger hätten sein sollen. Es waren aber nur drei Männchen darunter, und auch diese nicht so ausgezeichnete Schläger.

Auch Herr von Clairville, später in Immendingen, setzte ebenfalls seine freundschaftlichen Zuschriften fort.

Ein befreundeter Franzose, der Sprachlehrer Jean Vincent Le Roux Laserre, damals noch in Waltershausen wohnhaft, correspondirte, da er Schnepfenthal zu verlassen gedachte, (was auch nach der Hand geschah) mit Bechstein über eine anderweite Stelle, die ihm in Darmstadt angetragen war, und eine Aussicht, am Lyceum in Meiningen die Lehrstelle der französischen Sprache zu erhalten. Durch Bechsteins Vermittlung verwirklichte sich der letztere Wunsch.

Herr Laserre wurde später Legationssecretair, leistete in der Zeit des Franzosendrucks 1806, als Meiningen ebenfalls zum Rheinbund gezwungen wurde, nützliche Dienste, und wurde im Jahr darauf zum Legationsrath ernannt.

Nicht minder blieb lebhafte Verbindung Bechsteins mit dem Freund und Schwager Dr. Reinecke in Weimar im Gang.

Dieser äußerst thätige Mann von erfinderischem Geist hatte auch eine Geogonie ausgearbeitet und ein System der Oryktognosie, worüber er Bechstein schrieb. Im April 1802 meldete er, daß sein Engagement bei Bertuch Johanni zu Ende gehe.

Aus einem Briefe Bertuchs an Reinecke geht die große Vielseitigkeit der Geschäfte hervor, denen letzterer sich für das Bertuchsche Institut unterzog; es waren Leitung und Correctur der Illuminationen der Tafeln zur Allgemeinen Naturgeschichte, wie der zu La Cepede, Landcharten, ein großer Erdglobus, ein Atlas minimus, Mitarbeiterschaft an den geographischen Ephemeriden, Theilnahme am Hand-Atlas 2c.

Reinecke verließ Bertuch im Sommer 1802 und wählte Eisenach zu seinem Aufenthaltsort.

Im Reichsanzeiger 1802 Nr. 322 erschien von Seiten der Winterschmidtschen Kunsthandlung eine Ankündigung von Bechsteins Portrait in fein ausgemaltem Abdruck, zu 1 Gulden, nebst der Bemerkung: Die Biographie dieses geschätzten Naturforschers hofft man im kommenden Jahre unentgeltlich nachliefern zu können. — Da Bechstein von dem ganzen Unternehmen nichts wußte, so konnte ihn auch die Ankündigung nicht erfreuen. Unberufen ins Leben gerufene Biographien und Portraitbilder können Betheiligten nur widerwärtig sein, selbst wenn die Absicht auf einem höhern Standpunkt, als auf dem kaufmännischer Erwerbshoffnung gestellt erscheint, und so fand sich Bechstein veranlaßt, Einiges gegen jenen Vorgriff in Nr. 5 des Reichsanzeigers 1803 einrücken zu lassen.

Hierauf entschuldigte sich unterm 29. Januar der Kunsthändler Winterschmidt damit, daß der Hof- und Cammerrath Plank zu Eichstädt ihn zu dem Unternehmen veranlaßt habe, und übersandte 1 Exemplar des Portraits, wünschte, daß es ähnlich befunden werde, und bat, daß Bechstein ihm mit einigen Zeilen seine Schuldlosigkeit bezeuge. Diesen Wunsch erfüllte Bechstein auf eine humoristische Weise in Nr. 43 des Reichsanzeigers.

Unter dem colorirten Profil-Bilde steht: **Buddeus pinxit,** der Name des Dargestellten und die Firma. Das starke Haar fällt schwach gelockt über den Nacken herab; das Gesicht hat wenig Ausdruck. Das Bild mag ziemlich selten geworden sein; das übersandte Exemplar wurde eingerahmt, und zierte, so lange ich mich erinnern kann, die Wohnstube von Bechsteins Mutter, welche er mit seiner Familie nach Dreißigacker genommen hatte. Wir fanden es von allen übrigen noch in spätern Jahren am ähnlichsten.

Der übrigen von Bechstein vorhandenen Bildnisse werde ich in einem besondern Verzeichnisse gedenken. Sie weichen alle weit mehr von einander ab, als daß sie sich gleichen.

Im Ausgabebuch von 1803 findet sich für ein gemaltes Bild notirt: Mein Portrait 9 Rthlr. 18 gr., Glas dazu 20 gr. Dies war ein Pastellbild vom Hofmaler Bach gemalt.

In diesem Zeitraume fand auch noch ein lebhafter Privat-Briefwechsel Bechsteins Statt mit einem Künstler in Cassel, Namens A. Bartholomäy. Dieser beschäftigte sich damit, Vögel aufzulegen, ein sehr anziehender Kunstzweig, der, meisterhaft geübt, wie es bei Bartholomäy der Fall war, eben so belehrend wirken konnte, als er eine schöne Zimmerverzierung gewährte. Ueber eine naturtreue Zeichnung des Vogelkörpers wurden die natürlichen Federn (nur im Kleinen) geleimt, und so erhielt das Bild die Gestalt einer Vogelhälfte. Augen wurden von Glas eingelegt, Schnabel und Füße gemalt, nebst einem passenden Boden. Ein herrlicher, in dieser Weise ausgeführter Goldfasan zierte stets das Wohnzimmer Bechsteins, und eine reiche Sammlung anderer Vögel seine Arbeitsstube, auch für die Forstakademie wurden manche Stücke solcher Art angeschafft.

Später wurden noch manche Vögel gesendet; die vollständigste Sammlung aber von den Arbeiten Bartholomäy's besaß ein Herr von Truchseß zu Bundorf.

Nach Bechsteins Tode bestand dessen Sammlung außer dem erwähnten schönen Goldfasan noch aus 38 aufgelegten Vögeln unter Glas und Rahmen, welche in der Auction seines wissenschaftlichen Nachlasses in sechs Partien um 7 Gulden 24 Kreuzer verschleudert wurden.

Schließlich sei über Bechsteins Privatleben in diesem Zeitraum hier einiges eingeschaltet.

Gleich im ersten Jahre seines Aufenthalts in Dreißigacker trat er in die, durch den Herzog 1793 selbst neuorganisirte Schützengesellschaft zu Meiningen ein, in der er viele Jahre hindurch gern weilte und frohe Stunden genoß. Cramer war in jener Zeit Schützenmeister. Fern von der Einseitigkeit eines Stockgelehrten, weilte Bechstein nicht minder gern, wie im Schooße der Natur und in der, der Beobachtung günstigen Einsamkeit, in heitern Geselligkeitskreisen, und übte auch in seinem Hause eine freundliche Gastlichkeit.

Vielfachen Fremdenbesuch brachte schon seine Stellung und die Anstalt mit, aber auch die Meininger Freunde: Vierling, Keyßner, Kammerrath Caroli, Kammerassessor Schenk, Laserre, Kämmerir Kleimenhagen, Kammersecretair Hartmann u. A. besuchten bisweilen mit ihren Familien und wurden besucht, und mit Allen blieb die Freundschaft bis zum Tode erhalten. Von Waltershäuser Freunden bestand mit der Familie des Rath und Amtmann Langheld, des nachherigen Superintendenten Jacobi, des Oberförster Hellmann, des Dr. Braun u. A. die alte Freundschaft dauernd fort. Als Gehülfin der wackern Hausfrau war ein junges Mädchen, Louischen Bause aus Waltershausen, eine ehemalige Schülerin Bechsteins von seinen Candidatenjahren her, im Hause.

Die Casinoconcerte, Bälle und Redouten, nicht minder die Comödien in der Stadt wurden gern besucht, und so neben dem Ernsten und Wichtigen des Berufes und der Stellung auch der Lebensfreude und dem Kunstgenuß ihr Theil vergönnt. Für Nothleidende und Hülfsbedürftige hatte Bechstein nicht minder offene Hand, wie für gemeinnützige Anstalten, Verschönerungen und dergl. Die Anlage einer Allee auf der Berghöhe am Wege von Meiningen nach Grimmenthal war mit sein Werk, und er steuerte gern zu derselben bei. Ebenso wurde auf seinen Betrieb der felsige Fußpfad nach Dreißigacker mit Vogelbeerbäumen bepflanzt, die aber nach und nach alle wieder verschwunden sind.

Auf dem Grimmenthal selbst, Stätte einer ehemaligen Hennebergischen Wallfahrtskirche, dann Hospital und Wirthshaus, noch jetzt beliebter Vergnügungsort der Meininger, weilte er oft und gern, ebenso in Maßfeld, dessen Wirthshaus früher mehr als jetzt von den Meininger Honoratioren besucht wurde, wie denn überhaupt die früher ungemein lebhafte Neigung der gebildeten Einwohnerschaft zu geselligen Landpartien fast ganz erloschen ist.

Einem armen Zögling, dem sein Geld gestohlen worden war, machte Bechstein ein ansehnliches Geschenk, und unterstützte, bei nicht geringen Anforderungen, manchen sonstigen Armen.

Auch Gevatterschaften traten ihm und seiner Gattin zahlreich nahe, und wo es irgend anging, versagte er sich, wie den Aeltern, nie die Freude, in Person der Taufe beizuwohnen.

Schon vor der Uebersiedelung nach Dreißigacker hatte seine Frau der befreundeten Familie des Hofadvokaten Welcker in Georgenthal eine Tochter, Rosalie, aus der Taufe gehoben, die nach der Confirmation ganz in das Bechsteinische Haus aufgenommen wurde. Der Mai des Jahres 1802 brachte Ausflüge nach Liebenstein und Altenstein, im Juli und August führte eine Forstreise über Hildburghausen, Schalkau, Sonneberg in das ganze Meininger Oberland. Unterm 31. Juli wurde in das Ausgabebuch notirt: „Heute habe ich den Drei-Herren-Stein auf dem Heinersdorfer Forst gesehen, nämlich die Grenze zwischen Meiningen, Bamberg und Bayreuth. Die Tettau bei Heinersdorf, die nach Kronach bis in den Main geht, ist ein starkes Floßwasser."

Von einer ergiebigen Jagd, die im September desselben Jahres gehalten wurde, konnte den Waltershäuser Freunden eine schöne Wildpretsendung gemacht werden, die sich also notirt findet:

„Herrn Professor Salzmann 1 Hirsch und 1 Dammhirsch,
„ Superintendent Bohn u. Amtmann Langheld 1 Dammhirsch,
„ Ziegler 1 Thier und 1 Wildkalb,
„ Amtscomm. Bause 1 Wildpretsbraten von der Jagd geschickt."

In demselben Monat erstreckten sich die fortgesetzten Gemeindewaldrevisionen auf die Gegend von Stedtlingen, St. Wolfgang, Henneberg, den Still bei Maßfeld und die Haßfurt bei Meiningen, und an diese schloß sich die Ferienreise nach der lieben Kemnote an. Die Taxation über die oberländischen Forste war im September 1803 beendet.

Freudig wurde auch das Kirchweihfest in Dreißigacker alljährlich begangen, mit mehr oder minder zahlreichen Gästen, wobei Bechstein stets den höchst jovialen und liebenswürdigen Wirth machte. Und wie die Kirmsengerichte einen stehenden Typus hatten, so hatte er auch einige feste Kirmsenanekdoten, die den Gästen zu hören nie erlassen wurden, und nie verfehlten, allgemeine Heiterkeit zu erregen, zumal Bechstein stets mit lautem Gelächter das Zeichen zu derselben gab.

Nie habe ich in meinem Leben wieder einen Mann gefunden, der so schallend laut, und so herzlich lachen konnte, wie Bechstein; er war eben durch und durch Gemüths- und Naturmensch in hoher und edler Bedeutung des Wortes.

Die Kirmsenfreuden kamen nicht ganz billig zu stehen. Es findet sich eine Aufzeichnung vom Jahr 1805: „Nach Ausrechnung meiner Frau kostet die heurige Kirmeß 77 Gulden 9 Batzen 4 Kreuzer, ohne Holz, Licht, Obst ꝛc. also ungefähr in allem 80 Gulden."

Am 28. October 1802 wurde eine abermalige Gevatterschaftsfahrt, die besser gelang, als eine frühere nach Eisenach, bei der das Wetter zur Umkehr genöthigt hatte, in Begleitung der Hausfrau zu der befreundeten Familie des Pfarrer Dittmar in Wollmuthhausen ausgeführt, welcher Bechstein einen Sohn aus der Taufe hob, und ihm den Namen des eigenen Sohnes Eduard Wilhelm gab. Auch mit dieser Familie blieb treue Freundschaft erhalten, und ich denke noch mit innig lieber Erinnerung an Stunden goldenen Jugendglücks, die mir selbst in ihr zu Theil geworden sind.

Der hoffnungsvolle Sohn Bechsteins war mit schönem Talent begabt, und früh entwickelte sich in ihm des Vaters Neigung für Naturstudien. Zur innigen Freude des Vaters, dem Fleiß über alles galt, hatten bereits Eduards Waltershäuser Lehrer seinem Fleiße wie seinem Betragen die günstigsten Zeugnisse gegeben, und so war er durch des Vaters eigene Anleitung schon so weit vorgebildet, daß dieser ihn als neunjährigen Knaben mit in manche Stunden der Anstalt gehen ließ, und zwar bis in das 12. Jahr, wo er ihm andern Unterricht übergab, und namentlich dem des befreundeten Keyßner.

Der dritte Mai 1803 brachte eine Gevatterschaft beim Buchdrucker Müller in Erfurt; der Juli eine Reise nach Wetzhausen und auf die Bettenburg; dort wohnte der treffliche Freiherr von Truchseß, eine edelkräftige Natur, Freund alles Schönen, Nützlichen und Tüchtigen, der gern begabte Menschen bei sich sah, und nicht nach ihrem Rang und ihrer Geburt fragte.

Wie fast jeder Mann, der thätigste wie der unthätigste, ein Steckenpferd, oder einige, oder einen kleinen Marstall derselben hat, und oft der Thätige noch mehr als jener, weil sein Geist lebendiger ist und nach vielseitiger Richtung die Strahlen der Neigungen ausströmen läßt, so fehlten auch Bechstein dieselben nicht, aber sie waren mindestens nicht heterogen, sondern gingen aus seiner innersten Natur hervor; es waren Haus- und Stubenvögel, Stachelbeeren und Blumen, namentlich Tulpen.

Das edelste und unentbehrlichste Steckenpferd des Gelehrten: Bücher, pflegte Bechstein mit aller Liebe. Den Hauptbedarf lieferte Ettinger in der ersten Zeit des Aufenthaltes in Dreißigacker und es wurde für die Büchersammlung manches werthvolle und kostbare naturwissenschaftliche Werk erworben, nächstdem auch manches andere, das der wissenschaftliche Bedarf nicht gerade aufnöthigte, z. B. die allgemeine deutsche Bibliothek, Galettis thüringische Geschichte, **Codex Augusteus, Code Napoleon** und Andere.

XI.

Literarische Arbeiten. 1801 bis 1803.

Bechstein's unausgesetzte literarische Thätigkeit wurde im Abschnitt VI. bis zum Jahre 1801 geschildert, und einige minder in das große Publikum gekommene Zweige derselben im vorhergehenden zehnten Abschnitt dieser Biographie nachgewiesen. In den ersten Jahren seines Aufenthaltes in Dreißigacker beschäftigten nun lebhaft die Fortsetzungen des Begonnenen, und zu neuem wurde theils der Grund gelegt, theils trat es vollendet in's Leben.

Hauptsächlich waren es „Diana II.,“ Fortsetzung der „Getreuen Abbildungen“ der „Afrikanischen Vögel des le Vaillant,“ der „Amphibien-Naturgeschichte von de la Cepede,“ dann das „Handbuch der Jagdwissenschaft,“ das „ornithologische Taschenbuch,“ die „vollständige Naturgeschichte der schädlichen Forstinsecten mit Scharfenberg“ und „die Naturgeschichten für Kinder mit Figuren,“ die in dem oben angedeuteten Zeitraum vorbereitet und ausgearbeitet wurden.

Der zweite Band der „Diana,“ welcher 1801 bei Carl Wilhelm Ettinger in Gotha erschien, enthielt schätzbare Beiträge von v. Burgsdorff, dem Darmstädter Ornithologen Bekker, vom Forstmeister v. der Borch, von Laurop, von Käpler, (über den Safthieb in Laubwaldungen) vom Herausgeber und Andern, und brachte das Mitgliederverzeichniß der Societät der Forst- und Jagdkunde, deren noch ungedruckte Abhandlungen, etwas über deren Thätigkeit u. s. w.

Die „getreuen Abbildungen“ unterhielten den eigenthümlichen Briefwechsel mit der Verlagshandlung Schneider und Weigel in

Nürnberg, dem es nie an prickelnder Schärfe und Säure fehlte, und der deshalb manches belustigende Element enthielt. Der erste Brief, welcher Bechstein in Dreißigacker begrüßte, begann:

P. P.

„Wir gratuliren zur neuen Station und adressiren diesmal gleich die Ihnen fehlenden Hefte nach Meiningen."

„Wie doch alles so veränderlich in der Welt geht! Wir glaubten, Sie würden Waltershausen und Ihre erkaufte Oeconomie nie verändern."

„Eben so wunderte uns, daß Bertuch Ihr Freund ist, dessen Unthiere in seinem Bilderbuch Sie einst verdrängen wollten 2c."

In einem Brief vom 22. Februar 1803 heißt es:

„Aber Lieber, warum senden Sie so wenig Zeichnungen? Die 2 Platten zum 1. Heft sind fertig, was nutzen sie ohne Fortsetzung? Haben Sie denn gar kein Sitzfleisch mehr? Ich bitte also dringend um mehreres!"

Daß mißfällige Beurtheilungen der getreuen Abbildungen in kritischen Blättern dem Herausgeber etwa von Seiten dieser Verlagshandlung mit zarter Schonung verschwiegen geblieben wären, lag nicht in ihrer Tonart, sie stieß vielmehr mit der Nase darauf, als wenn der Herausgeber in den böhmischen Wäldern wohne, und keine deutsche Literaturzeitung zu Gesicht bekäme.

Im December 1803 wurde das fünfte Hundert der getreuen Abbildungen begonnen und zugleich Verhandlung gepflogen über die Fortsetzung der „Neuen Gespräche im Wirthshause zu Klugheim," welche auf Bechsteins Wunsch Schneider und Weigel nebst dem Rest der bei Müller in Schnepfenthal gedruckten Auflage übernehmen sollten, es wurde dieß aber im scharfen Tone abgelehnt.

Doch — keine Regel ohne Ausnahme — ich fand im reichen Schutt zahlreicher Unhöflichkeiten eine höfliche Stelle, deren Wirkung den Eindruck erhöhen mußte.

„Nun treten Sie recht gesund das neue Jahr an und setzen Ihre Freundschaft auch in demselben fort, mit welchem Wunsche ich noch die

Versicherung meiner aufrichtigen Hochachtung verbinde, mit der ich im neuen, wie im alten Jahre, verbleibe Ihr ergebenster Freund und Diener 2c.

P. S. In den Jenaischen Ergänzungsblättern 1803 Nr. 80 steht, daß Sie die Nachtfalter Vögel genannt hätten." *)

Von Le Vaillants Afrikanischen Vögeln, die bei Monath und Kußler in Nürnberg erschienen, waren bis zum Herbst 1802 acht Hefte fertig geworden. Auch diese Firma erwähnte der Recensionen, aber in wie anderm Tone! z. B. in einem Briefe vom 25. Februar 1801.

„In der Erlanger Literaturzeitung werden Ew. Wohlgeboren eine weitläuftige Recension über Vaillant's Vögel gelesen haben. Wir können nicht entscheiden, in wie fern die darinnen aufgestellten scharfen Bemerkungen gegründet sind, und überlassen es Dero eigner Beurtheilung."

Oder in einem andern Briefe vom 17. Juli 1801:

„Aus der Anlage werden Ew. Wohlgeboren die Recension der Erlanger Literaturzeitung vom Vaillant ersehen. Verdienen diese Bemerkungen einige Erläuterungen, oder sind solche einer Berichtigung würdig, so bitten wir, darauf Rücksicht zu nehmen."

Es ist immer ein Zeichen der größten Unzartheit, wenn der Verleger seinem Schriftsteller mit einer gewissen Wichtigkeit abfällige Recensionen des betreffenden Verlagswerkes zu Gemüthe führt und vorrückt, als wolle er sagen: Siehe, Du hast ein schlechtes, bitter getadeltes Werk geschrieben, und mich damit hinter's Licht geführt, — denn wie viele von hundert abfälligen Recensionen gehen wohl überhaupt aus unbefangenem, ganz parteilosem, nur der Wissenschaft oder dem Stoffe und der Behandlung der Bücher, nicht der Person des Autors, oder dem Geschäft des Verlegers zugewandtem Urtheil hervor? Und wie viele werden dictirt von befangener oder hartnäckiger Ansicht, von Parteimeinung, von bestochenem Urtheil, blindem Vorurtheil, Abneigung, Haß, Heimtücke, Schadenfreude, Eigendünkel, und wie die Dämonen sonst heißen, die in der Menschenbrust zum Schaden und Verderben Anderer ihre Schwingen regen? Macht doch häufig ein kritisches Institut gegen

*) Allerdings ein thüringischer Provincialismus.

das andere Partei, man haßt, grollt, schimpft, befehdet sich, und wenn der Jahrgang so einer Literaturzeitung seinen kleinen Leserkreis durchlaufen hat, wird er, wenn es hoch kommt, gebunden, dann auf das Bücherbrett zu seinen Vorgängern gestellt, und da steht er mit allem seinen reichen Inhalt voll gediegener Wissenschaftlichkeit und flachen Urtheils, voll Liebe, Bewunderung und Anerkennung, wie voll Haß, Tadel und Vernichtung, oft lange, lange Jahre, ungleich minder anziehend, wie eine Mumie Aegyptens, bis einmal zufällig ein Literat kommt, darin etwas nachzuschlagen, und die wenigen kleinen Idole und den vielen Wust im Innern der literarischen Mumie im Sarkophag von Pappendeckel und Kleister findet, die noch dazu gar zu selten eine Königsmumie ist.

Monath und Kußler klagten sehr über den Druck der damaligen Zeitverhältnisse z. B. in einem Briefe vom 12. Febr. 1802:

„Die Zahlungen, so gewöhnlich während des Winters sonsten bei uns eingegangen sind, bleiben fast durchgehends dießmalen zurück, welches von dem leidigen Krieg, der den allgemeinen Geldmangel bewirkt hat, herrührt. Hierzu hat sich bei uns das übel verwaltete Staatsverhältniß unserer Stadt und Landes gesellt, wodurch alle unsere reiche Stiftungen fast gar nichs zahlen, worunter unsre Beamten, die Universität Altdorf und die damit verbundenen ansehnlichen Stipendien sehr leiden, und wir also auch mit, da dem gelehrten Stand die gehörigen Salaria nicht gehörig verabreicht werden."

Daher war der Absatz des le Vaillant auch nicht nach Wunsch, und unterm 15. October 1802 kündigten M. und K. Bechstein an, daß sie die Fortsetzung bis auf künftige Zeiten einstellen müßten.

Das in derselben Handlung erscheinende, von Bechstein und v. Burgsdorff gemeinschaftlich herauszugebende Handbuch der Jagdwissenschaft, über welches, wie oben bemerkt, lange und weitläuftige Verhandlungen Statt gefunden hatten, sollte nun auch endlich in das Leben treten, doch erhielt erst im Sommer 1801 die Handlung Manuscript; der Druck wurde beschleunigt, und unterm 3. September ging von Nürnberg folgende für Bechstein erfreuliche Nachricht ein:

„Im abgewichenen Monat haben wir nach Berlin eine Anzahl Exemplarien der Naturgeschichte der Waldinsekten durch die Post senden müssen, da solche dort eingeführt werden."

„Dieß ist nun für den Absatz des Buches eine günstige Verfügung, welches, wenn solche in mehrern preußischen Provinzen verordnet wird, einen noch größern Vortheil und eine baldige neue Auflage bewürken würde. Ein Glück wäre es für das Handbuch der Jagdwissenschaft, wenn dieses das erlebte, auf gleiche Weise allgemein empfohlen zu werden. — Jetzt da des ersten Theiles erster Band der Jagdwissenschaft fertig und in allen Buchhandlungen zu haben ist, wäre es sehr zweckmäßig, wenn eine kurze bündige Ankündigung dieses Werkes in alle gelehrte Zeitungen eingerückt würde 2c."

Sehr empfindlich für dieses Unternehmen war v. Burgsdorffs am 18. Juni 1802 erfolgter Tod. Die Wittwe schrieb selbst an Bechstein über das Ableben ihres thätigen Gatten, den ein Schlagfluß getroffen, und sandte die das Handbuch betreffende Manuscripte aus ihres Mannes Nachlaß.

Bald darauf beklagten auch in einer Zuschrift Monath und Kußler nicht nur v. Burgsdorffs Tod, sondern auch die unverhoffte Stärke des zweiten Bandes der Jagdwissenschaft, und unterm 19. August desselben Jahres schrieb Reichsgraf Mellin, den ein großes Unglück, der räthselhafte Verlust seines einzigen Sohnes, betroffen hatte, sehr weitläufig über seine Ausarbeitungen zum Jagdhandbuche, die er an v. Burgsdorff gesandt hatte, und davon sich mehreres in dessen Nachlaß nicht hatte vorfinden lassen.

Ueber seinen Sohn machte der Reichsgraf folgende Mittheilung:

„Von meinem Sohne kann ich Ihnen leider gar nichts schreiben und ich fürchte, daß er verunglückt ist. Auf Michaelis vorigen Jahres wollte er Halle verlassen und ich hatte auch alle Verabredungen mit seinem Onkel dem Minister von Voß getroffen, ihn ins Forstfach seines Departements aufzunehmen, auch ihm das Geld zur Abreise geschickt, als er mich bat, zu erlauben, noch eine Reise über Ballenstädt durch den Harz und zurück über Wernigerode nach Berlin zu machen. **Je voyagerai la plupart du temps à pied avec un guide, qui portera ma male, par les montagnes** schrieb er mir, und seit dieser Zeit habe ich nichts weiter von ihm gehöret.

In Ballenstedt ist er beim Oberforstmeister von Bock gewesen, wie der mir schreibt, und hat obigen Vorsatz ausführen wollen. Hier aber fürchte ich, ein ungetreuer Wegweiser, vielleicht einer der vielen Vagabonden der Verabschiedeten aus den vielen Freicorps, wird, ihn überfallen, erschlagen, geplündert und in eine Höhle geworfen haben, wo kein Mensch ihn finden konnte. Mein Freund, der Graf Stollberg zu Wernigerode hat vergeblich mit mir alle Nachforschungen angestellet. Er ist fort und ich sehe ihn sicher nie wieder. Bedauern Sie einen Vater, der nebst zwei sehr guten Töchtern, nur diesen einzigen guten Sohn hatte. Leichtsinn konnte ihn nicht zu einem seiner unwürdigen Streich verleiten, es müßte also sicher sein, was ich vermuthe."

Bechstein schrieb über den muthmaßlichen Verlust des jungen Reichsgrafen von Mellin dem bekümmerten Vater tröstend und aufrichtend und erhielt im December 1802 eine abermalige das Handbuch betreffende Zuschrift, welche mit der Stelle schloß:

„Für die freundschaftliche Theilnahme, welche Sie mir über den vermuthlichen Verlust meines Sohnes bezeigen, statte ich Ew. Wohlgeboren den verbindlichsten Dank ab. Bis jetzt habe ich keine Nachricht von ihm erhalten, und es wird mir daher immer wahrscheinlicher, daß er verunglückt ist. Jetzt bleiben mir nur zwei sehr gute, liebe Töchter, welche aber beide verheirathet, an zwei Majore unter dem Dragoner-Regiment Anspach-Bayreuth, in Pommern, weit von mir wohnen. Ich befinde mich also mit meiner theuren, sehr liebenswürdigen und kenntnißreichen Frau, einer Schwedin, geborenen Baronesse Schulz von Ascheraden, hier in dieser uns ganz fremden Gegend ganz isolirt. Hätte ich vorhersehen können, daß ich meinen Sohn verlieren sollte, ich hätte diesen Kauf nie gemacht, denn für ihn hatte ich die Herrschaft bestimmt.

Leben Sie wohl, Herr Bergrath, und erhalten Sie Ihre Zuneigung und Freundschaft demjenigen, welcher das Vergnügen hat mit besonderer Hochachtung zu sein

Ew. Wohlgeboren

sehr ergebener Diener

Reichsgraf v. Mellin."

(Naumburg am Bober über Dresden und Sorau d. 13. Dec. 1802.)

Der Sohn des Grafen war ein blühend schöner, von allen, die ihn kannten, geliebter junger Mann, fleißig und wohlgesittet; er war in Dr. Reineckes Hause ein täglicher Gast, und hob den Sohn des letztern aus der Taufe. Von etwas romantischer Neigung, liebte er Fußreisen in Gebirgsgegenden. Nie hat man wieder von ihm gehört.

Unter solchen Umständen, wie sie aus des Grafen Mellin Briefen erhellten, konnte die Fortsetzung des Handbuchs der Jagdwissenschaft nur langsam Weiterschritte machen, und die Zeitverhältnisse erschienen nicht aufmunternd.

Dennoch wünschten im Sommer des Jahres 1803 die Verleger die Uebernahme eines neuen Manuscriptes aus Bechsteins Feder, indem sie schrieben:

„Für die bevorstehende Leipziger Ostermesse können wir noch ein Manuscript von einem Alphabet, auch einige Bogen mehr gebrauchen. Angenehm wäre es uns, wenn Ew. Wohlgeboren eines dergleichen von einem guten praktischen Gegenstand ausarbeiten würden, und uns mit den Bedingnissen bekannt machen wollten. Forst- und Naturhistorische Bücher sind gegenwärtig das Lieblings-Studium, daher wünschen wir vorzüglich von Denenselben eine Ausarbeitung über diese Wissenschaften zu erhalten."

Die Fortsetzung der Uebertragung von La Cepede brachte Bechstein, der mit Liebe daran weiter arbeitete, viele Briefe von Merrem, Schneider und Bertuch. Der erstere entschuldigte mit amtlichen Geschäften, Krankheit und sonstigen Abhaltungen den Mangel seiner Beiträge und Anmerkungen für das amphibiologische Werk, und schrieb unter Anderm am 14. Januar 1801:

„Jetzt, da ich die Lehrstelle der Cammeralwissenschaften, die mich zu sehr von allen schriftstellerischen Arbeiten und selbst eigenen Untersuchungen abhielt, zum Theil niedergelegt habe, erhalte ich, sobald die Bibliothek meines seel. Oheims (Professor Berg in Duisburg) verkauft sein wird, welches im nächsten Monate geschieht, mehr Muße, und bin gern erbötig, Ihnen Beiträge und Anmerkungen zu dem La Cepede zu liefern, wenn sie Ihnen noch angenehm sein sollten, da bereits die beiden ersten Bände erschienen sind, denen Sie so große, so wesentliche Vorzüge vor dem Originale gegeben haben, daß ich mit Ihnen zürnen möchte, daß Sie nicht viel lieber selbst eine Geschichte der Amphibien schrieben, als diese übersetzten.

Vorzüglich danke ich Ihnen für Ihre trefflichen Beobachtungen der inländischen Arten, wobei ich nichts mehr gewünscht hätte, als daß Sie die Verwandlung der Wassersalamander durch Kupfer erläutert hätten, da ich, so lange ich hier bin, nur einzelne, in den letzten Jahren gar keine mehr habe finden können. Bei **Lacerta agilis** kann ich nicht ganz mit Ihnen übereinstimmen, da ich überzeugt bin, daß **Laurenti's Seps muralis** eine eigene Art ausmache, vielleicht auch **Seps sericeus** und **Argus Lacerta viridis** sah ich nie &c."

Dieser Brief, darin Merrem sich zu einem ganzen Band amphibiologischer Beiträge erbot, schloß mit einem schmeichelhaften Wunsche:

„Erlauben Sie mir, verehrungswürdigster Herr Forstrath noch eine Bitte, ehe ich schließe, sie ist gewiß die Bitte Vieler: daß Sie uns nämlich bald mit der Fortsetzung Ihrer gewiß vielen so nützlichen, so belehrenden, so viele eigene Bemerkungen enthaltenden Naturgeschichte Deutschlands beschenken wollen &c."

An der von Merrem erwähnten großen grünen Eidechse, und um über dieselbe ins Klare zu kommen, schien viel gelegen. Bechstein schrieb sogar wegen derselben an seinen Freund Clairville, der sich damals theils in Tuttlingen, theils in dem nahen Dörfchen Immendingen bei einem Baron von Schreckenstein befand und auf die Anfrage erwiederte: „Ich habe wegen der großen grünen Eidechse an den Ufern des Genfersees mehrmals geschrieben, aber ohne Erfolg. Endlich hat man mir sicher für nächsten Frühling eine versprochen. — Haben Sie das Werk über die Salamander Frankreichs von Latreille gesehen?"

Bertuch, der ungemein thätige Verleger des Amphibienwerkes, rieth, den 4. Band, da er so sehr anschwelle, in 2 Theile zu theilen, und verwandte sich selbst äußerst lebhaft für das Unternehmen, schrieb wegen Zeichnungen an Blumenbach, ließ alle einschlagenden Werke kommen, und äußerte unterm 25. Januar 1801 in einer Nachschrift:

N. S. „Hier schicke ich Ihnen einen Beischluß von Freund Batsch, und eine nagelneue Neuigkeit aus Paris: Daudins Amphibien 1. und 2. Lieferung, die ich so eben erhalten habe, und Ihnen mittheile, doch mir baldigst zurück erbitte. Wie ich sehe, sind hier schon neue Arten des Laubfrosches drinn, und vermuthlich kommen mehr neue Species auch von andern. Damit uns nun nicht etwa ein speculirender Uebersetzer in die Queere kommt, und den Daudin zum Nachtheile des La Cepede liefert, so machen Sie doch sogleich in der A. L. Z. und im Reichs-Anzeiger bekannt, daß Sie alles Neue, was Daudin hat, sowohl Sache als Figuren, theils im La Cepede selbst aufnehmen, theils in einem Supplement-Bande mit Herrn Schneiders Beiträgen zugleich liefern würden, so daß jeder Naturforscher und Liebhaber der Natur-Geschichte in unserm La Cepede gewiß eine vollständige Synopsis der Amphibien, so wie sie dato nur existiren könne, habe. Und bei dieser Gelegenheit können Sie auch noch etwas über den Fortgang unsers La Cepede sagen. Schicken Sie mir dieß Avertissement baldigst."

Im März sicherte Merrem die Ausarbeitung eines Supplementbandes zu, der nach jenem kommen sollte, den Schneider ausarbeitete, und stellte seine ganz billigen Bedingungen, allein vielfache Inanspruchnahme hinderte ihn vorerst an der Ausarbeitung, was er im August an Bechstein meldete. In diesem Brief erwähnt er unter anderm:

„Vorgestern habe ich eine hübsche Kröte gefangen, die in der Zeichnung mit Laurenti's Bufo viridis und Pallas Rana variabilis sehr genau übereinstimmt, außer daß alles bei ihr hochrosenroth erscheint, was bei diesen grün ist. Sie bestärkt mich in der bereits von Ihnen vorgetragenen Meinung, daß diese Kröten nur Varietäten der gemeinen seien rc."

Der dritte Band des La Cepede erschien 1801. Der vierte und fünfte 1802, mit sorgfältiger Benutzung aller vorhandenen deutschen Arbeiten. Bei der **Boa Merremii** (Bd. 5 S. 80) konnte Bechstein indeß nicht unterdrücken, in einer Anmerkung sein Bedauern auszusprechen, daß **Dr.** Seetzen die Beschreibung seiner neuen Schlangen nicht vollständig liefere, und ihm seine amphibiologischen Bemerkungen nicht mittheile.

Bechstein sandte seinen Freunden jeden Band; Merrem dankte für den 3. unterm 9. Februar 1802, und schloß seinen Brief mit einigen anziehenden wissenschaftlichen Bemerkungen:

„Ueber **Coluber Berus** haben Sie ein helles Licht verbreitet, dessen Wiederschein die ganze Geschichte der Schlangen belebt. **Coluber Francisci Redi** habe ich neulich aus der Sammlung des Hofkammeraths Beuth in Düsseldorf hier gehabt. Er ist bei seiner großen Aehnlichkeit mit **Col. Berus** doch durch den Kopf zu wesentlich unterschieden, um nicht als eine eigene Art angesehen werden zu müssen. Ihr **Col. Thuringicus** war mir eine auffallend neue Erscheinung; beim Anblick des Kupfers hielt ich ihn für **Coronella austriaca**, das ist er aber wohl gewiß nicht, wie Sie bemerken, ich wollte aber auch wohl dafür einstehen, daß er nicht giftig sei. Sollten Sie mir nicht ein Exemplar desselben besorgen können; Sie würden mich sehr dadurch verpflichten. Aus dem Beuthischen Cabinette habe ich auch eine Viperнhaut erhalten, von welcher ich fest glaube, daß sie dem **Crotalus mulus** gehöre. Ueberhaupt hoffe ich einige Aufschlüsse über dunkle Schlangen, und mehre neue Arten zu liefern, und einen großen Theil genauer, wie es bis jetzt geschehen ist, beschreiben zu können.

Gott erhalte Ihr Leben und Ihre Gesundheit zur Verbreitung der Kenntniß Seiner Werke. Dies wünscht von ganzem Herzen

Ihr

aufrichtigster Verehrer

L. Merrem."

Mittlerweile war der vierte Band auch fertig geworden, Schneider fragte an, ob Bechstein von Seetzen und Merrem Beiträge erhalten habe, oder bekommen solle, ob er die Werke von Lareille und Daudin habe, und aus diesen selbst die neuen Arten übertragen, oder dieß ihm überlassen wolle, ob er Cuviers Bemerkungen über den Unterschied des ägyptischen und amerikanischen Krokodils besitze u. dgl.? Bertuch sorgte indeß für alle nöthigen literarischen Hülfsmittel getreulich, sandte Daudin und Russel, und trieb zur baldigen Ablieferung des 5. wie zur Anordnung des 6. Bandes an. Auch ein Brief Schneiders an das Landes-Industrie-Comptoir wurde mitgetheilt, aus dem hervorging, wie sehr der verdiente Mann sich die Sache angelegen sein ließ, dem Werke möglichste Vollkommenheit geben zu helfen.

In diesem Zeitraum hatte Bechstein den Gedanken zur Herausgabe seines Ornithologischen Taschenbuches erfaßt, und sich mit aller Energie seines lebendigen Geistes an die Ausführung gegeben. Bedürfniß wie Nutzen eines solchen Buches, besonders auf natur- und jagdwissenschaftlichen Excursionen leuchteten ihm ein, und er sprach sich darüber, wie über die von ihm in diesem Werke befolgte Methode in der Vorrede genügend aus.

Da der literarische Verkehr mit Bertuch damals wegen Pennant und La Cepede lebhaft unterhalten war, so trug er diesem vertrauungsvoll den Verlag an, aber die Antwort lautete abschläglich.

Gleichzeitig stellte der Buchhändler Carl Friedrich Enoch Richter (Firma Gleditsch in Leipzig) an Bechstein den Antrag, ob er ihm für seinen Verlag nicht eine: Kurzgefaßte Forstschule ausarbeiten wolle? Bechstein scheint dazu keine Lust bezeugt zu haben, aber er trug Richter, nebst dem Commissionsvertrieb des oben erwähnten Liederbuchs, das ornithologische Taschenbuch an, und es kam bereits im Sommer 1801 über letzteres die nöthige Uebereinkunft zu Stande. Bechstein wählte lateinischen Letternsatz, anständiges Taschenbuchformat und es wurden 1 ½ Louisd'or für den Octavdruckbogen für die erste Auflage bedungen, für eine zweite die Hälfte, wie für die Zusätze auch 1 ½ Louisd'or.

Es konnte nicht fehlen, daß Bechstein bei dieser neuen Arbeit sich der Bereicherungen hülfreicher Freunde gern bediente, und so gingen namentlich G. Bekkers in Darmstadt anziehende ornithologische Beobachtungen und Mittheilungen in zahlreichen Anmerkungen in das Taschenbuch über, ebenso die des Königlich Preußischen Kreisgerichts-Deputirten und Landhofgerichts-Assessors in der freien Standesherrschaft Wartenberg: Sylvius August von Minckwitz, dem Bechstein aus wahrer Hochachtung und Freundschaft das ornithologische Taschenbuch widmete.

In G. Bekkers Einsicht und Kenntnisse setzte Bechstein ein so hohes Vertrauen, daß er ihm sogar das Manuscript zur allenfallsigen Bereicherung übersandte. Bekker schickte dasselbe erst im Januar 1802 zurück mit mancher Bemerkung von ihm und Borckhausen und mit der Bitte, auf die bildliche Darstellung der ordnungsmäßigen und generischen Kennzeichen alle Rücksicht zu nehmen, ein Wunsch, der aber erst beim Erscheinen des 3. Bändchens des ornithologischen Taschenbuchs (1812) die verdiente Berücksichtigung finden konnte.

Jetzt drängte Enoch Richter um das Manuscript, damit das Buch bis zur Ostermesse erscheinen könnte; er erhielt mehr, als er erwartet, wie aus einem Briefe vom 5. März 1802 hervorgeht, 33 Zeichnungen statt 12 ursprünglich ausgemachter, und so viel Manuscript, daß er sich zu dem Wunsch bewogen fand, Bechstein möge in das Ganze eine Abtheilung bringen. Dies geschah denn, und der erste Band wurde in zwei Hälften, die erste im September 1802 ausgegeben.

Die Verbindung mit Clairville blieb namentlich in ornithologischer Beziehung lebendig. Dieser übersetzte nächst Bechsteins Naturgeschichte der Stubenvögel auch das Darmstädter Vogelwerk in's Französische, es scheint ihm aber nicht geglückt zu sein, den Lohn seiner Mühe zu ärnten.

Im Januar 1802 schrieb G. Bekker an Bechstein:

„Herrn von Clairville versichern Sie gefälligst der Dankbarkeit der Herausgeber der deutschen Ornithologie für die gut besorgte Uebersetzung des 4. Heftes. Noch hat keine französische Ausgabe der Ornithologie zu Stande kommen können, weil sich hierzu noch kein solider Mann fand, mit dem ich den nöthigen Contract sammt den mancherlei desfallsig nothwendigen Maasregeln hätte abschließen können.“

Clairville selbst schrieb unterm 8. Dec. 1802 unter andern an Bechstein:

„Es scheint, daß Herr Ettinger die Uebersetzung Ihrer „Stubenvögel“ nicht drucken lassen kann, oder durchaus nicht will. Ich ersuche

Sie daher, ihm mein Manuscript abfordern zu lassen. Wenn er es nicht zurückgeben will, dann bin ich fest entschlossen, ihm den Rest des Textes nicht zu geben, der indeß schon seit langer Zeit fertig ist."

Während der Druck des ornithologischen Taschenbuchs und die Arbeit an dessen zweiten Theil im Gang war, verband sich Bechstein mit dem tüchtigen Entomologen Scharfenberg, Pfarrer in dem Meining'schen Dorfe Ritschenhausen, nur ¾ Stunden von Dreißigacker, zur Herausgabe eines eben so wichtigen als umfassenden Werkes, nämlich der „Vollständigen Naturgeschichte der schädlichen Forstinsecten."

Georg Ludwig Scharfenberg war ein Mann von sehr glücklichen Anlagen, wissenschaftlicher Bildung und außerordentlichem Fleiße, zugleich nach mehr als einer Richtung hin strebsam, ja sein Wissen und Wesen scheint polyhistorisch aus einander gegangen zu sein, während er doch in mehr als einem Zweige des erstern höchst tüchtig war. Auch er war mit Herrn von Clairville befreundet, und recht innig mit Hofrath Reinwald, dem Herzoglichen Bibliothekar in Meiningen, Schillers Schwager, mit dem er (er war viel älter als Bechstein) schon von 1774 an correspondirte und zwar zuerst in einem sehr geläufigen Französisch, und mit ungemein viel guter Laune, obgleich er schon in einem Briefe von 1775 gegen Reinwald, der auch Hypochonder war, über Hypochondrie klagte. Damals befand er sich als Hofmeister eines Junkers von Hanstein zu Wahlhausen, ohnweit Hessen Allendorf an der Werra; früher war er im v. Wohlzogen'schen Hause zu Bauerbach Informator gewesen und später nahm er eine Stelle auf dem Edelhofe Scharzfels im Fürstenthum Grubenhagen an; dann war er in Bockerode bei Thiedenwiesen im Hannövrischen. Er correspondirte mit Reinwald über Literatur, war ein Freund des Witzes und der Epigramme, sammelte Siegel, ritt das etymologische Roß, schrieb mit Runenzeichen und erhielt in den 90er Jahren die Pfarrerstelle zu Ritschenhausen und Wölfershausen. Dort half er Reinwald hennebergische Idiotismen sammeln, widmete aber vorzugsweise der Neigung für entomologische und namentlich lepidopterologische Studien viele Liebe, legte eine Sammlung an und arbeitete bereits 1792 an dem Scribe'schen Journale für die Liebhaber der Entomologie, und dessen Beiträgen zur Insectengeschichte mit. Dabei war er ein treuer Seelsorger und führte seine Kirchenbücher und die Ortschronik mit so viel historischem Sinne, daß sie als solche wahre Musterwerke zu nennen sind.

Mit diesem Manne verband sich Bechstein und trug den Verlag des neuen Unternehmens seinem Verleger Enoch Richter ebenfalls an. Dieser schrieb darüber unterm 1. December 1802, und es geht aus seinem Briefe hervor, daß ursprünglich dem Werke keine illuminirten Abbildungen beigegeben werden sollten.

Scharfenberg sagte freudig seine Mitwirkung zu und entwickelte in einem Briefe vom 14. December 1802 die Ansichten, nach denen er bei dem ihm zufallenden Theile der Arbeit zu Werke zu gehen gedachte.

Auch Clairville äußerte sich in einem freundlich theilnehmenden Brief über das neue Unternehmen; er schrieb aus Emmendingen bei Tuttlingen in Schwaben den 26. Januar 1803:

„Ich bin erfreut zu hören, daß Sie mit Herrn Scharfenberg an einem Verzeichniß der Forstinsecten arbeiten; es wird sehr interessant werden, und wenn es auch von Anfang nicht ganz vollkommen ist, so wird es dieß allmählig werden, man muß einen ersten Schritt dazu thun. Ihr ornithologisches Taschenbuch ist der Beweis davon. Die zweite Ausgabe wird viel genauer und bedeutender als die erste werden. Ich zweifle nicht, daß Ihnen von allen Seiten Beobachtungen zuströmen werden, unter denen sich gewiß einige gute finden. Es fehlt Ihnen nicht, wie es scheint, an Arbeit, da Sie dieselbe aber vollkommen gut machen, so kann man Sie nicht beklagen, man kann nur wünschen, dieselben bald erscheinen zu sehen. Wenn Sie Gelegenheit haben, den Durchlauchtigsten Herzog zu sehen, so sagen Sie ihm gütigst, wie dankbar ich für sein Andenken und seine Güte bin, und versichern ihm meine Ehrfurcht.

Warum verläßt Jean Paul Meiningen, um nach Coburg zu gehen? Er schien sich dort so wohl zu befinden!

Ich umarme Sie von ganzem Herzen und bin aufrichtig

Ihr

Clairville.“

Im Juli 1803 sandte Bechstein die erste Abtheilung der schädlichen Forstinsecten an den Verleger ab.

Nochmals des ornithologischen Taschenbuches zu gedenken, so erschien dessen zweiter Theil 1803, und der dritte sollte ihm bald folgen. Schon der zweite Theil sollte hauptsächlich die Gattungskennzeichen der Vögel bringen; die Zeichnungen und Anordnungen derselben besorgte G. Bekker, und da das von demselben gewählte Queer-Quartformat dem kleinen Octav des Taschenbuches gar nicht entsprach, und der Verleger deshalb Bedenklichkeiten erhob, so suchte Bekker dieselben in einem Briefe an Richter ausführlich zu widerlegen, dem er folgende Nachschrift anfügte:

„Herr Kupferstecher Sussemihl verfertigt gegenwärtig keine andere Arbeiten, als für unsere Ornithologie, und diese beschäftigt ihn Jahr ein Jahr aus beständig. Herrn Bechstein und nun auch Ihnen zur Liebe, soll derselbe jedoch nach und nach die Kupfer zum Taschenbuche stechen. Dieß noch auf Ihre desfallsige Anfrage."

Mancherlei Hemmendes trat jedoch dazwischen; der in Rede stehende dritte Theil des Taschenbuchs erschien erst 1812 und Bechstein wollte mit ihm zugleich die zweite Ausgabe des ersten Theils erscheinen lassen, daher später weiter davon die Rede sein wird. Auch lieferte nicht Herr Sussemihl in Darmstadt, sondern Nußbiegel in Nürnberg die Stiche der Kupferplatten.

Die Bearbeitung des zweiten Bandes der zweiten Auflage von der Naturgeschichte Deutschlands blieb ohnerachtet des vielen in diesem Zeitraum begonnenen nicht ausgesetzt, obschon ein kleines Mißverständniß in Rechnungsangelegenheiten die beiden Geschäftsfreunde Crusius und Bechstein zu entzweien drohte.

Crusius stets ehrenhaftes und besonnenes Wesen wußte immer die heftige, obschon im Grunde herzenstüchtige Natur Bechsteins wieder auf das rechte Gleis der Freundschaft hinzulenken, und so schrieb er auch in Bezugnahme auf die Naturgeschichte Deutschlands:

„Leipzig, den 9. Febr. 1803."

„Ew. Wohlgeboren

haben mich ganz ausnehmend erfreuet, daß Sie die Gewogenheit haben, alle unsere Fehden auf einmal beizulegen. Ich werde mit größter Sorgfalt es zu verhüten bemüht sein, daß je wieder Mißverständnisse unter uns obwalten rc."

Irrungen im geschäftlichen Verkehr zwischen Schriftstellern und Buchhändlern sind in vielen Fällen unausbleiblich. Zwei Brücken aber führen über den Strom der Leidenschaftlichkeit und die Klippen herzenentfremdenden Zwiespaltes leicht und sicher zum Friedenstempel: Achtung der gegenseitigen Persönlichkeit und Wahrung des gegenseitigen Interesses. Am Ufer steht die simple Warnungstafel mit der Aufschrift: Ne quid nimis!

Schließlich sei nun der Unternehmung mit den naturhistorischen Figuren gedacht, die für Bechstein so manches Unangenehme und Verdrüßliche in ihrem Gefolge hatte.

Wie oben bereits erwähnt wurde, hatte Bechstein durch einen geschickten Arbeiter, Schulz, zahlreiche Thierfiguren in Papiermaché fertigen lassen und andere von Holz in Tyrol bestellt.

Er wollte nicht eher mit dem Unternehmen öffentlich hervortreten, bis jede der sechs Abtheilungen, jede zu 12 Thieren, in genügender Anzahl vorräthig sei.

Schulz war nach Gotha gezogen, hatte dort weiter gearbeitet, sprach im October 1802 gegen Bechstein die Idee aus, dort eine Papiermachéfabrik zu bgründen, und fragte an, ob Bechstein Theilhaber derselben werden wolle, da ein vortheilhafter Absatz nicht fehlen könne. Bechstein lehnte diesen Antrag ab, und sprach nur den Wunsch aus, daß Schulz seine Figuren nicht nach den für sein Unternehmen bestimmten Mustern bilden möge, was dieser auch zusicherte. Im April 1803 kam er nach Dreißigacker, und mit Bechstein überein, die ganze Sammlung vollends für ihn zu fertigen, an der Zahl 7000 Stück, und nach und nach zu senden. Der erste Transport traf im Juni ein, und die Ausgabe dafür betrug nebst Fracht nahe an 100 Thaler. Ein zweiter Transport von gleicher Menge und gleichem Werth kam Anfangs August, ein dritter Anfangs November, ein vierter im December, und als das Jahr zu Ende ging, hatte Bechstein nur an Schulz über 400 Thaler für diese Thierfiguren ausgegeben. Jetzt ließ er eine einleuchtende, populäre Ankündigung drucken, und hoffte vom Erfolg das günstigste. Wie es damit ging, folgt, um diese Abtheilung nicht über Gebühr auszudehnen, in einer spätern.

XII.

Die Forstacademie Dreißigacker in ihrem ersten Lustrum, 1803 bis 1807.

Zu welchem Blüthenstand das Forstinstitut zu Dreißigacker sich in dem ersten Decennium seines Bestehens erhoben, mag der Umstand darthun, daß sich im Jahr 1803 die bisherige Einnahme und Ausgabe in der Art herausstellte, daß erstere 3306 Gulden rhein. 12 Kreuzer, letztere nur 1408 Gulden 49 Kreuzer betrug, sich mithin ein Reinertrag von 1897 Gulden 33 Kreuzer ergab, den die Academie eingebracht.

Alles hatte guten Fortgang, die Lectionen wurden regelmäßig gehalten, und auch die Schießübungen plangemäß an den Mittwoch- und Sonnabend-Nachmittagen des Sommerhalbjahres unter Herrles Leitung fortgesetzt.

Die Schießübungen, wenn sie in den Feldfluren vorgenommen wurden, veranlaßten zwar einigemale von Seiten der Ortspolizeibehörde Zwistigkeiten und Beschwerden, gleichwohl waren diese Uebungen unerläßlich und auch den Lernenden besonders lieb. Am Eingang der ziemlich langen vierfachen Allee von Kastanien- und Elzbeerbäumen dicht hinter dem Schloßhof nach Süden waren zwei Häuschen erbaut, eines diente als Obdach bei der Kegelbahn, das andere den Schießübungen nach der Scheibe. In späteren Jahren wurden auch in der nur ¼ Stunde von Dreißigacker entfernten Haßfurtwaldung an zwei verschiedenen dazu geeigneten Plätzen Scheibenschießen gehalten.

Der wachsende Flor der Anstalt, welche bereits im zweiten Jahre ihres Bestehens (1803) 57 Studierende zählte, lohnte ihren fürstlichen Begründer, und bewog ihn, wenn auch nicht alle seiner höheren Staatsdiener dazu freudig Ja und Amen sagten, das bisherige Institut zu einer Forstacademie zu erhöhen. Wie viel dem Herzog daran gelegen war, mit seiner Lieblingsschöpfung Ehre einzulegen, zeigt ein Brief ohne Datum an Bechstein, wahrscheinlich von Liebenstein aus.

„Ich habe das Vergnügen, Sie zu benachrichtigen, daß die erwarteten russischen Forstgesandten heute oder morgen in Meiningen eintreffen werden.

Es sind zwei Grafen Bladern und ein Herr v. Rolcke. Sehr artige feine Menschen. Haben Sie ja die Güte, alles anzuwenden, das Institut in ein gutes Licht zu setzen. Adio.

G. D."

Eine besondere Urkunde der Umwandlung des Instituts in eine Academie scheint so wenig ausgefertigt worden zu sein, als eine über Errichtung des Instituts, oder sie hat sich dem forschenden Blick entzogen. Indeß verfehlte der Director nicht, die Erhöhung des Instituts zu einer Forstacademie öffentlich bekannt zu machen; er erließ diese Bekanntmachung zunächst im Reichsanzeiger 1803, Nr. 260 unterm 29. September mit Namhaftmachung der Lehrerzahl, welche außer dem Director jetzt aus Laurop, v. Meis, Hoßfeld, Schreiber, (Bergverwalter: Mineralogie) Kalbe, (Pfarrer: deutsche und lateinische Sprache) Herrle und Hausen, (letzterer Büchsenspanner: Adjunct im Handzeichnen) bestand. Außerdem noch für besondere Unterrichtsgegenstände als außerordentliche Lehrer: Voigt, (Forstschreiber: Bearbeiten des Leithundes) Rumpel, (Förster: Netz- und Garnstricken) Hladick (Fasanenjäger: Behandlung der Fasanerien) und Bein (Falkenier: Falknerei, Hundedressur). Besonders zu bezahlende Nebenlectionen: Französisch, Englisch, Fechten, Tanzen, Reiten konnten in der Stadt genommen werden. Im Februar 1805 zog sogar ein Franzose, Monsieur d'Angely, nach Dreißigacker in das Wirthshaus, und ertheilte dort Unterricht in seiner Landessprache auf eigene Hand und mit obrigkeitlicher

Bewilligung. Ehe noch Bechstein seine Herbstferienreise auf sein Gut Kemnote antrat, meldeten sich schon wieder 7 neue Studierende an, und vor dem Wiederbeginn der Vorlesungen schrieb der bei dem Cottaischen Institut zu Zillbach angestellte Dr. phil. Christian Friedrich Meyer, damals mit der Bearbeitung eines deutschen Forst- und Jagdrechts beschäftigt, an Bechstein, sandte ihm seine Dissertation, in welcher er die Einleitung zu dem genannten Werke mitgetheilt hatte, und trug sich, ohngeachtet ihm eine nicht ganz ungünstige Aussicht auf ein Lehrfach an der Universität Jena und ein Expectanz-Decret vom S. Weimarischen Hofe zu Theil geworden, zum Lehrer des Forst- und Jagdrechts in Dreißigacker an, um in einer größeren Sphäre, als bisher, wirksam und thätig zu sein, wobei Herr Meyer bemerkte, daß er auch im Stande sei, Chemie und Technologie mit practischer Anwendung auf das Forstwesen zu lehren.

Es wurden dem nicht unerwünscht kommenden Antragsteller Hoffnungen gemacht, allein ein unvorherzusehender Schlag des Schicksals vereitelte nicht nur ihm vorerst diese Hoffnungen, sondern erfüllte ein ganzes Land mit trauervoller Klage, ja dieser Schlag machte die junge Forstacademie selbst in ihren Grundfesten erbeben.

Nach einem kurzen Krankenlager starb am 24. December 1803 Herzog Georg zu Sachsen Meiningen.

Mitten aus einem thatkräftigen Leben im rüstigen Mannesalter, erst 43 Jahre zählend, erlag dieser edle Fürst der Macht einer Krankheit, deren Keim vielleicht schon länger in ihm geschlummert hatte.

Nicht nur Herzog Georgs Kinder, auch sein Land verloren in ihm einen Vater in jenem schönen und zarten Sinne, den die der Pietät entfremdete Neuzeit sammt dem Namen hintanzusetzen gelernt und bei Seite geschoben, mindestens dies auf lange zu thun, versucht hat.

Väterlich treu war der Herzog um seines Landes Glück und Aufblühn bemüht, und nach jeder Richtung hin wandte er das eigene scharfblickende Auge, wo es irgend zu bessern, zu verschönern, neu zu gestalten gab, wo Hülfe Noth that, wo Arbeit fehlte. In Rechtspflege und Gesetzgebung, Polizei- und Gesundheitspflege, Straßen- und Wasserbau, im Kirchen- und Schulwesen, in Wissenschafts- und Kunstanstalten, in Forst- und Landwirthschaft, in Handel und Gewerben — überall begründete der Herzog den Beginnn einer neuen Aera für das Meininger Land. Er verstand sogar, was Wenigen vergönnt ist, mit geringen Mitteln Ideale zu verwirklichen.

In Bechsteins Hauskalender von 1803 stehen unterm 24. December die wenigen Worte:

„Heute ist unser guter und unvergeßlicher Herzog Georg an einer Brustentzündung gestorben."

Mit welchen wehmuthvollen Empfindungen mögen diese Worte geschrieben worden sein. Wie tief verschleierte der Trauerflor um diese fürstliche Leiche den Blick in die Zukunft!

Was war für die junge Forstacademie jetzt zu hoffen? Was nicht alles zu fürchten?

Denn sie hatte Feinde.

Wie sollte auch irgendwo Gutes und Tüchtiges nicht Feinde haben?

Daß der damalige Chef der Anstalt nicht der Mann war, welcher Willen oder Kraft hatte, die Academie zu halten, wenn man sie fallen lassen wollte, das war Bechstein nur zu sehr kund und bewußt, und daher mußte wohl zu dem rein menschlichen und persönlichen Schmerz um das so unerwartete Hinscheiden seines fürstlichen Freundes auch die Besorgniß für seine und der Anstalt Zukunft treten.

Noch ruhte die fürstliche Leiche nicht in der Gruft auf Meiningens Friedhof, so vermochte schon jener Chef es über sich, über die Begleitung von Seiten der Academie, ja selbst über Bechsteins und Laurops Uniformen kleinlichen Hader zu erheben, indem er in Bezug auf letztere behauptete, jene Männer verdankten die Uniformen, die sie zu tragen berechtigt waren, nur besonderer Vergünstigung des Herzogs, und sie gehörten ihnen eigentlich nicht!

Die Einsicht wie der Grad von Liebe dieses Chefs zu der Anstalt, welcher er als solcher vorstand, thaten sich auch dadurch kund, daß er bei der Beerdigung gegen das vorgeschriebene Reglement befahl, daß die Forstacademie nach der Hofdienerschaft und vor der unterländischen Jägerei gehen mußte, während ein anderer hochgestellter Staatsdiener gegen Bechstein ausdrücklich erklärte, daß dieß ein Fehler sei, und die Academie kurz vor den Sarg gehört habe.

Auch der Wildzaun um den Thiergarten, den die väterliche Fürsorge Herzog Georgs im Jahr 1789 anlegen ließ, und dadurch den Klagen der Landleute über Wildschaden abhalf, indem alles Wild außerhalb dieses Thiergartens nicht mehr gehegt wurde, sowie andere Lieblingsfreuden des Herzogs waren diesem Manne ein Dorn im Auge. Er eiferte sogar schon am Tage nach der feierlichen Beisetzung des Herzogs gegen den Thiergarten, wie gegen die Fasanerie, beide sollten und müßten eingehen, weil sie zu viel kosteten. Indeß bestand der Thiergarten bis zum Jahre 1826 und die Herzogl. Fasanerie besteht, wenn auch unter Einschränkungen, noch immer.

Das ganze Benehmen jenes Chefs that dar, daß Bechstein's neue Bahn und Stellung von jetzt an mehr Dornen als Rosen verhieß, und daß der Funke alten Hasses und alten Kastengeistes unter der Asche fortglimmte, — so wie, daß für die Forstacademie von dieser Seite her kein Lebensodem wehte.

Die Academie wäre gefallen, wenn Bechstein nicht Muth und Ausdauer besessen hätte, sie fort zu erhalten. Bald genug wurde seine Treue auf eine Probe gestellt. Es kam ein ehrenvoller Antrag zu einer Stellung im Ausland, im Auftrage ergangen durch den Ornithologen Dr. Becker in Darmstadt. Bechstein sollte als Geheimerath und Direktor des Forstcollegiums in Hessische Dienste treten; allein er lehnte diesen Antrag mit folgenden Worten ab, die sein ganzes Denken und Fühlen in jener wichtigen Zeitperiode enthüllen:

„Hochgeschätzter Freund!“

„Aus Ihrem letzten Brief und besonders aus dem Antrag, den derselbe enthält, legen sich Ihre freundschaftlichen Gesinnungen gegen mich so unwidersprechlich an den Tag, daß ich Ihnen nicht genug zu danken weiß. Die Stelle, die Sie mir antragen, ist günstig und ehrenvoll, und wenn ich sie annehmen könnte, so würde das ein Hauptbeweggrund sein, Ihnen so nahe zu kommen. Ich habe die Sache genau überlegt, und finde, daß hier Wille und Herz (wenn man so sagen darf) in Streit kommen. Der größere und uneingeschränktere Wirkungskreis ruft mich zu Ihnen, allein das persönliche Attachement, das ich zu unserm unvergeßlichen Herzog Georg hatte, die Treue, die ich unserer guten Frau Herzogin bei ihrem Regierungsantritt gelobte und das Dankgefühl für beide verhindern es und sagen mir laut, daß ich hier bleiben muß."

„Zur Ausführung meiner Plane müßte mir freilich eine solche Stelle sehr erwünscht sein, besonders um deswillen, da ich noch einen Chef habe, der nur mit vieler Mühe zur Annahme neuer Grundsätze sich bewegen will, und den alten Schlendrian bei jeder Gelegenheit in Schutz nimmt — allein ich kann mich, wie gesagt, vorzüglich aus Liebe zu meinem guten Herzog Georg nicht entschließen &c."

In einem Briefe des als Naturforscher berühmten Gothaischen Oberhofmarschalls und Geh.-Rathes Ernst Friedrich Freiherr von Schlotheim, darin dieser Bechstein einen Zögling empfahl, den die Herzogl. S. Gothaische Kammer zu seiner Ausbildung nach Dreißigacker sandte, sprach sich jener hochbegabte Mann äußerst günstig über die Forstacademie aus:

„Es liegt mir sehr am Herzen, nach und nach mehrere unserer jungen Forstmänner dahin zu bringen, dieses wichtige und zum Theil bei uns so sehr vernachlässigte Studium recht gründlich zu erlernen, und ich bin daher froh gewesen, wenigstens mit dem Ueberbringer dieses den Anfang machen zu können, und werde mich sehr freuen, wenn Sie mir erlauben wollen, in der Folge mehrere Subjecte auf Ihr so vorzügliches und bewährtes Institut schicken zu dürfen. Wie sehr ich schon längst beklagt habe, daß wir Sie wegen so mancher traurigen Hindernisse nicht bei uns fesseln, und das in hiesigen Landen aufblühende Institut so wenig unterstützen konnten, brauche ich Ihnen wohl nicht erst zu sagen."

Bechstein drückte dem Freiherrn von Schlotheim seinen Dank für dessen Zutrauen aus, und äußerte, daß es ihm zu einer wahren Beruhigung und Aufmunterung gereichen solle, wenn die Herzogl. Goth. Kammer durch das Gerathen des Empfohlenen sich veranlaßt fühlen werde, mehrere junge Leute der Forstacademie Dreißigacker anzuvertrauen.

Das Examen nach dem Wintersemester 1804 war von einer feierlichen Prüfung dreier Abgehenden begleitet, welcher Bechstein einige Worte vorangehen ließ.

„Bedenken Sie, meine Herren! sprach er, daß das bisher Erlernte nur erst der Anfang Ihrer Kenntnisse ist, die Sie sich erworben haben. Auf diesem Grunde muß nun fortgebaut werden, wenn Sie Ihrem Stande und unserer Anstalt Ehre machen wollen. Forst- und Jagdkunde sind empirische oder Erfahrungswissenschaften, die sich nicht so leicht auslernen lassen, und Sie werden selbst durch fleißiges Beobachten in der Natur noch viel mehr kennen lernen, was Ihnen weder durch mündlichen, noch schriftlichen Unterricht bekannt geworden ist.

Weidmannsheil geleite Sie! Weidmannsheil leite alle Ihre nützlichen und oft gefahrvollen Unternehmungen!

Gegenwärtige drei Forstcandidaten, welche die Ehre haben, hier vor Ihnen zu stehen, bitten erst um eine öffentliche Prüfung ihrer Geschicklichkeit, die Sie nach Beendigung ihres Cursus auf der hiesigen Herzoglichen Forstacademie erlangt zu haben glauben, um alsdann unter die Zahl der forst- und jagdgerechten Jäger aufgenommen zu werden."

Nach der Prüfung erfolgte stets die Wehrhaftmachung der jungen Forstcandidaten nach altem Weidmannsbrauch.

Dieser Prüfung wohnte unter andern auch der durch sein Werk über den Safthieb im Forstpublikum schnell berühmt gewordene Veteran Käpler zu Ostheim bei, und äußerte sich später brieflich ungemein beifällig darüber; Bechstein und Hoßfeld hätten sich dabei ausgezeichnet, der Ausgang sei recht feierlich und rührend gewesen.

Die Wittwe Herzog Georgs, Herzogin Louise Eleonore zu Sachsen Meiningen, Obervormünderin und Landesregentin, ehrte viel zu sehr ihres verklärten Gemahls Einrichtungen, als daß sie dieselben nicht, wo sie immer vermochte, aufrecht erhalten hätte. Wie diese edle und einsichtvolle Regentin über die Academie dachte, beweist ein Rescript vom 16. März 1804, welches lautet:

„Wir Luise Eleonore, verwittwete Herzogin zu Sachsen &c., geborne Fürstin zu Hohenlohe Langenburg &c., Obervormünderin und Landesregentin

haben die von der Direktion eingesendete Plane und Handzeichnungen mehrerer Eleven, so Uns zur Einsicht vorgelegt worden, durchgegangen, und hieraus mit Vergnügen den fortschreitenden Fleiß und die zunehmende Ausbildung ihrer Talente ersehen.

Wir vermissen indessen ungerne die Namen mehrerer Eleven, welche mit den Proben ihrer erworbenen Geschicklichkeit in der einem Forstmann so nöthigen Zeichnen-Kunst zurückgeblieben sind, sind jedoch geneigt, dieses Zurückbleiben nicht einer Vernachlässigung ihrer natürlichen guten Anlagen, sondern dem Zufall zuzuschreiben und versehen Uns desto gewisser, daß mit Ende des gegenwärtigen Winterhalben-Jahres, Uns jeder Eleve eine Zeichnung von seiner Hand vorlegen werde.

Wir wünschen, daß die Forstacademie diese Anordnung als einen Beweis Unserer Theilnahme an einem Institut ansehen möge, deßen Erhaltung wir nicht nur dem Andenken Unseres verewigten Herrn Gemahls Liebden, sondern auch dem auswärtigen und einheimischen Publikum schuldig zu sein glauben.

Es wird daher Unser Bestreben immer dahin gehen, alles Mögliche zu dessen Gedeihen beizutragen und Wir setzen zugleich das gnädigste Vertrauen in die bei demselben angestellten Lehrer, daß auch sie ihres Orts mit dahin wirken und ihre Kräfte und Zeit vorzüglich der Bildung und dem Unterrichte der ihnen anvertrauten jungen Leute widmen werden.

Meiningen zur Elisabethenburg, den 16. März 1804.

Luise, verwittwete H. z. S., g. F. z. H."

C. H. L. Jacobi.

Auf den Antrag des Lehrers von Meis wurde eine bauliche Abänderung des Lehrsaales in der mittleren Etage höchsten Orts genehmigt, und es war dies wohl der letzte Beweis von dessen Thätigkeit für die Academie, denn er ging bald darauf mit Tode ab. Junker Hanns

Meis von Teuffen, dieß sein ganzer Name, war aus Zürich gebürtig, und starb am 1. April in Meiningen an den Folgen vieljähriger Brustbeschwerden und hinzugetretenem Nervenfieber im 33. Lebensjahre. Ein Freund widmete ihm in Nr. 14 der Meininger wöchentlichen Nachrichten einen poetischen Nachruf.

Da von Meis bisher auch die Stelle eines Rechnungsführers der Academiekasse bekleidet hatte, so wurde nun der Calculator Weber mit derselben betraut.

Auf eine berichtliche Eingabe des Lehrercollegiums über Besetzung der durch des Ingenieur-Lieutenants von Meis erledigten Lehrerstelle und die Vertheilung seiner Lectionen wurden in einem Rescript vom 24. April 1804 die gethanen Vorschläge durchgehends genehmigt und die v. Meis bezogene Besoldung nebst Naturalien als Zulagen an Bechstein „zur Entschädigung wegen Correspondenz, wodurch er an eigener Arbeit gehindert wird und wegen des Aufwandes bei Fremden," dann an den Forstcommissair Hoßfeld, den Adjunct Herrle und den Büchsenspanner Hausen vertheilt. Die beiden letzteren theilten sich in v. Meis Stunden. Hausen wurde als wirklicher Lehrer im November 1804 verpflichtet, und sein Einkommen im Verlauf der Zeit verbessert. Er ertheilte nach der Hand auch den fürstlichen Kindern Unterricht im Zeichnen. Bechstein verzichtete freiwillig auf die ihm durch die gnädige Gesinnung der Herzogin zugetheilte Zulage, damit die gleiche Anforderung und Berufung anderer Herzogl. Diener, die schon im Anzuge war, wegfalle.

Der Lehrer von Meis hinterließ das ihm von Bechstein ertheilte Lob großen Eifers und großer Ordnungsliebe zum besten der Herzoglichen Forstacademie.

Empfindlicher, als der Verlust des Herrn ꝛc. von Meis für die Academie, traf sie jener Laurop's, welcher einen Ruf in Fürstlich Leiningensche Dienste erhielt, und im Juli 1804 sein Entlassungsgesuch einreichte. Der damalige Geheime-Rath Minister von Könitz äußerte sich brieflich gegen Bechstein darüber, daß die Frau Herzogin, welcher so sehr viel am Flor und Gedeihen der Forstacademie und deren Erhaltung liege, über die Nachricht sehr betreten gewesen sei.

Allein da Laurop der Wahrheit gemäß in dem Entlassungsgesuch anführen konnte, daß er nicht aus Unzufriedenheit weggehe, sondern weil er sich durch die neue Stellung wesentlich verbessere, auch seiner Frau, für den Fall seines Ablebens vor ihr, eine Wittwenpension ausgesetzt sei — so gediehe diese Angelegenheit doch endlich dahin, daß er Ostern 1805 von Dreißigacker schied. Das Band der Anhänglichkeit und Liebe jedoch, welches Laurop an Bechstein knüpfte, blieb durch alle nachfolgenden Jahre unzerrissen.

Durch Laurops Abgang gestalteten sich die Aussichten für Dr. Meyer in der Zillbach wieder günstig; derselbe wurde nun Lehrer an der Forstacademie, von Bechstein besonders empfohlen und angenommen und der Academie unterm 15. März 1805 aufgegeben, für seine Unterkunft in Dreißigacker Sorge zu tragen.

Dr. Johann Christian Friedrich Meyer war 7 Jahre lang Lehrer in der Zillbach gewesen und empfing seine Anstellung unterm 7. Mai 1805 mit einer Geld- und Naturalbesoldung von 400 Thalern. Er mußte sich mit einer Wohnung bei einem Mitnachbar des Dorfes begnügen. Am 23. Juli 1804 verlor die Academie durch den Tod einen Zögling, Herrn Johann Adolph Sternberger aus Themar; er starb an einem hitzigen Nervenfieber und wurde ehrenvoll beerdigt, worauf der Vater in Nr. 31 der Meininger wöchentlichen Nachrichten seinen Dank aussprach.

Unterm 6. Juli 1805 wurde der Lehrer Johannes Herrle zum Forstverwalter ernannt.

Der Besuch auf der Academie mehrte sich in dieser Zeit auf das Erfreulichste, doch blieben auch Gesuche um freie Aufnahme, welche nur den Inländern gestattet war, von Ausländern „in die berühmte und in ihrer Art einzige Herzogliche Foestacademie — die blühende Academie“ — und wie die Bittsteller sich sonst auszudrücken beliebten — nicht aus, ja die Naivität mancher derselben ging so weit, ihre Gesuche selbst auf freie Wohnung auszudehnen.

Die Gnade der Herzogin erließ auf desfallsige Gesuche vielen auswärtigen Zöglingen ganz oder theilweise das Honorar, viele arme

Landeskinder wurden namhaft unterstützt, manche selbst in Kost und Wohnung ganz frei gehalten, ersteres hat fortgedauert bis zur Aufhebung der Anstalt.

Manche Auswärtige gingen ab, und blieben hohe Resten schuldig, was Bechstein und Herrle von Seiten der Herzogl. Kammer, ja selbst von den academischen Gerichten Unannehmlichkeiten zuzog, nächstdem daß beide noch an manchen schlechten Zahler nicht unerhebliche Privatforderungen hatten.

Bald starben die Väter der Schuldner, bald diese selbst, manche Schuldsumme mußte caducirt werden, und die Kammer mußte Vorschüsse leisten. Deshalb erging später (1811) die Verfügung, daß die Lehrstunden von den Ausländern halbjährlich vorauszuzahlen seien. Zahlreiche Briefe von Vätern der Academisten an Bechstein hatten keinen andern Inhalt, als die Schulden ihrer Herren Söhne, analog dem alten Commerslied: „Gelder muß der Vater schicken, wenn der Sohn studiren soll."

Obschon sowohl bei Eröffnung der Forstacademie als auch später wiederholt im Wochenblatt den Bürgern der Stadt Meiningen bekannt gemacht worden war,

> daß sie nach §. 9 der academischen Gesetze ohne besondere Erlaubniß des Directors, der Aeltern, Vormünder oder Hofmeister der Studirenden diesen letzteren weder Geld noch Sonstiges creditiren sollten,

so wurde diese Warnung doch nicht befolgt, dem Leichtsinn Vorschub geleistet und hinterdrein bittere Beschwerde über die Direction geführt.

In Erwägung der daraus für die Academie entstehenden Nachtheile richtete die Direction das Gesuch an die Herzogin, den academischen Gerichten aufzugeben, eine geschärfte Warnung gegen alles Creditgeben an die Academisten ohne Einwilligung der Aeltern, Vormünder, Lehrer ꝛc. zu veröffentlichen, die Studirenden möchten in Dreißigacker selbst oder in Meiningen wohnen — welchem Gesuche, laut einer Veröffentlichung der academischen Gerichte unterm 10. August 1805, entsprochen wurde, jedoch ohne großen Erfolg.

Jugend und Leichtsinn, schlechter Umgang und auch jüdische Gewinnsucht stürzten manchen Jüngling in große Verlegenheiten, kränkten manches treue Vaterherz. So hatte ein junger Meklenburger, welcher im Herbst 1805 die Academie verlassen sollte, über Zweitausendvierhundert Gulden Schulden gewirkt.

Um unnöthigen Aufwand mit steuern zu helfen, erging damals eine höchste Verordnung, die für die Academisten vom verstorbenen Herzog vorgeschriebene einfache Uniform nicht willkürlich verändern, oder mit Auszeichnungen (Stickereien) versehen zu lassen.

Theuer zu leben war übrigens nicht in Dreißigacker, wie fühlbar sich auch in andern Gegenden Deutschlands bei dem trüben politischen Himmel Theuerung machte. Dies erhellt aus einer Mittheilung des schon oben erwähnten Universitätsfreundes Bechsteins, des Herrn von Bärenstein zu Zwaitschen, nach der Rückkehr von dessen Sohn:

„Mein Sohn sagt, daß die Theuerung in dortiger Gegend, in Ansehung des Tisches, noch nicht bemerklich wäre. Denken Sie nur, mein Sohn bei den Dragonern muß für denselben Tisch, wo Wilhelm 12 Kreuzer gegeben, 8 Groschen Conventionsgeld geben!?"

Bechstein ließ sich durch fleißiges Inspiciren sehr angelegen sein, wahrzunehmen, ob die Academisten auch die Lectionen gehörig besuchten. Da hatte er eines schönen Winternachmittags 1805 die Ueberraschung, weder Lehrer noch Lernende im Schloß anzutreffen, und erfuhr, der Unterricht sei ausgesetzt, weil Militär durch Meiningen ziehe. Es waren die Husarenregimenter Getkandt und Rudorf, das Füßelierbataillon Ruhl und die Fußjäger. Diese Truppenbewegungen waren durch den Oesterreichischen Krieg veranlaßt.

In gerechter Entrüstung machte der Director die Lehrer in einem Circular auf das Unschickliche solchen Stunden-Aussetzens aufmerksam und drohte mit Anzeige beim Chef, bei der Herzogin und bei der Kammer, indem er mit den Worten schloß: „Ich bin dieß nicht nur unserer für die Academie so sorgsamen Frau Herzogin, sondern der Anstalt und den jungen Leuten, so wenig es auch die Unüberlegsamen darunter interessiren mag, selbst schuldig."

Zwar rechtfertigten sich die Lehrer von dem Vorwurf, und die Betheiligten namentlich dadurch, daß ohngeachtet des üblichen Schellens vor der zu beginnenden Stunde keine oder nur 2 Zuhörer erschienen seien, indeß erging doch später ein Rescript an die Direction, die strengere Aufsicht über die Forsteleven betreffend, welches den sämmtlichen Lehrern mitgetheilt wurde. Zugleich erhielten die drei in Dreißigacker wohnenden Lehrer vom Director gemessenen Auftrag, von Zeit zu Zeit, bei Tage wie des Abends nachzusehen, ob die Eleven zu Hause seien und Privatfleiß übten. Es wurden Maßregeln zur Verhütung der Lektionsversäumniß ergriffen, und endlich die nöthige Vorsicht und Klugheit empfohlen, damit eine solche Inspection nicht mehr Nachtheil als Vortheil gewähre.

Am 19. Januar 1806, Morgens 2 Uhr, starb zu Dreißigacker der Forstacademist Heinrich von Wildermouth, Anhalt-Köthen'scher Hof- und Jagdjunker, Sohn des aus Frankreich emigrirten Obristlieutenant von Wildermonth aus Darmstadt, an einem hitzigen Nervenfieber und wurde am 23. beerdigt.

Ein Brief Borkhausens an Bechstein ertheilte diesem neben inniger Beklagung jenes Trauerfalles, nähere Nachrichten über die Familienverhältnisse des Verstorbenen, und gab demselben das Lob eines vortrefflichen Menschen, der aber schon in seinen jungen Jahren manchen Kummer zu tragen gehabt. Seine Kameraden widmeten ihm einen gefühlvollen Nachruf im Wochenblatt.

Auch die beiden damals in Dreißigacker studirenden Söhne des Geheimen-Justizraths und Professors des Staatsrechts C. F. Haeberlin waren bedeutend krank; ihre Namen stehen im Sittenbuche Häberlein eingetragen, allein die richtige Schreibung dieses ehrenvoll bekannten Namens ist nach Briefen des Vaters die angegebene.

Am 25. Juli desselben Jahres starb an einer Unterleibsentzündung Carl von Wickede, Sohn des Oberforstmeisters von Wickede in Ratzeburg, zu Dreißigacker. Er war ein fleißiger und ordentlicher junger Mensch und fand von Seiten seiner Lehrer und Kameraden aufrichtige Theilnahme.

Wie jedes Jahr einem Jeglichen irgendwie und irgendwoher Unangenehmes neben manchem Angenehmen bringt, so hatte 1806 außer diesen Krankheits- und Todesfällen auch für die Direction mancherlei Unerfreuliches im Gefolge. Die academischen Gerichte forderten von dem Director Rechenschaft über die Aeußerungen desselben: „Daß, wenn man weiter fortfahren würde, wie bisher angefangen worden, die Gläubiger, welche sich nicht in die Ordnung der bestehenden Gesetze fügten, zu begünstigen, dieses der erste Schritt zur Untergrabung und Zerstörung der Herzogl. Forstacademie sein werde."

Es gab Händel der Academisten mit Bürgerssöhnen und Handwerksburschen in Meiningen und bezügliche Erlasse, es liefen Klagen der Oberjägerei über unerlaubte Jagdgänge mehrerer Academisten und großes Wehegeschrei über Wildfrevel, Schießen im Thiergarten ꝛc. ein.

Der Chef bat Bechstein, ihm selbst die Mittel an Handen zu geben, wie diesen „ewigen Klagen" abgeholfen werden könne — und freilich kamen hier der Chef der Jägerei und der Chef der Forstacademie in einer Person in das Gedränge der Pflichtgefühle, — wobei natürlich die Jägerei den Sieg davon trug.

Der Director untersuchte, rügte, vermittelte, so gut es gehen wollte.

Während so Kleinliches und Peinliches irrend und wirrend dem guten Fortgang in den Weg lief, ohne ihm doch mehr zu schaden, als das Gerölle, das vom Bergeshang über den Pfad des Wanderers rollt, breitete sich der Ruf der Academie immer mehr aus. Es meldete sogar ein Capitain, **Hyacinthe de Moisy** zu Audigast seinen Sohn, Bechstein mußte aber wegen zu großer Jugend des Angemeldeten den Antrag ablehnen. Die Zeit war kriegerisch bewegt, es galt festzustehen in ihren Stürmen; am 14 October 1806 wurde die Schlacht bei Jena geschlagen. Als ich, damals ein fünfjähriger Knabe, in Weimar hinter der Ackerwand nahe bei Goethes Garten die Donner jener Schlacht erdröhnen hörte, hatte ich noch keine Ahnung davon, daß ich einen Ort kennen lernen werde, der Dreißigacker hieß.

Es gab Durchmärsche aller Orten und Enden. Ueber den Thüringer Wald ergossen sich Schaaren versprengter und flüchtiger Preußen, im Hauptquartier zu Gotha lagerten ihrer 14,000 gefangen, darunter die schöne Garde; alle Straßen voll Verwundete.

Im Sommer des folgenden Jahres errichteten die Academisten zu Dreißigacker ein Liebhabertheater und führten im Wirthshause eine Comödie auf, welcher die Frau Herzogin als Zuschauerin beiwohnte: Zwei Augen um Eins. Das Stück steht in Wildungens Taschenbuch 1807. Zu derselben Zeit zogen durch Meiningen mehrere spanische Regimenter; das Regiment Quadelaxara, das Dragoner-Regiment Algarbien, auf feurigen andalusischen Hengsten; das reitende Jäger-Regiment Villa Viciosa, das Regiment Catalonien (Jäger zu Fuß), das Regiment Zamora. Diese Truppen zeichneten sich durch schönes Ansehen, gute Mannszucht, treffliche Musik und ächt spanische Bigotterie aus.

Bei der anbefohlenen Feier des am 8. Juli 1807 zu Tilsit geschlossenen Friedens blieb auch die Forstacademie nicht unbetheiligt. Jene Feier wurde am 6. Septbr. d. J. in Meiningen mit einem kirchlichen Dankfest und Abends mit einem Feuerwerk, von der Academie mit einer Rede nebst Gesang und vielen Flinten- und Böllerschüssen begangen. Die drei Thore des Schlosses zu Dreißigacker waren in grünbekleidete Triumph-Pforten verwandelt, welche die Namen Napoleons, der Herzogin, des Erbprinzen und der Prinzessinnen trugen.

Mitten in der Zeit des Drucks und während Deutschlands tiefster Erniedrigung stand die Forstacademie unter dem Schutze der ihr wohlwollenden mütterlichen Landesregentin, unangefochten, blühend, weithin mit Ruhm genannt, doch umwehten auch diesen fest und sicher gegründeten Bau noch manche bedrohliche Stürme.

XIII.

Bechsteins Leben und Wirken von 1804 bis 1810.

Im Weiterverfolg der Lebensthätigkeit Bechsteins sehen wir ihn diese Thätigkeit mit größter Regsamkeit nach verschiedenen Richtungen hin erstrecken, vieles umfassend und bewältigend und mit großer Energie des Geistes sich inmitten der selbst gezogenen Kreise festhaltend, den klaren Blick auf alles von ihm Erfaßte und von ihm zu Lenkende mit Liebe richtend. Er stand jezt in seiner besten Lebensperiode, in welcher er noch vollkräftig strebend voll Muth und Eifer wirkte, in welcher er noch ungebeugt, und wenn auch nicht frei von Sorgen und Mühen, dennoch ein schönes und nüzliches Leben lebte.

Außerordentlich umfangreich war Bechsteins Geschäftskreis eine lange Reihe von Jahren hindurch, und es gehörte die sorgfältigste Benuzung der Zeit dazu, um allen Pflichten zu genügen, alle Obliegenheiten zu erfüllen, und dennoch Zeit zu behalten für die schriftstellerische Thätigkeit, für den ausgebreiteten Briefwechsel, für gesellige Freuden und für das Familienleben.

In die Morgenstunden fielen die Vorträge an der Academie, im Sommer an gewissen Tagen auch die botanischen Excursionen, welche oft bis in die Stadtnähe ausgedehnt werden mußten, wo die zahlreichen Baum- und Straucharten mehrerer Herzoglichen Parkanlagen zur Belehrung dienten. Montag, Mittwoch und Freitag waren Cammertage; an diesen mußte Bechstein Vormittags nach der Stadt gehen oder fahren, den Sessionen beiwohnen, und konnte selten früher als um zwei Uhr nach Dreißigacker zurückkehren. Der felsige Fahrweg war viele Jahre lang stellenweise von antediluvianischer Beschaffenheit, und nur nach der Stadt zu chaussirt.

Keine Woche verging, in welcher nicht Canzlei- und Cammerboten ganze Kameelfrachten mächtiger Actenstöße auf und ab schleppten, welche durchgelesen und verarbeitet werden mußten. Dienstliche Commissionsreisen kamen nicht selten vor, und die zweimalige Ferienreise nach dem Gute Kemnote alljährlich war feststehend. Dorthin nahm der fleißige Mann stets literarische Arbeiten mit und in der ländlichen Stille dieses einfachen freundlichen Tusculum arbeitete er vieles aus, wozu Dreißigacker nicht Zeit und Ruhe vergönnte.

Der gefühlvolle Leser wird sich denken können, welchen eigenthümlich schönen Eindruck es auf das Gemüth des thätigen Mannes machen mußte, immer und immer wieder in die lieb gewonnenen Räume zurückkehren zu können, die einst seine ganze Welt waren, die zu erlangen er seine ganze Strebekraft aufgeboten. Er glich darin einem Wandervogel, den es immer wieder nach der Heimath zurückzieht, wie die Nachtigall wiederkehrt in unsere schlichten Gärten, deren Rosenblüthe doch nichts ist gegen die dufterfüllten Zauber der Rosenfluren Gulistans.

Nicht nur bestand die früher (X) erwähnte Forst-Commission zur Besichtigung und Regulirung der Privat- und Gemeindewaldungen noch fort, sondern die obervormundschaftliche Regierung ernannte von Zeit zu Zeit Commissionen für verwandte Geschäftszweige, denen Bechstein in der Regel zugesellt wurde. Für die erstere liegt noch eine Ausarbeitung von ihm vor, betitelt: Unmasgebliche Fragen, welche bei einer Gemeinde- und Privatwaldverwaltung etwa zu beantworten wären. Diesen Fragen, an der Zahl 30, fügte Bechstein die humane und sehr sachgemäße Anmerkung bei:

„Jede Gemeinde ist vor der Untersuchung auf eine freundschaftliche und populäre Art von dem Zweck der Commission und ihrem Nutzen für sie und ihre Nachkommen zu unterrichten."

Die in neuerer Zeit auf höhere Ertragsstufen gehobenen Dach- und Tafelschieferbrüche, wie auch die Griffelschieferbrüche des Meininger

Oberlandes mußte Bechstein in höchstem Auftrag als Mitglied einer Commission bereisen und besichtigen, sie wurden ziemlich im Argen liegend befunden, und Bechstein gab Rathschläge an die Hand, ihren Aufbau zu fördern, ihren Ertrag zu erhöhen.

Die Anlegung und Erhaltung des Wildzauns um den herrschaftlichen Thiergarten veranlaßten mancherlei Berichte und Arbeiten; die Sülzfelder Gemeindewaldung mußte revidirt, und der alljährliche Holzhieb in derselben nach forstwissenschaftlichen Grundsätzen von Bechstein angeordnet werden. Ebenso wurde ihm die Regulirung und Eintheilung des Oepfershäuser, wie des Langenfelder Forstes (bei Salzungen) übertragen.

Zu anderer Zeit wurden Untersuchungen über die Huth im Oberlande nach einem von Bechstein vorgelegten Entwurf anbefohlen, weshalb die Forstbedienten eines jeden Bezirks unterwiesen werden mußten; die Regelung der Holzhiebe in mehreren Herrschaftswaldungen wurde in Gemeinschaft mit dem Oberforstmeister von Steube Bechstein ebenfalls übertragen, und von ihm darüber sehr ausführlich berichtet, nicht minder unterlagen seiner Prüfung die Forstrechnungen im Meiningenschen Oberlande, auch ging Bechstein der höchste Befehl zu, die Rechnungsbeamten in Schalkau und Neuhaus gehörig zu unterrichten, wie sie mit Vorsicht den Landgeistlichen zu Fertigung der aufgegebenen Dorfsbeschreibungen die vorhandenen Nachrichten von den der Herrschaft an jedem Orte zustehenden Gerechtsamen mittheilen könnten, um späteren Streitigkeiten vorzubeugen.

Als 1808 eine Commission zur Untersuchung und Taxation der Zillbacher Waldung bestellt wurde, ernannte die Herzogin Bechstein ebenfalls zum Mitglied derselben und es schrieb deshalb der damalige Oberstallmeister und Cammerrath von Erffa (ein Mann, welcher dem Staate viele nützliche Dienste geleistet, auch die Rheinbundacte mit unterzeichnet hat, und als Gesandter beim Congreß zu Wien war — (er starb 1823) an Bechstein: „Es ist der mit Weimar über Zillbach abgeschlossene Vertrag so äußerst wichtig und besonders darauf zu sehen, daß kein Theil verletzt werde, wozu eine genaue Prüfung der Waldung unumgänglich nothwendig ist.“

Diese Commission zur Untersuchung der Zillbacher Oberforstamtswaldung dauerte 5 Wochen.

Wie hier, so gab auch der mit dem damaligen Großherzogthum Würzburg beabsichtigte Austausch des nach Mellrichstadt gehörenden sogenannten Hospitalholzes in der Nähe vom Wolfgang gegen den Senfsarthsberg Anlaß zu genauen Untersuchungen und Berichten.

Köhlereien im Zillbachwalde, und in der Nähe des Warthammers, der sogenannten Zwick, zum Behuf der dortigen Eisenschmelze und Schmiede führten anhaltenden Briefwechsel mit Bergmeister Schreiber auf dem Hammer, sowie Reisen und Gutachten herbei.

Bei diesen vielen und mannichfaltigen Geschäften und Arbeiten, deren weitere Aufzählung ein besonderes Interesse nicht gewähren kann, nahm Bechstein immer noch vollen Antheil an den Geschicken seines neuen Heimathlandes, das gleich andern deutschen Ländern unter dem Druck der Napoleon'schen Gewaltherrschaft litt.

Wie schon im Jahr 1802 der Fall gewesen war, durch Vermittlung von Pariser Correspondenten diplomatische Einwirkung zu Gunsten des Meiningenschen Herzoghauses zu versuchen, so wurde ein erneuter Versuch 1806 gemacht durch Lavaux dergleichen zu bewirken — und der Minister v. Könitz, diesesmal der Verwendung scheinbar weniger entgegen, wie früher, schrieb dieserhalb an Bechstein unterm 8. Februar 1806 unter anderm:

„Ew. Wohlgeboren werden die kurzen Notizen über das, was Sie Ihrem Freund in Paris beiläufig sagen werden, erhalten haben. Ich trage hiezu noch Folgendes nach: Das Benehmen des Herzogl. Hauses ist in dem Augenblick, wo die ganze Macht des wirklichen Deutschlands sich gegen das Interesse Frankreichs zu vereinigen scheint, dennoch nicht von seiner oftmalen bethätigten Ergebenheit und Achtung abgewichen, und hat seine Nichttheilnahme an diesen Vorschritten öffentlich behauptet 2c."

Obschon nun Bechstein die vorgeschlagenen Schritte that, so wurden diese doch durch Bedenklichkeiten vereitelt. Daher schrieb er unterm 13. August 1806 abermals an den Minister von Könitz:

„Deutschlands Verhältnisse und Lage und namentlich die Ungewißheit, daß unsere innigst verehrte Frau Herzogin vielleicht die Souveränität ihres Landes verlieren möchte, machen mir viele schlaflose Nächte. Ob mir nun gleich, wie ich gegen Euer Hochwohlgeboren Gnaden schon mehrmals selbst geäußert habe, die tiefen Kenntnisse eines Politikers abgehen, so sehe ich doch vermöge meiner wenigen Kenntnisse in der Staatengeschichte ein, daß sich noch viele unangenehme Veränderungen für Deutschland und also auch für unser Vaterland fürchten lassen, und möchte noch zum dritten Male meinen kleinen Einfluß in Paris (die zweite Vorstellung ist durch die Bedenklichkeiten des Herrn Geheimen-Raths Heims, der mir sagte, die Sache sei durch den Herrn Geheimen-Rath und Kanzler von Uttenhoven zu Würzburg in Ordnung gebracht — abermals nicht abgegangen) zum Besten unserer trefflichen Frau Herzogin und unsers liebenswürdigen Erbprinzen anbieten, und frage daher an, ob ich nicht durch den Herrn Großkanzler La Cepede, oder durch den Staatsrath Lavaux, oder durch Rebmann, oder den Isenburger Legationsrath Fabricius, der die Sache für sein Haus sehr glücklich betrieben und ein sehr wackerer Mann ist, folgende Vorstellung machen lassen darf:

> „Daß man von Herzoglich Meiningischer Seite gar gern den öffentlichen Begünstigungen des Kaisers Napoleon gemäß dem Staatenbund beitreten wolle, wenn, wie aus öffentlichen Nachrichten verlaute, der Thüringerwald die fränkische Grenze bestimmen solle, und er, der Kaiser, nicht wegen der norddeutschen Constitution etwa eine Vereinigung unsers Hauses mit Chursachsen beschlossen hätte 2c."

Bechstein glaubte und sprach es aus, daß mit einem Opfer von 50—100,000 Rthlrn. die Souveränität erhalten werden könne, daß eine Unterhandlung mit Chursachsen die Taube beim Habicht Schutz suchen hieße, und bat nur um einen Wink, um die Sache rasch zu betreiben, ehe es zu spät werde. Sein Brief schloß mit den wichtigen

Worten: „Jetzt ist der Genius der Zeit mehr als alle Convenienz zu beachten." —

Geheime-Rath von Könitz erwiderte auf das durch einen reitenden Expressen ihm von Bechstein nach Wilhelmsthal, wo die Herzogin bei der Weimarischen Herrschaft zum Besuche weilte, gesandte Schreiben den Dank der Ersteren für dessen patriotische Gesinnungen und Vorschläge, und daß bereits in dieser Sache von der äußersten Wichtigkeit und Delicatesse Einleitungen ähnlicher Art getroffen seien, stimmte aber nicht für das vorgeschlagene Opfer.

Die Aufnahme Meiningens in den Rheinbund erfolgte unterm 15. December desselben Jahres zu Posen.

Da indessen von Seiten Bayerns mehrere angrenzende, auf Meiningischem Gebiete liegende, reichsritterschaftliche Orte besetzt gehalten wurden, und der Lehensnexus, in welchem Schloß, Stadt und Amt Meiningen zu Würzburg stand, noch nicht aufgehoben war (diese Aufhebung erfolgte am 20. Juni 1808), so richtete Bechstein im Jahr 1807 dennoch ein Schreiben an La Cepede, begleitet von einer ausführlichen Darlegung der Verhältnisse, und einer Landcharte, und suchte dessen Verwendung für Meiningen bei dem Kaiser nach.

Der berühmte Naturforscher, Staatsminister und Pair von Frankreich, Bernhard Germain Etienne Graf von La Cepede erwiderte dieses Schreiben mit aller französischen Artigkeit, wie folgt:

„Paris, den 6. März 1807."

„Mein Herr!"

„Ich habe mit vielem Danke den Brief, welchen Sie an mich zu schreiben, mir die Ehre gaben, erhalten. Ich werde stets sehr dankbar sein, mein Herr, für die mir von Ihnen erzeigte Achtung, indem Sie eine Uebersetzung von zweien meiner Werke besorgten. Ich wünschte, daß diese der deutschen Nation, welche Sie mit denselben haben bekannt machen wollen, wie des verdienstvollen Mannes, welcher sie durch seine Uebersetzung noch mehr verbessert hat, würdiger wären.

Ich werde mit vielem Vergnügen die Fragen empfangen, welche an mich in Betreff der Amphibien zu richten Sie sich vorgenommen haben, und mich beeilen, jede Auskunft, die ich zu geben im Stande bin, Ihnen zu übersenden.

Ich erfahre mit vielem Vergnügen, daß Sie an einer neuen Ausgabe der Naturgeschichte Deutschlands arbeiten, ich wußte, daß Sie schon den dritten Band von Ihrem Werke über die Jagd veröffentlicht haben.

Ich wünschte sehr, mein Herr, daß es mir möglich wäre, im Betreff des Gegenstandes, welcher Ihro Durchlaucht die Frau Herzogin von Sachsen Meiningen interessirt, Ihre Wünsche zu erfüllen, allein dieser Gegenstand ist zu weit entfernt von den Vollmachten (attributions) desjenigen Postens, welchen Seine Kaiserliche und Königliche Majestät die Gnade gehabt haben mir anzuvertrauen, als daß ich meinem Verlangen in dieser Beziehung Folge leisten könnte. Ich bitte Sie mein Herr, daß Sie dieserhalb Ihrer Durchlaucht der Frau Herzogin die ehrerbietigste Versicherung meines Bedauerns und meiner Ehrfurcht melden.

Empfangen Sie die Versicherung meiner höchsten Werthschätzung und aller Ihnen gebührenden Hochachtung!

Ich habe die Ehre, Sie zu grüßen.

b. g. é C. La Cepede."

Die Wassermarken des Briefbogens zeigen das Bild Napoleons im Medaillon mit Umschrift und den Adler mit Blitzen unter der Kaiserkrone.

So war es, allen Eifers und guten Willens ohngeachtet, Bechstein nicht vergönnt, auf dem Gebiete der Diplomatie den Nutzen seiner innigst verehrten Gebieterin und ihres Landes zu fördern, und er mußte sich mit dem: in magnis voluisse sat est, begnügen.

Die literarisch-merkantile Thätigkeit bot Bechstein wieder manche Dornen.

Bertuch in Weimar ließ die Herausgabe der Uebersetzung von La Cepede's Naturgeschichte der Amphibien ins Stocken gerathen, und Bechsteins Gehülfen an diesem Werke, die Professoren Merrem in Duisburg und Schneider in Frankfurt, forderten mit einigem Ungestüm Manuscripte und Zeichnungen von Bechstein zurück, die doch noch in Bertuchs Händen waren. Ersterer entschuldigte sich, und äußerte dabei mit Bezug auf Bertuchs Mittheilungen: „Es ist allerdings gegründet, daß das Publikum wissenschaftliche Werke wenig mehr unterstützt," — eine Klage, die in der deutschen Literatur leider ein dauerndes Echo gefunden hat und noch heute findet.

Das Lieblingsunternehmen — die Naturgeschichten mit geschnitzten Thierfiguren, statt der Abbildungen — in Kästchen — dessen oben schon gedacht wurde, beschäftigte anhaltend, und verursachte mit dem wackern Carl Friedrich Enoch Richter zu Leipzig, einem ehemaligen Schüler von Bechstein zu Schnepfenthal, äußerst lebhaften Briefwechsel. Bechstein hatte eingesehen, daß der kaufmännische Vertrieb dieser naturhistorischen Spielwaaren ohne die Hülfe eines Buchhändlers für ihn eine Sache der Unmöglichkeit sei. Er bot daher das gesammte Unternehmen Richter zum Kauf an. Dieser ging nur mit großer kaufmännischer Vorsicht, die er mit einleuchtenden Gründen rechtfertigte, auf den Ankauf ein, und behielt sich vor, selbst nach Gotha zu kommen, um richtigen Einblick in das ganze Verhältniß zu gewinnen.

Diese Reise erfolgte, die beiden Geschäftsfreunde kamen in Gotha in der Schelle zusammen, und errichteten einen Vertrag über das Unternehmen, nach welchem Richter das Ganze ankaufte, und Bechstein allen Ansprüchen an dasselbe entsagte. Allein bald genug fand Richter Gründe, eine Uebereilung zu beklagen, zeigte Miene, sein Versprechen nicht halten zu wollen, und Bechstein mußte alles aufbieten, um jenem seine Aengstlichkeit und seine Bedenklichkeiten zu benehmen. Auch Schulz, der Verfertiger der Thierfiguren, klagte über Schaden und Verdruß. Richter nannte den Ankauf dieses Geschäfts eine unglückliche Speculation, einen seiner dummen Streiche — da es unfruchtbar sei und bleibe, und im Mechanismus äußerst schwerfällig — und es sei wirklich ein neuer Beweis, daß Gelehrte zu kaufmännischen Unternehmungen selten taugten, denn gewöhnlich unternähmen sie ohne gemachte Erfahrungen, oder durch den und jenen glücklichen Erfolg zu kühn gemacht ꝛc.

Es kam wirklich dahin, daß Bechstein sich genöthigt fand, sich an einen Leipziger Anwalt zu wenden, an den er in der Instruction die Bemerkung voranstellte, welche den Standpunkt erkennen läßt, von welchem aus er sein Thierfiguren-Unternehmen betrachtete, und beurtheilte, und die Festigkeit, mit der er es in Schutz nahm, rechtfertigte. Er schrieb: „Die Unternehmung meiner Naturgeschichten für Kinder habe ich für meine schönste in pädagogischer Hinsicht gehalten, und dafür haben sie auch die größten Pädagogen Salzmann, Becker ꝛc. anerkannt. Meine vielen Geschäfte in Meiningschen Diensten und da ich ein herrschaftliches Logis habe — mein weniger Gelaß, machten, daß ich sie aufgab. Herr Richter, dem der Plan als favorable einleuchtete, hat ihn, Gott weiß warum, nicht so ausgeführt, wie er sollte und bald nach der Uebernahme keinen Gefallen mehr daran gehabt. Daß alle reichen Leute Spielzeug für ihre Kinder kaufen, und daß sie ihnen ein nützliches und belehrendes lieber, als ein blos zu Tändeleien bestimmtes kaufen werden, schon diese einzige Bemerkung spricht für die Wichtigkeit des Plans."

Da beide Gegner sehr ungern mit einander stritten, so kam indeß ein Vergleich zwischen ihnen zu Stande und es wurde das Unternehmen in der Weise zu Ende geführt, wie das Verzeichniß der Schriften Bechstein's ausweißt.

Dieser Zwiespalt hinderte indeß nicht die andern bedeutenden Unternehmungen Bechstein's in dem Richter'schen Verlag und die mit Scharfenberg gemeinsam ausgearbeitete Naturgeschichte der schädlichen Forstinsecten. Diese wurde in 3 Theilen bis 1805 fertig. Es wurde für dieses Werk ein Honorar von 1300 Carolin bezahlt. Der Künstler, welcher die Platten stach, war Jacob Sturm in Nürnberg.

Vom „ornithologischen Taschenbuch" wurde gegen Ende 1810 der zweite Band im Manuscript vollendet.

Die „getreuen Abbildungen" und die „Gespräche" bei Schneider und Weigel fanden ungehemmten Fortgang, und in der Correspondenz häufte sich von Seiten jener ehrenwerthen Firma viel Lachstoff an.

„Die 5 Exemplare für die Herren Recensenten werde alsdann schicken, wenn die vorigen angezeigt sind. Umsonst ist der Tod."

„Die Idee, die Sie sich von mir machen, liegt in Ihnen, daß Sie sich allerhand vorstellen, dafür kann ich nichts, wenn ich Ihnen lang, kurz, schön, häßlich, geizig, freigebig 2c. erscheine, so liegt das in Ihnen. — Ich erscheine Ihnen gewiß nicht — ich handle, und Sie können mit mir zufrieden sein."

„Sie haben zu viel cameralistische Sachen zu thun, und darunter leidet die emsige Fortsetzung."

„Für Ihre Frau Liebste lege ein Paar Pfefferkuchen bei, wovon guten Empfang wünsche, und daß Sie noch viel und oft dergleichen Pakete von mir erhalten möchten."

Idyllische Zeit — in der die Buchhändler ihren Autoren noch Pfefferkuchen schenkten, bist Du nicht auf ewig dahin? — Die Autoren werden zu zählen sein, welche von ihren Verlegern mit solchen Süßigkeiten bewirthet werden!

Herr Schneider drängte und mahnte oft mit Ungestüm um Manuscript und Zeichnungen. Es ging ihm nicht schnell genug mit dem Erscheinen der Centurien von den „getreuen Abbildungen," ein Zeichen, daß der Absatz gut war; minder günstig erwieß sich dieser bei den „neuen Gesprächen," von deren erstem Bändchen Schneider den Gesammtvorrath Müller in Schnepfenthal doch noch abgekauft hatte, um in den Besitz des ganzen Werkchens zu gelangen, so ungestüm er früher das Ansinnen, dieß zu thun, ablehnte.

Das oben unter VI. gedachte Unternehmen der Fortsetzung von Wirsings Vogelwerk scheint nicht in das Leben getreten zu sein, obschon Hand an dasselbe gelegt worden war, denn eine darauf bezügliche Briefstelle Schneiders von 1805 lautet: „Mit Wirsing's Kupferplatten geht es so geschwind nicht, weil ich noch nicht erfahren können, wo sie versetzt sind, und wie hoch, auch weiß ich nicht, was Ihr Text dazu kosten soll. Es ist auch der Umstand dabei zu berechnen, daß es vor Borkhausen und Wolf nicht aufkommen und sich nicht lange halten wird."

Ueberhaupt begannen von diesem Zeitpunkt an die Klagen aller Buchhändler sich zu mehren, und viele Briefe derselben lauten, als ob sie von 1848 bis 1854 geschrieben wären, wo doch zu der allgemeinen Stockung von Handel und Gewerben nicht schwere Durchmärsche und Contributionen, wie damals, zu ertragen waren. Schneider bemerkt in seiner derben Weise: „Den Leipzigern kann es nicht schlimmer gehen, als es uns seit zehn Jahren gegangen ist, jene Herren kennen die Plage lange noch nicht, sie wollen was besonders haben, zumal Herr Crusius, ein grundreicher Mann 2c." An einer andern Stelle: „Ich sehe nicht ein, wie es Friede werden soll, noch immer ziehen Recruten aus Bayern und Schwaben hier durch, aus Tirol und von Augsburg, hübsche Bauernbursche, die zur Armee gehen. Der Handel ist sehr eingeschränkt, Niemand kauft etwas. Es besinnt sich jetzt mancher, einen Gulden für entbehrliche Dinge auszugeben."

Im August 1809 äußerte Schneider den Wunsch: „Gern sähe ich es, wenn Sie einen Schluß mit den Abbildungen machen möchten. Wenn bessere Zeiten kommen, und ich lebe, so kann es ja immer fortgesetzt werden. Bessere Zeiten kommen aber so bald gewiß nicht, wir träumen schon zwanzig Jahre lang davon." — Schneider, der bei aller Schroffheit und Grilligkeit seines Briefstyls doch ein rechtlicher Mann war, hatte in demselben Jahre seine Frau und kurz vorher seinen Sohn durch den Tod verloren, und äußerte sich vielfach lebensmüde und lebensunlustig — hypochondrisch."

„Was ich sonst für unüberwindliche Hindernisse bei Latham und den Gesprächen überstiegen, bewundere ich jetzt selbst, alles aus Liebe gegen meine Frau und Kinder — jetzo aber kommt mir ein Besenstiel wie ein Schlagbaum vor."

Spätere Briefe gaben wieder belustigende Proben des Schneiderschen Styls.

„Sie sind zu theuer, und glauben, das Geld fällt aus den Aermeln."

„Ihnen muß den Text zu machen ja so leicht ankommen, als mir das Briefschreiben."

„In Waltershausen muß man wohl gelehrt, aber nicht leserlich schreiben lernen."

„Meine zwei Tochtermänner kosten mich sehr viel. Ich wünsche meine Tage in Ruhe zu beschließen."

„Sie haben mir ein naturhistorisches Abcbuch versprochen, aber nicht gehalten, daraus ich schließen muß, daß Sie auf meinen Vortheil nicht bedacht waren. Ich habe sonst keine Feindschaft gegen Sie, als daß Sie zu theuer sind, und auf Ihren Forderungen beharren und keine Raison annehmen wollen. Daß ich mit der ganzen Welt unzufrieden bin — können Sie deutlich abnehmen. Daß ich mit solchen in der Welt noch weit mehr unzufrieden bin, die etwas von mir begehren, das ich selber brauche, ist auch wahr ꝛc."

Bei der Nürnberger Firma Monath und Kußler setzte sich der Druck des Handbuchs der Jagdwissenschaft fort, ebenso bei derselben Firma die Uebersetzung von Le Vaillant. Auch die Briefe dieser Firma klagen über die schwere Ungunst der Zeit, fast tägliche Einquartirung, übermäßige Besteuerung und dergl. Auf einen solchen Klagebrief am 28. November 1806 erwiderte Bechstein unter anderm:

„Ich glaube es Ihnen wohl, daß Sie in großer Geldnoth sind. Ich bin es aber eben so sehr."

Unterm 23. Februar 1803 schrieben Monath und Kußler: „Das übersandte Manuscript zum 3. Bande der Jagdwissenschaft haben wir zu erhalten das Vergnügen gehabt, welches wir auch ohne Verzug unter die Presse geben würden, wenn die beschränkten Verhältnisse, mit denen wir leider noch immer umgeben sind, es erlaubten. Wird die bevorstehende Ostermesse nur einigermaßen ergiebiger als die vorjährige ausfallen, und werden die schlesischen, preußischen, dänischen, schwedischen und russischen Buchhandlungen sich diesesmal mit den rückständigen Zahlungen einfinden, dann liefern wir den vorstehenden Sommer diesen Theil sicher. Der Buchhandel hat durch die traurigen Zeitereignisse unendlich gelitten. Unsere Regierungsveränderung hat auch viel dazu beigetragen. Viele Beamte sind dadurch in sehr beschränkte Umstände versetzt und können ihre Rückstände nicht bezahlen, noch weniger an Kaufung neuer Bücher denken."

Ein Brief von 1809 enthält die Mittheilung: „Die letzte Messe ist so schlecht ausgefallen, wie wir binnen 40 Jahren nicht erlebt haben. Alle nordischen Buchhändler, von denen wir bedeutende Zahlungen zu erwarten haben, sind ausgeblieben. Durch diese und mehrere andere Gegenden, in denen es an baarem Geld gebricht, ist eine Stockung entstanden, die viele solide Buchhändler in die äußerste Verlegenheit versetzt hat. Werden die Kriegsunruhen noch ein Jahr fortdauern, dann geräth unser Handel in einen gänzlichen Verfall."

Gleichwohl meldeten spätere Briefe nur die Verschlimmerung aller Verhältnisse. Gezwungene Anlehen, erhöhte Steuern, Mauth ꝛc. zwangen zu Stockungen in den Honorarzahlungen, und veranlaßten Bechstein, seinen Antheil freiwillig herabzusetzen, worüber sich Monath und Kußler sehr dankbar äußerten, und erklärten, wenn Handel und Wandel wieder hergestellt wären, gern das erstere Honorar bezahlen zu wollen.

Das literarischfreundschaftliche Verhältniß mit dem wackern Lebrecht Crusius in Leipzig im Betreff der Naturgeschichte Deutschlands, deren 2. Auflage 1805 erschien, dauerte fort. Aber auch hier hieß es in einem Briefe vom 24. Januar 1807: „Leider haben die alles zerstörenden Unruhen auch auf unsern literarischen Handel einen verderblichen Einfluß." — Im August 1808 überließ Siegfried Lebrecht Crusius wegen hohen Alters seine Buchhandlung nach 43jähriger Geschäftsführung seinem zeitherigen Buchhalter Friedrich Christian Wilhelm Vogel käuflich und zeigte dies seinen Geschäftsfreunden, folglich auch Bechstein in einem gedruckten Circular an, und Vogel begann den Druck des vierten Bandes der Naturgeschichte, obgleich dieß ihm schwer fiel. Er äußerte sich nach Vollendung des Drucks im August 1809 darüber: „Bei den alles vernichtenden Zeitumständen war der Druck dieses vierten Theils für mich als Anfänger um so mehr ein schweres Unternehmen, da der Debit dieses sehr schätzbaren Werkes äußerst gering ist ꝛc. Dauert diese fürchterliche Crisis fort, so ist zu befürchten, daß unser Handel, der ohnedieß sehr destruirt ist, gänzlich ruinirt wird." — Mittlerweile hatte Bechstein die Ausarbeitung seiner Forstbotanik begonnen, und trug Vogel den Verlag derselben an. Vogel zeigte sich auch geneigt, auf den Antrag einzugehen, wünschte aber, daß die Stärke der Auflage ihm gänzlich überlassen werde, während Bechstein diese festgesetzt hatte und nach ihrer Verschiedenheit das Honorar bemessen haben wollte, — wovon er auch nicht abging.

Ein anderer Buchhändler, E. J. G. Hartmann, früher in Riga, welcher mit Bechstein schon vorher in Unterhandlung gestanden hatte, und auch sein Schüler gewesen war, erhielt nun den Antrag der Forstbotanik, stellte eine Berechnung auf, verlangte Modificationen hinsichtlich des Preises, und zeigte sich eben so redlich, als geschäftstüchtig nnd vorsichtig. Er führte an, daß ihm Kotzebue die Krusenstern'sche Reise um die Welt angetragen, er sie aber ausgeschlagen habe, klagte, daß er große Außenstände in Riga habe, daß auf Mahnbriefe nicht einmal Antworten eingingen, und suchte die Verlagsübernahme hinauszuschieben.

Darüber verging die Zeit und Bechstein sah sich veranlaßt, während die Unterhandlung noch schwebte, mit W. Hennings in Erfurt wegen der Forstbotanik anzuknüpfen. Es lag ihm daran, das Honorar bald zu erhalten, da er es, wie aus einem Briefe an Hartmann hervorgeht, zur Abzahlung einer fälligen Schuld und zum Studiren für seinen Sohn bestimmt hatte. Da nun Hartmann's Finanzverhältnisse die Erfüllung dieses Wunsches unmöglich machten, so wurde mit Hennings unterm 18. November Vertrag abgeschlossen. Auch in dieser Correspondenz Klagen über Klagen über die schlechte Messe, und die Nothwendigkeit, die Honorarforderungen herabzustimmen. Gegen Ende 1810 war der Druck der Forstbotanik vollendet. Selbst die Expedition der allgemeinen Literatur-Zeitung zu Halle fand sich bewogen, 1810 ihr bisheriges Honorar von 20 Rthlr. pr. Bogen auf 15 Rthlr. herabzusetzen.

Die Ornithologie wurde in diesem Zeitraum von Bechstein sowohl vom wissenschaftlichen Standpunkt, als von jenem der Liebhaberei, eifrig fortgepflegt. Ein großer Taubenschlag mit erlesenen Taubenarten nahm einen Theil des Hausbodens ein, und zur Vermehrung und Ergänzung wurden nicht selten Ausflüge nach Schmalkalden, Ostheim und Mellrichstadt gemacht, wo Taubenzüchter und Händler wohnten. Den Hühnerhof bevölkerten Hühner und Enten mannigfaltiger Art, Hühner mit Kuppen, Latschen, Taubenschwänze, Schwanzlose und oft von prächtigem Gefieder. In den Zimmern des Hauses und auf der als Vorsaal dienenden Gallerie waren Finken und Wachteln vertheilt und im Studirzimmer umflatterte und umsang den Naturfreund meist frei umherfliegend und laufend die kleinere Sängerwelt — ein Stück Arche Noäh, und es störte ihn nicht, daß auf Möbel, Bücher und Papiere dasjenige fiel, was den alten Tobias blendete.

Die Ornithologen Naumann, Vater und Sohn, sandten ihre Naturgeschichte und Beiträge für die Diana, nebst dem von Bechstein gewünschten Exemplar einer Graugans, ausgestopft von Herrn Chr. Adolph Buhle zu Halle, welcher damals eine Reihe naturhistorischer Schriften, Reisen und Unterhaltungen erscheinen ließ, und Bechstein sein Handbuch der Naturgeschichte des Thierreichs, Halle 1804, übersandte.

Professor Fr. Meisner zu Bern, Aufseher des dortigen reichhaltigen ornithologischen Cabinets, knüpfte Briefwechsel an und theilte mit, daß er mit Herausgabe von Abbildungen des Geschlechts-Characters aller europäischen Vögel beschäftigt sei, und zwar sämmtlich lebensgroß nach der Natur gezeichnet und mit aller Genauigkeit der Größen-Verhältnisse, bat um Empfehlung seines Unternehmens und erbot seine Dienste.

G. Bekker in Darmstadt sandte die Fortsetzung der von ihm mit Borkhausen und Lichthammer gemeinschaftlich herausgegebenen deutschen Ornithologie, und wünschte durch Bechstein den **Falco peregrinus** und **abietinus** verschafft zu erhalten, wie es denn überhaupt fortwährend nicht an mancherlei derartigen Aufträgen aus Nähe und Ferne fehlte. Ein junger der Vogelkunde zugethaner Rechtskandidat in Gotha, August Sittig, übersandte den **Falco abietinus**. Der Franzose Clairville, jetzt in Winterthur, setzte seinen größtentheils ornithologischen Briefwechsel fort, desgl. Hofrath Dr. Meyer, Apothekenbesitzer in Offenbach, welcher Vögel empfing und aus seiner ziemlich vollständigen Sammlung deren anbot. Auch er beabsichtigte ein Werk über Vögelköpfe und Füße erscheinen zu lassen. Es wurde schon oben der Anerbietungen gedacht, zu denen ein Darmstädter Freund die vermittelnde Hand zu bieten, den Auftrag hatte, dieser ermüdete selbst dann nicht, dieselben fortzusetzen, als Bechstein sich schon erklärt hatte, den Meiningenschen Dienst nicht verlassen zu wollen. Aus gleichem Grunde blieb auch ein ebenfalls indirecter Antrag, in bayerische Dienste zu gehen, ohne Berücksichtigung. Es giebt immerhin Bechstein ein schönes Zeugniß von Ehrenhaftigkeit, Anhänglichkeit und Treue, daß er sehr lockenden Versuchungen widerstand.

„Der Chef des Forstkollegiums“ (dieser sollte Bechstein werden), schrieb jener Freund: „erhält Titel und Rang eines Geheimenraths, freie Fourage auf mehrere Pferde, und eine Besoldung von jährlich 2500 fl. rhn., die nach Umständen auch wohl noch vermehrt werden kann.“

„Er ist der Director des ganzen Forstcollegs, macht die Actendistributionen unter den Sitz und Stimme habenden Gliedern desselben, steht nicht unter dem Minister des Innern, sondern unmittelbar, sowie das ganze Colleg überhaupt, unter dem Landgrafen, bereist jährlich die verschiedenen Landforste (NB. mit extra guten und vollen Diäten), giebt die zweckmäßigsten Befehle und Anweisungen ꝛc., kurz er befindet sich bei großer Gewalt, in einer schmeichelnd angenehmen Lage, nach allen Kräften den Waldungen und ihrem vollsten Ertrage — mithin dem ganzen Lande — recht nützlich sein zu können. — Hierauf folgte eine Aufzählung des damaligen Forstcollegpersonals.

Mancherlei Dienstleistungen erwieß Bechstein Bekannten und Unbekannten stets mit größter Bereitwilligkeit und Uneigennützigkeit; er erwirkte für einen ornithologischen Freund von der philosophischen Facultät in Jena das Doctordiplom, empfahl dem Landgrafen von Rothenburg, der sich wegen Besetzung einer Forstrathstelle an ihn gewendet hatte, mehrere würdige Männer, darunter den Forstinspector Wittwer zu Nürnberg, einen der Waltershäuser Zöglinge. Mehreren Freunden und Bekannten verschaffte Bechstein Verleger für ihre Werke oder verwendete sich doch für dieselben bei seinen eigenen; (so empfahl er Enoch Richter J. G. Vierlings allgemein faßlichen Unterricht im Generalbaß) noch mehr war dieß der Fall mit Verschaffung von Forststellen für junge Leute, die in Dreißigacker zu Bechsteins Zufriedenheit ihre Studien vollendet hatten. In dieser Beziehung legte er eine wahrhaft väterliche Sorgfalt an den Tag, wie noch Viele bezeugen können und bezeugen. Eine zwar sehr geschäftreiche, aber äußerst günstige Stellung hatte Laurop bei dem alten Fürsten von Leiningen-Amorbach-Miltenberg gefunden, (Bechstein war mit seiner Frau bei Laurops Sohne Wilhelm am 24. Mai 1804 Pathe geworden) — und konnte günstigste Berichte über seine Thätigkeit erstatten. Mit dem geschätzten Borkhausen blieb ornithologische Verbindung erhalten. Dieser theilte nicht selten Bemerkungen und Bereicherungen zu Bechsteins Werken mit, lobte und tadelte mit Offenheit, und machte auf Irrthümer aufmerksam, die bei dem umfassenden Gebiete, das noch im Anbau begriffen war, wohl begegnen konnten.

Um so schmerzlicher mußte bei dieser so offenen und lehrreichen Freundschaft beider Ornithologen Dr. Moritz Balthasar Borkhausens am 30. Nov. 1806 erfolgter früher Tod Bechsteins Gemüth ergreifen. Borkhausen war ein Mann von bewunderswürdigem Gedächtniß, außerordentlich unterrichtet, und besaß die Gabe auf das Feinste zu unterscheiden, in einem hohen Grade. Dabei wurde er als ein sinnig-heiterer gemüthsfroher Mensch gerühmt, Eigenschaften, die er neben dem Scharfsinn in Erforschung der Naturkörper mit Bechstein gemein hatte. Er hinterließ eine ausgezeichnete Sammlung ausgestopfter Vögel.

Ein hochgestellter Naturfreund und Sammler, Maximilian Alexander Philipp Prinz zu Neuwied wünschte mit Bechstein Verbindung anzuknüpfen, und gegen andere Naturalien ihm fehlende Vögel für seine Sammlung zu erlangen. Er beauftragte deshalb von Potsdam aus einen Bekannten, Keßler: „Wie wär's, wenn Sie Bechstein schrieben, daß ich als eifriger Verehrer seiner Lieblings-Wissenschaft und seiner Werke mich nicht länger enthalten könnte, an der Quelle des Lichts für die deutsche Ornithologie mich Raths zu erholen, und daß ich mich ihm als einen Correspondenten antrüge, der im Stande sei, Naturalien aus Preußen, der Ostsee und ihren Küsten sowohl, als aus Oesterreich zu verschaffen." Der Beauftragte übersandte Bechstein den ganzen Brief.

Zu den vielen und mannichfachen Besorgungen, die in Form von Bitten und Aufträgen von Eltern und Verwandten für die zu Dreißigacker Studirenden an Bechstein ergingen, kamen noch zahlreiche Gesuche anderer Art aus der Nähe und Ferne. Ein Gartenmeister erbat lebende Pflanzen verschiedener von Bechstein zuerst beschriebener **Crataegus**-, **Pyrus**- und **Betula**-Arten; Ausländern sollte Bechstein Anstellung im Meining'schen verschaffen, und es waren nicht immer nur junge mittellose Männer, es waren bisweilen Männer von Rang und Stande, die seine Vermittelung nachsuchten und ihm mit derartigen Gesuchen nur in Verlegenheit setzten. Ungleich angenehmer mußte es ihm sein, Gesuchen zu willfahren, die von ihm Empfohlene zu Stellen im Ausland verlangten. Ein solches ging unter andern vom Bürgermeister Behrnauer zu Zittau ein, der für die Forste der dortigen Communen, (die ja auch den reizenden Oybin umfangen) namentlich für den forstpfleglichen Theil, und für ein Vermessungs- und Abschätzungsgeschäft einen geeigneten Mann vorzuschlagen bat.

Freilich liefen auch Gesuche folgender Art mit unter: „— — einen jungen Forstmann von guter Erziehung und moralischem Character, der gut schreibt und zeichnet, mit Kindern gern und gut umzugehen sich getraut (!) und überhaupt fleißig und thätig ist, und der sein Glück (!) im Auslande zu machen gedenkt. Neben obigen Eigenschaften darf er aber auch noch manche häusliche Geschäfte, z. B. Stiefelputzen nicht scheuen. Es muß einer sein, der Kräfte und Ausdauer besitzt. Dagegen genießt er die beste Behandlung von der Welt, ißt mit dem Herrn am Tisch (!) ꝛc."

Professor Schreber in Erlangen wünschte den **Oestrus** (dessen Larve in der Haut des Edelwilds wohnt) in seiner Fliegen-Gestalt zu erhalten, und zwar von zwei Arten, Männchen und Weibchen. In demselben Brief meldet dieser geschätzte Naturforscher etwas schier Unglaubliches: „Vor einiger Zeit wurde mir eine todte Nachtigall mit der Nachricht gebracht, daß sie sich selbst das Leben genommen habe. Der Zustand, in welchem ich sie erhielt, schien mir so merkwürdig, daß ich sie sogleich abzeichnete.*) Zu anderer Zeit wünschte und erhielt Schreber für sich und **Dr.** Goldfuß Knochenstücke von dem Höhlenbär aus der Altensteiner Höhle durch Bechstein.

Aus Anerkennung der Verdienste Bechsteins übersandte ihm unterm 16. Januar 1806 die Universität Erlangen, deren Rector **Dr** Johann

---

*) Absichtvoller Selbstmord bei Thieren dürfte wohl außer der Reihe thierpsychologischer Beobachtungen liegen. Durch Zufall kann wohl jedes Thier selbst sein Lebensende herbeiführen.

Christian Daniel Schreber damals war, das Diplom eines Doctors der Philosophie und Magisters der freien Künste.

Der General-Inspector der Königlichen Forste, Joseph Gautieri in Ancona, bekannt durch mehrere naturhistorische Schriften, fragte bei Bechstein an, welche Bänme auf dem kies- und kalkhaltigen öden Boden der Meeresküste bei Ravenna anzubauen sein dürften und erbat Verzeichnisse von allen Waldsämereien der mitteldeutschen Wälder.

Nicht nur auf Pflanzen, Thiere und Vögel erstreckten sich die Aufträge der Correspondenz-Freunde — sogar Vogelkäfige mußte die Gefälligkeit Bechsteins zu besorgen übernehmen, Nachtigallen-, Feldlerchen-, Grasmücken-Käfige — er hatte nun einmal besonders gut eingerichtete Käfige zum Theil selbst erfunden und beschrieben!

Auch sonst fehlte es nicht an mannichfaltigen, zum Theil angenehmen Zusendungen und Zuschriften.

Forstmeister Conrad Schmidt zu Bundorf auf dem Haßberg in Franken widmete Bechstein und Professor Däzel seine forstwissenschaftlichen Bemerkungen über den Käplerschen Safthieb. Gotha 1804.

Der fleißige F. G. Leonhardi, Geograph, Naturforscher, Forstmann, Oekonom 2c. zu Leipzig widmete Bechstein die freie Uebersetzung eines französischen Werkchens über den Maulwurf, und erbat Nachrichten über den Zustand der Forstacademie für die dritte Auflage seiner Erdbeschreibung der Churfürstlichen und Herzogl. Sächsischen Lande.

Der Herr von Liebhaber, Bechsteins früherer Gehülfe und Mitlehrer an dem Waltershäuser Forstinstitut, dedicirte ihm seine Abhandlung über das Verhältniß der Brennbarkeit der Hölzer, 1806.

Der Herausgeber der Krünitzischen ökonomisch-technologischen Encyclopädie, H. G. Flörke zu Berlin wünschte, einen Band derselben mit Bechsteins Bild zu zieren, und erbat eine wohlgetroffene Zeichnung oder einen ähnlichen Kupferstich. Bechstein äußerte sich dankbar für die Ehre, und sandte sein gut getroffenes Pastellbild, indem er sich zugleich über das Verfehlte seines Bildes in der allgemeinen deutschen Bibliothek äußerte. (Band 39. 1798.)

Das dadurch hervorgerufene Portrait steht vor dem 102. Bande der Krünitzischen Encyclopädie. 1806. Von S. Halle gestochen.

Die Königliche Academie der Wissenschaften zu München ernannte Bechstein zu ihrem correspondirenden Mitglied; das Diplom wurde unterm 12. April 1808 ausgefertigt, vom Präsident Jacobi, vom General-Secretair Schlichtegrell und vom Secretair der physikalisch-mathematischen Klasse Moll unterzeichnet. Eben so übersandte die Wetterauische Gesellschaft für die gesammte Naturkunde zu Hanau ihr Ehrendiplom vom 30. November 1808. Director derselben war damals Gottfr. Gärtner und der schon erwähnte **Dr.** Bernhard Mayer in Offenbach. Secretaire waren Leonhard und **Dr.** Kopp.

Zusendungen wissenschaftlicher Beobachtungen von Gelehrten, Forstmännern und Naturfreunden gingen zahlreich ein, und so war Bechsteins Leben eine Kette edler Thätigkeiten, deren Goldringe: Lehre, Förderung des Gemeinnützens, literarische Wirksamkeit, lebhafter Verkehr mit Gleichstrebenden, heitere Geselligkeit und Familienglück harmonisch in einander klangen.

Als der 2. Band der neuen Auflage seiner Naturgeschichte Deutschlands erschien, widmete Bechstein diesen, wie bei der ersten Auflage, abermals dem Fürsten Primas Carl von Dalberg, welcher jetzt zu Aschaffenburg residirte.

Eigentliche Tagebücher pflegte Bechstein nicht zu führen. Was er aufzeichnete, fand eine Stelle im gewöhnlichen Haushaltungs- und Adreßbuch, deren jedes Jahr ein neuer Jahrgang gedruckt wurde. Nächst Einnahmen und Ausgaben trug er in diese Bücher die Namen der neuen Anmeldungen für die Forstacademie, mancherlei Witterungsbeobachtungen, doch nicht regelmäßig, sondern nur auffallende ein, wie Besorgungen für andere, und dieselben Bücher bewahrten auch manches Denkmal seines großen Wohlthätigkeitssinnes auf, mit dem er Arme und Nothleidende gern und bereitwillig unterstützte; Verwandte, die seiner Hülfe bedurften, suchten ihn nicht selten persönlich oder brieflich heim.

Ein Zeichen seiner großen Uneigennützigkeit findet sich von ihm im November 1803 aufnotirt: „Von Herrn von Bärenstein habe ich zum Geschenk 20 Louisd'or für Eduard zu einer Garnitur Gewehre bekommen, habe sie aber seinem Sohne wieder gegeben."

Auch auf Bechsteins Liebhaberei gewähren seine kleinen Aufzeichnungen manchen Blick — es erscheinen Ausgaben für Nelken, Aurikeln, Jonquillen-, Ranunkeln-, Tulpen- und Hyacinthen-Zwiebeln in nicht geringer Anzahl, ebenso für Tauben und andere Vögel. „Johann Christian Rothnagel heißt der Mann in der Ruhl, wo ich die Weinsänger und Scharfsänger (Finken) bekomme."

Der Vergnügungsort Grimmenthal erscheint oft unter den geringen Ausgaben; man liebte damals mehr als jetzt, von Meiningen aus solche Ausflüge zu geselliger Unterhaltung — dic Zahl der Bierlokale in der Stadtnähe war noch gering. Die Kegelbahn bot ihre Freuden, (im Garten der Kemnote zu Waltershausen hatte Bechstein selbst eine angelegt); im Winter der Karten- und Würfeltisch die seinen den Erholungsuchenden, meist muntern und jovialen Geschäftsmännern. Außerdem boten das Schießhaus in Meiningen, die Casinogesellschaft daselbst, der mit schöner Aussichtstelle an einer westlichen Bergwand gelegene, sogenannte Kratzersberg für gleiche Vergnügungen ihre Räume, und im Spätherbst und Winter fand sich neben dem Lehrerpersonal von Dreißigacker täglich eine Gesellschaft von mehreren Meininger Freunden droben im Wirthshause zusammen, — um einige Abendstunden vergnügt hinzubringen. Aber regelmäßig kam Bechstein aus diesem Kreise Abends um 8 Uhr schon wieder nach Hause.

Wurden in Begleitung der Frauen kleine Ausflüge in die Umgegend gemacht, so lenkten sich diese nächst Grimmenthal dem Jagdschloß Fasanerie, dem kleinen Landschlößchen Amalienruh (früher Sophienlust), dem Forsthaus in der Schmale, dem Fischhaus bei St. Wolfgang im ehemaligen Hermannsfelder See, und der Burgruine Henneberg zu, — wohin man meist die nöthigen Mundvorräthe mitnahm, und in harmloser Geselligkeit, im Genuß der Natur und der Freundschaft frohe und glückliche Stunden verlebte. Diese Neigung, die einen großen Kreis guter und tüchtiger Menschen belebte, ließ auch lange Jahre hindurch ein finniges Trauerfest zum Andenken des verewigten Herzogs

Georg begehen. Diesem war in einem nahen Walde, der Haßfurt, durch eine Gesellschaft, an deren Spitze der überaus lebensfrohe Hofjäger Schnell stand, ein einfacher Denkstein errichtet worden, und zu seinem Andenken wurde nun alljährlich an einem bestimmten Sommertage ein volksthümliches Erinnerungsfest begangen, an welchem die Theilnahme von Seiten der Bewohner Meiningens und Dreißigackers sehr allgemein war. Es wurde am Denkstein ein geeignetes Lied gesungen, eine Rede gehalten, und dann in den Anlagen des kleinen Lusthains der geselligen Freude gelebt.

Noch einen andern Anhalt- und Sammelpunkt für diese holde Göttin bot der Hexenberg über dem Dorfe Maßfeld dar, dessen in das Werrathal vorspringende Gipfelspitze eine reizende Aussicht gewährte. Der Kammersecretair Hartmann, ein lebhafter Freund der Natur und Geselligkeit, begründete dort 1807 Anlagen und später ein noch stehendes Häuschen, und sein eigenes Leben verschönend schuf er dadurch vielen edlen und übereinstimmenden Herzen heitere Stunden und schöne Erinnerungen.

Diese harmlosen Freuden und Genüsse kosteten wenig. Man war genügsamer, als das später lebende jüngere Geschlecht.

So findet sich unterm 19. August 1805 notirt: „Ich bin heute Scheibenkönig worden und habe einen Schmaus im Schützenhaus gegeben." Den Schmaus bestritt der Gewinn, dann kam noch dazu ½ Eimer Felsenkellerbier, 1 Rthlr. 15 Groschen, 17 Groschen Trinkgelder und 19 Groschen für Essen und Punsch den Musikanten auf dem Ball."

Theuerer kamen die Ausflüge nach dem Bade Liebenstein zu stehen, die doch ein- oder einigemal in jedem Sommer gemacht wurden. Es fand sich dort immer eine erlesene Gesellschaft beisammen, und die Badelisten jener Jahre enthalten manchen berühmten Namen. Solche Gesellschafter, wie Bechstein, waren dort immer hochwillkommen.

Im Winter gehörte Schlittenfahren zu Bechsteins größtem Vergnügen — oft ward er in Hoffnung auf gute Bahn getäuscht, wenn er nach starken Schneefällen in die tief gelegene Stadt herab und auf dem Schmutz fuhr, oder nur bis zur Chaussee gelangte und vollends in die Stadt gehen mußte. Im Januar 1806 notirte er neben eine Witterungsbemerkung: „Ich habe nur ein einzigesmal nach Meiningen Schlitten fahren können und da lag blos auf dem Dreißigackerer Weg Schnee genug."

Schlittenpartien, meist mit Meininger Freunden verabredet, nach Henneberg, Mellrichstadt, der Fasanerie, Grimmenthal 2c. wurden bei guter Bahn in der Regel an jedem Winter-Sonntage Nachmittag unternommen.

Die Casino-Concerte, Redouten, Theater, wie die theatralischen Darstellungen einer Liebhabergesellschaft in Meiningen, welche manches Gelungene zur Anschau brachte, besuchte Bechstein in dieser Zeit mit seiner Frau gern und fleißig, auch der Sohn durfte bisweilen Antheil nehmen, der zu Bechsteins Stolz und Freude herangeblüht war.

Manche merkwürdige Naturerscheinungen wurden neben bemerkenswerther Witterung und Sonstigem aufgezeichnet, frühe Rückkehr der Singvögel, häufiges Vorkommen sonst seltener Arten u. dergl.

Am 27. Februar 1806: „Heute Nachmittags hat das Wetter in den Kirchthurm zu Waltershausen eingeschlagen, so daß alles Holzwerk bis auf die Mauer abgebrannt ist, und die Sparren und Kirchenfenster auch abgebrannt sind."

Am 16. Mai 1806: „Heute zog über Ostheim 1½ Stunden lang eine ungeheure Schaar Wanderheuschrecken in einer Straße hundert Schritte breit. Sie kamen von Norden und zogen gegen Mittag, bei einem kleinen Regen hörte der Zug auf. Sie sollen sich in der Gegend um Neustadt gelagert haben."*)

Am 27. Septbr. 1808: „Heute bin ich in Gotha gewesen und habe Napoleon gesehen, der zum Congreß nach Erfurt ging."

---

*) Diese Insekten waren nur für Heuschrecken gehalten worden; es waren Schwärme von Libellen, die auch über Waltershausen zogen, wie mir Herr Geheime-Regierungsdirector Hellmann, der sie selbst gesehen, versichert hat.

Am. 1. October: „Nach Erfurt gegangen, wo ich Napoleon, Alexander, Großfürst Constantin, die Könige von Sachsen, von Würtemberg, Hieronymus von Cassel — Talleyrand, Berthier, Oudinot, den Fürst Primas und fast alle Bundesfürsten gesehen habe. Napoleon hielt 2 Tage hintereinander über 1 Husaren- und 1 Cürassierregiment Revüe."

Die unglückbringende Explosion zu Eisenach, 1. Septbr. 1810, wurde ebenfalls aufgezeichnet.

Bechsteins Familienleben war — wenn nicht Krankheiten der Hausfrau dasselbe trübten, in diesem Zeitraum ein sehr glückliches, in welchem Heiterkeit und Lebensfrohsinn den oft anstrengenden Arbeitsstunden ein schönes Gleichgewicht boten. Von Bechsteins Briefen an seine Frau, der er — wenn er auf seinem Gute weilte, fleißig und viel schrieb, sind nur sehr wenige erhalten, diese lassen aber ein Licht auf seine Weise, vertraut zu schreiben, fallen, und bekunden einen köstlichen, ja unerschöpflichen Humor.

Er hatte in diesem Winter einen sehr üblen Weg gehabt. Am 6. April verursachten starke Regengüsse plötzlichen Eis- und Schneegang, die Werra ging über, und als Bechstein am Palmsonntag seine Reise antrat, fand er in den Ortschaften Floh, Schnellbach und Tambach die Chausseen zerstört, die Brücken weggerissen, Löcher und Gräben von 6 Fuß Tiefe in den Wegen, und schon in Schmalkalden war er gewarnt worden, nicht weiter zu reisen, denn weder Frachtfuhrleute noch Posten konnten den Weg passiren. Doch ließ er sich nicht abhalten, und gelangte glücklich, obschon nicht ohne Gefahr, nach Tambach. Von dort aus aber war eine Fortsetzung der Reise nach Waltershausen zu Wagen unmöglich, denn der ganze Thalgrund war überschwemmt, und das Wasser hatte den größten Theil des dort aufgestellten Flößholzes mit fortgerissen. Er mußte einen Boten zum Tragen des wichtigsten Gepäcks nehmen, und über Altenberga zu Fuße nach Waltershausen gehen. Darüber äußerte er sich in einem etwas späteren Brief an seine Frau ebenfalls in scherzhafter Weise: „Die Gefahr war in der That nicht so groß auf dem Wege, als sie sich aus den kleinen Köpfen der noch kleineren Propheten herausssprach.

Ein Brief schloß mit den Worten: „Und nun noch zuletzt: Si vales bene est, ego quoque valeo, welches Du Dir von unserm guten Eduard übersetzen lassen kannst.“

Dieser einzige Sohn war der Aeltern Hoffnung, Stolz und Freude. Körperlich schön ausgebildet, von schlankem Wuchs, geistig begabt, geliebt und gelobt von seinen Lehrern, konnten Vater und Mutter mit frohem Gefühle auf ihn blicken.

Wilhelm Eduard Bechstein, geboren den 7. Juni 1792, besuchte 1804 das damalige Lyceum zu Meiningen, nachdem er zuvor in mehreren Lehrstunden zu Dreißigacker den Unterricht mitgenossen hatte.

Später brachte ihn der Vater zu einem befreundeten Geistlichen, Pfarrer Motz zu Maßfeld, welcher in einem ausführlichen Bericht vom 5. Septbr. 1808 sich über dessen Fleiß günstig äußerte, und bemüht war, ihm eine tüchtige philologische Grundlage zu geben. Pfarrer Motz las mit dem jungen Bechstein Horaz, Livius, Xenophon, Homer und andere Autoren, und war mit seinem Zögling höchst zufrieden.

Auch der damalige Conrector am Lyceum, Dr. Ihling, gab dem jungen Bechstein Privatstunden, ebenso erhielt er Reitunterricht.

Als Eduard das neunzehnte Jahr erreicht hatte, bestand er vor dem Herzogl. S. Meiningenschen Consistorium ein rühmliches Examen, und machte darauf im Herbst einen Besuch auf der Cottaischen Lehranstalt in der Zillbach. Er sollte, da der Vater ihn für die cammeralistische Laufbahn bestimmt hatte, zu der er wohl auch eigene Neigung mitbrachte, wahrscheinlich noch eine Universität besuchen, allein es bot sich dem bereits wacker vorgebildeten jungen Manne eine Anstellung bei der S. Gothaischen Cammer, und so bereitete er sich zu dem, seiner dortigen Anstellung vorauszugehenden Examen vor, aber anders war es im Rathe des Ewigen beschlossen.

Der Vater trat am 30. September 1810 seine gewohnte Ferienreise auf sein Gut an, ohne Ahnung, welch ein zermalmender Schlag des Geschickes ihn und seine treue Lebensgefährtin treffen werde.

Eduard erkältete sich auf einem Jagdgang, bekam eine Halsentzündung — und nach wenigen Tagen senkte sein Genius trauernd die Fackel.

Schrecklich war bei der von Tage zu Tage wachsenden Gefahr die Lage der unglücklichen Mutter — der Vater fern — der heißgeliebte Sohn auf dem Sterbebette. Drei Aerzte waren hülfebereit — ihre Kunst scheiterte.

Ein Eilbote schreckte Bechstein aus seinen friedlichen Beschäftigungen, es war zu spät — er sah den Sohn, der in Kraft und Lebensfülle blühend, ihm zuletzt Lebewohl gesagt, lebend nicht wieder. Zum 5. October notirte Bechstein in seinen Kalender: „Heute den 5. October ¾ auf 10 Abends ist unser guter Eduard an einer Halsentzündung, die sich in ein Nervenfieber verwandelte, sanft entschlafen. Ich fand ihn den 6. Mittag, als ich von Waltershausen kam, schon tod."

Es war ein großer, tiefer und gerechter Schmerz, der in das Gemüth der trostlosen Eltern schnitt — warme innige Theilnahme der Freunde in Nähe und Ferne theilte ihn, half ihn tragen; lindern konnte sie ihn nicht.

In das Sittenbuch der Academie bemerkte Bechstein zum Namen seines Sohnes:

„Ist den 5. October 1810 an einem bösen Hals, wozu sich ein Nervenfieber gesellte, da er eben die **Specimina** zu seinem Examen zur Anstellung bei der gothaischen Kammer erhielt, gestorben. Er nimmt wegen seines Fleißes und Betragens die Liebe seiner Lehrer und aller, die ihn kannten, mit in sein Grab."

Am 7. October Nachmittags 4 Uhr wurde der Verstorbene mit ehrenvollem Geleite der Academie, zahlreicher Freunde und mit allgemeiner Theilnahme beerdigt.

Letztere äußerte sich vielfach durch Zuspruch und Briefe. Von diesen Briefen theile ich nur e i n e n mit, den ein edler längst auch verklärter Dichtergeist schrieb, ein Herzenskundiger — E r n s t W a g n e r.

„Meiningen," (Datum fehlt).

„Mein gar lieber braver Freund! Wie hülfreich sind Sie doch — Sie kennen den Werth des Lebens — und ach, wer hat das Auffinden des rechten Arztes je mit bittrerem Jammer ersehnt, als Sie theurer

Mann! Innigsten Dank für Ihre abermalige Güte! Ich habe sogleich geschrieben, denn man muß nichts unversucht lassen, um die Parze noch bei guter Laune zu erhalten.

Zweimal habe ich in Ihrer schrecklichen Zeit die Feder angesetzt — aber zweimal habe ich gedacht: es giebt doch nichts erbärmlicheres, als einen hülfeleeren Tröster! Jetzt aber, verehrtes Paar, sage ich Ihnen ein Wort. Sie müssen ein Kind zu sich nehmen. Gott, ich wollte Ihnen gern einen von meinen grundguten Jungen anvertrauen, und schenken, — so hoch werth sind Sie mir Beide — müßte es nicht nach meiner Meinung ein Mädchen sein, dem Sie Ihre Liebe schenken sollen — und ich habe nur eins, das aber die Mutter jetzt und nach meinem Tode nicht verlassen darf. — Aber welche schöne Kinder giebt es nicht hier — und in Gotha! Schauet um Euch, lieben Freunde, wie schön das Kinderleben und die Kinderliebe ist — nur Kinder sind noch dankbar auf Erden — und lächelnd wird der schöne Jüngling von seinen unverwelklichen Blumenauen herüber auf Euer schönes Werk blicken!

Noch Eins! Meinem Anton müssen Sie einmal sitzen. Er macht sehr schnelle Fortschritte im Pastellmalen. Gleich nach seiner Osterconfirmation muß es sein!

Gute Nacht, verehrtester Freund! Ewig

Ihr dankbarer

J. E. Wagner.

Der edle Wagner war damals schon leidend,*) (sein Leiden endete am 28. Februar 1811) und gern ergriff seine sinkende Hoffnung jeden von Freundesliebe dargebotenen Stab. Wahrscheinlich hatte Bechstein ihm ein neu empfohlenes Mittel angerathen. Von den wackern Kindern folgte der kleine Portraitmaler Anton dem Vater bald nach, und die holde Tochter starb in blühender Jugend 1825 nach kurzer glücklicher Ehe mit dem Diaconus Wehner in Salzungen, jetzt Superintendent in Krannichfeld. Nur der älteste Sohn, der talentreiche Landschaftmaler,

*) Vergl. Ernst Wagners sämmtliche Schriften. Ausgabe letzter Hand, besorgt von Friedrich Mosengeil. Eilfter Band, lebensgeschichtliche Nachrichten. 1828. S. 72 u. ff. 105 u. ff.

Herzogl. S. Rath und Gallerieinspector in Meiningen, Carl Wagner, lebt noch.

Wagners Brief hatte höchst wahrscheinlich Bechstein nicht mehr in Dreißigacker angetroffen, denn wenige Tage nach dem Begräbniß des Sohnes reiste er mit seiner Frau nach Waltershausen ab, auf das schmerzlichste ergriffen, und gleichgültig gegen alle Außendinge, so daß er sogar in sein Buch schrieb: „Seitdem der gute Eduard todt ist, hört alle Rechnung auf, sie hat keinen Zweck mehr.“

Was Ernst Wagner in liebevoller Seele empfunden und vorgeschlagen, war bereits in Bechsteins Gemüth als ein dringendes Bedürfniß laut geworden. Während das Herz der Mutter fortdauernd nach dem Verlorenen sehnend schlug, während ihr ganzes Sein nur in der Erinnerung an den trefflichen, Einzigen, aufging, verlangte der Vater — nach einem andern Kinde.

Seine Wahl lenkte sich dem verwaisten Sohne einer Verwandten zu; er reiste mit seiner Gattin nach Erfurt zu der befreundeten Familie Ziegler, von dort aus fuhr die trauernde Mutter, begleitet von Zieglers Frau, am 24. October nach Weimar, jenen Knaben, welcher im neunten Jahre stand, abzuholen.

Wie aber hätte ein solches fremdes angenommenes Kind den schmerzlichsten aller Verluste ersetzen können? — Doch die trauernde Liebe der Eltern war des göttlichen Spruchs eingedenk:

„Wer ein Kind aufnimmt in meinem Namen, der nimmt mich auf.“

XIV.

Die Forst-Academie von 1808 bis 1814.

Im Weiterverlauf der Geschichte der Forstacademie Dreißigacker sind zunächst einige Veränderungen im Lehrerpersonal in's Auge zu fassen.

Ein unerheblicher Verlust war das Zurückziehn des Pfarrer Kalbe, der 1805 seiner Unterrichtsstunden enthoben zu werden wünschte.

Fühlbarer war es, daß im Herbst 1808 der Lehrer Dr. Meyer einen Ruf nach München als Oberforstamtsassessor erhielt, unter der Bedingung, sogleich einzutreten. Die Bedingungen waren sehr günstig, 1500 fl. rhn. Gehalt, der vierte Theil der Besoldung für die Frau als Wittwenpension in Aussicht gestellt, und Hoffnung auf weitere Verbesserung. Man konnte Dr. Meyer an seinem Glück nicht hinderlich sein, und ertheilte ihm vorerst einen Urlaub zur Reise nach München, seine dortigen Angelegenheiten selbst zu betreiben. Unterm 29. Octbr. 1808 schrieb der Director der Forstacademie an den Chef: „Herr Dr. Meyer ist noch nicht von München wieder zurück; allein ein Brief von seiner Frau besagt, daß er nicht nur den Dienst erhalten, sondern auch eine Zulage von 600 fl. rhn., also eine Besoldung von 2100 fl. erhalten hat. In 14 Tagen muß er seine Stelle antreten. Er wird also gleich bei seiner Rückkunft um seine Entlassung bei der Durchlauchtigsten Frau Herzogin nachsuchen, und dann seine Reise antreten."

„Es wird nöthig sein, daß einem Meininger Juristen, wozu ich den Herrn Regierungsadvokaten Köhler vorschlage, aufgegeben wird, diesen Winter um ein zu bestimmendes Honorar das angeschlagene Forstrecht zu lesen, damit wir wegen der ältern Forsteleven, und auch wegen drei angekommener Neuer, die schon auf Universitäten gewesen sind, keine Lücke in den Cursus bekommen. Diese Lection kann weder ich, noch ein anderer Lehrer ersetzen, in die übrigen aber wollen wir uns so gut als möglich theilen.

Dr. Meyer reichte sein Entlassungsgesuch am 17. November desselben Jahres ein, und es meldete sich der Forstrath Carl Gottlob Cramer in Meiningen zu der erledigten Lehrerstelle.

Es wird meinen Lesern nicht unlieb sein, wenn ich hier mit einiger Ausführlichkeit eines Mannes gedenke, der eine ziemliche Zeit hindurch im Gebiete der Romandichtung das deutsche Lesepublikum fast ausschließlich in solcher Weise beherrschte, wie vor und mit ihm — abgesehen von allem Vergleich — Christian Heinrich Spieß, Benedicte Neubert, Schlenkert, und nach ihm Lafontaine, Vulpius, Gustav Schilling, Clauren (Carl Heun) van der Velde und andere.

Ueber den Werth oder Unwerth von Cramers Schriften steht längst das Urtheil der Kritik fest, obschon man ihn hie und da mit allzuvieler Härte getadelt hat. — Die Kunstform des Romans kannte, ja ahnete er kaum als solche, allein er besaß Phantasie, Erfindungsgabe, Originalität, schrieb außerordentlich freisinnig, und hatte von den höchsten bis zu den niedrigsten Ständen sein Publikum nicht nur so lange er schrieb, sondern auch noch lange nach seinem Tode. Er entsprach dem damaligen Geschmack, und deshalb fröhnte er ihm, daher seine ungeheuern Erfolge. — Die höhere Aufgabe des Romandichters, hebend, läuternd und veredelnd auf den Geschmack der Menge einzuwirken, erfaßte er nicht. Wüste Verführungsgeschichten, gänzlich verfehlte, kenntnißlose Auffassung des mittelalterlichen Lebens in Ritterromanen voll Gelage, Flüche, Schändlichkeiten und Unwahrscheinlichkeiten — höchst übertriebene Schilderungen der Verderbnisse des Hoflebens wie der Klöster — das war es, was dem damaligen Geschmack zusagte, und das war es, was anlockend und befriedigend Cramers Büchern ihre große Verbreitung verschaffte. Als sein beliebtestes und bestes Buch galt und gilt Erasmus Schleicher, vier Theile. Carl Gottlob Cramer war den 3. März 1758 zu Pödelitz bei Freiburg an der Unstrut geboren, er besuchte Schulpforte, studirte zu Leipzig Theologie, trat 1782 als Schriftsteller auf, wandte sich privatisirend nach Weissenfels, und dann nach Naumburg, wo er sich verheirathete.

Der Herzog Georg von Meiningen, ein Freund Carl Augusts, hätte gern, wie dieser, auch einen Kreis ausgezeichneter Gelehrten und Dichter um sich versammelt, aber das Glück wollte ihm dabei nicht so wohl, wie jenem. Meiningen — obschon in alten Zeiten — nur wegen ihrer Form — die Harfenstadt genannt, blieb so ziemlich, wie Jean Paul sie genannt haben soll, die Harfe ohne Klang, und es bildete sich daselbst nur ein kleiner Musenhof.

Der Herzog war 1794 in Weimar zum Besuche am dortigen Hofe, ließ Cramer, dessen Bekanntschaft er zu machen wünschte, dorthin kommen, bot ihm Bestallung an, ernannte ihn zum Forstrath, und im Mai 1795 übersiedelte Cramer mit seiner Familie nach Meiningen.

Er war in hübschen Vermögensverhältnissen, liebte ein angenehmes Leben, das er in den heitern Geselligkeitskreisen Meiningens, die der Herzog mit seiner liebenswürdigen Persönlichkeit belebte, fand — bis auch sein lichter Horizont durch des Herzogs Tod sich verdunkelte.

Wäre der Herzog nicht so früh verstorben, so hätte sich wohl dessen Lieblingswunsch, einen Kreis namhafter Poeten um sich zu versammeln, noch erfüllt, denn auch Ernst Wagner wurde von ihm, auf die Empfehlung Jean Paul Richter's, berufen — der gelehrte Reinwald, Schillers Schwager, hätte vielleicht sein Talent günstiger zu entfalten vermocht, und auch Andere würden gekommen sein.

Cramer war ein guter Gelegenheitsdichter, als solcher strebte er Volksthümlichkeit an, wie Bürger oder Blumauer, und nahm es, wie diese, auch mit trivialen Ausdrücken nicht genau. Dabei war er ein lebensfroher Gesellschafter, eine ehrliche, derbe Natur, nicht von vieler Characterstärke. Er log sehr ergötzlich, rauchte und fluchte viel und haßte die Juden sehr. Als Meiningischer Titular-Forstrath erhielt Cramer keine Geldbesoldung, wohl aber Getraidedeputate. Er erkaufte vom Herzog das von diesem neu erbaute, jetzt Ottoische, früher Caroli'sche Haus am untern Thore in Meiningen mit darauf stehenbleibendem, verzinslichem Capital. Die ungünstigen Zeiten von 1803 bis

1807 drückten schwer auf ihn, und er kam 1807 flehentlichst um Versorgung ein. Er berief sich auf des höchstseligen Herzogs Gnade, der ihn aus einer ruhigen Lage in Naumburg nach Meiningen berufen, wo er nun, ohne Holz, ohne Brot, ohne Geld, von Gläubigern bedrängt und verklagt sei. Die biedergesinnte Herzogin that für ihn, was sie konnte. — Die Zinsschuld auf das Haus wurde ihm erlassen, auch erhielt er einige Gnadengeschenke an Holz und Fischen. Dieß konnte ihn nicht aus bedrängter Lage retten, er bat daher wiederholt, berief sich darauf, daß er sich nie nach Meiningen gedrängt, er habe in Naumburg ein Haus, Mobiliar und einen schönen Weinberg, auch Feldgüter unter der Hälfte des Werthes verkauft, und würde dort nicht sein durch literarische Arbeiten verdientes Geld, an 10,000 Gulden, nebst über 3000 Gulden vom Vermögen seiner Frau — zuzusetzen gebraucht haben. Er schrieb unter andern 1807: „Ich habe ja in Meiningen viel entbehren gelernt. Nicht an Luxus, wohl aber an ein heiteres geselliges Leben gewöhnt, hatte ich seit 18 Jahren Pferde und Bedienten. Jetzt putze ich mir meine Stiefeln selbst, und gehe zu Fuß!"

Unterm 2. Mai 1808 wurde ihm durch die Gnade der Herzogin ein Besoldungsdecret von jährlich 95 Thlrn. 16 Gr., einschließlich mit 2 Klaftern Buchen- und 2 Klaftern Tannenholz.

Als nun die Lehrerstelle in Dreißigacker sich durch Dr. Meyers Abgang erledigte, hielt Cramer um dieselbe an.

In einem ausführlichen gutachtlichen Bericht vom 30. Decbr. 1808 über Cramers Anstellungsgesuch äußerte sich Bechstein ziemlich bedenklich im Bezug auf dessen Gewährung, nachdem er dem abgegangenen Dr. Meyer ein aufrichtiges Lob gezollt hatte, wies auf Cramers 50 Jahre hin, und stellte die Bedingung, daß Cramer nach Dreißigacker ziehe, und alle Lectionen übernähme, die ihm nach dem Lectionsplan zugetheilt würden.

Cramer trat sein unbezahltes Haus der Herrschaft käuflich wieder ab, und empfing sein Anstellungsdecret als öffentlicher Lehrer der Forstacademie mit einer jährlichen Besoldung von 300 Thalern, einschließlich der Naturalien an Korn, Buchen- und Tannenholz. Um freies Logis für ihn in Dreißigacker zu gewinnen, mußten zwei israelitische Familien ihre im Herrnhaus inne habende Wohnungen räumen.

Ueber Cramer blieben in diesem Hause jedoch immer noch zwei Judenfamilien wohnen, und zum Ueberfluß befand sich in demselben Hause auch noch die Synagoge.

In solcher Lage war es mindestens natürlich, daß Cramer kein Freund der Judenschaft sein konnte.

Hoßfeld wohnte damals im Erdgeschoß des Academiegebäudes, Herrle im Mittelstock — Bechstein blieb im Langenbau, in welchem indeß, doch abgesondert, auch noch zwei Judenfamilien — Meyer Noah und Bernhard Seligmann, später Itzig, seßhaft waren. Selbst die nachherige Schloßvoigtwohnung, ein isolirtes Häuschen zwischen dem Schloß und dem Langenbau hatte ein Judenpaar inne, alt wie Philemon und Baucis.

Am 2. Februar 1809 führte Bechstein den neuen Lehrer ein und stellte ihn den versammelten Academikern mit einer kurzen ihn belobenden Rede vor. Cramers erste Lectionen waren Cameralwissenschaft, Forstschutz, Forstbenutzung, Forstdirection und deutscher Styl. Für das Forstrecht blieb noch eine Lücke, welche nach dem oben mitgetheilten Vorschlag Regierungs-Advocat Köhler ausfüllte, denn dagegen, daß Cramer dieses Collegium übertragen erhielte, hatte sich Bechstein aus einleuchtenden Gründen entschieden erklärt. Cramer wünschte diese Vorlesung halten zu dürfen, um das dafür ausgesetzte Honorar von 50 Thalern in seine Tasche zu leiten, allein Bechstein sagte in seinem desfallsigen Votum: „So sehr ich ihm (Cramer) diese 50 Thaler gönne, so hat es mir doch gegen meine Pflicht, die mir als Director obliegt, und nach welcher ich dafür sorgen muß, daß alle Lectionen gründlich verstanden werden, bedenklich geschienen, ihm dasselbe anzuvertrauen, und selbst zur Erhaltung des nöthigen Ansehens für den Herrn Forstrath Cramer als Lehrer habe ich mir es nicht erlauben können. Er wird so wenig das Forstrecht lesen können als ich oder ein anderer Lehrer, weil dazu durchaus ein Mann erfordert wird, der die Rechtswissenschaft in ihrem ganzen Umfang studirt hat.“

Als Cramer im März 1810 um eine Gehaltserhöhung einkam, legte Bechstein indeß ein sehr günstiges Zeugniß für ihn ab und auch ähnliche wiederholte spätere Gesuche wurden von der Herzogl. Kammer, vornehmlich durch Bechstein als Referenten bevorwortet — allein Cramers Lage blieb fortdauernd eine bedrängte.

Seine Familie bestand aus Frau, zwei Töchtern und einem Sohne — welche alle voll Anhänglichkeit und Liebe zu einander hielten. Cramer war ein freundlicher und liebevoller Familienvater, ich war als Gespiele seines Sohnes fast täglich bei Cramers. Er arbeitete an einem Stehpulte unbeirrt durch unser Spielen und die Unterhaltung von Frau und Töchtern. Diese verehrten ihn sehr, und legten hohen Werth auf des Vaters Geisteswerke.

Nach diesen Veränderungen im Lehrerpersonal blieb der Gang der wissenschaftlichen Vorträge eine ziemliche Reihe von Jahren hindurch ein gleichmäßig geregelter. — Das höhere Lehrerpersonal bestand aus Bechstein, Hoßfeld, Herrle und Cramer, welche in Dreißigacker, Köhler und Haußen, welche in Meiningen wohnten. Nebenbei ertheilten Falkonier Bein fortwährend Unterricht im Fangen und Abrichten der Vögel, Förster Rumpel und nach ihm Fasanenwärter Stöckert, alle zwei Jahre im Netzstricken, und der Bediente des Geheimen Rath Heim, Brill, im Vögelausstopfen.

Der Schloßvoigt Roth ging 1809 ab und der Tagelöhner Goldermann aus Dreißigacker erhielt dessen Stelle.

Das innere Leben der Forstacademie wurde in diesem Zeitraum mannigfach durch Störungen bewegt und erschüttert, welche geeignet waren, ihrem Rufe zu schaden und ihre Blüthe zu vernichten.

Gleich der erste Monat des Jahres 1808 brachte einen wahrhaft tragischen Unglücksfall, der gar viel zu reden gab, und den ich nach einem aufgefundenen Briefconcept Bechsteins an den Hofrath Rudolph, Zacharias Becker, ganz authentisch mittheile.*)

*) Das Concept ist nach dem Original redigirt, welches des Genannten Sohn, Herr Hofrath Becker in Gotha, mir gefälligst auf mein Ersuchen zukommen ließ. D. H.

„D., den 24. Januar 1808."

„Ich soll Sie, verehrungswürdigster Herr Hofrath, im Auftrag unserer gnädigsten Frau Herzogin mit einem unerhört unglücklichen Vorfall bekannt machen, der sich dieser Tage in Dreißigacker zugetragen hat. Am Freitag Abend zwischen 8 und 9 Uhr schleicht sich die Tochter des Kunsttischlers * * zu Meiningen, in grüne Mannskleider versteckt, in das Zimmer eines hiesigen Forstacademikers. Da im Schlosse bis nach 10 Uhr immer eine Menge Menschen aus- und eingehen, so war es ganz natürlich, daß sie bemerkt wurde, und dieß geschah denn auch durch einen Bedienten. Dieser ruft einige Forsteleven und sagt ihnen, daß eine fremde Person, und wahrscheinlich ein Mädchen, in das Zimmer des Herrn H. gegangen sei, diese rufen noch andre, und so zieht denn eine ganze Gesellschaft vor die Wohnstube, und fordert ihren Cameraden auf, die Thür zu öffnen, und die verdächtige Person herauszulassen. Er läugnet und will seine Freunde ab- und zur Ruhe verweisen, allein sie drohen, die Thüre mit Gewalt zu öffnen, indessen sucht sich das Mädchen hinter das Fenster zu verstecken*), und indem er nun die Thür selbst öffnet, so stürzt sie 2 Stockwerk hoch vom Fenster hinunter. Die Eintretenden hören gleich den Fall, springen die Treppe hinab, und tragen das Mädchen in das Zimmer eines verheiratheten Lehrers. Zu gleicher Zeit kamen beide Lehrer, die oben im Schloß wohnen, und auch einige Eleven in mein Haus gelaufen, und erschreckten mich durch ihre verworrene Anrede so, daß ich nicht anders glauben mußte, als es hätten sich ein Paar Academiker erstochen oder erschossen. Ich lief sogleich auf's Schloß und fand den jungen H. in den stärksten Krämpfen, von welchen er ohnehin zuweilen befallen wird,

*) Nämlich die Wohnung war eine Mansardenstube nach der Nordseite des Schlosses, aus deren niedern Fenstern man leicht auf das noch ein Stück vorspringende Schloßdach heraussteigen, und sich allenfalls hinter der vortretenden Fensterwand bergen konnte. Allein auf dem Dache lag Schnee oder Eis, es war dunkel, die Unglückliche sah und fand bei ihrer Angst keinen Halt, glit aus und stürzte die fürchterliche Höhe auf die Steinplatten neben der Ausgangsthüre nach dem Dorfe nieder. D. H.

auf dem Boden in seiner Stube liegen, und die Weibsperson mit zerbrochenem Arm sprach- und bewußtlos auf einem Kanapee, und hörte zugleich von allen Anwesenden den wahren Verlauf der Sache."

„Der Herr Leibmedicus Fromm und der Herr Chirurgus Bühner wurden gleich geholt, und diese fanden denn, daß die Verunglückte äußerlich keine Verletzungen als den gebrochenen linken Arm habe. Nachdem ihr die Adern geöffnet worden, und sie mit den nöthigen Arzneien versehen war, so wurde sie auf einem Schlitten, in warme Betten gehüllt, in ihre Behausung nach Meiningen geschafft, wo sie aber gestern, wahrscheinlich an einer zu heftigen Erschütterung des Gehirns, gestorben ist."

„Es ist dieß ein fast undenkbarer Unglücksfall, denn erstlich ist es unbegreiflich, wie ein Mädchen, wenn gleich verblendet, es wagen kann, in ein Haus zu gehen, wo zwei Lehrer mit zahlreichen Familien wohnen, welche, wie bekannt, zugleich Aufseher sind, und wo beständig fünf Aufwärter umhergehen, und eine Menge Eleven in Bewegung sind — und noch unbegreiflicher, wie eine Weibsperson, die auf solchen Wegen geht, doch noch so viel Ehrgefühl haben kann, daß sie nicht erkannt und beschämt sein will. Auch über den jungen H. staunt Jedermann und bedauert ihn, denn er stand nicht nur bei Hof, wohin er zuweilen wegen seines Fleißes und guter Aufführung eingeladen wurde, in Achtung, sondern war auch bei seinen Vorgesetzten und Lehrern, ja selbst bei seinen Cameraden in den Ruf eines edlen, gesitteten und gut erzogenen jungen Mannes. Ich hatte ihn selbst mehreren andern Forst-Academikern als ein Muster des Fleißes und guter Aufführung vorgestellt, und ich fürchte gar sehr für seine Gesundheit, da er von sehr feiner Organisation ist, und auch jetzt, so lange ihn die Krämpfe verlassen (obgleich man ihn glauben macht, das Mädchen lebe noch) entweder stumm vor sich hinsieht, oder in Klagetöne ausbricht und weint. Eben dieß ist auch die Ursache, weshalb er noch nicht von den academischen Gerichten hat verhört werden können."

„In der Stadt und Gegend wechseln nun die schrecklichsten Gerüchte über diesen Vorfall. Bald soll sie von den Academisten erschlagen, bald zum Fenster, bald von einem Felsen herabgestürzt worden, bald von einem Schlitten gefallen, bald auf den Schlittschuhen verunglückt sein. Daß diese Gerüchte, besonders wenn sie in einem öffentlichen Blatt laut werden sollten, der Forstanstalt schaden würden, befürchtet nicht nur unsere gnädigste Herzogin, die dieselbe so sehr beschützt und liebt, sondern auch der Chef derselben, der Herr Oberjägermeister von Ziegesar und ich selbst. Deshalb ist auch der Wunsch Ihrer Durchlaucht, daß Sie, geehrtester Herr Hofrath, zwar die eigentlichen Thatsachen wissen, aber in Ihrer viel gelesenen Zeitschrift vor der Hand dieselben nicht erwähnen möchten, wenn es nicht etwa zur Vertheidigung und Berichtigung eines Zufalls, den Niemand hätte hindern können, geschehen müßte. Ich muß gestehen, ich selbst hätte die Ursache eines solchen Unglücks werden können, denn wenn ein Aufwärter oder Academiker zu mir gekommen wäre, und hätte mir bekannt gemacht, daß sich eine Weibsperson in das Zimmer eines Academikers geschlichen habe, so würde ich sogleich selbst auf's Schloß gegangen sein, und die Oeffnung der Thüre veranlaßt haben — und das Unglück wäre dasselbe gewesen. An und für sich wird zwar dasselbe für die Herren Studirenden eine gute Warnung zurücklassen, allein ob das Publikum so vernünftig darüber denken wird? Es ist ein Zufall, der so wenig wie die Richtung des Blitzes hat abgewendet werden können. Die jungen Leute, welche hier studiren, sind alle in den Jahren von 17 bis zu 30, aus den verschiedensten Ständen, Schüler, Studenten, Jägerbursche, Cammerjunker, Soldaten, die wir nicht mehr erziehen können, sondern die erzogen sein sollen, und an denen nichts als ernste und freundschaftliche Vorstellungen anwendbar sind, um sie vor Abwegen zu schützen — die wir auch weder in ein einziges Wohn- und Schlafzimmer zusammensperren können, noch die wie Kinder und Knaben unter die speciellste Aufsicht, wenn es nicht von den Aeltern ausdrücklich verlangt wird, gestellt werden können. Auch sind die Fehler der Ausschweifung die seltensten, die vorfallen, da sie, wie man in diesem Falle sieht, sogleich entdeckt werden. Hingegen haben wir immer damit zu kämpfen, daß die jungen Leute keine Schulden machen, wozu sie, wenn sie nicht auch in ökonomischer Hinsicht von den Aeltern oder Vormündern unter die Aufsicht eines Lehrers gethan werden, so gerne geneigt sind.

Unsere Feinde, und deren sind viele, werden sich freuen, daß sie durch diesen Vorfall vielleicht eine Gelegenheit haben, unsere Anstalt, die sich gewiß mit jeder ähnlichen andern nicht blos in Hinsicht des Fleißes, den die Studirenden hier beweisen müssen, sondern auch in Hinsicht der guten Sitten, über welche zu wachen sich jeder Lehrer ernstlich angelegen sein läßt — messen kann — herabzusetzen und zu verschreien.

Ich verharre mit der ausgezeichnetsten Hochachtung

Dero

ganz ergebenster Diener

Joh. Matth. Bechstein."

Allerdings hatte das Leben der Academie sich aus den Anfängen, wo noch Knaben Antheil an dem Unterricht nehmen durften, wo noch Schönschreibestunden gegeben wurden — jugendlich kräftig herausgebildet, und die Anstalt hieß nun nicht nur Academie, sondern sie war eine, beseelt von einem studentischen Geist, von Cameraderie und frischer Lebendigkeit. Die Mehrzahl begüterter Ausländer, meist von Adel, belebten die Bälle am Hofe und in der Stadt, und mit Bedienten, Pferden und Hunden und vielem Schießen belebten sie Dorf und Fluren und Wälder.

Die Academiker setzten, wie sie einmal in einer Vertheidigungsschrift sagten — in Dreißigacker den Rang einer Universität voraus. „Wir hielten uns für Studenten."

Dieses alles würde — mit Ausnahme des mitgetheilten unglücklichen Vorfalles — dem Director wenig oder gar keinen Kummer gemacht haben, aber da ein Theil der Forstacademiker in ihrem jugendlichen Uebermuth begann, gleichsam kastenmäßig aufzutreten, sich exclusiv zu benehmen, und sich manche nicht ziemende Freiheit zu erlauben und zu nehmen, so forderten sie nach mehr als einer Seite hin Gehässigkeit, Unwillen und Widerwillen heraus, und die Folge waren Reibungen, ja sogar blutige Schlägereien bald mit Handwerkern und Bürgern, bald mit den Lyceisten der höheren Classen.

Daher ein Erlaß folgenden Inhalts:

„Wir Louise Eleonore ꝛc."

„Da aus verschiedenen Vorkommenheiten zu vernehmen gewesen, daß die Forst-Eleven sich zu viel überlassen bleiben, und die Aufsicht auf ihre Bildung und Verhalten sich von der ursprünglichen Anordnung und dem Zweck des Instituts mehr und mehr entferne, so finden wir uns bewogen, Euch darauf aufmerksam zu machen und zugleich aufzugeben, solche Maßregeln zu nehmen, wodurch die sittliche und wissenschaftliche Bildung der jungen Leute strenger, als bisher, controlirt werde, und wir hoffen dürfen, den Flor des Instituts fortwährend erhalten zu sehen.

Meiningen zur Elisabethenburg, den 2. Mai 1808.

Louise v. H. z. S. g. B. z. H."

Gewiß ließ die Direction diese Vermahnung nicht unbeachtet, allein es war nicht möglich, die große Zahl erwachsener Studirenden zu überwachen, wie die Angehörigen eines kleinen Instituts.

Während Bechstein auf einer dienstlichen Reise im Juni 1808 abwesend war, fiel wieder eine Schägerei zwischen Bürgern, Handwerksburschen und Academikern vor. Der Chef der Anstalt bat, die Regierung möge Bechstein ein anderes, als das oberländische Kammer- und Beaufsichtigungsdepartement anweisen, damit derselbe nicht genöthigt sei, alljährlich mitten im Laufe der Lectionen diese von Meiningen so weit entfernten Kammergeschäfte vorzunehmen, worin der Chef sehr Recht hatte.

Besonders reich an unangenehmen Vorfällen waren die Jahre 1809 und 1810. Die academischen Gerichte verhängten über die Schuldigen scharfe Strafen. Es gab einfache und geschärfte Carcerstrafe, bis zu 8 Tagen, Carcer mit militairischer Bewachung, Relegationen und daraus mancherlei Verdruß für die Direction.

Der Hofjäger klagte wieder über Jagdfrevel, es waren Hasen geschossen und angeschossen, ein Volk Hühner war ausgerottet worden — und der Chef erließ durch das Oberforstamt unterm 30. Mai 1811 Befehl, daß Niemand mit einer Flinte oder einem Jagdhund zum Thor der Stadt ein- oder auspassiren solle. Als die Thorwache einem Academisten die Flinte abgenommen, äußerte sich der Director brieflich beschwerend gegen den Hofjäger, und schrieb: dem Jäger gebührt das Tragen einer Flinte, wie dem Metzger das der Peitsche — worauf Schnell spitzig genug erwiderte, es sei nicht nöthig, daß von Dreißigacker nach Meiningen Flinten, mit Hasen- und Hühner-Schrot geladen, getragen würden, daß aber der Metzger die Peitsche, zumal auf dem Dreißigackerer Weg, nöthiger brauche, habe ein neulicher Vorfall bewiesen. Schnell bat, Bechstein möge als Dirigent des Forst- und Jagdwesens bei Herzogl. Kammer einen Jagd-District für die jungen Leute auswirken, dann wolle er gern selbst für ihr Jagen mitwirken, nur sollten sie die Jagd nicht üben, wo es ihnen beliebe.

Wie man in Meiningen bei den mancherlei Ausschreitungen entarteter Academisten, über welche die Direction selbst bittere Beschwerde führte, dachte, erhellt aus dem Votum eines der Geheimen-Räthe:

„Die unglückliche Idee, eine Forstacademie zu creiren, wird wohl Herr Forstrath Bechstein schon oft bereuet haben, es ist wahr, daß von einer solchen Anstalt weniger Aufsicht gefordert werden kann, aber die Folgen sind desto gefährlicher."

Mit der Reue irrte sich dieser Geheimerath — es würde wenig Stärke des Characters verrathen, ein nützliches Werk zu bereuen, weil aus ihm durch fremden Mißbrauch auch einmal Verdruß hervorgehen kann.

Der Chef verfaßte auf mancherlei derartige Vorfälle hin einen Bericht, darin er die Schuld aller vorgekommenen Excesse der mangelhaften Aufsicht der Lehrer über die Zöglinge der Academie aufbürdete, und darin er sagte, „es sei unleugbar, daß, seit das Forstinstitut zu einer Academie erhoben worden, die Aufsicht der Vorgesetzten, die sich nun nicht mehr für Erzieher, sondern für Lehrer und Professoren der Jugend (!) ansehen möchten, zugleich mit dem Bestreben für das sittliche und gute Betragen der Zöglinge zu wachen — nachgelassen, und daß daher die Sittenlosigkeit der Jünglinge in dem Grade zugenommen, als das Ansehen der Vorgesetzten abgenommen habe." — Kein Wunder, daß durch solche Ansichten und Vorstellungen mit dahin gewirkt wurde, eine ausgesprochene Drohung, bei wiederkehrenden Verbal- und Real-Injurien von Seiten der Academisten gegen irgend Wen — der Academie ihren privilegirten Gerichtsstand zu entziehen, ohne weiteres zu vollziehen.

Es wurde verfügt, die Commerce sollten aufhören, das Wirthshaus um 10 Uhr geschlossen, und kein Gast später darin geduldet werden; zugleich wurde die angemaßte Wirthschaftsbetreibung eines Juden, Meier Popper, unter polizeiliche Aufsicht gestellt.

Bald genug gab Prügelei zwischen einem Academisten und einem Juden der Regierung Veranlassung, die Drohung, der Academie ihren Gerichtsstand zu nehmen, in Erfüllung gehen zu lassen, und es wurde ein desfallsiges Publicandum nicht nur von dem Beamten zu Maßfeld (Dreißigacker gehörte zum Amte Maßfeld) am Dorfwirthshause angeschlagen, sondern man glaubte auch nichts Eiligeres thun zu müssen, als jenes selbst durch das Wochenblatt bekannt zu machen.

Bechstein bat den Geheimen Rath und Canzler von Künßberg mündlich sehr dringend, dieß nicht zuzugeben, und wandte sich zugleich mit einer langen Eingabe an die Staatsregierung, in welcher er alle Gründe gegen eine solche Publication entwickelt, und vorstellte, in welchem nachtheiligen Lichte die ganze Academie, 44 Zöglinge, um eines Einzelnen Willen dadurch erscheinen würde, und welche Gedanken eine solche Maaßregel im Auslande erwecken müsse. Er citirte in seiner Eingabe die Virgilische Stelle: „Fama mobilitate viget viresque acquirit eundo" führte an, daß die Eltern ihre Söhne zurückrufen würden, und ließ nichts unversucht, mindestens Aufschub der gedrohten Veröffentlichung bis zur Rückkehr der Herzogin, die sich auf einer Reise oder auf Schloß Altenstein befand, zu erlangen.

Selbst der Chef der Academie wurde bewogen, privatim an von Künßberg zu schreiben, das Publicandum vor der Hand, und bis zur Rückkehr der Herzogin, zu verschieben, indem er sich darauf bezog, daß in dem bereits ein Jahr alten Rescript die Publication desselben gar nicht enthalten sei.

Allein obgleich nun Geheimerath von Künßberg einsichtsvolle Rücksicht auf die desfallsigen Gesuche nahm, so stimmten doch zwei Räthe absolut für die Publication.

Indeß wurde durch diese Maaßregel dem Geist der Verwilderung, der einen Theil der studirenden Jünglinge ergriffen hatte, nicht Einhalt gethan — und trotz dem, daß die schlimmsten Ruhestörer entfernt worden waren, sah sich Bechstein zu folgender Aeußerung in einem Circular an die Lehrer, darin er sie zu pünktlicher und gewissenhaftester Aufsicht aufforderte, genöthigt: „Es scheint, als wenn die Nachsicht, mit welcher die jungen Leute seither behandelt worden, von ihnen so genommen würde, daß sie thun und treiben könnten, was sie wollten. Fast alle Abend höre ich ein Schreien und Lärmen, ärger, als kaum zu der Zeit, als noch die Studenten-Wildlinge hier hauseten, und daß die Duell-Albernheiten wieder spuken, ist bekannt. Wir würden uns alle der größten Verantwortung aussetzen, wenn wieder Excesse irgend einer Art vorfallen sollten."

Auch die Neujahrsnächte, mit Punschgelagen und dem unvermeidlichen Schießen gefeiert, liefen nicht immer ohne Händel ab. Geschossen wurde allseits, und zwar furchtbar; die Academiker schossen den Lehrern das Neujahr an, die Bauernbursche ihren Mädchen, und die Jungen mit Schlüsselbüchsen sich selbst. Ich habe selbst tüchtig mitgeschossen.

Mißliebigen Juden wurden zu Zeiten, und zwar zu allen Zeiten vom Anfang der Anstalt an, die Fenster eingeworfen, oder sie wurden durch angebrachte Klopfer mittelst langer, bis in's Schloß reichender Schnuren in ihrer nächtlichen Ruhe gestört.

Häufig mußte der Director auch als Friedensrichter auftreten, und Streitigkeiten unter den Academisten selbst zu schlichten suchen.

Bechstein mußte auch Jagdgesetze ausarbeiten, um dem Mißbrauch und der Unvorsichtigkeit bei Handhabung der Jagdschießgewehre zu steuern, welche allen Jagdinhabern im Lande zur Nachachtung eingehändigt werden sollten, und setzte 14 Strafparagraphen auf.

Da sich im Jahr 1811 ein ziemlich bedeutender Rest, beinahe 2000 fl. rhn., in der Academiekasse ergab, den die Herzogl. Kammerkasse vorschußweise gedeckt hatte, so erschien eine Verfügung unterm 22. October, daß die Lehrstunden zu Dreissigacker halbjährlich vorausbezahlt werden müßten, was bisher nicht der Fall gewesen, wenigstens nicht mit Folgerichtigkeit durchgesetzt worden war, doch wurde dabei mit großer Liberalität fortgefahren, armen In- und Ausländern den Unterricht unentgeltlich zu gewähren.

Mittlerweile ergriff der Chef der Forstacademie jede ihm sich darbietende Gelegenheit, sowohl dem Director, als den Academikern Verdruß zu bereiten, und es war schon dahin gekommen, daß einmal die Ausländer in Masse beschwerdeführend gegen jenen auftraten.

Ihre damalige, unmittelbar an die Herzogin gerichtete Beschwerde ging gegen das Abnehmen der Jagdgewehre im Thor — dieser wunderlichen Maaßregel, und sprach zugleich die Bitte aus, Flinten zu tragen und im Thiergarten bürschen zu dürfen.

Des Chefs Art und Weise, Unerhebliches zu Wichtigem zu stempeln, und sein ganzes Verhalten gegen die Academie rief eine ausführliche Darlegung in Form einer Vertheidigungsschrift an die Landesregentin von Seiten Bechsteins hervor, in welcher dieser die Forsteleven kräftig in Schutz nahm gegen die Verbote des Tragens von Jagdgewehren, gegen ein wenig Schießen und gegen unziemende Behandlung sowohl von Seiten der Stadtthorwachtmannschaft als auch des Amtes zu Maßfeld.

Diese wackere Inschutznahme der Anstalt und ihrer Zöglinge durch ihren Director gegen den Chef derselben nährte indeß nur den Groll dieses Mannes, und er suchte und fand immerdar fernere Anlässe zu feindseligem Widerpart, wozu erneute Händel der Academisten und Lyceisten, die im Jahr 1813 vorfielen, namentlich gehörten, nächst einer seltsamen und kleinlichen Eitelkeit und Eifersucht, die wohl in Bechsteins weitreichendem Ruhme wurzeln mochte, während jener Chef, obschon geachteter und günstiger Lebensstellung sich erfreuend, auch von mehr als einer Seite her mit großem Vertrauen beehrt, den Klang eines allbeliebten Namens nicht zu erringen und zu erreichen vermochte. Auch hatten beide Männer bisher im äußerlich guten Vernehmen mit einander gelebt und der Chef noch unterm 5. Jan. 1812 an Bechstein geschrieben:

„Zuvörderst wünsche ich Ihnen ein rechtes glückseliges Neues Jahr und alles erdenkliche Gute, Segen und die dauerhafteste Gesundheit, wobei ich mir die Fortdauer Ihrer mir gewiß sehr schätzbaren Freundschaft und Vertrauen auch vor die Zukunft, erbeten haben will. Die meinige gegen Ihnen und die unwandelbarste aufrichtigste Hochschätzung wird sich nur mit meinem Dasein endigen."

Aber der Neid und die Mißgunst sind zwei gar häßliche Spinnen, sie zehren Fliege um Fliege auf und werden nicht fett davon. Mancher blickt voll Scheelsucht auf unser Thun, stellte uns gern ein Bein, thuts auch sicher, so er's vermag — der Tapfere und Wackere steht aber immer wieder auf, wie ein Burzelmann, und der Scheelsüchtling ärgert sich — wir werden rund und roth; er wird schmal und fahl, und beißt ganz sicherlich viel früher als wir in das Gras.

Nun behelligte zumal der Chef mit seinen Querelen stets die gute Herzogin unmittelbar und so mußte Bechstein sich auch unmittelbar vertheidigen; eine solche Vertheidigung auf eine bitterliche Beschwerde des Herrn von Zigesar, daß ihm die Academisten nicht mehr wie früher vorgestellt würden, worin er zugleich eine öffentliche Ehrenerklärung vor dem Geheimenraths-Collegio verlangte — drang nur theilweise durch.

Der Chef behielt Recht: Bechstein wurde angewiesen, ihm alle neu angekommenen Eleven der Anstalt vorzustellen, und bedeutet, daß dem Chef als Ersten und Obersten der Anstalt eine Mitdirection zustehen müsse, selbst wenn vorhin ein eigener Director derselben ernannt worden sein sollte.

Es wurden zu Erhaltung guter Zucht und Ordnung unter den Zöglingen der Forstacademie strengere Grundsätze zur Annahme und Befolgung empfohlen.

Im Uebrigen wünschte die Regentin — und ließ dieß von Seiten des Geheimenraths-Collegiums dem Kläger insinuiren, daß er sich bei Bechsteins Versicherungen wegen künftigen Anmeldens und Vorstellens beruhigen möge, auch daß es nach Bechsteins offener Erklärung keiner Ehrenerklärung bedürfe.

Zwar war von Zigesar nicht damit zufrieden, und reichte noch 2 bezügliche Schreiben ein, es wurden aber dieselben zu den Acten gelegt.

Das empfangene höchste Rescript veranlaßte Bechstein zu einem abermaligen Umschreiben an die Lehrer, worin er die erhaltene Bedeutung wörtlich einrückte, und dann fortfuhr:

„Sie werden nun, meine Herren, daraus ersehen, daß es nothwendig wird, nicht allein um die Feinde der hiesigen Forstacademie, die uns künftig noch genauer als sonst beobachten werden, zum Schweigen zu bringen, sondern auch um unsrer Ehre willen, in Zukunft strengere Maaßregeln bei der Aufsicht und der Bestrafung der jungen Leute, die sich vergehen, zu ergreifen. Ja ich bin es meinem guten Rufe schuldig, da nach meinem Tode aus den Acten über die hiesige Forstacademie nichts anderes hervorgehen müßte, als daß ich bei den wiederholt nöthig gewordenen Verweisen ein sehr leichtsinniger und unwürdiger Director der hiesigen Lehranstalt gewesen sei."

Bechstein schärfte wiederholt den Lehrern strengste Aufsichtführung ein, um ähnlichen Unannehmlichkeiten nicht ferner ausgesetzt zu sein.

Es gab nun fleißige Ermahnungen und häufige Carcerstrafen.

Das Carcer war ein schmales Gemach an der Nordostecke des Schlosses, was uns, den Knaben der Lehrer, gar oft zur belustigenden Unterhaltung diente; die Wände waren voll Hieroglyphen, Bilder und Verslein, alle von sehr verschiedener Meisterschaft, und die Academiker hatten sehr ihren Spaß daran, wenn wir ihnen in unserer kindischen Einfalt die poetischen Effluvien ihrer Carcerlangeweile vorrecitirten.

Trotz der bedenklichen Kriegszeit des Jahres 1813 war die Academie im Fortblühn; im April notirte Bechstein 14 neue Anmeldungen; der Graf zu Solms-Laubach sandte 4 Eleven auf einmal, und als, fast gleichzeitig, ein alter Freund, Oberforstmeister von Wildungen zu Marburg, den Sohn eines Freundes anmeldete, konnte Bechstein ihm mit gutem Gewissen schreiben: „Ihre Empfehlung der hiesigen Anstalt soll noch meine Schuldigkeit erhöhen, wenn Sie bei dem Herrn Obrist von ** in meinem Namen die Versicherung ertheilen, daß, wenn sein lieber Herr Sohn eine gute moralische Erziehung genossen hat, dieselbe ihm auch hier durch mein und der Lehrer Sorgfalt erhalten werden soll. Die Gesetze werden jetzt strenger als jemals gehalten, jeder Academiker, der sich denselben nicht fügt, wird sogleich von der Anstalt gewiesen; die meisten jungen Leute, die jetzt hier studiren, sind auch von feiner Bildung. Er findet also eine gute Cameradschaft, und wir haben das

Glück, daß uns gerade jetzt kein Wildfang lästig wird.“ Durch die Laubacher Zöglinge, von denen zwei in Dreißigacker gefährlich erkrankten, wurde auch Bechsteins Correspondenz mit Meyer, welcher in die Dienste des Grafen Solms Laubach getreten war, erneut, und der Graf selbst schrieb Bechstein sehr verbindliche Briefe, oder ließ durch Meyer Angenehmes schreiben, der auch politische Nachrichten in seine Briefe verwebte.

Die Zeit war mächtig bewegt; alle Straßen so unsicher, daß in mehr als einem Brief von verschiedenen Seiten her die Unmöglichkeit, baare Geldsendungen zu machen, beklagt wurde. Voll Uebermuth zog das Franzosenheer im Jahr 1812 nach Rußland. Eines Morgens stand eine Compagnie Franzosen mitten im Dorfe, durch das mich mein Weg zur Schule nach Meiningen führte. Ich ging ruhig und unbefangen durch die Reihen, welche die Gewehre zusammengestellt hatten und müssig standen; plötzlich, ohne alle Veranlassung schlug mich so ein französischer Söldling heftig in's Gesicht, aus reiner Lust am Frevel.

Im Herbst 1813 waren sie wieder da, diese Helden; einzeln — versprengt — verhungert — kamen deren; sie lasen in der Schloß-Allee abgefallene Roßkastanien auf und bissen mit wüthendem Hunger hinein, weil sie so unwissend waren, dieselben für eßbare Kastanien zu halten. Wir Knaben liefen in's Schloß und holten ihnen, was unser Mitleid zu bieten vermochte, Brod und Wasser.

Eines Tages machte sich ein Haufe Marodeurs im Dorfe unnütz, wollte Gewalt üben — man zog die Sturmglocke — wie entsetzte sich der Haufe dieses Reststücks der großen Armee, als plötzlich eine große Zahl junger entschlossener Männer, alle mit Flinten bewaffnet, gefolgt von einer Meute großer Hunde, sie umringte. Denen verging das marodiren gewiß auf lange, sie bekamen erkleckliche Prügel, und man wieß ihnen ohne Weiteres den Weiterweg.

Durch die Stadt kamen zahllose verwundete und kranke Franzosen von allen Waffengattungen, Infanterie, Husaren, reitende Jäger, Dragoner, Kürassiere, Karabiniers, polnische Uhlanen, Garden, Mamelucken*)

*) Neue Meininger Chronik II. S. 184.

— ihnen, den elenden Flüchtlingen, wogten wieder frische Heere entgegen, nach Sachsen zu — auch dem Tod entgegen. Viele der Kranken starben in Meiningen — das Lazarethfieber trat verheerend auf — noch bezeichnet ein riesiger Grabhügel auf dem alten Friedhof die Stätte, wo ihre Gebeine modern; mittlerweile wurde die große Leipziger Siegesschlacht geschlagen, dem letzten Krankentransport folgten schon die Kosaken, die ersten 18 Söhne des Don sprengten am 25. October durch's obere Thor der Stadt. Der Rückzug der französischen Armee nach der leipziger Schlacht berührte Meiningen wenig, wohl aber wogte die russische Hauptarmee, wie ein Strom vom Walde her, in das Thal der Werra nieder. Am 29. October ritt Kaiser Alexander mit seiner Generalität feierlich ein und hielt einen Rasttag — auch das preußische Hauptquartier rückte ein, und 70,000 Mann Soldaten füllten Stadt und Umgegend. Ueberall lodernde Wachtfeuer — ein Wunder, daß nicht — namentlich auf den Dörfern, Unglück entstand. Bechstein hatte 1 russischen Generalmajor, 10 gemeine Kürassiere und 2 Bediente nebst 15 Pferden 2 Tage lang als Einquartirung. Später kamen Kosaken, denen Preußen folgten.

Diese Kriegsbedrängnisse im Gefolge des Jahres 1813 verfehlten nicht, ihre nachtheilige Wirkung auch auf die Forstacademie zu üben, und ihr bedeutende Verluste zu bereiten. Die Jugend der Länder wurde zum Militairdienst einberufen, oder drängte sich freiwillig unter die Fahnen der Befreiungskämpfer. Auswärtige Studirende, die angemeldet waren, blieben aus, andere wurden in ihre Heimath zurück verlangt, entweder um sich zu dem Heere zu stellen, oder um der Gefahr, von der herrschenden Seuche ergriffen zu werden, und ihr im fremden Lande zu erliegen, entzogen zu werden.

Jene Zeit der Erregung, des Aufschwunges, der Begeisterung — sie lebt noch im Andenken Vieler und mancher Denkende zog wohl Parallelen zwischen den Zeitphasen 1813, 1830, 1848 und 1854. Von Frankreich für Deutschland zu irgend einer Zeit etwas zu hoffen, wäre baarer Unsinn.

Ein für seinen Sohn in Dreißigacker liebevoll besorgter, dabei hochgestellter Vater schrieb demselben unter andern folgende denkwürdige Worte, die wahrlich wie eine Prophetenstimme klangen — denn welches war denn die Errungenschaft von 1830? Welches die von 1848?

„Nach verschiedenen Deiner schriftlichen Aeußerungen hältst Du es für heilige Pflicht, dem Kreuzzuge der Deutschen Dich anzuschließen. Aufrichtig will ich Dir sagen, was ich von der Sache denke. Ich will als erfahrener Mann Dir mich mittheilen."

„Was im Anfange der französischen Revolution die deutschen Patrioten hinriß, war gewiß edel und gut. Vom edlen Wein wurden sie schwindelnd. Sie machten aber die traurige Erfahrung aufs Neue wieder, daß jedes Volk, welches die innere politische Krankheit, woran es leidet, durch Hülfe eines fremden Volkes heilen will, nicht nur seines Zwecks verfehlt, sondern sich eine neue Krankheit einimpft. Wie viele traurige Rückerinnerungen mir deshalb die Revolution verursacht, weißt Du aus tausend Aeußerungen."

„Jetzt ist es nicht das schöne Ideal oder der liebliche Traum von der Wiedereroberung der Rechte der Menschheit und des Bürgers, (wodurch auch ich zu seiner Zeit begeistert wurde), sondern es ist die an sich so schöne Idee, daß die große Menge der Deutschen zu Einer Nation wiedergeboren werden möchte. Der Deutsche, welcher dieß nicht wünscht, verdient eben so sehr von jedem Ausländer angespieen zu werden, als der Egoist, der das Ideal einer vollkommenen Verfassung nicht schön findet, Verachtung verdient. — Aber haben wir mehr Grund zu hoffen, daß diese schöne Idee erreicht werden könne, wie wir im Jahr 1792 Hoffnung hatten, das Ideal einer vollkommenen Verfassung zu erreichen?"

„Was wird der Erfolg dieses Krieges sein, wenn Bonaparte's und der Franzosen schädliche Uebermacht zernichtet und dieses muthwillige Volk gehörig eingeschränkt wird? Nicht anders, als daß Preußen die ihm von Bonaparte einst verliehenen Besitzungen wieder occupirt, und sich des Protectorats von Norddeutschland bemeistert, indeß Oesterreich das Protectorat von Süddeutschland übernimmt. Aber die Engländer, Dänen, Schweden, Polen und Ungarn werden fortfahren, ihren Antheil an Deutschland zu haben, und wir Deutsche werden bei der neuen Ordnung der Dinge nicht zu dem Ziele gelangen, eine besondere zusammenhängende Nation zu werden!

„Durch den Beitritt der studirenden Jugend zu den Kriegsheeren wird dem Staate ein großer Nachtheil zugefügt auf viele Jahre. Wozu unsere Regierung greifen mußte, ersiehst Du aus dem beiliegenden Blatte." (Es enthielt den Großherzogl. Hessischen Aufruf zur Bildung freiwilliger Jäger-Compagnien.) „Ich füge nur noch hinzu, daß ich glaube, es werden diejenigen, welche jetzt dem neuen Schwindel sich überlassen, es eben so sehr bereuen, als diejenigen, welche im Jahr 1792 dem alten Schwindel sich überließen. Am besten werden auch diesesmal diejenigen fahren, welche sich streng an die Befolgung ihrer Berufspflichten halten, und von ihrer Laufbahn sich nicht entfernen."

„Du bist übrigens Herr Deines Willens, Du stehst in den Diensten unsers verehrten Großherzogs, wie Dein Vater, dieser Letztere hat Dir also nichts zu befehlen, wohl aber zu rathen. Handle, rufe ich Dir zu nach Einsicht und Gefühl. Ich umarme Dich, mein innigst geliebter Sohn, väterlich."

Zahlreiche Freiwillige aus dem Meininger Lande schaarten sich unter die Fahne des heiligen Krieges. Mehrere derselben nahmen öffentlich dankend Abschied. Aber mitten in erregter, kriegsbewegter Zeit schlug die theatralische Muse ihren Thespiskarren in Dreißigacker auf. Im Juni 1814 gab eine kleine wandernde Gesellschaft unter der Leitung eines Herrn Burmeisters und eines Herrn von Osten Vorstellungen Schikanedrischer Singspiele und Kotzebue'scher Lustspiele im Wirthshaussaal. Auf die Musikantentafel an der Wand wurde ein Canapee gestellt, das Cramers herliehen, zum Sitz für die, dem Spectakel mindestens einmal beiwohnende Frau Herzogin; Holzstühle und Schulbänke bildeten die Sitze im Zuschauerraum. Von Zeit zu Zeit sprang ein vorwitziger Hühnerhund irgend eines Academikers extemporirend auf die drei Fuß über'm Boden befindliche Bühne, ohne der Wirkung Eintrag zu thun, sonstiger vorfallender Allotria nicht zu gedenken.

In diesem Zeitraum befand sich im Parterre des Academiegebäudes die Wohnung des Forstsecretair Hoßfeld an der Ostseite, ein Hörsaal und das Naturalienkabinet an der Westseite, nebst einer oder einigen

Stuben für Academiker. In der Belletage war über Hoßfelds Wohnung jene des Forstverwalter Herrle, der große und ein kleiner Hörsaal, Stube und Kammer des Schloßvogts und einige Wohnzimmer für Academiker. Im Dachraum waren für Wohnungen 8 Mansardenstuben bereit, und stets alle besetzt.

Der Pflanzengarten war, seinen schlechten Boden abgerechnet, in ziemlich gutem Zustand und enthielt manches nicht eben häufige an Strauchgewächsen und Bäumen.

Im Jahr 1810 brachte Bechstein es bei Herzogl. Cammer dahin, daß im Dreißigackerer Hölzchen alle Baumholzarten, vorzüglich um der Anstalt willen angepflanzt wurden, also ein Pflanzgarten im Großen, um den Academikern von Jahr zu Jahr den Wuchs der verschiedenen Holzarten wie überhaupt diese selbst kennen zu lehren.

Nicht ohne Wehmuth gedenke ich einer Aeußerung Bechsteins, als ich einmal an einem Sommernachmittag mit ihm von Meiningen hinauf nach Dreißigacker und an diesen Pflanzungen vorüber fuhr: „Diese jungen Bäumchen habe ich alle gepflanzt und pflanzen lassen. Wenn sie groß sind, bin ich nicht mehr da.“

Hoßfeld und Herrle hatten zu beiden Seiten an das Schloß anstoßende Gemüßgärtchen inne, ein drittes, dicht an der Umfangmauer nach Osten, bebaute Cramer. Bechstein hatte sich, theils miethweise, theils als Besoldungspertinentien, mit Gärten und Ackerland gut versehen. Er hatte drei mit vielen Obstbäumen bestandene, aneinander anstoßende Gärten, welche zum Theil den ehemaligen Schloßgarten gebildet hatten, und pflegte darin viele Blumen und Beeren, hatte auch einen Bienenstand. Ein an die Allee anstoßendes kleines Stück Ackerland hatte er in Pacht, die übrigen Aecker lagen eine halbe Stunde weit westlich vom Dorfe in der Nähe des steinernen Kreuzes und eisernen Pfahles, und man erbaute darauf Kartoffeln und mancherlei Getraide.

XV.

Die Societät der Forst- und Jagdkunde.

Zweite und dritte Periode.

Nach der Uebersiedelung Bechsteins von Waltershausen nach Dreißigacker genehmigte Herzog Ernst II. zu Sachsen-Gotha, daß die Sitzungen der von ihm privilegirten Societät auch im Auslande gehalten werden dürften, und Herzog Georg zu Sachsen-Meiningen bestätigte dieselbe auch seinerseits; er sah es gern, daß sie mit der neu begründeten Forstacademie in Verbindung trat und die Societät hieß nun die Herzogl. Sachsen-Gotha und Meiningische Societät der Forst- und Jagdkunde zu Dreißigacker und erfreute sich nicht minder wie die Academie gedeihlichen Auf- und Fortblühens.

Der 2. Band der Gesellschaftsschrift Diana erschien 1801 und enthielt wiederum gediegene Aufsätze und Ausarbeitungen bewährter Forst- und Jagdpraktiker.

Unterm 22. Januar 1803 kündigte Bechstein eine außerordentliche Sitzung der Societät auf dem Schlosse zu Dreißigacker im Meininger Wochenblatt nebst den abzuhaltenden Vorträgen an.

In einer ebenfalls öffentlich angekündigten und auf den 10. März 1804 anberaumten Sitzung theilte Käpler eine neue Abhandlung über die allgemeine Anwendbarkeit des Safthiebes mit, welche zum Gegenstand einer Disputation gemacht und von ihm selbst vertheidigt wurde.

In demselben Jahre, am 18. September, wurde wieder eine große Sitzung ausgeschrieben, und wurden dabei 16 Forstcandidaten losgesprochen.

Verbindung mit auswärtigen Gelehrten-Vereinen und Anstalten mit gleichen Strebezwecken blieb fortwährend aufrecht erhalten, so mit der ornithologischen Gesellschaft in Görlitz, dem Museum für Naturgeschichte in Wien und A.

Der Königlich Bayerische Oberförster K. Schmitt zu Bundorf, später zu Ebrach, bot unentgeltlich seine neue Forstwissenschaftlehre zum Druck an, und verhieß die Widmung einer wegen des Safthiebes eigens zu Käpler gemachten Forstreiseschilderung.

Hofrath Dr. Mayer zu Offenbach, der eifrige Ornithologe, übersandte seine Druckschriften, und theilte auch sonstige anziehende Wahrnehmungen mit, z. B. daß es nie gelinge, eines Männchens von **Muscicapa Muscipeta** habhaft zu werden, daß **Colymbus Immer** und **C. ignotus** nach seiner Ueberzeugung nur eine Art sei u. dergl. und schlug neue Mitglieder vor; ein Gleiches thaten andere Mitglieder in der Nähe und Ferne und so bot der im Jahr 1805 erscheinende dritte Band der Gesellschaftsschrift Diana wiederum ein reichhaltiges Material forstwissenschaftlicher Ausarbeitungen dar. Dieser Band wurde den Mitgliedern des Herzoglichen Cammer-Collegiums in Meiningen vom Herausgeber zugeeignet, und von demselben in der Vorrede mitgetheilt, daß die Versammlungen der Societät auf dem Schlosse zu Dreißigacker gehalten, und daß in diesen Sitzungen die abgehenden Forstacademisten geprüft und wehrhaft gemacht würden. In der Regel wurden diese Feierlichkeiten von dem Director vorher im Wochenblatte angezeigt.

Das diesem Bande Diana angefügte, fortgesetzte Mitgliederverzeichniß macht 21 Ehrenmitglieder, 21 inländische und 18 ausländische ordentliche Mitglieder namhaft, welche in den Zeitraum von 1801 bis 1805 Diplome empfangen hatten.

Die Ungunst der Zeit schob das Erscheinen eines weiteren Bandes der Diana auf lange unbestimmte Zeit hinaus. Die frühere Verlagshandlung vermochte nicht, sich zur Fortsetzung zu entschließen, es mußte ein neuer Verleger gesucht und gewonnen werden, und es wurdeu mit der Krüger'schen Buchhandlung zu Marburg und Kassel Verhandlungen angeknüpft.

Das für den vierten Band bestimmte Material bot mannichfaches Interesse, darunter neben einigen naturgeschichtlichen Mittheilungen eine ausführliche belehrende Abhandlung über die Wissenschaft Vögel aufzulegen, von dem bereits erwähnten Künstler: Haushofmeister Bartholomay zu Cassel.

Unter den forstkundlichen Abhandlungen befanden sich mehrere wichtige von Hoßfeld: Ueber die Heitzkraft der Hölzer, ganz auf eigener Prüfung beruhend, nebst mathematischen Ausarbeitungen.

Der Herausgeber steuerte einige naturgeschichtliche Monographien, eine Darstellung der Eintheilung und Bewirthschaftung der Meiningischen Laubholzwaldungen, und eine leichte Methode, eine zahme Fasanerie zu erhalten, bei, welche auf der Herzogl. Fasanerie bei Henneberg praktisch geübt wurde.

Wenn von Begründung der Societät bis zu deren Sitzaufschlagung zu Dreißigacker ihre erste, und von da ab bis zum Abschluß der alleinigen Leitung durch Bechstein ihre zweite Periode anzunehmen ist, so beginnt mit dem Jahr 1812 eine dritte und wichtigere.

Der Mitgliederkreis war so zahlreich geworden und die Geschäfte hatten sich so vermehrt, daß die Societät beschloß, einen zweiten Director zu wählen, um bei dem großen Zuwachs, den die Gesellschaft an würdigen Mitgliedern aus verschiedenen Ländern erhalten hatte, die Leitung der Geschäfte in einem gewissen Bezirke zu übernehmen; und auf diese Weise nicht nur dem ersten Director eine Erleichterung zu verschaffen, als auch um die Thätigkeit der Societätsmitglieder mehr zu beleben. Man nahm für den Wirkungskreis des zweiten Directors das ganze südliche Deutschland an, wobei der Main die Grenze bildete, und lenkte die Wahl desselben auf den Oberforstrath Laurop in Karlsruhe. Man beschloß die Herausgabe einer zweiten Zeitschrift der Gesellschaft, und entwarf erneute Statuten, welche die Geschäftsordnung enthielten und 1812 durch den Druck verbreitet wurden. Die Mitglieder wurden um Einsendung instructiver Naturalien, Instrumente, Bücher ꝛc. für das Gesellschaftskabinet und die Bibliothek ersucht, und es wurde nun auch ein Geldbeitrag für das Diplom von 5 Gulden (mit Ausnahme der für Ehrenmitglieder) festgesetzt, und jedem überlassen, etwa noch einen freiwilligen Geldbeitrag zu leisten, doch erhielten viele thätige Mitglieder späterhin ihre Diplome taxfrei. Es wurden als Lohn für Preisaufgaben goldene Medaillen in Aussicht gestellt, und besonders den Nichtmitgliedern der Societät für Preisarbeiten taxfreie Diplome zugesichert. Von der Diana sollte jährlich ein Band erscheinen, und der zweite Director Laurop vereinigte mit seinen bereits in 2 Bänden erschienenen „Annalen der Forst- und Jagdwissenschaft" jetzt die „Annalen der Societät der Forst- und Jagdkunde," welche mit dem ersten Heft des 3. Bandes mit neuhinzugefügtem Titel begannen, wobei ausgesprochen wurde, daß die ehemaligen Annalen nicht aufhören, sondern nur in etwas veränderter Form und nach der nämlichen Tendenz fortgesetzt werden sollten. Zum Generalsecretair wurde Hoßfeld in Dreißigacker, zum 2. Secretair Fischer, Großherzogl. Badischer Generalforstsecretair, später Forstrath in Karlsruhe, ernannt.

Das 1813 bei Krüger in Marburg und Kassel erscheinende erste Stück ersten Bandes der Societäts-Annalen brachte eine ausführliche Uebersicht über Entstehung und Fortgang der Societät, welche nun schon 268 Mitglieder aufgenommen hatte, von denen bereits 50 mit Tod abgegangen waren. Die 218 lebenden führte ein beigegebenes Verzeichniß auf.

Laurop erfaßte mit größter Lebendigkeit die schöne Sache, und entwickelte in dem ihm zugetheilten Geschäftskreise die größte Thätigkeit. Ein neues Gesellschaftssiegel wurde entworfen und gravirt, Diplome verbreitet, Briefformulare lithographirt und alles gethan, die Anstalt zu heben und zu fördern. Ich lasse den würdigen Veteran und vieljährigen Freund Bechsteins, Laurop, selbst reden, indem er auf meine Bitte um betreffende Nachrichten mir folgendes im Sommer 1848 durch seinen wackern Sohn, Bezirksförster W. Laurop in Philippsburg, mittheilte: „Nachdem ich im Jahre 1812 zum 2. Director der Societät war gewählt worden, so veranlaßte dieß die Erneuerung des Planes und der Statuten. Von dieser Zeit an ging mein Bestreben dahin, mehr Leben und Thätigkeit in die Societät zu bringen. Zu dem Ende ermunterte ich nicht nur die bisherigen Mitglieder der Societät meines Bezirks zu einer größern Thätigkeit, sondern es wurden auch mehrere Forstmänner, von denen ich erwarten durfte, daß sie den Zweck der Verbindung begriffen, und thätig darauf mit hinwirken würden, zu Mitgliedern ernannt und öffentliche Aufforderungen zum Beitritt erlassen. Da keine öffentlichen Versammlungen der Mitglieder Statt fanden, und aus mehreren Gründen zu damaliger Zeit, wenigstens in meinem Bezirke, nicht gehalten werden konnten, so mußte blos durch schriftlichen Verkehr alles abgethan werden. Dieser wurde längere Zeit mit ziemlichem Erfolge fortgeführt, und es wurden von einem großen Theil der Mitglieder zweckmäßige Beiträge geliefert und solche in die von 1813 bis 1822 von mir herausgegebenen Annalen ꝛc., in 4 Bänden bestehend, niedergelegt."

Das zweite Heft der Annalen Band 1. lieferte bereits eine Fortsetzung des Mitgliederverzeichnisses mit 12 Namen, das erste Heft des zweiten Bandes brachte ein Necrologium; es wurden die Namen von 59 seit der Begründung der Societät verstorbenen Mitgliedern derselben aufgeführt. Das vierte Heft desselben Bandes (1816) enthielt eine neue Fortsetzung des Mitgliederverzeichnisses mit 12 und das vierte Heft des dritten Bandes 1819 mit 20 Namen ꝛc.

Besonders vortheilhaft wirkte das den Mitgliedern gewährte Zugeständniß, selbst neue Mitglieder vorzuschlagen, was von Vielen gerne benutzt wurde, so vom Reichsgrafen von Mellin, der unter anderm den regierenden Grafen von Erbach zu Erbach als wackern, eifrigen und kunsterfahrnen Weidmann in Vorschlag brachte.

Es war Anfangs für Laurop gar nicht leicht, der Gesellschaft neuen Aufschwung zu geben. Seit deren Begründung waren mehrere der thätigsten Mitglieder gestorben, und von den Ueberlebenden wurden die Meisten von dem Strudel der Zeitereignisse ergriffen, in neue Verhältnisse versetzt, in andere Wohnorte verschlagen, aus denen sie keine Kunde gaben. Ebenso mußte der Verlag der neuen Zeitschrift gesichert werden, was durch die angedeutete Manipulation ganz wohl gelang. Die Handlung von Krüger übernahm den Verlag der Annalen nach ihrer Umgestaltung auf drei Jahre unter den ungünstigsten Verhältnissen, was ehrenvoll anerkennend zu erwähnen ist. Viele Mitglieder waren aber erfreut über die neue Lebensthätigkeit der Societät, verhießen Beiträge und es hielten zunächst und besonders Forstmeister von der Borch zu Gunzenhausen, Oberjägermeister von Werneck zu Aschaffenburg, Forstsecretair Hoffmann zu Buchau, Forstmeister Rühle von Lilienstern zu Werthheim, Oberforstinspector Linz zu Ottweiler, Geheimer Conferenzrath Arzberger zu Coburg, Professor Dr. Walther zu Gießen, Oberforstmeister von Wildungen zu Rimpar, Oberförster König u. A. trotz den der Literatur so ungünstigen Zeiten, freundlich Wort.

Sonderbarer Weise gestattete — während die Anstalt in Norddeutschland wie im größten Theile Süddeutschlands keinerlei Hemmniß fand und selbst einige Fürsten sie lebhaft begünstigten — der König von Württemberg seinen Forstbeamten nicht den Zutritt zu derselben; aus welchen Gründen diese Verweigerung erfolgte, ist mir unbekannt geblieben. Des Königs Nachfolger löste diesen Bann, wie er auch andere nützliche Veränderungen im Bezug auf das Forstwesen eintreten ließ. So wurde die bisherige Forstlehranstalt zu Stuttgart, die mit der Militair-Lehranstalt verbunden war, auf den Antrag der Landstände aufgehoben, und mit dem landwirthschaftlichen Institut zu Hohenheim verbunden.

Manche anziehende neue briefliche Bekanntschaft wurde Bechstein durch das erneute Leben der Societät zugführt, und das Band der Freundschaft, welches ihn mit Laurop verknüpfte, blieb dadurch immer straff erhalten und in frischer dauernder Farbe.

Viele Freunde des Forstwesens und der Jagdwissenschaft meldeten sich auf den erfolgten Aufruf zu Mitgliedern der Societät, von diesen wie von ältern Mitgliedern gingen auch manche werthvolle Schriftgaben und Naturalien ein, Forstrath Fischer in Karlsruhe sandte neben seinen „Phalänen“ Leislers Portrait, und Bälge seltener Enten-Arten. Er erbat behufs einer zweiten Auflage seiner „Trüffeljagd“ Winke und Bemerkungen von Bechstein, allein dieser erwiederte bedauernd: „Gern wollte ich Sie mit einigen Notizen über die Trüffeljagd unterstützen, wenn ich könnte. Es studiren so wenig junge Leute hier, die von der

Botanik mehr wissen wollen, als der Forstgewächskunde, daher komme ich denn auch selbst in diesem Fache immer weiter zurück. Ich muß mich gar zu viel mit den todten Acten beschäftigen."

Bei dieser Gelegenheit sprach sich Bechstein, indem er zugleich für das überschickte Bild dankte, über Leisler aus.

„Er hat vieles in der Naturgeschichte der Vögel aufgeräumt, allein er scheint doch manchmal mehr geschlossen, als gesehen zu haben."

Welchen großen Gewinn und Zuwachs durch mannichfaltige Einsendungen das Naturalienkabinet und die Bibliothek der Academie durch die Societät gewannen, wird in einem spätern Abschnitt ausführlicher dargelegt werden. Da der Societät besondere Räume nicht zu Gebote standen, der Director deren Sammlung auch nicht separat bei sich aufstellen wollte und konnte, so kamen durch ihn alle diese, eigentlich für die Societät bestimmten wissenschaftlichen Erwerbungen an die erwähnten Sammlungen der Forstacademie, die sich dadurch ansehnlicher Bereicherungen zu erfreuen hatte.

Während die Thätigkeit beider Directoren der Societät für dieselbe eine dauernd lebendige war, schritt der Druck des 4. Bandes ihrer ersten Gesellschaftsschrift Diana nur langsam vorwärts, und erst im Jahr 1816 konnte derselbe erscheinen und zwar neben dem alten Titel mit dem zweiten: Neue Gesellschaftsschrift 2c. Erster Band.

Außer dem bereits oben erwähnten wissenschaftlichen Inhalt war ein Bericht von der Forst- und Jagdacademie zu Dreißigacker, über einige vorgegangene Veränderungen im Lehrerpersonal, in den Gesetzen, wobei auch ein und der andere der Anstalt gemachte Vorwurf zurückgewiesen wurde, beigegeben. Der erneute Plan und die Statuten der Societät wurden in diesem Bande ebenfalls abgedruckt, und die Fortsetzung des Mitgliederverzeichnisses wurde mitgetheilt.

In wissenschaftlichen Verband mit der Societät trat im Jahr 1816 die Mährisch-Schlesische Gesellschaft zur Beförderung des Ackerbaues, der Natur- und Landeskunde zu Brünn, welcher Hugo Altgraf zu Salm vorstand.

Als im Jahr 1818 das dritte Heft der Annalen Band 3 im Druck erschienen war, klagte Laurop, daß nach des Verlegers ihm vorgelegter Berechnung der Absatz zu gering sei, als daß jener dieselben fortsetzen könne, und daß auch seit langer Zeit keine Beiträge mehr eingingen. Zugleich sandte er den Plan und die Ankündigung der mit dem Freiherrn von Wedekind von ihm gemeinschaftlich herauszugebenden Forststatistik. Auch an Bechstein schrieb von Wedekind, der sein Schüler gewesen, verbindlich, und bat um Rath und Beistand bei einer zu geben beabsichtigten Uebersicht des Holzbestandes in Deutschland, um dadurch das Thema vom natürlichen Vorkommen der Holzarten auf eine ähnliche Weise, wie es hinsichtlich der Gebirgsarten durch Geognosie geschehe, zur Sprache zu bringen, und aus einer Zusammenstellung möglichst vieler Thatsachen die Gesetze dieses Vorkommens abzuleiten, und dann zu zeigen, wie in den verschiedenen Gegenden dasselbe der Kunst untergeordnet und durch dieselbe verändert würde. Auch von vielen andern ehemaligen Schülern der Academie gingen Gesuche um Aufnahme in die Societät ein, meist kamen sie von solchen Männern, die ihre Zeit in Dreißigacker gut benutzt und nun erwünschte Wirkungskreise im Forstfach gefunden hatten, auch bereits als Schriftsteller in demselben aufgetreten waren, oder aufzutreten beabsichtigten.

Im Jahr 1819 meldete Freiherr von Wedekind, daß man damit umgehe, der Societät eine Nebenbuhlerin gegenüber zu stellen. Das Project sei bereits im Jahr 1816 oder 1817 entstanden, und solle nun durch den Oberförster Braun zu Aschaffenburg verwirklicht werden. Man wolle Deutschland in forstwissenschaftliche Kreise theilen, (Deutschland in dieses oder jenes **zu theilen**, scheint von jeher eine Lieblingsidee vieler guten Deutschen) jeder Forstkreis solle eine forstliche Synode erhalten; die General-Synode solle in Aschaffenburg sein, und von dieser aus ein allgemeines Forstjournal für ganz Deutschland herausgegeben werden. Der Bundestag solle der Gesellschaft Halt und Stütze geben. Obgleich nun von Wedekind diesen Plan chimärisch nannte, so fürchtete sein wackerer Eifer für die Interessen der bestehenden Societät alles vom Entstehen einer neuen, und tadelte bitter, daß

Mitglieder der Societät, statt diese lebendig zu fördern, und mit ihren geistigen Kräften diese zu unterstützen, jenes neue Institut, auch Cotta mit an der Spitze, begründen wollten — zugleich forderte er auf, der Societät frischen Lebensgeist einzuhauchen, und schlug Mittel vor, jene Absicht dadurch, daß man ihr zuvorkomme, und ein Appellationsgericht in forstwissenschaftlichen Angelegenheiten für ganz Deutschland gründe und dieses unter den Schutz des Bundestages stelle — zu entkräften. Ebenso wie an Bechstein schrieb von Wedekind auch an Laurop.

Die Frankfurter Oberpostamtszeitung Nr. 145 des J. 1819 brachte die Mittheilung, daß in der Mitte Mai dieses Jahres eine Zusammenkunft von mehreren deutschen Forstmännern zu Dillenburg Statt gefunden habe, um sich über die Errichtung eines Forstvereins zu berathschlagen, der auch zu Stande gekommen und dem Bundestag seinen Plan vorgelegt habe. Indeß waren Bechstein und Laurop weit davon entfernt, nach von Wedekinds Idee diesem Verein entgegen wirken zu wollen, vielmehr schien eine Verbindung der Societät mit ihm ungleich näher zu liegen, da ja Zweck und Strebeziel: Weiterschritt in der Wissenschaft zu fördern, dieselben waren.

Zudem stand Bechstein mit Dillenburg in unmittelbarer Verbindung. Hofrath Stutz daselbst hatte einen Sohn zur Academie gesandt, und schrieb im Juli: „Die dahier zusammengekommenen Forstmänner haben ihren Aufenthalt sehr abgekürzt, und im Publikum ist sehr wenig von ihren Verhandlungen bis hierher bekannt geworden.“

Auch Professor Strauß in Aschaffenburg stand mit Bechstein und der Societät im freundlichsten Briefverkehr, und Bechstein hatte ihm im Bezug auf die Doctrinen der Physik und Chemie und deren folgerichtige Anordnung bei den Vorträgen von ihm beherzigte Winke gegeben. Er leitete beinahe die ganze Aschaffenburger Anstalt, über welche damals manches nicht günstige verbreitet wurde. Sie zählte zwar 1820 nahe an 100 Schüler, weil alle Bayern, die sich dem Forstfach widmeten, sie besuchen mußten, allein es gab Eleven, welche versicherten, daß Einzelne von ihnen mehr von Forstwissenschaft und Forstbetrieb wüßten, als manche der Lehrer selbst. Auch wurde nur 3 höchstens 4 Stunden täglich Unterricht ertheilt.

Jene Zeit legte übrigens doch den Grund zu den großen Forst- und landwirthschaftlichen Vereinen, die noch fortbestehen und in welche auch endlich die Societät der Forst- und Jagdkunde ganz aufging. Im Jahr 1820 wurde ein landwirthschaftlicher Verein in Baden begründet und an dessen Spitze trat Se. Hoheit, Markgraf Wilhelm zu Baden, Halbbruder des Großherzogs, der ebenfalls von der Societät ein Ehrendiplom empfing.

Auch Freiherr von Lupin auf Illerfeld schrieb an die Societät und erbat kurze Lebensbeschreibungen ihrer bedeutenderen Mitglieder für den sechsten Band der bei Michand in Paris herauskommenden Biographie des hommes vivants, für welches Unternehmen er seine Theilnahme zugesichert hatte. Zugleich wünschte er engere Verbindung mit der Societät und theilte unter andern mit, daß seine Sammlung lebender Forstpflanzen nahezu die des botanischen Gartens in München übertreffe. Er empfing sofort ein Diplom.

Ueberhaupt war die Thätigkeit der Societät wieder im Zunehmen, sie fand in vielen Kreisen theilnehmende und fördernde Angehörige. Unter diesen zeichnete sich Professor Zumstein, genannt de la Pierre, in Turin aus, er wirkte durch eine der Königl. Academie der Wissenschaften in Turin übergebene Denkschrift ein Verbot der Steinbockjagd aus, bestieg zum Verfolg wissenschaftlicher Zwecke den Gipfel des Monte Rosa und bewieß der Societät vielfach rege Theilnahme.

Da dem Verleger der Annalen der Societät von Laurop ermäßigte Bedingungen gemacht worden waren, so kam zu den erschienenen drei Bänden noch ein vierter und letzter — und da Bechstein in seinen letzten Lebensjahren durch anhaltende und wachsende Kränklichkeit nicht mehr nach Wunsch und nach Kräften für die Societät wirken konnte, so begann nun die bis 1820 und 1821 ihren Gipfelpunkt erreicht habende Blüthe derselben abzuwelken. Laurop äußerte sich darüber: „Die Zahl derjenigen Mitglieder, welche sich für die Sache interessirten und sie aus einem richtigen Gesichtspunkte ansahen, wurde geringer, und auch die Thätigkeit dieser nahm so sehr ab, daß ich ohnerachtet meiner vielfältigen Aufmunterung der sämmtlichen Mitglieder nichts gedeihliches mehr zu Wege bringen konnte.“ So stand es um die Societät, als der Tod ihres ersten Directors und Begründers erfolgte, und sie in ihre vierte Periode, in das Stadium des Greisenalters, eintrat.

XVI.

Bechsteins amtliches und literarisches Wirken 1811 bis 1822.

Standhaft und männlich seinen Schmerz um den ihm entrissenen Sohn tragend, lebte Bechstein mit nie wankender Treue seiner Pflichterfüllung, wie sehr es ihm auch oft schwer aufs Herz fiel, wenn er die tieftrauernde Gattin in immer neue Thränen ausbrechen sah, die minder als er es vermochte, den Jammer um den unersetzlichen Verlust still in sich zu verschließen.

Wunderlich und seltsam und mit aller französisch nationalen Leichtfertigkeit und Oberflächlichkeit behandelt, lautet in der **Biographie universelle ancienne et moderne Tom. LVII Supplement, Pag. 434** eine bezügliche Stelle folgendermaßen:

Marie au sortis de l'université il eut neuf enfans, mais ils moururent en bas âges, (völlig unrichtig*) **a l'exception dun seul**

---

*) In einem Briefconcept an Hofrath Andre in Stuttgart, welcher Bechstein 1821 um biographische Nachrichten für das Conversationslexicon anging, schrieb derselbe: „Und nun noch 1000 Grüße von meiner Frau an Sie als alten Lehrer und Wohlthäter. Diese ist ebenfalls wie ich, immer kränklich, ob sie gleich stark und gesund aussieht. Sie ist, nachdem sie in Eisenach gewesen war, wohl zehnmal wieder guter Hoffnung gewesen, allein sie hat wegen eigener krampfhafter Anfälle kein Kind ganz austragen können. Es ist daher unrichtig, daß sie, wie die Biographie in Laurops und Fischers Sylvan sagt, 9 Kinder geboren hätte."

qui s'est montré d'un tel pére par les succés de ses premières études; mais à peine âgé de dix-neuf ans, cet enfant mourut en 1810; et cet perte, bientôt suivie de celle de sa mére plongea Bechstein dans une profonde douleur, qui abrégea ses jours. Il mourit l'année suivante.

Der französische Fabulant läßt uns zunächst im Dunkel, ob sich das: bientôt suivie de celle de sa mére auf die Mutter des Vaters oder auf die Mutter des Sohnes bezieht, doch wie es auch gemeint gewesen sei, so ist es irrig.

Bechsteins Mutter lebte allerdings bei ihm im Hause, mit allen Eigenthümlichkeiten einer ächtthüringischen Frau vom Lande und allen Wunderlichkeiten einer alten Frau. Sie machte der Schwiegertochter manchen Verdruß, obgleich diese es nicht an der mindesten Aufmerksamkeit gegen die „Alte" fehlen ließ. Sie hatte ein eigenes hübsches Stübchen, konnte sich völlig nach Belieben beschäftigen, was sie im Sommer im Garten oder durch Spazirengehen, im Winter mit Stricken oder Spinnen that; sie bekam ihren Tisch auf ihr Zimmer nach ihrem eigenen Willen, und, wie sich von selbst verstand, von allem wie vom besten. Aber ihr Alter, ihr Alleinstehen — denn sie unterhielt nur wenigen Umgang mit den Bäuerinnen des Dorfes, — machten sie oft mürrisch, hart und ungerecht, obschon sie auch gute Stunden hatte. Auf ihren Sohn „den Kammerrath" blickte sie mit gerechtem Stolz und großer Verehrung, und er behauptete ihr gegenüber, neben Freundlichkeit und Pietät, stets eine würdevolle Haltung, sie hatte Scheu vor ihm, und nur in seltenen Fällen war es nöthig, daß sein kräftiges gebietendes Wort gestörten Frieden wieder herstellen mußte.

Frau Katharine Elisabethe Bechstein, geborene Kaiser, war 74 Jahre alt, als ihr Enkel Eduard starb, und 83, als ihr Sohn starb, und sie überlebte selbst diesen noch um mehrere Jahre, denn sie hatte eine unverwüstliche Natur.

Wie tief auch der Schmerz Bechsteins um den Sohn war — in dem Sinne, wie der französische Biograph es nimmt, kürzte jener nicht dessen Tage, und daß Bechstein nicht im folgenden Jahre starb, ist allbekannt.

Immer bezwingt und überwältigt großen Schmerz entschiedene Thätigkeit am allerbesten, allersichersten, und diesen Sieg errang auch Bechsteins characterstarkes Gemüth.

Nach wie vor nahmen die amtlichen und dienstlichen Geschäfte vollauf Zeit in Anspruch und jenes Wort: Welchem viel gegeben ist, von dem wird man viel fordern, bewährte sich bei Bechstein in vollem Maaße.

Und nach wie vor lag er nach der Rückkehr von seiner letzten trüben Reise der Erfüllung seiner mannichfaltigen Pflichten auf das treueste ob, und wie viel verstimmendes auch gerade in jener für ihn so niederbeugenden Zeit die mancherlei Händel und Streitigkeiten der Academiker für ihn hatten, allmälig kehrte selbst ein Theil der ihm angeborenen Heiterkeit zurück — er konnte wieder froh werden im geselligen, wie im häuslichen Kreise, wenn auch lange Zeit hindurch die stille Wehmuth lauten Ausbruch des Frohsinns dämpfte.

Dem unvergeßlichen guten Sohne errichtete die trauernde Liebe der Eltern einen Denkstein in Form einer abgebrochenen Säule, deren eine Seite sinnig die Mythe des Endymion darstellte, die zweite einen antiken Aschenkrug. Die eine Schriftseite enthält diese Worte: **Guilielmus Eduardus Bechstein nat. d. VII. Juni 1792. den. d. V. October 1810.**

Die vierte Seite trägt die Inschrift: **FILIO. VNICO. PARENTES.**

Niemals ließ die trauernde Mutter Geburts- und Sterbetag des Geschiedenen vorübergehen, ohne ihres Eduard Grab mit frischen Kränzen zu schmücken.

Mancherlei Zeit und Briefe kostete Bechstein die Oberaufsichtsführung über den Betrieb des Zwickhammers und die dortigen Köhlereien. Bergverwalter Schreiber schrieb sehr häufig und hatte stets Wünsche, die Bechstein bei der Kammer betreiben mußte; bald blieben Rechnungsabschlüsse unerledigt und unrevidirt, bald waren Entschließungen über das zur Verkohlung anzuweisende Holz zu fassen, bald wurde Bechsteins Kommen und Selbstsehen erbeten, bald war das zugesicherte Gratial auszuwirken u. dgl. Wie es damals 1810 im Lande aussah, erhellt aus einer Briefstelle Schreibers: „Am meisten leide ich durch die Menge von Landstreichern, Zigeunern, vornehmen und geringen Bettlern, die, da ich an einer Kreuzstraße wohne, bei mir nie vorübergehen, ohne mich in Contribution zu setzen."

Eine Reise nach Liebenstein im Sommer 1815 hatte zum Zweck, die verschiedenen Buchenarten der dortigen Forste, und die Birkenarten auf dem Aschberge zu untersuchen, auch zu ermitteln, ob es fremde Holzarten dort gebe.

Wie fast jedes, so führte auch das Jahr 1816 für Bechstein auf's Neue dienstliche Reisen in das Meininger Oberland herbei; es galt Commissionsberichte über vortheilhafte Betreibung eines Schieferbruchs im „Farbentiegel," und Aufräumung eines Griffelbruchs am „Vogelsberg" zu erstatten.

Ueber eine in Vorschlag gebrachte neue Besoldung der Forstbedienten entwarf Bechstein ein sehr ausführliches Gutachten, das er auch auf die Regulirung der Gehalte der Jägerburschen ausdehnte.

Es sah damals, 1816, mit diesen Besoldungen noch gar mißlich aus. Ein praktischer Weidmann von Adel im Unterlande äußerte sich darüber gegen Bechstein in äußerst derber, offenherziger und unumwundener Weise: „Bekanntlich verwaltet der Forstmann das größte Capital mit in unserm Lande, und wird am schlechtesten bezahlt, am wenigsten gewürdigt. Der Urstoff aller schlechten Aufsicht und übeln Bewirthschaftung liegt in der geringen Besoldung der Forstbedienten und der noch viel geringeren der Jägerburschen. Hierzu kommt unser elendes Strafreglement, was weiter nichts ist, als eine bestimmte Taxe von Herzogl. Kammer, nach welcher sich der Holzfrevler selbst seine Rechnung machen kann, und Herzogl. Kammer immer sicher darauf rechnen darf, daß bei diesen festgesetzten Preisen eine jährliche Revenüe durch den Holzdiebstahl ihr nicht entgeht, sie aber zehnmal so viel Holz dagegen verliert, und manche Forste ruinirt werden. — Es wird oft für 100 Rthlr. Schaden gethan und werden 2 Gulden dafür bezahlt."

„Unsre Jägerbursche werden immer schlechter, denn der gute, brauchbare, der aus Ihrer Academie kommt, will nicht um 5 Thaler einem unserer Forstbedienten untergeordnet sein und Hunger dabei leiden. Der gute und brauchbare geht in's Ausland, und wird besoldet, die unbrauchbaren sind wir verbunden zu versorgen, oder es hat uns zeither so geschienen, als ob es unsere Pflicht wäre, sie auf unsere Forste zu vertheilen und die erwiesenen nachtheiligen Folgen zu erdulden."

„Sonsten war der allgemeine Grundsatz, wenn einer zu nichts zu brauchen war, mußte er Soldat werden. In den jetzigen Zeiten, um die Söhne vor der Conscription zu schützen, werden sie Ihnen in Ihre Academie aufgehalst." Hierin hatte der derbe forstmännische Praktikus leider vollkommen Recht. Gar mancher Thunichtgut auf der Schule, mancher, für dessen Fähigkeiten und Fortkommen sich geradezu keine Aussicht eröffnete, wurde nach Dreißacker geschickt; bildete er sich dort nicht zum Forstpraktikanten, so bildete er sich doch vielleicht zum Rechnungspraktikanten oder, was weit schlimmer war, zum lebenslänglich unbrauchbaren Jägerburschen, und mancher dieser Inländer war am Ende froh, wenn Bechsteins und Anderer Verbindungen im Ausland ihm zu einer leidlichen Jäger-, d. h. Bedientenstelle verhalfen.

Solcher An- und Zudrang meist unbemittelter Inländer zur Academie war für diese nichts weniger als ein Segen, nichts weniger als fördernd. Schuljungen von 13—14 Jahren wurden nun auf einmal Academiker. Und am meisten versah die Residenz vorzugsweise die Academie mit derartigem Zuwachs. Indeß wurden aus Vielen tüchtige, brauchbare Männer. Andre aber sind verkommen, oder unbedeutend geblieben ihr Leben lang.

Im Jahr 1817 wurde eine Revision oder Taxation der oberländischen Forste befohlen. Neunzehn Jahre früher war eine solche auf Befehl des Herzogs durch den Gothaischen Landjägermeister Hrn. v. H. zu Ohrdurf vollbracht worden. Bechstein wieß deren große Mängel in einem desfallsigen Berichte nach, und entwarf eine Instruction für den Oberforstmeister von Mannsbach und seine Gehülfen bei der bevorstehenden Revision oder neuen Abschätzung der oberländischen Forste, worin er seinen praktischen Blick und seine Kenntnisse auf's Neue zu bewähren, Gelegenheit hatte. Später entspann sich dann über die Ausführung dieser wichtigen Arbeit, welche 12 Forste umfaßte, die unter der Aufsicht des Oberforstmeisters von Mannsbach standen, zwischen diesem und Bechstein eine anhaltende sehr freundschaftliche Correspondenz. Bechstein äußerte sich mit Mannsbachs Ansichten und Leistungen sehr zufrieden, um so mehr schmerzte es ihn, daß im Unterlande nicht in ähnlicher Weise wie im Oberlande verfahren wurde, und der gerechte Unwille über so vieles Verfehlte und Unzweckmäßige, was er sehen und geschehen lassen mußte, ohne mit Verbesserungsvorschlägen durchdringen zu können, veranlaßte ihn zu einer sehr derben Philippica, deren Anfang mindestens ich meinen Lesern nicht vorenthalten will. Sie giebt ein Bild der Vergangenheit; wohl dem Lande, wenn diese scharfen Umrisse in der Gegenwart nicht mehr ähneln!

Zusatz zu Nr. 2536.

„Den 26. Septbr. wird es nach diesen Acten 1 Jahr, daß Herzogl. Kammer aufgegeben worden, die Culturen und Pflanzgärten zu untersuchen, und den eingerichteten Plan vorzüglich zur Verbesserung des Gehaltes der Jägerbursche in Ausführung zu bringen. Es ist ohne Vorschrift, blos um glimpflich zu verfahren, die Sache dem Herzogl. Oberforstamt communicirt worden, allein wie hier keine neue gute Einrichtung anspricht, weil die alte, wo man im Blinden tappt und nicht weiß, wie viel man Holz abgeben kann, noch wie viel man für die Zukunft zu erwarten, aber dafür nichts zu thun und zu denken hat, für genügend hält, so ist auch auf diese nichts erfolgt, ja es ist sogar gegen dieselbe protestirt worden. Herzogl. Regierung und Kammer lassen sich alle Gesetze und Vorschriften, die höchsten Orts gegeben werden, gefallen und befolgen sie, allein wenn im Forstwesen etwas geschehen soll, das vom alten Schlendrian abweicht, so findet es allezeit Widerspruch.

Meine Künste sind nun erschöpft, um reisenden Forstmännern, die die hiesige Anstalt und mich besuchen, auch andern schriftstellerischen Forstmännern, mit welchen ich in Correspondenz stehe, vorzuspiegeln, daß man hier eine zweckmäßige Einrichtung habe oder doch bald haben werde — und nur dadurch ist es verhütet worden, daß nicht die hiesige ganz willkührliche und regellose Forstbewirthschaftung schon mehrmalen öffentlich zur Schande des ganzen Forstpersonals und auch zu meiner Schande zur Schau ausgestellt worden ist. Noch neulich hat Herr

Cotta in Zillbach die jungen Leute seines Instituts in ein benachbartes Revier geführt, um ihnen zu zeigen, wie man einen Wald nicht bewirthschaften müsse. Wie sehr dieß mit andern rühmlich bestehenden Einrichtungen contrastirt, bedarf keiner Berührung. Ich muß mich fast vor mir selbst schämen, daß ich mit unter das hiesige Forstpersonal gerechnet werde, ohne auch nur etwas erhebliches zum Besten des praktischen Forstwesens wirken zu können u. s. w."

Neben diesen amtlichen Arbeiten liefen noch zahllose Erledigungen her, Gesuche um Gehalterhöhungen, Verbesserungen durch Versetzung, Rechtfertigungen über Anschuldigungen, Beschwerden über Vorgesetzte oder Collegen, Bitten um Empfehlungen u. dergl. mehr von Seiten des angestellten wie des Anstellung suchenden Forstpersonals und Bechstein half — wie schon erwähnt — immer wie und wo er nur irgend konnte, und erwarb sich den Dank zahlreicher junger Leute, wie auch nicht minder den von Familienvätern, deren sorgenvolle Lage ihm zu verbessern gelang.

Der herrschaftliche Thiergarten machte fortdauernd Berichte nöthig, bald über den Wildschaden außerhalb desselben, bald über die Irrungen und Verdrießlichkeiten, die seine bestehende Einrichtung hervor rief, und über die Pläne, jene zu beseitigen. Weiter gab es Untersuchungen und Berichte über mehrere Privat- und Gemeindewaldungen, und mancherlei forstwissenschaftliche Gutachten; z. B. über die auf dem Ruhlaer Forst bewerkstelligte Cultur und deren beabsichtigte Anwendung auf die Birkenheide. (Sachsen Meiningischer Forstdistrict in der Nähe vom Schloß Altenstein.)

Der darüber an den Geh. Rath von Könitz erstattete Bericht enthält manche anziehende Aeußerungen Bechsteins.

„Seit 25 Jahren kenne ich die Waldpflanzung mit Fichten. Der eigentliche Erfinder ist ein Oberförster in Suhl, dessen Name mir gerade jetzt nicht beifällt. Die Sache war so wichtig, daß der Oberforstmeister von Burgsdorff auf königlichen Befehl nach Suhl reisen mußte, um die Behandlung zu erlernen. Damals pflanzte man beim zweiten Saft um Johanni. Der Waldhüter Oettelt hat nachher diese Methode verbessert. Dieser pflanzte im Herbst, sobald die Verholzung erfolgt war, bis zum Frost, und im Frühjahr, sobald er in die Erde kommen konnte, bis zum Aufspringen der Knospen. Seine Pflanzen nahm er aus einigen Pflanzgärten, deren er, um sie nicht weit herbeischaffen zu müssen, auf seinem Revier 3 bis 4 hatte. Hesselbarth aus Stützerbach, ein Sächsischer Oberförster, war sein Nachfolger; der pflanzte fast eben so viel, mußte aber, da er es blos aus Liebhaberei that, und von der Finanzeinnahme in Schleusingen keine Kulturkosten ersetzt erhielt, seine Pflanzen aus den Dickungen nehmen. Ich habe fast alle Jahre diese Pflanzungen gesehen, und mit den jungen Leuten, die damals auf meinem Privatinstitut studirten, selbst mit Hand angelegt. Es war eine Lust mit anzuhören, wie sich dann die beiden alten Forstmänner Oettelt und Hesselbarth einander schraubten, besonders da sich Letzterer etwas darauf zu Gute that, daß er seine Kultur umsonst machte, und jenem die ganze Forstkasse zu Befehl stehe, und keiner vor dem andern etwas voraus habe. Die Manipulation ist sehr einfach. Man pflanzt die Fichtenpflänzlinge gerade wie die Kohlpflanzen; es stellen sich einige Bursche an, hacken Löcher, einer legt die frisch ausgehobenen Pflanzen ein und andere drücken dieselben an. Sie stehen drei Fuß aus einander und zwar im Fünfeck, und man wählt dazu 3—6jährige Pflanzen, die nicht über einen Fuß hoch sein dürfen, wenn sie fast alle anschlagen sollen. Ein auf solche Art bepflanzter Acker kostete, wenn nicht gerodet werden durfte, 1 Rthlr. bis 1 Rthlr. 4 Gr. Der Vortheil der Pflanzung vor der Aussaat auf hohen Gebirgen ist das jedesmalige Gedeihen, der egalere weitläuftigere Stand, wodurch dem Schneebruch Einhalt geschieht, und der gleichförmigere und schnellere Wuchs erzielt wird."

„Daß also die Eisenacher Pflanzungen auf den Ruhlaer Forsten gerathen müssen, ist ganz in der Regel, und daß diejenigen, welche an unserer Grenze stehen, nicht gerathen — eben so — ich habe es bei der letzten Revision prohezeiht; sie hatten zu alte Pflanzen und zwar aus Dickungen genommen."

„Wenn daher die höchsten Punkte der unterländischen Reviere durch eine üble Bewirthschaftung ihre eigenthümlichen Laubholzarten verloren haben, wenn schon Haselbüsche daselbst vegetiren, (die sichersten Kennzeichen der Unregelmäßigkeit) so ist freilich die Bepflanzung mit Fichten die leichteste, wohlfeilste, sicherste und die Herren Eisenacher werden sich freuen, wenn sie durch die hiesige Pflanzung einen Succurs erhalten, durch welchen ihre Fichten einen hohen Wuchs bekommen, und dadurch zu dem gewünschten Bauholz aufwachsen."

„Eigentlich bin ich kein Anhänger der Umwandlungssysteme, besonders bin ich ein Feind des Nadelholzes in Laubwaldungen. Das Nadelholz greift in der Folge durch seinen Flügelsaamen so um sich, daß aus den harten Laubwaldungen weiche Nadelwaldungen werden, wie dies mehrere oberländische Forste, und in der Nähe von Altenstein das Tabarzer, Friedrichroder und Georgenthaler Revier beweisen. Der Forstmann muß die Kunst verstehen, seinen Wald wie er ist, zu erhalten, und noch überdieß zu verbessern. Die Regel dazu ist leicht und allgemein bekannt."

„Es hängt jetzt von dem Herrn Oberjägermeister von Zigesar, oder von Serenissimae höchst unmittelbaren Befehlen ab, wie der Culturplan der verödeten höchsten Punkte dieser Reviere festgesetzt und die nöthigen Pflanzenarten dazu angewiesen werden sollen. Herr v. Zigesar ist freilich gegen alle Cultur- und Eintheilungspläne, weil er durch seine lange Erfahrung ein solches Augenmaaß erlangt zu haben vorgiebt, daß er Reviere von 5000 Acker in 40jährige Schläge, und zwar nach dem jedesmaligen Bedürfnisse einzutheilen und abzutreiben wisse. Dieß kann nun freilich kein Forstmann außer ihm in der ganzen Welt. Allein er läßt sich diesen Glauben nicht nehmen und keine Regeln vorschreiben, und darin liegt der Grund der Ohnmacht und der Unnützlichkeit des Herzogl. Oberforstamtes. Schon gemachte Eintheilungen, wie die auf dem Oepfershäuser Revier, welche den Beifall sachverständiger Männer, z. B. der Herren von Witzleben, Cotta, Schilger, Schmidt u. A. erhalten haben, hat er alterirt, und zum Schaden Herzogl. Kammer das meiste Oberholz auf dem Schlage stehen lassen, also daß statt 30 Klaftern Holz mehr zu erhalten, 30 gefehlt haben."

„In ganz Deutschland ist die unregelmäßige Bewirthschaftung der hiesigen Waldungen theils durch reisende Forstmänner, theils durch die abgegangenen Forstacademiker bekannt, und es ist zu bewundern, daß bei dem Concurse eines Oberforstamtes, das nichts für die Waldungen thut und einer Forstacademie, die nichts dazu thun kann, noch ein einziger Forsteleve sich meldet. Ich sah mich selbst genöthigt, meinen Eduard in die Zillbach zu schicken, um ihn nach den erlangten nöthigen Hülfswissenschaften einen geregelten Kultur- und Abtriebsplan beobachten und kennen lernen zu lassen u. s. w."

Auch die, durch die Volkssouveränität oder besser, den volkssouveränen Unverstand aufgenöthigten Sparsysteme der Neuzeit bezüglich des Staatshaushaltes nach allen Richtungen hin sind nichts Neues. Wie noch heute und immerdar bewährte sich in demselben auch vor 50 Jahren schon der bekannte Goethe'sche Spruch:

Wir wollen alle Tage sparen
Und brauchen alle Tage mehr.

In einem Conceptblättchen, das Bechstein zwei Jahre vor seinem Tode schrieb, spricht er sich über diesen Gegenstand also aus:

„Seit meiner zwanzigjährigen Dienstzeit habe ich die eigene Erfahrung gemacht, daß zwar höchsten Orts wiederholt Einschränkungen in dem Dienstpersonale und Einziehung unnöthiger Besoldungen befohlen — daß aber in praxi nicht allein das Dienstpersonal nicht vermindert, sondern im Gegentheil vermehrt worden, und keine Besoldungsersparung, sondern vielmehr Besoldungsvermehrung erfolgt ist."

Und dieß war natur- und sachgemäß und folgerichtig; alles Eifern gegen die Vermehrung der Arbeitskräfte in der Staatsmaschiene und gegen die angemessene reichliche Vergütung der Arbeit zeugt von Mangel an richtiger Einsicht, und ist dem Staate weit mehr schädlich als nützlich.

Zu Bechsteins weiteren Ausarbeitungen im forstamtlichen Gebiete gehörte noch die einer umfassenden Instruction für die Forstadjuncten der Forstdepartements-Vorgesetzten der unterländischen Forste, und wie diese mancherlei schriftlichen Thätigkeitsrichtungen, so setzte sich auch seine persönliche durch regelmäßige Fahrten nach Meiningen zu den Kammer-

ssionen fort. Auf einem dieser Berufswege schwirrte verhängnißvoll den Flügel des Todesengels dicht über seinem Haupte hin.

Es war ein stillheiterer Herbsttag, der 27. November 1811, ein Mittwoch, in der Stadt zugleich Jahrmarkt; die Hausfrau war mit Bechstein hinunter gefahren, und blieb zum Besuch bei der befreundeten Familie Laserre.

Zu gewöhnlicher Zeit nach Beendigung der Kammersitzungen zwischen 2 und 3 Uhr fuhr Bechstein in Meiningen weg. In der Nähe der im Dreißigackerer Grunde liegenden Walkmühle führte der Weg über einen jähen Bergabhang von 80 bis circa 100 Fuß Tiefe, ohne alle Sicherung.

Gerade an dieser tiefsten und gefährlichsten Stelle wurden durch irgend einen Zufall die Pferde scheu, der Kutscher vermochte nicht, sie zu bändigen, und so stürzte, sich zweimal furchtbar umschlagend, das ganze Geschirr mit Bechstein den steilen Rain hinunter bis in den Bach, der die Thalrinne durchrollt.

Wie durch ein Wunder blieben Bechstein, der Kutscher, Jacob Mönch aus Sättelstädt, später Herzogl. Bauführer in Gotha und das eine Pferd ziemlich unverletzt, das zweite Pferd mußte tod gestochen werden.

Ich war mit der Magd allein im Hause. „Wo nur der Herr Kammerrath bleibt?“ sagte diese einmal über das anderemal, als jener zur gewohnten Zeit nicht eintraf. Ich lief hinauf, durch das Schloß auf den Fahrweg, da sah ich Bechstein nebst dem Kutscher von Weitem langsam den Berg herauf kommen — ein Kind von zehn Jahren, faßte ich noch nicht, daß ein Unglück geschehen sein müsse, sondern eilte zurück, freudig verkündend: Der Onkel kommt mit Jacob zu Fuß den Weg herauf. Er hat keine Mütze auf!“

„Was? zu Fuß mit Jacob! Herr Jesus — da ist was passirt!“ schrie die Magd — und leider war es so.

In seinem Kalender zeichnete Bechstein Folgendes ein: „Heute hat mir Gott auf eine wundervolle Art das Leben erhalten, da ich mit einer Chaise den höchsten Punkt auf dem Dreißigackerer Weg bei Kümmsbergs Berg an der Mauer durch die scheuen Pferde herabgestürzt bin, ohne weiter etwas zu beschädigen; einige Kontusionen an Armen und Beinen und einer Quetschung in der linken Seite abgerechnet. Die Chaise schlug zweimal um."

Dieser Unglücksfall machte ungemeines Aufsehen. Die Academiker ließen von dem Pferde — einer Schimmelstute — ein Lendenstück braten, und es kam auch von diesem Braten eine Probe in das Bechsteinische Haus.

Die gefährliche Stelle am Weg erhielt nun eine Schranke, und in dem nächstfolgenden Jahre wurde die Chaussee nach Dreißigacker ganz gebaut, wobei es viele Felsen zu sprengen gab, auch wurde nunmehr der Weg durchgängig mit Schranken gesichert.

Wenn gleich Bechstein weder äußerlich noch innerlich eine bedeutende Verletzung durch diesen fürchterlichen Sturz davon getragen, so mag doch durch denselben mit ein Grund zu späterer nachhaltiger Kränklichkeit gelegt worden sein, denn dergleichen gewaltsame Erschütterungen äußern nicht immer gleich ihre schädliche Wirkung auf den Organismus.

Die literarische Thätigkeit war schon mit dem Jahresbeginn 1811 rüstig wieder aufgenommen worden. Glückwünschend schrieb Bechstein am 1. Januar an den bewährten Geschäftsfreund Enoch Richter in Leipzig und beantwortete dessen Fragen wegen einer neuen Auflage des ornithologischen Taschenbuchs und dessen 2. Theil, schrieb über die neuen nöthigen Kupfertafeln, beklagte sich über die von Wolf und Meyer zu Nürnberg bei Frauenholz erschienene ornithologische Arbeit als Taschenbuch, nannte sie eine Copie des seinigen und die Idee ihm abgestohlen, wie es denn auch nicht anders der Fall war, und dieser Grund machte Bechstein besonders wünschenswerth, eine neue Auflage seines Buches nebst dessen Fortsetzung erscheinen zu sehen. Da sich Richter nicht sogleich bereitwillig zeigte, so suchte Bechstein ihn möglichst zur Sinnesänderung zu bewegen. Er schrieb: „Ich kann es unmöglich dulden, daß mein Taschenbuch von einem andern unterdrückt werden sollte, dessen neue Bemerkungen ich auf 2 Octavblätter schreibe. Viele Vögel haben sie (Wolf und Mayer) nolens volens weggestrichen, weil sie sie nicht kennen. So habe ich Herrn Mayer nicht überzeugen können, daß der

Wasserpieper ein besonderer Vogel sei, bis ich ihm ein Exemplar zugeschickt habe. So ist die Sache. Unsere Schrift ist ein Taschenbuch, und ihres ein Zwitter zwischen einer kurzen und einer vollständigen Natur-Geschichte, worin ohnehin die Hauptsache verkrüppelt ist rc."

Richter entschloß sich schwer — die Zeit war noch immer schlecht, der Vorrath an Exemplaren der ersten Auflage noch bedeutend.

Der Buchhändler G. Schneider in Nürnberg setzte die getreuen Abbildungen getreulich fort, ebenso die Uebersetzung des Latham, meldete aber, daß er einen vierten Theil (siebenten Band) dieses Werkes nicht drucken, sondern dieß dem Käufer seiner Handlung überlassen wolle. Indessen erfolgte vor der Hand kein Verkauf derselben. Dieser Mann beharrte in stetem Mißmuth, welcher, wie schon öfter erwähnt, bisweilen in das Komische überschlug.

Einmal schrieb er in seinem Unmuth: „Das Honorar für Ihre 74 Bogen werden Sie nicht alles von mir verlangen, sonst müßte ich zum Thor hinauslaufen, auch können Sie einen Theil Bücher dafür annehmen."

Richter wie Ettinger in Gotha drückten über die überstandene Lebensgefahr glückwünschend ihre Theilnahme aus. Letzterer druckte die dritte verbesserte Auflage der Stubenvögel und traf Anstalten zur Fortsetzung der Diana — welche jedoch später 1815 bei Krüger in Cassel herauskam.

Es war das verhängnißvolle Jahr 1812, in welchem die Napoleonische Despotie noch einmal in aller Scheußlichkeit ihren Schlangenrachen gegen die deutschen Patrioten aufsperrte. Ettinger schrieb: „Beckers Arretirung hat wohl auch bei Ihnen viel Sensation erregt? In Halle sind zugleich arretirt der Prediger Planck, Bertram, Präfectursecretär, und von Crusemark aus Cömern, ehemaliger preußischer Offizier."

Mit dem Buchhändler und Kaiserlich Königlichen Legationsrath Hennings in Erfurt drohte ein Bruch in Bezug auf die Forstbotanik, sie war dem Verleger zu umfangreich geworden, Bechstein fand den Preis zu hoch und hatte noch das Unangenehme, indem er sich zum Einführen des Buches auf der Forstacademie verstanden, gleichsam den

Sortimentshändler für den Verlags-Buchhändler zu machen. Indessen löste die deshalb entstandene kleine Disharmonie sich bald in reine Accorde auf.

In dieser Zeit wendete sich mit Bezugnahme auf Dr. Germar der Buchhändler C. A. Kümmel in Halle an Bechstein und wünschte von ihm die neue Bearbeitung eines vor 50 Jahren erschienenen Buches: „Büchting kurzer Entwurf der Jägerei." Bechstein zeigte sich nicht abgeneigt, eröffnete seine Ansichten, und theilte seine Bedingungen mit.

Der Eingang seines Briefes berührte den damaligen Stand des Buchhandels. „Es ist mir eine eigne Erfahrung, daß Ew. Hochedelgeb. eine neue Auflage von einem alten Buche zu haben wünschen, da die meisten Ihrer Herren Collegen bei der jetzigen Zeit so schwer daran gehen, ein neues zu drucken. Vielleicht ist es eine glückliche Vorbedeutung zu einem baldigen allgemeinen Frieden."

Dieß schrieb Bechstein im Juli 1813, wo die Wage Bellona's noch schwankte, und Frankreich neue Streitmassen über Deutschlands Länder wälzte. Kaum war die entscheidende Schlacht geschlagen, so erwachte auch neuer Muth in der Buchhändlerwelt.

Schneider schrieb noch vor der Ostermesse 1814: „Da der Unterdrücker des Handels unschädlich gemacht ist, und wir den lange erwünschten Frieden bekommen, wo zu hoffen ist, es werde künftig besser gehen, und die Liebhaber die Abbildungen wieder fortsetzen, die bisher völlig tod gelegen, so wäre wohl rathsam, ein neues Hundert anzufangen."

Von Leipzig aus schrieb er: „Die Messe ist nun beendigt, und so ausgefallen, wie ein kranker matter Mann, der vom Krankenbette aufgestanden, aber vor Mattigkeit noch nicht recht gehen kann."

Da Ettinger von einer Zeit zur andern zögerte, Anstalten zu treffen, den vierten Band der Diana zu drucken, so schloß Bechstein mit Krüger zu Marburg und Cassel über diesen Band Contract ab, und arbeitete dahin, daß derselbe 1815 zur Erscheinung kam.

Die widrigen Zeitverhältnisse, ein mehrjähriger Proceß mit den Erben des Herrn Monath, Theilhaber der Buchhandlung Monath und Kußler in Nürnberg, endlich der Tod des würdigen und thätigen Führers derselben, Kußler, die Einberufung von dessen Sohn ins Feldbataillon und andere störende Ereignisse hatten jene Buchhandlung zurück gebracht, ihre Thätigkeit und somit auch das Weitererscheinen des Handbuchs der Jagdwissenschaft gehemmt. Als die mißlichen Verhältnisse geordnet waren, bat die Handlung, welche die alte Firma beibehielt, um den zweiten Theil des zweiten Bandes, und erbot sich zur Zahlung des noch für den ersten Band restirenden Honorars.

Der eine der Mitarbeiter an diesem Werke, Reichsgraf Mellin, hatte sich bereits ungeduldig über die lange Verzögerung geäußert.

Dabei zollte Graf Mellin der Cottaischen Buchhandlung in Tübingen ein aufrichtiges Lob. „Warum nehmen Sie nicht zum Verleger Ihrer Schriften den Buchhändler Cotta in Tübingen? Er ist der Verleger der Hartig'schen Werke, und wie dieser mir hier versichert hat, ein äußerst pünktlicher Bezahler. Der hiesige Oberlandforstmeister Hartig bekommt für den Bogen neuer Schriften 4 Friedrichsd'or, und für jede neue Auflage derselben 2 Stück Friedrichsd'or für den Bogen; auch wird dieses sogar nach seinem Tode, bei jeder neuen Auflage seiner Frau oder Erben bezahlt; so vortheilhaft soll, wie Herr Hartig mir sagt, sein Contract mit dem Buchhändler Cotta lauten. Bei so vortrefflicher und allgemein beliebter Arbeit, als die Ihrige, könnte Ihnen, dächte ich, ein gleicher Lohn nicht fehlen. Noch soll dieser Cotta ein gar gefälliger Mann sein, Vorschüsse, Assignationen und sogar Aufträge außer seinem Buchhandel für seine Freunde willig übernehmen, wie dieses alles Herr Hartig nicht genug von ihm loben kann."

Durch von Mellins drängende Ungeduld erlitten die Geschäftsverhältnisse mit der Firma Monath und Kußler eine Trübung; dieselbe zögerte die rückständigen Honorarzahlungen noch in das Jahr 1816 hinaus, stellte wiederholt das Ansinnen, statt Geldes Bücher zu nehmen und druckte nicht, wie sie doch von selbst versprochen, die Fortsetzung der Jagdwissenschaft.

In dieser literarischen Noth sandte der Himmel einen Helfer in der Person des thätigen Buchhändlers Hennings. Dieser schrieb an

Bechstein im October 1816, daß er für seinen Verlag ein Forsthandbuch wünsche, das alle Wissenschaften für Forstmänner enthalten solle; an dieses die Forstbotanik von Bechstein zuletzt anzuschließen war Hennings Gedanke und zeigte, daß er klug speculirte. Mit Eifer und Freude entwarf nun Bechstein den Plan eines neuen, das ganze Gebiet der Forst- und Jagdwissenschaft umfassenden Werkes, für dessen Bearbeitung er einen Kreis seiner wissenschaftlichen Freunde zu werben sich erbot. Anfangs wählte Bechstein für dieses Werk den Titel: Repertorium der gesammten Forst- und Jagdkunde. Hennings zeigte sich äußerst erfreut über Bechsteins Plan. „Das Ganze ist wie aus meiner Seele gedacht, und eben so haben ich und Tromsdorf einen Plan für dessen chemisches Institut entworfen. Also über Plan und Einrichtung kein Wort der Erinnerung. Alles ist vortrefflich."

Die Bedenken, welche Bechstein aussprach über sein Verhältniß zu Monath und Kußler wegen des in deren Verlag erschienenen Werkes beseitigte Hennings und sprach bei dieser Gelegenheit auch ein richtiges Wort über zu große Auflagen aus, welche manche Buchhändler aus Geiz machten, um den Autoren kein anderweites Honorar zahlen zu müssen. „Jeder Verleger sollte lieber wünschen, alle 5—6 Jahre eine neue Auflage zu bringen, und das Honorar neu und mit Vergnügen zahlen. Auf diese Art würden die sogenannten Büchermacher nicht die Früchte verdienter Männer rauben können."

Für das neue Unternehmen wurde vorerst der allgemeine Titel: Handbuch der Forst- und Jagdwissenschaft gewählt und der Contract im Frühling 1817 unterschrieben. Dieser enthält die Bestimmungen, daß der Herausgeber allein mit dem Verleger zu unterhandeln habe, und dieser nur an den Herausgeber das Honorar auch für die Mitarbeiter zahle, daß das Honorar bei jeder neuen Auflage erneut werden solle, daß die Auflage jeden Bandes 1000—1200 Exemplare stark gemacht werden solle, nöthige schwarze und colorirte Kupfertafeln habe der Verleger zu besorgen u. dgl.

Bechstein trat sogleich in Unterhandlung mit dem Kupferstecher, Entomologen und Insectenhändler Jacob Sturm in Nürnberg, um von diesem für den entomologischen Theil literarische Nachweise, Insecten in natura und Stiche zu erhalten, und bereitete nun mit aller Liebe das Unternehmen vor. Sturm erhielt den Auftrag, 4 Quarttafeln schädlicher Forstinsecten zu stechen; Hoßfeld wurde für das mathematisch- und physikalisch-chemische Fach gewonnen, Laurop für Jagdnaturgeschichte und Technologie, Forstabtrieb und Cultur; der Forstschutz war Cramer zugedacht, Forstdirection, Geschichte und Literatur Meyer zu München, die practische Jagdkunde dem Grafen von Mellin, das Forstrecht Köhler, die Anleitung zum Hand- und Planzeichnen dem Lehrer Hausen, Bechstein selbst wollte Forstbenutzung, Insectologie und Forstbotanik übernehmen.

Mittlerweile hielten Monath und Kußler immer noch die Zahlungen zurück, Hennings erbot sich, ihnen den Rest der Exemplare des Jagdhandbuchs abzukaufen, es kam aber dieser Handel nicht zu Stande, weil der Exemplare zu viele waren, und die Forderung zu hoch, und Hennings druckte später auch den 2. Theil des 2. Bandes des in Monath und Kußler'schen Verlag erschienenen Forst- und Jagdhandbuchs, damit dieses Werk nur vollendet erschien. Nicht gering war der Schreck der letztgenannten Firma, als sie die in Nr. 114 des Allgemeinen Anzeigers der Deutschen erscheinende erste Ankündigung des neuen Unternehmens zu Gesicht bekam, da der Ankündigung zu Folge dasselbe alles übertreffen sollte, was bisher in dieser Hinsicht versucht worden. Sie nahm daraus einen Beweggrund, die erste Hälfte des noch restirenden Honorars zu dem von ihr selbst gesteckten Ziele abermals nicht zu bezahlen, weil das neue Werk dem ihrigen großen Schaden bringen und Eintrag thun werde, und verlangte, über ihre Befürchtungen beruhigt zu werden.

Es ließ sich indessen wenig zur Beruhigung thun. Die Handlung hatte sich durch ihre Saumseligkeit in jeder Art, zu der sie freilich mißliche Verhältnisse und wohl auch der nicht allzugroße Absatz des Handbuchs nöthigten, es sich selbst zuzuschreiben, daß Bechstein nun gänzlich mit ihr abbrach.

In dieser Zeit starb auch der oft erwähnte Herr Schneider, Besitzer der Handlung Schneider und Weigel in Nürnberg; die in diesem

Verlag erschienenen getreuen Abbildungen waren bis zum achten Hundert gediehen — welche noch bis zum Jahr 1827 als fingirte neue Auflagen in das Publikum gebracht wurden.

Bechstein wendete allen Fleiß und alle Thätigkeit, die ihm die Erfüllung seiner Berufspflicht, mehrere Krankheitsanfälle und einige Badereisen übrig ließen, der neuen Unternehmung zu, und löste ein Band nach dem andern, das ihn mit Buchhändlern, außer Hennings, verband.

Selbst als sein intimer Freund, Superintendent Jacobi in Waltershausen, ihn im Namen des Verlegers Steudel in Gotha durch einen expressen Boten dringend aufforderte, sich an dem Werke: Deutsches Land und Deutsches Volk mit ihm und Guts-Muths zu betheiligen und den naturhistorischen Theil zu übernehmen, das Honorar ganz nach eigenem Ermessen zu bestimmen, und zu gestatten, daß sein Name mit in die demnächst zu erlassende Ankündigung aufgenommen werde, sprach Bechstein ein freundliches Nein.

Es erschienen jedoch von diesem Werke nur die geschichtlichen und geographischen Theile.

Im October 1817 sandte Laurop bereits Manuscript zum Forstschutz, und machte dabei die Mittheilung, daß man in Bayern mit der Organisation einer Königlichen National-Forstacademie beschäftigt sei, welche in Aschaffenburg an die Stelle der daselbst bisher bestandenen Forstlehranstalt treten solle und daß man bei ihm angefragt habe, ob er den Ruf als Director dieser Academie und als Lehrer der Forstwissenschaft mit einem Gehalt von 2000 Gulden Besoldung und Antheil am Honorar, annehmen wolle?

Indessen ging es damit nicht rasch vorwärts, und Laurop blieb in Baden.

Auch in Würtemberg solle — schrieb Laurop, eine öffentliche Forstlehranstalt, und zwar in dem durch die großen Jagden des vorigen Königs so bekannten Babenhausen, errichtet werden.

Indeß thaten Laurops Verleger Mohr und Winter in Heidelberg gegen die Wiederherausgabe seines Forstschutzes und der Forstbenutzung Einspruch, indem sie diese als eine widerrechtliche und in ihr Verlagsrecht eingreifende zweite Auflage des in ihrem Verlag erschienenen gleichnamigen Werkes ansprachen, weshalb Modificationen eintreten mußten, daher auch die Titel Forstschutz und Forstbenutzung nicht in Anwendung gebracht wurden.

Der Briefwechsel zwischen Bechstein und Hennings wurde nun ein ungemein lebhafter und legte ein so schönes gegenseitig freundschaftliches Verhältniß an den Tag, wie zu wünschen wäre, daß es stets zwischen Schriftsteller und Verleger Statt finden möchte. Die achtungsvollste Sprache, die einsichtsvollste Berathung und bei Mißverständnissen, die über Merkantiles oder Technisches hie und da auftauchten, deren zarteste Beseitigung, alles zeigte, daß Bechstein in Hennings einen wackern und ehrenhaften Freund gefunden, wie er bei seinen vielen Verlegern nur in Crusius einen ähnlichen gehabt. Nie schrieb Hennings in der Anrede an Bechstein anders, als: „mein verehrungswürdiger Gönner, und Freund." — „Sie sehen, ich gebe durch alle Punkte nach und thue, was Sie wünschen, nur Ihr freundliches Gesicht habe ich stets vor Augen und ist meine einzige Zufriedenheit." — „Jeder Mißmuth von Ihnen ist ein trüber Tag für mich." — „Ich thue gerne alles, was Sie wünschen." — „Nur um Ihre Zufriedenheit bitte ich, die mir lieber ist als eine Parthie Thaler." — „Dank, herzlichen, daß Ihre gütige Zuschrift so herzlich und billig war." So und in ähnlicher Weise enthält fast jeder Brief Zeichen einer hochachtungs- und gemüthvollen Zuneigung und fast aufopfernder Liebe. Hennings wählte auch Bechstein 1820 mit zum Taufpathen eines Sohnes. Der Druck des Werkes ging rasch vorwärts, und es wurde häufigst um Manuscript gebeten. Da Sturm in Nürnberg sich nicht eifrig in Lieferung der ihm übertragenen Kupferstiche zeigte, so erhielt auch der Kupferstecher Nußbiegel daselbst wieder Beschäftigung für das neue Unternehmen, doch machten beide den raschen Verleger oft ungeduldig, und riefen seine Klagen über ihre Saumseligkeit hervor. Zunächst kamen die Forstinsectologie und der Waldschutz unter die Presse, dann die Forstbotanik. Oefter erwähnte Hennings der Neider, an denen es dem Unternehmen nicht fehlte. In einer ganz vertraulichen Angelegenheit äußerte Hennings: „Behalten

Sie die Sache ja für sich, denn selbst mein bester Freund hier (in Gotha) ist wegen der Forstwissenschaft nicht mehr mein Freund, um so lieber werden Sie dessen Stelle mir ersetzen. R. kann mir nie die Idee unsers Forstwerks vergeben.

Nach Vollendung der genannten Arbeiten kam Hoßfelds Forstmathematik und Algebra an die Reihe; in der Folge, wie die Ankündigung die Abtheilungen bezeichnet hatte, konnten dieselben nicht erscheinen und auch im Bezug auf die früher von Bechstein bestimmten Autoren traten Veränderungen ein.

Hennings machte sich durch eine noble Freigebigkeit um Meiningen verdient, er schenkte ein namhaftes Werk seines Verlags allen Schulen des Landes und den Bibliotheken der öffentlichen Behörden und Anstalten.

Bechstein wirkte ihm den Character eines Meiningischen Geheimen Legationsrathes aus, was Hennings sehr hoch aufschlug, und Bechstein stets dafür ein dankbares Gefühl im Herzen bewahrte. Er erbot sich sogar, Mitglieder der Meiningischen höhern Collegien, wenn sie nach Gotha kämen, gastfrei bei sich aufzunehmen — und schaffte sich eine Meiningische Hofuniform an, weil er von Gotha — „nichts wolle und nichts habe."

Im Jahr 1819 druckte man in Wien die Forstbotanik nach; Hennings reiste sogleich selbst nach Wien, um Gegenmaaßregeln zu treffen; zu diesen gehörte die Manipulation — da es für den deutschen Buchhandel damals noch keinen Rechtszustand in Oesterreich gab, dem Forstwerke einen Titel mit einer Wiener Firma (Heubner) zu geben, und durch diese es in den Oesterreichischen Zeitungen ankündigen zu lassen. Um mit Nachdruck dem Nachdruck zu steuern, mußte Hennings Sohn selbst in Wien eine Zeit lang Aufenthalt nehmen.

Die Fortsetzung der Forst- und Jagdwissenschaft wurde bei Dr. Fröbel in Rudolstadt gedruckt. Es kam 1819 die Jagdzoologie von Bechstein unter die Presse.

Zum weitern Mitarbeiter hatte Bechstein dem Förster J. Hoffmann in Judenbach ersehen, welcher die Forsttaxation behandelte. Dieser Mann legte viele Geneigtheit an den Tag, sich in literarische Katzbalgereien, namentlich gegen die bekannten Forstschriftsteller Hartig und Pfeil einzulassen, an denen Bechstein weder Freude hatte, noch sich dabei betheiligte, wie ich denn nirgend dahin Deutendes gefunden, daß Bechstein sich mit Antikritiken oder sonstiger Abwehr mißfälliger Beurtheilungen befaßte. Wer auf sicherem Boden steht, redlichen Willens und treuen Strebens sich bewußt, den wird Tadel nicht irren; er wird es dankbar erkennen, wo Tadel belehrt und berichtigt, und es mit Stillschweigen verachten, wenn Tadel gehässig wird und persönlich anfeindet. Es kommt nichts heraus bei der Streithahnsucht, als Verlust und Störung des innern Friedens, dessen Erhaltung viel wesentlicher ist, als Recht behalten und letztes Wort haben.

Die Forstbotanik wurde in zwei verschiedenen Auflagen, einer größern und einer kleinern, gedruckt, obschon Hennings sich zur Klage über deren geringen Absatz genöthigt sah, und dieß unter andern mit den Worten that: „Wäre auf eine neue Auflage zu denken, was auch der ewige Jude nicht erleben wird, so würde ich mich ewig schämen, Ihnen Unwahrheiten gesagt zu haben."

Nur durch eine von übler oder leidender Stimmung Bechsteins vielleicht erzeugten Härte scheint Hennings zu einer so kränkenden Aeußerung veranlaßt worden zu sein, in der er sich nicht einmal als Prophet bewährte, denn im Jahr 1841 veranstalteten die Käufer der Henningsschen Buchhandlung, die Herren Hennings und Hopf in Erfurt, dennoch wieder eine neue Auflage der Forstbotanik, deren Redaction sie dem Forstmeister von Behlen übertrugen, welcher sich's überhaupt als naturhistorischer und forstlicher Vielschreiber zum Geschäft machte, Bechsteins Werke neu zu ediren und verbösert erscheinen zu lassen.

Im Jahr 1821 wurde Laurop's Forstbenutzung fertig, so wie die große und kleine Botanik, während Hoßfelds Mathematik im Drucke rasch vorwärts schritt, und sich ebenfalls noch gegen den Herbst vollendete.

Noch eine Freude machte in diesem Herbst der gütige und liebevolle Freund und Verleger Hennings durch Uebersendung des Bildnisses in Kupferstich nach demselben Künstler Steinla, für den Hennings früher sich bei Bechstein verwendet hatte, und dem Letzterer den Professortitel vom S. Meiningischen Hofe verschaffte. Dieses Portraitbild kam erst nach Bechsteins Tode in die Hände des Publikums; es ziert den 10. Theil, 4. Band der Forst- und Jagdwissenschaft nach allen ihren Theilen, herausgegeben von C. P. Laurop, Wildjagd und Wildbenutzung noch aus Bechsteins Feder enthaltend. Nach diesem Bilde sind einige andere Brustbilder Bechsteins gefertigt worden. Hennings schrieb damals darüber: „Wenn ich mich nicht täusche, so wird Ihnen die Beilage Vergnügen machen, wenigstens war dieses meine Absicht. Arnoldi, Ritter und mein ganzes Haus haben viele Freude über die Aehnlichkeit gehabt. Genug, wer die Ehre hat, Sie zu kennen, hat Sie gleich erkannt. Laurops Vorrede zu dem erwähnten Bande fügte Hennings folgende Nachschrift bei: „Wenige Monate vor des Seligen Krankheit war ich so glücklich, mir meinen unvergeßlichen Freund durch Herrn Professor Steinla malen zu lassen. Angenehm hoffe ich dessen Verehrer durch eine treue Copie zu überraschen, und füge noch die Bemerkung bei, daß ich keine Kosten berechnet habe. Der Verleger."

Mit dem Jahre 1821 schloß sich die literarische Thätigkeit Bechsteins ab; seinem Verkehr mit Freunden und seinem häuslichen Leben ist ein nachfolgender besonderer Abschnitt gewidmet, nur einiger Beziehungen zu wissenschaftlichstrebenden Gesellschaften sei noch gedacht, wie einiger Auszeichnungen, die amtliches und literarisches Wirken ihm brachten.

Zu Görlitz hatte sich mit dem Beginn des Jahres 1811 eine ornithologische Gesellschaft gebildet, und zwar lediglich als Verein von Liebhabern der Stubenvögel. Sie lehnte zwar ausdrücklich den Namen einer gelehrten Gesellschaft von sich ab, schloß aber die gründliche Wissenschaft keineswegs aus ihrem, wie es scheint, sehr heitern und gemüthvollen Kreise aus.

Die Gesellschaft wählte Bechstein zum wirklichen auswärtigen Mitglied, und zweifelte nicht, daß er „mit Wohlgefallen eine Vereinigung ansehen und daran Theil nehmen werde, die ihre Entstehung größtentheils ihm selbst zu verdanken habe, da er es gewesen, der zuerst ein Werk lieferte, das dem Publikum diesen Theil der Naturgeschichte so umfassend darstellte und die Neigung zu dieser freundlichen Wissenschaft bei den mehrsten erst anfachte."

Das Siegel dieser Gesellschaft zeigte eine auf einem Baumzweig singende Nachtigall, genau dem Titelkupfer vor der zweiten Auflage der Naturgeschichte der Stubenvögel nachgebildet.

Bechstein erfreute die Gesellschaft mit einer herzlichen und ausführlichen dankenden Zuschrift, in der er auch seinen im Herbst 1811 erlittenen Unglücksfall berührte, und es hieß im Antwortschreiben derselben: „Wir danken sämmtlich Gott mit Ihnen, der Sie in einer so großen Gefahr beschützte, und wünschen nichts inniger, als Ihre völlige Wiederherstellung."

Der bald darauf ausbrechende Krieg unterbrach und hemmte die harmlose Thätigkeit dieser Gesellschaft, und neben den Kriegsunruhen hätten Tod und Ortsveränderung mehrerer Mitglieder ihr beinahe ein gänzliches Erlöschen herbeigeführt. Erst im Januar 1817 begründete sie sich auf's Neue, und säumte nicht, Bechstein davon Kunde zu geben, und seine fernere Antheilnahme an ihren Bestrebungen zu erbitten, die er denn auch nicht versagte, und ihr fortwährend erhielt. Als die Gesellschaft das zweite Stifungsfest ihrer Erneuerung feierte, brannte Bechsteins Name in einem Transparent an der Spitze jener der übrigen Mitglieder zwischen lebendigen Bäumen, und man unterließ nicht, an jedem Jahresfest dem verehrten Vater der deutschen Ornithologie ein freudiges Lebehoch auszubringen. Bechstein empfing regelmäßige Berichte von der Gesellschaftsthätigkeit, ihren Arbeiten, ihren Sammlungen, und öfter wurde sein Urtheil und seine Bestimmung über Vögel, bei denen diese noch zweifelhaft war, eingeholt.

Die Classisphysica der Königlichen Academie der Wissenschaften zu Berlin übersandte Bechstein im Juli 1812 ihr von Erman, Tralles, Ancillon und Buttmann unterzeichnetes Diplom als correspondirendes Mitglied. Im October des nämlichen Jahres sandte die Allgemeine Kameralistisch-Oekonomische Societät zu Erlangen durch ihren Director Harl und den General-Secretair Dr. Fick ihr Ehren-Diplom. Von 1812—1816 scheinen fast überall — wie in der droh- und drangvollen Zeit, die im Jahr 1848 begonnen, die Wissenschaften und ihre Institute geschlummert zu haben, oder in den Hintergrund gedrängt worden zu sein.

Erst im Jahr 1817 begann wieder, wie wir vorhin bei der ornithologischen Gesellschaft zu Görlitz gesehen, erneute Regsamkeit. Im Juli dieses Jahres überschickte Merrem als zeitweiliger Secretair der Gesellschaft zur Beförderung der gesammten Naturwissenschaften in Marburg deren Diplom, welches Bechstein zum ordentlichen Mitglied ernannte, unterzeichnet von dem Director Ullmann und dem engern Ausschuß Merrem und Wildungen, Wurzer und Busch.

Von der Senkenbergischen naturforschenden Gesellschaft zu Frankfurt wurde Bechstein unterm 1. März 1820 zum correspondirenden Mitglied ernannt, das Diplom unterzeichnete nächst den Directoren der damalige Secretair C. H. G. von Heyden-Oberlenz, der als ehemaliger Schüler Bechsteins (er besuchte die Forstacademie von 1810—1812) sein Andenken freundlich zurückrief. Er erlangte später die Würde des ersten Bürgermeisters seiner Vaterstadt.

Die naturforschende Gesellschaft des Osterlandes zu Altenburg, deren Mitbegründer Bechsteins Vetter, Canzleirath Wilhelm Bechstein, war, widmete Bechstein am 4. Juli 1820 ihr Ehren-Diplom, und so sahe er sich noch bis wenige Jahre vor seinem Tode auch auf diese Weise geehrt und ausgezeichnet.

Wie sehr aber auch solche Anerkennung seines Strebens und seiner Thätigkeit ihn erfreuen mußte, nie fiel es ihm ein, außergewöhnlichen Werth auf dergleichen zu legen, oder damit zu prunken, und ich erinnere mich nicht, daß er im Familienkreise jemals einer solchen Zusendung Erwähnung gethan.

Eine Besoldungszulage von einem Hundert Thalern, welche unterm 11. August 1813 von der regierenden Herzogin Mutter decretirt wurde, scheint bei dem damaligen Herzogl. Kammercollegium Anstoß gefunden zu haben, denn sie rief von Bechsteins Seite eine Rechtfertigung hervor, in welcher er dem Collegio Mancherlei darlegte, und unter anderm anführte, wie er mehrere Rufe in das Ausland mit bedeutenden Gehalten nur aus Anhänglichkeit gegen den höchstseligen Herzog und seinen guten Sohn abgelehnt, und es sogar verschmäht habe, durch Vorzeigen jener Berufungen sich einen höhern Titel oder eine Besoldungszulage zu verschaffen; auch daß er bereits früher eine Zulage erhalten und auf dieselbe verzichtet habe, wie es der Wahrheit gemäß war.

Unterm 15. Mai 1816 erfolgte von Seiten der Herzogin unter schmeichelhaften Ausdrücken höchster Zufriedenheit mit den dem Herzogl. Hause geleisteten treuen und nützlichen Diensten — die Ernennung zum „Obervormundschaftlichen Geheimen Kammer- und Forstrath."

Im Jahr 1819 faßte der wackre Patriot Rudolph Zacharias Becker den Plan: Einen deutschen Prüfungsverein in Form von einer Art Gelehrten-Gesellschaft zu begründen, welcher sich gegen Honorar der Ausarbeitung, wie der Prüfung neuer Schriften über Landwirthschaft, Fabriken, Manufacturen, Erfindungen, Modelle u. dgl. widmen sollte, und sandte an Bechstein seinen desfallsigen Entwurf, indem er zugleich ihn und die Lehrer der Academie zur Theilnahme einlud. Allein Bechstein konnte sich an diesem neuen Unternehmen eben so wenig betheiligen, als an jenem von Jacobi, dessen oben gedacht wurde, da seine vielen Berufsgeschäfte und die Herausgabe des Handbuchs ihn daran hinderten. Auch war die Idee wohl kaum eine glückliche, und trat niemals in's Leben.

Aber auch außer diesen blieb Bechstein bis an sein Lebensende durch Wünsche, Ansprüche und lebhaften Briefwechsel vielfach in Anspruch genommen.

XVII.

Häusliches Leben und Verkehr mit Freunden. 1811 bis 1822.

Im ruhigen Gleichmaaß des gewohnten thätigen Lebens gingen die Tage, gingen die Jahre dem rüstigen Forscher vorüber. Früh erhob er sich vom Lager und arbeitete, umschmettert von den mannichfaltigen Stimmen seiner gefiederten Lieblinge, immer einige Stunden, bevor die Glocke ihn zur Abhaltung seiner Lectionen hinauf in das Schloß rief. Den Kaffee nahm er auf seinem Zimmer ein. Die vielen Gelehrten so unentbehrliche Morgenpfeife entbehrte er; er rauchte niemals, schnupfte auch nicht. Zu den Kammersessionen fuhr er an den bestimmten Tagen um 9 Uhr und kehrte gegen 3 Uhr zurück. War er zu Hause, so unterbrach in den späteren Vormittagsstunden häufig Besuch von Fremden oder auch von Academikern, den er dann, je nach Umständen, in die vordern Zimmer führte und der Hausfrau vorstellte. Diese stand mit immer reger Sorgfalt dem Hauswesen vor, und es machte dasselbe bei ziemlicher Oekonomie, Feld, großen Gärten, Hühnerzucht 2c. hinlänglich zu schaffen, zumal neben der alten Mutter Bechsteins für zwei heranwachsende Pflegekinder, wie für Knecht und Magd zu sorgen war. Nicht selten waren auch Kinder naher oder entfernterer Verwandten auf Wochen und Monate im Hause, eben so kam oft andauernder Besuch von Verwandten und Freunden; von Zeit zu Zeit wurden auch besonders empfohlene Academiker zu Tische geladen.

Da galt es mit Umsicht die vergönnten, nicht überflüssig zuströmenden Mittel zu verwenden, zumal Bechstein von Zeit zu Zeit, wenn ihm der Ausgaben zu viele zu sein schienen, prasselnde Gewitterstürme am häuslichen Horizont aufsteigen ließe, die aber eben so rasch verschwanden, wie sie entstanden waren.

Er konnte sehr heftig werden und sehr schelten, am meisten aber dann, wenn durch Ungeschick einer seiner Lieblingsneigungen an das Herz gegriffen wurde, z. B. wenn Jemand von den Hausgenossen so unglücklich war einen Vogel entwischen zu lassen, oder tod zu treten. Und wie leicht war dieß geschehen, wo einem 20 bis 30 Vögel um die Füße liefen! Dasselbe war der Fall, wenn ungeschickter Weise eine Tulpe umgetreten wurde.

Thätlich strafte er nur selten, dann aber derb, und vor allem den Unfleiß. Wenn über solchen meine ihm befreundeten Lehrer geklagt hatten, waren trübe Stunden auszuhalten, es wurde auch mit Hausarrest gestraft, und mit essen in der Gesindestube. Dieß waren nun freilich unpädagogische Maaßregeln, denn indem die, eine halbe Stunde entfernte Schule zu besuchen war, so wurde der Hausarrest auf dem möglichst lang ausgedehnten Heimweg umgangen, und das essen in der Gesindestube gewöhnte an die Unterhaltung mit dem Gesinde, und an dieses selbst um so mehr, da ohnehin in dieser im Winter meine Schulbücher standen, ich in ihr die Schularbeiten vornahm, und auch viele ökonomische Beschäftigungen in diesem sogenannten Stübchen vorgenommen wurden. In diesem Stübchen vernahm ich durch den Kutscher Mönch aus Sättelstätt die ersten Sagen vom Hörseelerberge, las ich heimlich und verstohlen die ersten Volksbücher: Siegfried, Melusina, Fortunatus und Genofeva.

Die Erziehungsgrundsätze beider Gatten wurzelten noch theilweise in Salzmannisch-Schnepfenthalischen, welche aber consequent durchzuführen, ihm am wenigsten seine Zeit vergönnte. Er überließ der Hausfrau die Erziehung, und sie paarte dieselbe mit Liebe und Strenge. Sie war unablässig bemüht, auf Veredelung des Herzens hinzuwirken, den Sinn für Reinlichkeit, wie für nützliche Thätigkeit wach zu erhalten, sie ließ die Kinder an allen Arbeiten theilnehmen, denen sie sich selbst mit unterzog, und die ich meistens gern mit verrichtete, einige aber auch ungern, wie Raupen und Schnecken von den Gemüsen lesen und jäten; hingegen gießen, Obst schnitzen, Erbsen und Linsen lesen, Bohnen schneiden, Federn schleißen u. dgl. unterzog ich mich um so lieber, weil Unterhaltung dabei war, während ich außerdem Abends mit am Familientisch sitzend und nur lesend beschäftigt, mich gedrückt fand, auch jede Gelegenheit benutzte, mich davon weg zu stehlen.

Meine Liebe wie mein Dankgefühl gegen meine Wohlthäter waren sehr scheu und sehr schüchtern, einestheils verstand ich noch nicht, Umfang und Größe des Guten, was mir zu Theil wurde, zu würdigen, anderntheils erstickte eine bisweilen zu schroff sich äußernde Strenge die freie Regung kindlicher Zuneigung und daß mir das Anschmiegsame und Einschmeichelnde im Benehmen abging, schadete mir oft. Was mir in diesem Punkt mangelte, verstand um so besser die muntere und aufgeweckte, einige Jahre ältere, klügere Pflegeschwester zu üben, die mit Witz und Laune stets zu erheitern wußte. Auch schrieb sie eine niedliche gut lesbare Handschrift, während ich oft von Bechstein hören mußte: „Du schreibst wie ein Gückelhahn! Kein Buchstabe meint es mit dem andern gut.“ Oft mußte ich auch hören, daß der selige Eduard in allem viel strenger und karger gehalten worden sei; und wie liebevoll und gut ich auch behandelt wurde, ich fühlte bisweilen, daß ich kein eigenes Kind sei, und wenn ich es nicht immer selbst fühlte, so bekam ich es von Andern zu hören.

Wie friedfertig und zärtlich auch die Ehe der beiden Gatten war; so fiel nie auf mich der Strahl größerer Liebe von jedem Einzelnen, als wenn der andere Theil verreist war; was auf mein junges Gemüth einen eigenthümlichen Eindruck machte. Er war gesprächiger, mittheilender wie sonst, gab mehr Zucker, schnitt größere Kuchenstücke, schenkte mir Siegel, die ich, wie fast alle Knaben sammelte, und deren ihm fast jeder Tag neue brachte, nahm mich sogar mit auf irgend einen größern Spaziergang. Sie war freundlicher, zärtlicher, liebevoller, nahm mich gern mit auf weitere Ausflüge, die dann unternommen wurden. Zu seinem Leid gereichte nur, daß mein Sinn für die Freuden und Wunder der Natur sich nicht erschließen zu wollen schien — ich behielt nicht den einfachsten botanischen Namen, unterschied nicht den Finken vom Sperling, sah den Hasen nicht laufen, den sein Falkenauge in weitester Ferne entdeckte, und so entsprach ich nicht allen Erwartungen und Hoffnungen, mußte auch nicht selten die Rolle des Rüpels spielen. Hatte nun das Rüpelthum die Kleider unsauber gemacht oder zerfetzt, erschienen Gesicht und Hände schmutzig, dann hieß es: „der Junge soll ein Schlotfeger werden" — und bei Unfleiß ward die häufige Drohung laut: „Ein Schneider sollst Du werden, denn zu etwas besserem taugst Du nicht!"

Ruhig stand in einem kleinen Bücherschrank in der Kammer J. G. Salzmanns Krebsbüchlein.

Der Tisch war einfache Hausmannskost, und wenn nicht Besuch da war, sehr geregelt. Wein erschien nur Sonntags, Champagner nur an den beiden Geburtstagen. Den Familientisch beleuchtete Abends nur ein Talglicht, an Weihnachten oder sonstigen Winterfesttagen deren zwei. Bechstein spielte gewöhnlich, ehe er sich an den Tisch setzte, etwas Clavier, dann las er, bisweilen auch laut, Unterhaltungsschriften, mit denen ihn des Apotheker Jahn gute Lesebibliothek regelmäßig versah, oder auch Cramers neueste Romane. Mir war natürlich diese Lektüre eine verbotene Frucht, die eben so natürlich nicht unbenascht blieb, denn ich hatte eine wahre Lesewuth, obgleich ich vieles sehr spät verstehen lernte. Noch entsinne ich mich der angenehmen Schauer, welche Apels und Launs Gespenstergeschichten, Fouques Galgenmännlein, und Hoffmanns Elixire des Teufels erregten. Nebenher lief auf anderem Wege verschafft, die Lectüre der Volksbücher, der Insel Felsenburg, die Fata der Seefahrer, Robinson Don Quixote, später auch Höheres und Besseres, Klopstock, Schiller, Matthisson u. A.

Die Christbescheerung liebte die Hausfrau möglichst glänzend zu machen; da wurden so viele Kerzen aufgesteckt als Leuchter vorhanden waren, und die Bescheerung für alle Hausgenossen war in der großen Wohnstube vereinigt. Neben andern Gaben war bei den Christgeschenken immer auch etwas Geld, außerdem empfingen wir dessen nur selten und nur bei besondern Anlässen.

Häuslicher Bequemlichkeit war Bechstein nicht ergeben. Nie habe ich ihn, so lange er gesund war, auf dem Sopha ruhend, oder Schläfchen machend, gesehen. Nur Stiefelknecht und Pantoffeln mußten parat stehen, wenn er Abends nach Hause kam, diese zurecht zu stellen, war mein Ehrenamt. Er trug auch keinen Schlafrock, sondern saß arbeitend oder feiernd, stets in einer weißen Piqueéjacke, eine Kleideweise, wie sie damals bei vielen Beamten und Geschäftsmännern üblich war, nur verschmähte Bechstein die eigentlich dazu gehörige weißbaumwollene Zipfelmütze. Als sein Haar sich lichtete, trug er ein schwarzes Sammtkäppchen.

Seine Sehkraft erhielt sich ungeschwächt, nie bedurfte er einer Brille.

Vielfach ward seine Mildthätigkeit in Anspruch genommen. Wenn es schon viel war, daß er für zwei fremde Kinder alle und jede Ausgaben ihrer Erziehung bestritt, daß er oft auf Monate lang Besuch von Freunden oder Verwandten verköstigte, auch außerdem mußte er immer und immer wieder die milde Hand aufthun.

Damals stand die Unsitte der Neujahrsgratulationen noch in voller Blüthe. Es gratulirten die Hoffouriere, die Kammerboten, die Canzleiboten, der Hoftrompeter, die Hautboisten, die Chorschüler, die Currentschüler, der Hofkirchner, der Stadtkirchner, der Schloßcalcant, die Schloßschüler, der Kirchenvogt, der Thürmer, verschiedene Postillons, der Briefträger, die Garnisontambours, die Tambours des engern und des weitern Ausschusses, der Marktmeister, Schützenzieler und Trommler ꝛc. nur allein aus der Stadt, — aus dem Dorfe aber der Schulmeister mit den Choradstanten, die Musikanten, die Flurschützen, der Hirte und — der Todtengräber.

Und warum hätte der Todtengräber den Lebenden nicht gratuliren sollen, daß sie ihm noch nichts zu verdienen gegeben?

Es war wie ein Jahrmarkt oder Vogelschießen voll Seiltänzer und Hundekomödien, wenn Trommler verschiedener Art, Postillons verschiedener Art, Musikchöre und Singchöre verschiedener Art das Dorf an verschiedenen Orten mit ihrem Getön und Getös erfüllten — und wenn endlich das laute Getümmel und Getrümmel des Tages schwieg, so wanderte noch ein kleines Privatsingchörchen aus der Stadt, das den schönen Namen: die Möps führte, mit einer Laterne durch den Schnee der Gassen, und sang vor den Thüren herzbrechende Lieder.

Reisende Jäger rissen, so zu sagen, nicht ab, wie abgerissen sie auch häufig bettelnd erschienen. In meinem Leben habe ich nicht wieder so viele reisende Jäger als Fechtbrüder gesehen, wie zu Dreißigacker.

Bettelleute erschienen tagtäglich, ungeschreckt durch drei ihnen regelmäßig mit lautem Gebell im Hause entgegenstürmende Hunde, und leierten mit Sicherheit ihre langen Gebete her. Bettelbriefe habe ich im brieflichen Nachlaß nicht wenige gefunden, nach allen erdenkbaren Formularen, und Bechsteins Aufzeichnungen zeigen, daß er mit ächtem Christensinn auch hier die Linke nicht wissen ließ, was die Rechte that.

Ein ächt religiöser Sinn belebte beide Gatten, sie genügten, auch äußerlich gutes Beispiel gebend, den confessionellen Anforderungen, wenn auch nicht mit frömmelnder oder schauprunkender Regelmäßigkeit, und sorgten dafür, daß auch wir Kinder uns dem Gottesdienst nicht entzogen.

Bechsteins Mutter war eine regelmäßige Kirchen- und fleißige Abendmahlgängerin.

Die zahlreichen Gevatterschaften des Bechsteinischen Ehepaars erheischten mancherlei Gaben, er unterstützte mehrere seiner mittellosen Pathen, ließ sie Handwerke lernen u. dgl. und nicht minder wurde zum öftern von armen Verwandten Unterstützung erbeten. Er legte Werth auf seinen Stamm- und Familiennamen, und erwieß sich gegen alle Träger desselben gütig und freundlich.

Mit Vorliebe fuhr Bechstein fort, Witterungsbeobachtungen zu notiren, und besonders bot zu solchen das in dieser Beziehung so merkwürdige Jahr 1811 reichen Stoff.

Da die Hausfrau in diesem Sommer das Bad in Liebenstein brauchen mußte, so war Bechstein selbst viermal dort und ging auch im August nochmals zur Eintheilung des Altensteiner und Steinbacher Forstes dorthin. Er wohnte von da aus der am 1. September Statt findenden Feier der Einweihung des thüringischen Kandelabers auf der Stätte der St. Johanniskirche über Altenberga bei, welche Feier sehr erhebend war, und von einem edlen Geist der Eintracht und Bruderliebe unter den verschiedenen Bekennern des christlichen Glaubens zeugte.

Dr. Meyer in Offenbach berichtete über den Zuwachs seiner ornithologischen Sammlung und bat, ihm die von Bechstein entdeckte und benannte Sylvia fruticeti zu verschaffen, deren er nicht habhaft werden könne. Zugleich meldete er, daß Oberforstrath Bekker in Darmstadt in Wahnsinn verfallen sei, wobei er dessen Geistesverwirrung der falschen Zeichnung und Colorirung einiger Vögel im 19. Heft des Bekker'schen Werkes zuzuschreiben geneigt war.

So schön und einzig das Wetter 1811 gewesen, so sehr nöthigte das von 1812 zu klagen. Die auch diesesmal wieder gleich nach dem Schluß der Winterlectionen am Sonntag Palmarum angetretene Ferienreise ließ zwischen Nesselrode und Tambach kaum fortkommen; es schneite und fror bis tief in den April hinein, und unterm 18. bemerkte Bechstein: „So schlechtes Wetter habe ich noch in keinen Ferien erlebt. Kaum 2 Tage Sonnenschein. Immer Frost, Regen oder Schnee," und unterm 24. April: „Es ist, als wenn wir im Decembermonat lebten." Als auffallende Naturerscheinung brachte der Sommer eine Menge spanische Fliegen, deren Schwärme die Liguster- und Syringensträuche und die Espen kahl machten.

Auch mit den andern ornithologischen Freunden blieb lebhafter Verkehr unterhalten. Bekker in Darmstadt sandte das 21. Heft der deutschen Ornithologie, und beschrieb eine neue Falken-Art, die kleine Brandweihe, Falco rufus minor, bestritt die Meinung der Ornithologen Naumann, Natterer, Meyer und Wolff, daß Aquila leucocephala nur die alte Aquila ossifraga sei, welche sich darauf stütze, daß noch Niemand eine Aquila leucocephala mit ganz weißem Kopfe und Schwanze ihres Wissens gesehen habe, und die betreffende Abbildung dieses Adlers im Bechsteinischen Werke aus der Luft gegriffen sei, wobei er sich auf Exemplare im Großherzoglichen Museum, auf Mittheilungen des Dr. Schinz in Zürich und das Zeugniß des, von der gegnerischen Meinung zu der seinigen übergetretenen Medicinalrath Leisler in Hanau (Herausgeber von Nachträgen zu Bechsteins Naturgeschichte Deutschlands,

2 Hefte, 1811 und 1815) berief, und Bechsteins Urtheil erbat. Der erwähnte Leisler empfing von Bechstein eine Graugans, welcher er lange vergebens nachgestrebt, für seine Sammlung, und sandte Vespertilionen. Bei deren Empfang kam Bechstein zu uns Kindern in das Stübchen, zeigte uns die Exemplare dieser mit den liebenswürdigsten Physiognomieen von der Allmutter begabten Hautflügler, und sagte freundlich: „Weißt Du, wie die da heißt? Vespertilio Bechsteini heißt sie! Merk's!"

Das wichtige Jahr 1813 brachte Bechstein zunächst die Freude, 9 Wochen hintereinander die Schlittenbahn, sein Lieblingsvergnügen, genießen zu können. Graf Mellin theilte politische Neuigkeiten mit, die anziehend waren, weil die Zeitungen dieselben noch nicht brachten. Bechstein war ohnehin kein großer Zeitungsleser. In das Haus kam blos neben dem Meiningischen Wochenblatt das S. Gothaische und die Gothaische Zeitung, der Allgemeine Anzeiger und die Nationalzeitung der Deutschen, später Okens Isis, nichts von belletristischen Journalen, von Literaturzeitungen nur die Jenaische.

Im April gab es zum öftern französische Einquartirung, erst kam ein Sergeant-Major, dann ein Bataillons-Chef mit 2 Bedienten und 3 Pferden. Es waren Dragoner und der Posten vor der Hausthüre vertrieb sich nach nichtsnutziger Franzosenart die Langeweile damit, daß er die Köpfe des kleinen Spalierzauns am Hausgärtchen mit dem Säbel zerspaltete, wodurch uns Kindern eine stete Erinnerung an diese saubere Einquartirung blieb. Die im October einrückende russische Einquartirung bestand zuerst aus 1 Generalmajor mit 10 Kürassiren und in 2 Bedienten, nebst 15 Pferden, welche 2 Tage blieben. Die Bedienten waren Leibeigene, und ich hatte mit ihnen viele Unterhaltung, da ein kleiner gedruckter russischer Dolmetscher zur Verständigung half. Ebenso mit den nachfolgenden Kosaken, von denen 1 Obrist, 1 Lieutenant, 5 Bediente und Gemeine mit 11 Pferden im Hause lagen. Anziehend war das auf offener Straße mit Gesang und Vorsprechen gehaltene Gebet dieser Söhne des Don und Ural, mit dem jedesmal am Schluß von Allen laut und gleichzeitig mit griechischer Betonung gesprochenen Amen.

Die Kosaken zeigten sich nicht räuberisch, sie hatten aus Bechsteins Hause nur einen Sattel und einen Pferdekamm, die ihnen gerade dienen konnten, mitgehen heißen.

Oft wurde in diesen drangvollen Tagen Bechsteins Vermittelung angerufen, wenn die Truppen im Dorfe die Saiten ihrer Forderungen zu hoch gespannt, wenn Mißhandlungen einzelner Einwohner vorfielen, und er suchte Schaden und Unheil abzuwenden, wie er nur konnte. Im December kamen Preußen ins Haus, Hauptmann von Drosky, Lieutenant von Scheliha, 3 Bedienten und 3 Gemeine.

Der schneereiche Winter 1814 gestattete noch am 23. März Schlitten zu fahren, und der März war kälter als der December 1813. Bechstein bemerkte Anfang Aprils: „Dieß Jahr liebt auch die Natur die Extreme. Der ganze Thüringer Wald noch mit Schnee angefüllt, hatten wir doch den zweiten ein Gewitter, und den dritten ein sehr schweres, welches bei Wasungen große Wasserverwüstungen anrichtete. Die Schlossen lagen den andern Tag noch 1 Fuß hoch, und die Fuhrleute mußten wegen des abgeschlemmten Sands und der Steine Vorspann in der Stadt holen."

Zum erstenmal erlebte Bechstein, daß alle Roßkastanienblüthen der Frost tödete. Im Anfang des Juli mußte noch eingeheizt werden.

Zu dieser Zeit besuchte Dreißigacker und das Bechsteinische Haus der merkwürdige umherschweifende Polyhistor Arendt aus Altona, ein kleiner Mann im abgeschabten Rock, doch kam er nur einmal.

Der Einzug der Aliirten in Paris hatte Statt gefunden und alles deutsche Land in einen Freudentaumel versetzt. Cramer ließ ein „Triumphlied von den herrlichen Siegen der Deutschen über die Franzosen und ihren groß gewesenen Exkaiser Napoleon" erscheinen, in welchen sich erhabene und poetische Gedanken mit trivialen Ausdrücken wunderlich mischten. Es umfaßte 110 Stanzen in einem der Blumauerschen Aeneide nachgebildeten Metrum mit vielen Daktylen und Unregelmäßigkeiten.

An Bechstein ging nach dem Rückzug der Verbündeten ein sehr freundlicher Brief seines ehemaligen Schülers v. Burgsdorff ein, welcher, nachdem er einige Jahre Forstrath gewesen, Forstmeister, Gatte und

Vater geworden, und den heiligen Krieg mitgemacht hatte, aus dem er mit Orden geschmückt, als Rittmeister im Generalstab der Heimath und seinen Lieben wieder zueilte. Er sah auf der Reise Bechsteins Bild, und ergriff voll Rührung und Dankbarkeit die Feder, dem alten väterlichen Freunde Kunde von sich zu geben. „Meine Dankbarkeit für all' das Gute, das ich Ihnen verdanke, kann nur mit meinem Leben enden, und obgleich ich entfernt von Ihnen, so war ich Ihnen immer nah. Leben Sie recht wohl, so wohl wie es ein Sohn seinem geliebten Vater wünscht!" — Fast in ähnlicher Weise schrieb ein ehemaliger Zögling der Forstacademie, von Rappord aus Hamm: „Es möchten wohl nur sehr wenige Ihrer Schüler sein, welche sich nicht öfters veranlaßt fühlten, Ihrer als eines würdigen Lehrers und wohlmeinenden Freundes zu gedenken. Es kann Ihnen wenigstens nicht unangenehm sein, zu erfahren, daß die Meisten Ihrer Zöglinge gegen Frankreich ausgezogen sind, welches so zu sagen ein Sammel- und Tummelplatz der Dreißigäckerer gewesen ist. Fast auf allen Punkten trafen wir uns, und wir nahmen uns dann die Freiheit, Sie in unsern Kreis herbei zu holen, und von Ihnen und im Geiste mit Ihnen zu sprechen."

Im Juli brauchte Bechstein einige Wochen das Bad zu Liebenstein, und machte von da einen heitern Excurs nach der Ruhl, wo viele Vogelfreunde wohnten. „Friedrich Rothnagel heißt der Mann in der Ruhl, bei welchem hinführo Hähne von Finken zu bestellen sind," wurde besonders aufgezeichnet.

Das Bad hatte für Bechsteins Gesundheit guten Erfolg und er konnte mit Rüstigkeit fortwirken. In den Januar 1815 fiel ein heiteres Kindtauffest beim Unterförster Stöckert auf der Fasanerie, bei dem Bechstein zu Gevatter stand. Es gab eine Schlittenpartie, wir Kinder durften mitfahren, die befreundete Familie Trinks fand sich ebenfalls dort ein; es war Wein mitgenommen worden, und es fand bei milder Witterung eine vergnügte Heimfahrt Statt. Der ganze Winter war gelind und der frühzeitige Lenz sogar heiß, dafür erfroren am 22. April der Wein, alle Blüthen, die Kirschen, Pflaumen und Birnen und das junge Buchenlaub.

Ein eifriger Ornithologe, der Königl. Preußische Regimentsquartiermeister Heß in Magdeburg wendete sich fragend an Bechstein nach der Fortsetzung der Levaillantischen Vögel, nach der versprochenen neuen und umgearbeiteten Ausgabe der Wirsing'schen Vögel und Eier und nach der neuen Ausgabe des ornithologischen Taschenbuchs; eben so knüpfte Herr von Regelein zu Westerstede ornithologische Verbindung an. Forstinspector Meyer in Göttingen erbat für seine vorbereitete Monographie der Gattung Betula die von Bechstein entdeckte und benannte neue Art Betula hybrida, und bot aus seinem Herbarium von 15,000 Arten dagegen seltnere Weiden-Arten an.

Laurops und Fischers Jahrbuch Sylvan auf 1815 brachte die schon erwähnte Biographie Bechsteins und sein Portraitbild, sinnig in einem Waldestempel mit der Aufschrift Almae naturae, von einem Eichlaubkranz umschlungen, hingestellt. Freundlich kam Bechstein mit dem Buche zu mir in das Stübchen, hielt die Hand über die Unterschrift und fragte: „Wer ist das?"

„Der Herr Forstverwalter Herrle!" rief ich freudig aus. Das Bild war nicht ähnlich; Bechsteins Haare pflegten anders zu liegen, das Bild entbehrte des rechten Ausdrucks und der hohe, steife, bis an die Ohren heraufgehende Kragen der Uniform wirkte entstellend und gab dem Bilde eine steife, gedrückte Haltung, obschon es von Ch. Böttger in Dresden mit vielem Fleiße gestochen war. Nur die Partie um die Augen war getroffen.

Im Jahr 1816 gab zunächst 40 Tage anhaltender Regen und ein in Meiningen in drei verschiedene Häuser zugleich fahrender Blitzstrahl Anlaß zu Aufzeichnungen. Es folgten weitere Ergießungen jenes merkwürdigen Regenjahres, Uebertritt der Werra, Ueberschwemmungen der Heuärnten, Prophezeihungen vom Weltuntergang durch Wasser, und die traurigsten Aussichten auf die kommende Aernte. Mich warf damals ein hitziges Fieber auf das Krankenlager, wo ich mich der sorglichsten und liebevollsten Pflege zu erfreuen hatte, aber durch meine Phantasien wirrten sich vielfach die Bilder der in Aussicht gestellten Sündfluth, ich befand mich auf Schiffen, oder kämpfte mit Wogen und

Wellen. Im Herbst, der bessere Witterung brachte, führte Bechstein wieder eine Dienstreise in das Oberland. Ende September war in Dreißigacker der Waizen noch nicht reif, und der Hafer ganz grau; Hafer und Sommerkorn standen im Beginn des Novembers noch auf dem Felde, während es bereits am 8. schneite, am 11. fror, und am 12. so schneite, daß man Schlitten fahren konnte. Viele Früchte konnten nicht geärntet werden, und die geärnteten waren schlecht, daher wachsende, bis zur Hungersnoth sich steigernde Theurung, so daß das Maas Korn (8 Maas auf 1 Malter) in Meiningen 40—42 Batzen, in Suhl 60 Batzen (5 Gulden) kostete. Am 17. November notirte Bechstein: „Die Schlittenfahrt hat ihren Anfang genommen. Ich habe sie wiederum in der hiesigen Gegend, wie alle Jahre, eröffnet. Es schneit und friert wie mitten im Januar. Die Fenster thauen fast den ganzen Tag nicht auf."

Von Befreundeten gab Meyer in München von sich und der neuen Organisation in Bayern mancherlei Nachricht und Mittheilung; Naumann in Ziebigk, welcher seine Taxidermie (Ausstopfungslehre) übersendet hatte, bat um Auerhahn und Auerhenne für sein Vogelkabinet, wie um Sylvia fruticeti, Muscicapa parva, Cinclus aquaticus und das alte Männchen der Motacilla sulphurea u. s. w. Dagegen bot er andere Vögel im Tausch an, und schrieb Grüße seines Vaters. Ueber Finken wurde mit einem Herrn Köhler zu Großbreitenbach auf dem Thüringer Walde correspondirt, Laurop berichtete über die Einrichtung einer öffentlichen Forstlehranstalt zu Fulda für die sämmtlichen Kurhessischen Lande unter Direction des Landforstmeisters Hartig und kündigte seinen Besuch mit Familie in Dreißigacker an, welcher auch erfolgte. Auch Herr von Burgsdorff, der den Feldzug 1815 als Adjutant des Grafen von Dennewitz abermals mitgemacht hatte, schrieb wieder von seinem Sitz Kracow bei Schlawe, später von Cöslin in Pommern und theilte mit, daß er wieder in seinen weit ausgebreiteten Wäldern lebe, und als Regierungs- und Forstdepartements-Rath fast alle Hinter-Pommer'schen Forste unter seiner Aufsicht habe, mit einem Flächeninhalt von 287 Morgen blos Domänenwaldungen, ohne jene der Communen, in einem Departement von 300 Quadratmeilen. Jeder seiner Briefe athmete die innigste dankbarste Anhänglichkeit an Bechstein.

Fast gleichzeitig schrieb ein anderer früherer Waltershäuser Zögling, Forstrath Wittwer in Rothenburg an der Eisach, Vorsteher eines Privat-Forstinstituts, um einen Lehrer aus der Zahl von Bechsteins Schülern für Naturgeschichte und Arithmetik. Ihm wurde Herr Forstcandidat Georg Philipp Buttmann aus Meiningen empfohlen, welcher mit der größten Zufriedenheit von seiner neuen Stellung und dem Hause Wittwers sprach.

Ein wunderlicher Wandergast trieb sich nach den Kriegsjahren in Meiningen und Dreißigacker um, ein Abenteurer, der es liebte, von sich reden zu machen, viel in den allgemeinen Anzeiger schrieb, auch über Dreißigacker sich äußerte und sich den schwarzen Becker nannte. Von Hassenbach bei Itzstein aus sandte er 1816 seine Biographie an Bechstein, die mir leider nicht vor Augen gekommen ist, sondern nur sein Brief, darinnen er über die Buchhändler schimpfte, welche die armen, erst auftretenden Schriftsteller „ausmergeln." Bechstein litt im Laufe des Jahres 1816 nicht selten an heftigem, rheumatischem Kopfweh; sei es, daß dasselbe eine Folge seiner angestrengten Geistesarbeiten war, sei es, daß es als schmerzlicher Nachhall jenes 1811 erlittenen Sturzes auftrat, auch mochten die Jahre, zu denen er vorrückte, wohl beginnen, seine ursprünglich feste und kernhafte Natur zu untergraben, und die Beschwerden des höhern Alters sich einstellen. Sechzig Jahr sind immer eine bedenkliche Lebensstufe, bei den meisten schon ziemlich tief unter dem Höhengipfel der Vollkraft.

Das Gefühl, eines Theils durch Krankheit an gewohnter Lebensthätigkeit sich gehemmt zu sehen, und bei den Reisen auf sein Gut nöthig werdender Pflege zu entbehren, anderntheils die Noth, von seinem Pachter Geld zu erhalten — denn im Herbst 1815 empfing er statt rückständiger 200 Thaler Pachtgeld nur 70 Rthlr. auf das Jahr 1812 — und bis Ostern 1819 war ein Pachtrest von 1075 Thalern bewirkt, weckten in Bechstein den Entschluß, seine Kemnote zu verkaufen. Allein ein wackerer und verständiger Freund, Hofadvocat Hoch in Waltershausen, rieth ihm aus einleuchtenden Gründen ab,[1] und legte ihm dar, daß eine Zerstückelung des Gutes, wie zumal Bechstein sie beabsichtigt hatte, dem Verkauf nicht förderlich sei, aber auch das Ganze in so mißlicher und bedrängter Zeit keinen Käufer finden werde. So wurde denn das Gut zwar behalten, aber die Ländereien einzeln verpachtet. Im Jahr 1817 gab es unterm 19. Januar eine doppelte Sonne und einen verkehrten Regenbogen, und im Mai viele Maikäfer, wie im Jahre 1805, 1809 und 1813 zu notiren.

Von auswärtigen Freunden erneute Clairville in Geneve den Briefwechsel; jetzt leider, wie er klagte: allein, traurig und einsam. Der Schwager Reinecke in Coburg, dessen damals bereits von ihm geschiedene Frau mit Sohn und Tante zum öftern Besuch in Dreißigacker machten, auch einigemal von Bechsteins Hausfrau besucht wurden, schrieb freundlich und meldete von seinem Werke: **Icones Conchyliorum vivis coloribus accuratissime expressae etc.**, welches aber meines Wissens nicht erschienen ist. Nur dessen Vorläufer: **Maris protogaei Nautilos et Argonautas in agro Coburgico et vicino reperiundos** — erschien in folgendem Jahre, mit interessanten farbigen Steindrücken, welche Reinecke ganz für sich selbstständig erfunden, lange vor Aloys Sennefelders Auftreten. Der Verfasser gab auch dieses Werkchen in Commission und bemerkte: „Von Verlag kann keine Rede sein, weil Niemand mit den Platten umgehen kann."

Bechstein schrieb ihm: „Ich bewundre Ihre Courage, ein so kostbares Conchylienwerk selbst herausgeben zu wollen. Es sind Ihnen doch gewiß die neuesten Entdeckungen über die Thiere, welche diese Häuser bewohnen, und deren nähere Kenntniß jetzt der allgemeine Wunsch der Naturforscher ist, bekannt, sonst können Sie von Oken in Jena die neuesten englischen, französischen, italienischen Schriften über dieselben erhalten."

Bechstein schätzte Oken sehr hoch, und wurde von diesem nicht minder gewürdigt; ob beide Naturforscher, der praktische, positive und der philosophisch-geniale, mit einander correspondirt haben, ist mir nicht bekannt geworden, aber Bechstein schaffte sich alle Schriften Okens an.

An den vorhin erwähnten Herrn Buttmann, als dieser zu weiterer Studienfortsetzung seine Stelle bei Forstrath Wittwer aufgab, und nach Jena zu gehen entschlossen war, schrieb Bechstein: „Hören Sie in Jena einige nothwendige juristische Collegia, Cameralia, wie Physik und Chemie. Auch können Sie bei Oken Naturgeschichte hören, lassen Sie sich aber, da Sie einmal bei der hiesigen Kammer eine Anstellung suchen, und kein Professor auf Universitäten werden wollen, nicht zu tief in die naturphilosophischen Speculationen ein."

Laurop und Meyer setzten freundschaftlichen, wie geschäftlichen Briefwechsel fort; ersterer meldete, daß er für die Ersch- und Gruber'sche Encyclopädie beinahe die ganze Forstwissenschaft zu bearbeiten übernommen habe, und berichtete über den Fortgang der „Annalen," so wie er auch zahlreiche Mitglieder für die Societät der Forst- und Jagdkunde in Vorschlag brachte.

Naumann machte Sendungen von Vögeln, deren bei der Geschichte der Forstacademie gedacht ist. Oberförster Hundeshagen in Hersfeld, später Professor der Forstwissenschaft in Tübingen, sandte seine Anleitung zum Entwerfen von Bauholz-Anschlägen; ein ehemaliger Schüler A. von Holleben, genannt Normann zu Rudolstadt, berichtete über eine neue, von ihm construirte Nadelholz-Samendarre, mit der sich bei gehöriger Beaufsichtigung binnen 24 Stunden 230 Pfund ohnabgeflügelter Fichtensamen mit einem Ergebniß von 225 Pfund rein abgeflügelten ausklengeln lasse, ohne an der Keimfähigkeit zu leiden.

Der Königl. Preußische Forstmeister Smalian, einer der ältern Zöglinge Dreißigackers, sandte unaufgefordert zahlreiche Subscriptionen auf die „Forst- und Jagdwissenschaft," die er in seinem Wohnort Danzig gesammelt, nebst der Bemerkung, daß das Verzeichniß der Vögel im alten Handbuch der Jagdwissenschaft nicht ausreichend sei; Bechstein erwiderte, daß er gerade beschäftigt sei, dem gerügten Mangel für das neue Werk abzuhelfen, eben die Sammet-Ente (Anas fusca) beschreibe, und bat um Bälge dort einheimischer Vögel, welche er namhaft machte, für das Naturalienkabinet. Professor Germar in Halle setzte ebenfalls freundlich wohlwollenden Briefwechsel fort und machte entomologische Mittheilungen.

Der oben bereits erwähnte Herr von Rappord gedachte bei Gelegenheit der Anmeldung eines Verwandten, des Gerüchts, daß Bechstein nach Tharandt berufen worden und bereits dorthin abgegangen sei, mit der Bemerkung: „Ich glaube nicht, daß Sie Ihr eigenes Werk verlassen.“

Neuanknüpfend zeigte sich der K. Oberforstmeister von Pannewitz zu Marienwerder in Westpreußen, welcher nach seiner ersten Zuschrift über eine Million Morgen Königlicher Waldungen ohne die Communal- und Privatwaldungen befehligte, bereit zu jeglicher wissenschaftlicher Förderung. Baron Laffert, ein Zögling der Forstacademie, meldete aus Kopenhagen, daß Bechstein auch dort viele Anhänger und Verehrer habe, und seine Schriften vielfach gefunden würden. Er machte Mittheilungen über das dänische Forstwesen, und über Gänse-, Enten- und Schwanenjagden.

Von den dort zahlreich einheimischen Kampfhähnen gleiche nie einer dem andern. Hühner und Hasen gebe es kaum, weil man die Füchse schone, damit diese die Mäuse vertilgten. Die Katzen halte der gemeine Mann für heilig, töde fast nie eine, daher sie selbst verwildert häufig in den Wäldern angetroffen würden. Auch Fischreiherjagd wurde beschrieben. — Forstrath Wittwer schrieb wieder, und spendete Herrn Buttmann, seinem bisherigen Hülfslehrer, der ihn jetzt verließ, das ausgezeichnetste Lob, bat aber auch zugleich um Empfehlung eines andern. „Wenn Sie abermals einen so glücklichen Griff thun, so würde ich, die Wissenschaft und die Jugend sehr erfreut und dankbar dafür sein.“ — Der Schwager Reinecke theilte die große Neigung seines Sohnes Emil für das Forstfach mit, und da dieser Sohn durch Fleiß und Talente bereits Bechsteins natürliche Zuneigung gewonnen, so bot des letztern Güte gern die Hand, die Wünsche des hoffnungsvollen Jünglings zu erfüllen, und denselben nach Dreißigacker zu nehmen.

Es war Reineckes letzter Brief, er starb im Herbst 1818. Einer seiner genauesten Freunde, Geheime Conferenzrath Freiherr von Röpert zu Coburg (später in Meiningen privatisirend) bat Bechstein um biographische Notizen, welchem Wunsch dieser indeß nur theilweise entsprechen konnte. „Gern wollte ich Ew. Hochwohlgeboren die verlangte Auskunft über die ersten Bildungsjahre meines geliebten Schwagers geben, allein es ist mir leider wenig oder nichts mehr davon bekannt. Ich weiß nur noch, daß er Vorleser bei Gleim war, als Schüler vom Rector Fischer in Halberstadt sehr geliebt, und in Erfurt ein Jubel-Doctor wurde. Genau wird Ihnen über das, was er war, und wie er es war und wurde, meine Schwägerin Auskunft geben. Er war fast alles durch sich selbst, denn früher als ich ihn gekannt habe, wußte er von der Naturwissenschaft noch wenig oder nichts. In Erfurt, Pferdingsleben, (einem Ohrdrussischen Dorfe) Gotha, Ibenhain und Waltershausen gab er sich blos mit den schönen Wissenschaften, mit Roman- und mit Geschichtschreiben ab und übte sich dabei im Zeichnen nach der Natur, auch im Kupferstechen. Seit er verheirathet war, ertheilte er neben dieser Schriftstellerei auf der Schnepfenthaler Erziehungsanstalt und auf meinem Forstinstitute zu Waltershausen Unterricht im Schreiben, Zeichnen und deutschen Styl und war, bis er nach Weimar zu Bertuch zog, Secretair der Societät der Forst- und Jagdkunde. In Weimar mag er zuerst das Studium der Physik und Chemie ergriffen haben."

Im Herbst 1818 schied der Pflegesohn aus Bechsteins Hause und Reinecke's Sohn kam als solcher nach Dreißigacker.

Der von Seiten des Pflegesohnes während der Knaben- und ersten Jünglingsjahre mit vielen Academikern unterhaltene Umgang brachte diesem den Gewinn mancher geistigen Anregung, und er fand in diesen Kreisen manche Theilnahme. Ein Academiker, der Lieutenant Freiherr von Gemmingen Guttenberg aus Bonfeld in Württemberg, hernachmals S. Meiningischer Oberjägermeister, schrieb dem Scheidenden aufmunternd auf ein heilig aufbewahrtes Albumblatt:

„Flammen entzünden sich leicht,
Wo nur ein Funke recht glüht,
Wenn ein kräftiger Geist
Kühn in dem Wollen sich zeigt."

„Mögen diese Worte Sie aufmuntern, Ihr Dichtertalent nicht liegen zu lassen, wenn die Zeit es Ihnen nicht verbietet."

Sie haben dauernd aufgemuntert, diese Worte jenes poetisch begabten jungen Zöglings der Academie, und ihr heller Klang tönt noch in spätern Lebensjahren bedeutsam nach.

Der verwaiste junge Reinecke, welcher in demselben Herbst die Academie bezog, bildete sich zu einem sehr tüchtigen Forstmann aus.

Noch immer erfreute sich Bechstein bei leidlich wieder hergestellter Gesundheit an seinen Liebhabereien, und eine große Sendung Hyacinthen-, Tulpen-, Iris-, Crocus-, Lilien- und Martagonen-Zwiebeln, nebst Ranunkeln, die er von Affourtit aus Lissa kommen ließ, verlieh seinen Gärten den reizenden Schmuck einer auserlesenen Frühlingsflora.

Auch das Jahr 1819 ließ Bechstein seine Arbeiten wie seinen Briefwechsel mit Freunden fortsetzen, und wie in dem vorigen so war auch in diesem seine Sorgfalt für Bereicherung des Naturaliencabinets der Academie sehr bemüht und thätig.

Unter den Correspondenten erscheint zu dieser Zeit auch Forstmeister Pfeil zu Carolath, der in den achtungsvollsten und verehrungsvollsten Ausdrücken an Bechstein schrieb. Eben so äußerte er sich höchst beifällig über die ersten Bände der Forst- und Jagd-Encyclopädie, nur ließ er nicht unbemerkt, daß die norddeutsche preußische und polnische Forstwirthschaft so unendlich verschieden von der süddeutschen sei, was praktische Verwaltung und Benutzung betreffe, daß für Verbreitung des Werkes eine Berücksichtigung der verschiedenen Oertlichkeit sehr wünschenswerth wäre. „Unsere Waldwüsten" schrieb er: „wo Privatforsten bis 180,000 Morgen groß, wie z. B. die unter meiner Direction stehenden Muscauer Forsten, wo der Forstmeister Götze und mehrere Meininger, als Hopf, Dittich u. A. sind, erfordern in Hinsicht der Direction der Cultur und Benutzung ganz verschiedene Grundsätze, als da feststehen, wo das Holz Werth hat."

Noch im April 1821 meldete Pfeil, daß er als nunmehriger Oberforstrath und Professor in unmittelbare preußische Staatsdienste getreten, und bei der längst projectirten, nun zu Stande gekommenen Forstacademie, wie an der Universität lehre, indem er zugleich die übrigen

Lehrer namhaft machte; ein ähnliches Institut werde Bonn erhalten, auch Hannover werde mit der Bergschule in Klausthal ein Forstlehrinstitut verbinden, zu dessen Organisation und Direction er ehrenvoll berufen worden sei, aber die Anstellung im Vaterlande vorgezogen habe, wo er zugleich Mitglied der Oberexaminationscommission sei. In demselben Briefe sprach sich Pfeil auch über die gegen ihn erfolgten Angriffe Hoßfelds und Anderer aus.

Bechstein lenkte eine von einem seiner correspondirenden Freunde gegen Pfeil gerichtete Schmähung ab, so daß dieser später schrieb: „Für Ihre freundschaftliche Zurechtweisung, hinsichtlich der Abfertigung Pfeils, danke ich Ihnen herzlich. Ich will sie ganz liegen lassen, weil Sie Recht haben, sie greift die Person anstatt die Sache an und ist zu grell.“ — Die Widersprüche und Widerlegungen, die Pfeils Ansichten von manchen Seiten fanden, und alles darüber in öffentlichen Blättern laut gewordene, zum Theil sehr unerquickliche kritische und antikritische Gezänke lasse ich billig an seinen Ort gestellt.

Leider trübte Bechsteins Leben nun fast andauernde Kränklichkeit, und diese bewog ihn bereits im Februar 1819, ein Testament zu errichten und bei der obervormundschaftlichen Canzlei zu Meiningen verwahrlich niederzulegen.

Als der erste Professor J. A. Schmit an der Forstlehranstalt zu Mariabrunn bei Wien Bechstein sein Buch über die Forsttaxation zusandte und ihn freundlich zu einem Besuch nach Mariabrunn einlud, erwiderte Bechstein: „Gern würde ich Ihrem liebevollen Anerbieten Folge leisten, wenn es nur in meinen Kräften stände! Ich bin schon zum Reisen zu alt, habe zu viele Geschäfte und kann daher kaum so viele Zeit abmüssigen, daß ich bei meinem jetzt kränklichen Körper jährlich eine Badereise zu machen vermag.“

Im October 1819 notirte Bechstein: „Acht Wochen bin ich an einem Nerven- und Frieselfieber krank gewesen. Herr Hofrath Schlegel hat mich wieder hergestellt.“

Dr. Julius Heinr. Gottl. Schlegel wurde mit seiner Familie bald nach seiner Berufung und Uebersiedelung von Ilmenau nach Meiningen dem Hause Bechsteins innig befreundet, und blieb es bis zu seinem Lebensende. Er war ein eben so gelehrter Arzt als geistvoller Mann, voll Witz und Humor und wußte auf eine feine Weise auch den Geist Anderer, mit denen er sprach, hervorzurufen. Seine Biographie ist in Voigts Necrolog enthalten.

Viele Freunde bezeugten auch im folgenden Jahre Bechstein ihre Antheilnahme an seinen Leiden und der im Herbst überstandenen schweren und lebensgefährlichen Krankheit.

Doch wie er auch gelitten und leiden mochte, Lebensmuth und Lebenshoffnung war in ihm noch nicht erstorben, und seine Thätigkeit blieb unerschlafft. Da das Jahr 1819 einen nicht übeln Wein hervorgebracht, fand er sich veranlaßt, in Gemeinschaft mit einigen Freunden nahe an 14 Eimer Most zu kaufen, und auch außerdem entzog er sich in seinem spätern Leben, wie gut und recht war, der Gottesgabe nicht, kaufte und trank auch nicht geringe und schlechte Jahresläufte.

Laurop berichtete in vertraulichen Herzensergießungen über Erfahrungen und Leiden, die ihn als Lenker einer forstwissenschaftlichen Anstalt vielfach zu Theil wurden; Wilckens, jetzt in Schemnitz in Ungarn, beklagte seine Stellung als Lehrer in starken für jenes Land genugsam bezeichnenden Ausdrücken: „Wenn ich hier mittheilen wollte, was ich während meines fast zwölfjährigen Hierseins ausstand und erfuhr, so würden Sie mir es schwerlich glauben. Spitzbube, Dieb und Mörder zu sein, das ist hier angestammt und eingefleischt; ich habe Zöglinge des K. K. Forstinstituts, die öffentlich in jener Qualität erschienen waren, in die Eisen liefern müssen."

Im Juni 1820 trat Bechstein in Begleitung seiner Frau eine Badereise nach Wiesbaden an, welche zugleich zu einer Vergnügungsreise benutzt wurde, und auf der er manche angenehme Bekanntschaft machte und neu anknüpfte. Er notirte darüber unterm 23.: „Heute bin ich mit meiner Frau nach Wiesbaden gereist. Vor unserer Heimreise sind wir den Rhein hinab bis Coblenz, und von da über Ems, Schwalbach und Schlangenbad gefahren und nach Hause über Fulda und Salzungen. Diese Reise dauerte 7 Wochen und 1 Tag."

Im Allgemeinen wurden nun seine Aufzeichnungen seltener, viele Ausgaben notirte er längst nicht mehr; auch das Interesse für die Witterung ließ nach, nur die Maikäfermenge 1821 und daß es in diesem Jahre im Juni wiederholt schneite und Eis fror, wurde aufgezeichnet. Eben so notirte Bechstein die Anmeldungen zur Forstacademie auch ferner pflichtgemäß und pünktlich. Da finden sich indeß viele Namen Gemeldeter, die später gar nicht kamen, so auf Ostern 1821 der eines Prinzen von Bentheim-Teklenburg auf Schloß Hohen-Limburg an der Lenne u. A. Auch das erste mal Schlittenfahren nach Meiningen, am 16. November 1820 blieb nicht unbemerkt.

Pfarrer L. Brehm in Renthendorf, Bechsteins Nachfolger als Naturhistoriker der Stubenvögel wie der Vögel überhaupt, knüpfte literarischen Verkehr an und übersandte Ankündigungen der Beiträge zur Vögelkunde, die er mit G. B. Brehm in Neustadt an der Orla erscheinen ließ. Er nannte in seinen Briefen Bechstein nie anders, als den Vater der Naturgeschichte.

Apotheker Bädeker in Witten correspondirte über Finken und andere Vögel.

Geheimer Conferenzrath Arzberger in Coburg — der sich auch mit vieler Theilnahme für Bechsteins Neffen E. Reinecke interessirte und verwandte, fügte seinen Briefen immer forstliche oder naturgeschichtliche Bemerkungen bei, welche vom aufmerksamen Verfolgen beider Wissenschaften zeugten.

Der Director der Aschaffenburger National-Forstacademie, Strauß, sandte seine Zusammenstellung der Wiedererneuerung und feierlichen Eröffnung derselben als Ausdruck seiner Verehrung. — D. A. Lange, Prediger zu Brannsche bei Osnabrück, theilte mancherlei über Ortolane und Rohrdrosseln mit, sandte auch ausgestopfte Exemplare derselben.

Meyer, jetzt in Ansbach, und Laurop setzten ebenfalls befreundete Correspondenz fort, und letzterer sandte seinen Sohn Wilhelm, Bechsteins Pathen, Ostern 1821 nach Dreißigacker, wo dieser in Bechstein einen väterlich gesinnten Freund fand. Bei Besuchen, die ich von Arnstadt aus einmal in Dreißigacker, und einmal in Waltershausen auf der Kemnote, zuletzt im Herbst 1821 machte, fand ich Bechstein äußerst freundlich und liebevoll, und da zufriedenstellende Zeugnisse mitgebracht wurden, so schwanden die Besorgnisse, die Bechstein anfänglich über meine Zukunft gehegt, und bewogen ihn zu väterlich günstigen Entschlüssen.

Auf das theilnehmendste äußerte sich bei fortgesetzt geklagten Leiden der wackere Freund und Verleger Hennings, welcher halb und halb die Idee gefaßt, Käufer des oben genannten Ritterguts zu werden, doch aber im Sommer 1821 schrieb, daß er dieselbe wieder aufgeben müsse.

Hennings Verdienste um die Literatur blieben nicht ungewürdigt; aus freiem Antrieb, ohne daß er ein Exemplar eingesandt, ließ ihm der König von Bayern die große goldene Ehrenmedaille als Beweis seiner hohen Zufriedenheit mit dem Unternehmen der Forst- und Jagd-Encyclopädie zustellen.

Naumann setzte seine Correspondenz mit Bechstein fort, und es wurden ihm auf wiederholten Wunsch endlich Haselhühner verschafft, die Lieutenant Carl v. Diemar aus Walldorf, jetzt zu Wittgenstein, schoß und sandte. Ebenso empfing Naumann Fichtenkernbeißer, **Loxia Enucleator.** Derselbe äußerte sich kritisirend über Brehms Werk — er gebe des guten fast zu viel, sein **Cuculus macourus** sei **Cuculus Glandarius**, davon **Cuculus pisanus** der junge Vogel. Er habe sie in Wien gesehen, wo sie eben von Cypern angekommen. Dagegen ließ er Brehms Beobachtungen über die **Fringilla petronia** volle Gerechtigkeit widerfahren, und zeigte sich wißbegierig, ob jene mit denen Bechsteins übereinstimmten.

Als im März 1821 der mehrerwähnte Forstcandidat Buttmann nach vergeblichem Hoffen auf eine passende Stelle in Norddeutschland die Gegend um Danzig, wo er weilte, verließ und nach Meiningen heimkehrte, um sich dann dem Baufach zu widmen, zeigte sich seine dankbare Liebe gegen Bechstein so mächtig, daß er ein lebendiges Paar sogenannte Schneevögel in einem Bauer auf dieser ganzen weiten Fußreise mit sich trug, und glücklich nach Dreißigacker brachte, wo Bechstein in ihnen die **Emberiza nivalis** erkannte.

Um diese Zeit suchte der Freiherr von Lupin auf Illerfeld bei Memmingen für sein Unternehmen: „Biographien jetzt lebender Personen, welche sich durch Thaten oder Schriften denkwürdig gemacht haben," um eine umfassendere Biographie Bechsteins als die im Sylvan enthaltene bei diesem selbst nach, und das jedoch erst 1826 erschienene Werk hat auch eine solche gebracht. Dieselbe ist aber auf keinen Fall aus Bechsteins eigener Feder, sondern sie stützt sich auf die im Sylvan gegebene, mit zum Theil wörtlicher Wiederholung.

Mancherlei Zusendungen naturhistorischer oder forstwissenschaftlicher Werke und Ausarbeitungen, zum Theil Bechstein gewidmet, dauerten fort. So von A. Hellmann, Cammer-Accessist in Gotha, später Lehrer an der Forstacademie ꝛc. dessen Tastsinn der Schlangen. Müller in Sommerach a. M. widmete: Ueber den Afterraupenfraß in den fränkischen Kieferwaldungen, und Hoffmann in Judenbach seinen Turnus der Forste; der vielschreibende Thon in Schwarza: Ueber Abrichtung und Behandlung der Hunde, indem derselbe zugleich die Widmung der zweiten Auflage seiner Lackir- und Holzbeizkunst in Aussicht stellte.

Diese und andere Zeichen von Verehrung, Anerkennung, Dank und Liebe, die noch wie verschönende Abendstrahlen in Bechsteins vorletztes Lebensjahr fielen, wurden mit dem gleichen Wohlwollen aufgenommen, mit dem sie gegeben wurden. So auch erfreuten ihn noch einmal innige Glückwünsche der beiden Pflegesöhne zu seinem (dem letzten) Geburtstag, der eine schrieb von Goesseldorf, wo er bei einem Förster sich praktisch ausbildete, der andere von Arnstadt aus, letzterer in einem poetischen Erstlingsversuche, der einfach und tiefempfunden Bechstein bis zu Thränen gerührt haben soll — wie wenig er auch sonst mit Antheil — ja vielmehr mit Mißbehagen — die poetische Anlage und Entwickelung seines Pfleglings nach dieser Richtung hin, betrachtet und beurtheilt hatte.

Schon erwähnt wurde eine in spätern Tagen noch erhaltene Zuschrift des K. Würtembergischen Hofraths André, des Jugendfreundes, des Collegen in Schnepfenthal, des Mitherausgebers der gemeinschaftlichen Spatziergänge. Auch er wünschte eine Biographie nebst der Geschichte der von Bechstein geleiteten Institute, da er den betreffenden Artikel für das Conversationslexicon zu liefern versprochen, so wie Nachrichten über die Heimische Familie, vorzugsweise den Berliner Arzt, den Meininger Consistorialpräsidenten, und den Gumpelstädter Pfarrer. André theilte mit, daß er in Stuttgart ein neues Leben zu beginnen hoffe, daß nur die unerträgliche Censur ihn aus Wien und Oesterreich, wo es ihm sonst recht gut gegangen, und wo er 7 versorgte Kinder zurück gelassen, vertrieben habe; daß seine älteste Tochter den Director des polytechnischen Instituts, Prechtl (bekannt durch seine gediegene Encyclopädie der Technologie) geheirathet habe, daß sein ältester Sohn Emil, Bechsteins Pathe, Forstmeister bei Graf Solm zu Blanko bei Brünn sei rc.

Bechstein antwortete, wie schon oben erwähnt, sehr ausführlich, und sprach neben dem Wunsche, daß André noch lange gesund bleiben und die freiere Presse benutzen möge, Todesahnungen aus. „Ich werde die Presse nicht lange mehr brauchen, denn ich kränkele stets, und bin noch sehr krank. Vor zwei Jahren lag ich am Nervenfieber, das mit Friesel verbunden war, am Tode, und seit der Zeit bin ich nicht wieder recht gesund gewesen. Das viele Sitzen, das meine Geschäfte als Lehrer und Mitglied bei der Kammer und dem Oberforstamt erfordern, der stete Aerger und Verdruß, die mit der Direction der Forstacademie, die jetzt 70 bis 80 junge Brauseköpfe zählt, verbunden sind, und die Unternehmung eines encyclopädischen Werkes: die Forst- und Jagdwissenschaft nach allen ihren Theilen (es sind bereis 12 Bände davon gedruckt, 6 aus meiner eigenen Feder), die mich sogar des Nachts an meinen Schreibtisch gebannt hat, sind die Ursachen meines schlechten Gesundheitszustandes. Dieß ist auch der Grund, warum Sie nicht viel von mir für Ihren Hesperus erwarten dürfen."

„Wenn Sie im Conversationslexicon meinen Namen nennen wollen, so finden Sie meine Biographie in Laurops und Fischers Sylvan vom Jahr 1815. Ich wüßte derselben nichts zuzusetzen, als daß das Bild dabei mir gar nicht ähnelt, und daß ich seitdem dem Forstpublicum ein wohlfeiles Werk in die Hände gegeben, in welchem es alles, was es zu wissen nöthig hat, nach einem durchdachten Plan bearbeitet findet."

Einfach und bescheiden äußerte sich Bechstein im Verlauf des Briefes über die Verdienste, die er als Schriftsteller und Lehrer mit so hohem Recht in Anspruch nehmen konnte. Es war ihm durchaus nicht um prunkhaftes Rühmen zu thun.

Die Biographie im Brockhausischen Conversationslexicon ist in dessen neuer Folge, welche 1822 erschien, enthalten; sie ist, wie auch jene Lupin's, anerkennend und frei von Unrichtigkeiten, doch ziemlich kurz abgefaßt. Schon war darin der wankenden Gesundheit Bechsteins erwähnt, und er hat jenes kleine Denkmal von André's Freundeshand wohl nicht erblickt, da schon im zweiten Mond des erwähnten Jahres die Parze seinen Faden kürzte.

Noch einer Biographie und eines ihr beigegebenen Bildnisses Bechsteins ist hier zu gedenken; beide sind enthalten in Dr. C. L. Hellrungs Conversationslexicon für Jäger und Jagdfreunde, Leipzig 1839. Verlag von G. Wuttig. Die Biographie stützt sich auf die bekannten Quellen; das vom Geweih eines Sechzehnenders umschlossene Brustbild ist eine verkleinerte Copie des Hennings-Steinla'schen Bildes in sauberer Ausführung lithographirt, doch im Bezug auf charakterischen Ausdruck der Physiognomie des Dargestellten hinter dem Vorbild zurück geblieben.

XVIII.

Die Forstacademie von 1815 bis 1822.

Die Lücken, welche in der Zahl der die Academie 1813 und 1814 Besuchenden durch den Aufruf zu den Waffen entstanden waren, füllten sich in den nachfolgenden Jahren sehr bald wieder, und das academische Leben erhielt keine Unterbrechung. Leider zeigten sich auch bald wieder Spuren von Renommistereien, die in Händeln mit den Lyceisten sich offenbarten, Untersuchungen und Disciplinarstrafen veranlaßten.

Erfreulicher war die auch in Dreißigacker froh begrüßte Nachricht der Einnahme von Paris durch die alliirten Truppen, die am 9. April 1814 anlangte, und, wie es nicht anders sein konnte, mit vielem Schießen, auf dem Dorfe wie in der Stadt, ihre Verherrlichung erhielt. Die eigenthümliche Neigung, die in jungen Menschen wohnt, Freude durch Schüsse und andern Lärm kund zu thun, gelangte zu voller Blüthe.

Feierlicher als je wurde im Juli das schon früher erwähnte Volksfest in der Haßfurt begangen; der Commandant Meiningens, Major von Jüngling, nahm an demselben Theil, und die mit hölzernen Spießen aufmarschirende Schuljugend der untern Classen, bei der Verfasser dieses eine Führerrolle spielte, brachte ihm ein Lebehoch, auch wurde ein vom Rector Ihling gedichtetes Lied gesungen, welches begann: „Auf, auf deutscher Jüngling und freue Dich, die Freiheit ist wieder errungen &c." Die Academiker vergnügten sich mit Schießen nach der Scheibe. An diesem Schießen nahmen auch Bechstein, Herrle und Cramer Theil, ersterer und letzterer erwiesen sich jedoch diesesmal nicht als sonderlich gute Schützen.

In einer Friedensrede, die Bechstein den Academikern hielt, lenkte er ihre Gedanken von den großen politischen Ereignissen auf das dem Forstmann nahe liegende, die Waldungen und den Schaden, welchen letzteren verheerende Kriege bringen.

Die erste Feier des 18. Octobers im Jahr 1814 war erhebend und schön. Die Academie entzündete ihr Freudenfeuer auf einer Meiningen nahe gelegenen Berghöhe, die von einem ebenfalls von den Academisten aufgerichteten baumhohen Kreuze, das viele Jahre stand und einigemale erneuert wurde, der Kreuzberg hieß. Von Cramer erschien ein Gedicht im Wochenblatt zur Feier des 18. Octobers, welches man mit Begeisterung sang.

Viel zu reden gab im Sommer 1814, eine heitre Wette, welche der Lehrer und Forstcommissair Hoßfeld mit dem Bürger und Tuchfabrikanten Joh. Georg Wagner zu Meiningen eingegangen war, nämlich im Laufe eines Tages einen Tuchrock vom Ursprung an herzustellen. Wagner ließ im Beisein Hoßfelds früh ½4 Uhr ein Schaf scheeren, dann die Wolle vorbereiten, spinnen, das Garn spulen, fetten und stärken. Um 10 Uhr war das Tuch gewirkt und kam zur Walkmühle, von da ½1 Uhr zum Tuchscheerer, dann in die Farbe, wo es ¾ Stunden blieb, von da kam es auf den Rahmen, und von diesem zum Schneider. Um 6 Uhr war der Rock fertig, Hoßfeld zog ihn an und bezahlte die Wette. Er hat diesen merkwürdigen Rock lange getragen.

In diesem Jahre starb der Academist Christian Friedrich Weissenborn aus Meiningen.

Im Jahr 1815 vermehrten sich die Anmeldungen auf das Erfreulichste, und mit diesen Anmeldungen waren für den Director der Academie häufig die Anknüpfung angenehmer Bekanntschaft mit unterrichteten Männern oder anziehende wissenschaftliche Mittheilungen verbunden. So berichtete unter andern der reitende Förster Ad. v. Regelein zu Westerstede im Herzogthum Oldenburg über die Rückschritte, welche durch den vorhergegangenen Krieg die Forstwissenschaft dort gemacht, und über die Verwüstungen der Forste durch die Unwissenheit und den Eigensinn französischer Vorgesetzten, die zum Theil aus dem südlichen Frankreich kommend, ohne Rücksicht auf Boden und Klima die dortigen Forste bewirthschafteten.

Auch in ornithologischer Beziehung bot v. Regelein Hülfe und Förderung, und Lieferung dort brütender Vögel und Eier an, was dem Naturalien-Cabinet der Academie Vortheil versprach. Herr v. Regelein sandte durch einen letztere beziehenden jungen Eleven, Lahusen, mehrere für die Sammlung der Societät bestimmte Vögel.

Um diese Zeit waren auch die Naumann, Vater und Sohn, für Verschaffung von Vogelbälgen thätig und so wuchs das Naturaliencabinet erfreulich weiter.

Die Anmeldungen mehrten sich, und der Blüthestand der Academie erreichte einen schönen Höhepunkt, wozu man von Seiten der Regierung dadurch mitwirkte, daß man den Lehrplan mehr für gereiftere Zuhörer einrichtete, und nicht mehr allzujunge Leute ohne die nöthigsten Vorkenntnisse aufnahm; so wie man Anstalt traf, den Academikern mehr Gelegenheit zu geben, sich in den Zweigen der Forstbewirthschaftung auch praktisch auszubilden. Zu diesem Zwecke wurden die in der Nähe von Dreißigacker liegenden Forste benutzt. Diese bestanden aus 752 Acker Domainenwaldung und 4150 Acker Corporationswaldungen der Gemeinden Dreißigacker, Meiningen, Herpf, Bettenhausen, Melkers und Gleimershausen, wie der Wustungsgemeinden Defertshausen, Berkes, Föschau, Mehlweis und Affenwinden, nebst 140 Acker Privatwaldungen einzelner Güterbesitzer aus einigen der genannten Dorfgemeinden, zusammen 5042 Acker.

Als am 30. Mai des Jahres 1816 die Vermählung des Herzogs Carl Bernhard zu Sachsen Weimar Eisenach mit der Prinzessin Ida zu Sachsen Meiningen festlich begangen wurde, drückte auch die Academie ihre freudige Theilnahme durch Ueberreichung eines Gedichtes aus, bezüglich auf einige auf dem Bildstein (eine nahe über dem Herzoglichen Residenzschlosse steil aufragende Felswand) aufgestellte kolossale Transparente, Sylvan und Diana zur Seite der Namen des fürstlichen Brautpaares, hinter welchen Transparenten ein mächtiges Freudenfeuer loderte.

Das academische Leben der Zöglinge führte auch im Laufe der Zeit noch manche Conflicte herbei, die theils unter jenen selbst entstanden, bis zu blutigen Duellen, theils mit den Lyceisten in Meiningen zu Schlägereien ausarteten. Eine solche fand unter andern am 24. Juni Abends gegen 9 Uhr auf dem Wege von Maßfeld nach Meiningen statt, und die darüber geführten Untersuchungen füllten einen dicken Actenband. Es gab tüchtige Carcerstrafen so wie Zeugnißvorenthaltungen wegen zu deckender Untersuchungskosten und dergl., darunter nicht die schuldigen Academiker, sondern deren Väter zu leiden hatten. Mehrere Academiker verließen die Anstalt, um den langweiligen Untersuchungen, die über solche Lappalien verhängt wurden, zu entgehen, und entschuldigten sich dann brieflich beim Director mit dankbarer Anerkennung seines väterlichen Wohlwollens.

Ein feindseliger Corpsgeist hatte sich festgesetzt zwischen dem Academikern und Lyceisten; erstere vergaßen, daß sie auch nur Lernende waren und dünkten sich über die „Schulfüchse" hoch erhaben, freilich wurde dieser Geist bei den Academikern dadurch noch genährt, daß Leute unter ihnen waren, welche die Feldzüge von 1813 und 1815 mitgemacht. Wie in Leipzig die „breiten Steine" waren es in Meiningen die „Bohlen," ein die ganze Stadt in gerader Richtung durchziehender bedeckter Canal, auf denen Andern nicht auszuweichen, bei einer wie bei der andern Partei als Comment galt. Die unangenehmen Folgen jener Raufhändel zogen sich noch in das Jahr 1817 hinüber. Es trat selbst ein und der andere Vater der Angeschuldigten als rechtlicher Defensor seines Sohnes auf, und einer derselben beschwerte sich höchlich, daß bei jenem Vorfall, der Schlägerei, die Rechtsformalitäten so beobachtet worden, als ob sich's um ein Capitalverbrechen handle, daß ferner ähnliche Vergehungen mit Arreststrafe in Meiningen bei Wasser und Brod, („**horridum et incredibile**") verbüßt werden sollten, eine wirklich bedauerliche Härte richterlicher Ansichten, und daß es ganz rechtswidrig sei, einen jungen Menschen durch den ihm gehörenden, von ihm selbst mit Fleiß und Mühe gezeichneten Lehrbrief zu pfänden. Es kam aber bei dieser und andern Veranlassungen die Erscheinung zu

Tage, daß die sogenannten academischen Gerichte so recht lucus a non lucendo — nämlich antiacademisch waren, und eine persönliche Abneigung gegen die Academie beurkundeten, die ächt philisterhaft und ächt altmeiningisch war. Dem amtlichen Philisterzopf war das freie Gebaren der Jünglinge ein Gräuel, daher übertriebene Härte der Urtheile und allzu fühlbare Strafen. Es kamen auch die Forstacademisten höchsten Orts mit einer Beschwerdeschrift ein, in welcher sie geziemend vorstellten, daß sie zwar den Strafnachlaß, (welchen die Herzogin den Betheiligten in Gnaden gewährt hatte) dankbar erkennten, aber im Bezug auf die dabei befindliche, „fürchterliche Drohung, daß bei ferneren polizeilichen Vergehen man jeden Academisten in die Kaserne bei Wasser und Brod einsperren würde" — bitten müßten, der Herzogl. Regierung anzubefehlen, jene harte und beleidigende Drohung zurück zu nehmen, da mehrere Officiers unter ihnen, und sie alle dem Schüleralter entwachsen seien, auch in vorkommenden Fällen Strafen eintreten zu lassen, die jungen Menschen von Stand und Bildung angemessen seien.

Darauf erfolgte denn auch ein milderndes höchstes Rescript, und es wurde jene abnorme und unziemliche Drohung in die „strengere Ahndung" verwandelt.

Diese Sache schwebte noch, als schon wieder ein Antritts-Commers dem Chef der Academie Anlaß gab, eine Klage einzureichen. Es war allerdings bei diesem im Wirthshaussaale zu Dreißigacker gehaltenen Schmause etwas lebenvoll hergegangen, denn als ich am folgenden Morgen am Wirthshaus vorbei zur Schule ging, befanden sich Tische und Stühle nicht mehr völlig wohl erhalten auf dem Hofe in einem zwiespältigen Durcheinander, und hoben ihre Beine klagend gen Himmel. Sie hatten im Geleite von Biergläsern, Krügen und Tellern eine gezwungene Auswanderung durch die Fenster vorgenommen, wobei auch letztere mit Schiffbruch gelitten. Der Chef hatte aber in seiner Eingabe die Sache gleichwohl noch vergrößert und vorgegeben, daß auch der Ofen von dieser Partie gewesen, der noch unversehrt im Zimmer stand. Bechstein, welchem nun Bericht abgefordert wurde, beklagte, daß der Chef diese unwichtige Sache vor die Herzogin und das Geheimeraths-

Collegium gebracht habe, das mit Wichtigerem beschäftigt sei, und stellte sie vom richtigen Gesichtspunkt aus dar; gab auch zu verstehen, daß diese Antrittsschmäuse (Conditionen), vorausseßlich des Wegfalls solcher Abnormitäten, nicht abzuschaffen seien, wobei die Sache beruhte, indem die Academisten dem Wirth seinen Schaden ohne Weigerung ersetzten.

Am 21. April 1817 starb der Academiker Lieutenant Clemens Wencislaus Graf von Beißel aus Aichstedt. Da derselbe katholisch war, so wurde seine Leiche nach dem nächsten katholischen Ort, Cussenhausen, gefahren, alle Lehrer und Academiker und viele seiner Meininger Freunde folgten ihr zu Wagen, der Pfarrer empfing sie mit dem Chor und der Gemeinde, hielt eine schöne passende Rede über den Spruch: Wie soll ein Jüngling seinen Weg unsträflich wandeln, und dann in der Kirche ein feierliches Seelenamt. Graf Beißel hatte in Meiningen gewohnt. Dreißigacker war voll von Studirenden, weder im Schloß, noch im Dorfe gab es leere Wohnungen; Viele mußten in der Stadt wohnen und jeden Morgen hinaufgehen. Mein Weg nach der Stadt zur Schule führte mich Allen entgegen, und durch dieß stete Begegnen hatte ich Gelegenheit, Alle kennen zu lernen, während die im Schlosse und Dorfe wohnenden häufig besucht wurden, theils um ihre Siegel zu erbitten, theils um einmal schießen zu dürfen, oder anziehende Bücher zu leihen, oder ihnen aufgesammeltes Blei oder eingefangene Insecten zu bringen. Dieser stete Verkehr machte mir die Academie lieb, und ich bin noch heute erfreut, an einem so anziehenden Orte den besten Theil meiner Knaben- und ersten Jünglingsjahre verlebt zu haben.

In jener Zeit schrieb Bechstein an einen Freund: „In Dreißigacker giebt es jeßt viel zu thun. Wir haben etliche 70 junge Leute, und darunter auch einen hessischen Forstmeister, Baron von Dalwigk. Der Herr Forstrath Cramer laborirt an der Wassersucht."

Der arme Cramer war fort und fort bedrängt geblieben, und mußte fort und fort suppliciren. Von Zeit zu Zeit erhielt er kleine Gnadengeschenke. Er trug wiederholt auf Gleichstellung seiner Besoldung mit den übrigen Lehrern an, auf welche er Anspruch zu haben glaubte, allein diese konnte nicht gewährt werden. Im Sommer 1816 überstand er eine schwere Krankheit, hoffte immer, erlebte aber eine Besserung seiner Zustände nicht. Am 7. Juni 1817 starb er. Bechstein berichtete sogleich an den Kammer-Präsidenten von Bibra:

„Diesen Morgen ¼5 Uhr ist der Herr Forstrath Cramer gestorben. Seine arme Familie ist durch diesen Tod in die größte Traurigkeit und Verlegenheit gesetzt worden. Es waren ihm zu seiner letzten Labung 36 fl. rhn. bestimmt, wollten Ew. Hochw. nicht so gnädig sein, und dafür sorgen, daß sie seine arme Frau zur Beerdigung erhält. Ich werde dafür sorgen, daß er Montags früh in aller Stille, blos in Begleitung der Anstalt, begraben wird; seine Lectionen habe ich schon unter die übrigen Lehrer vertheilt."

Es fehlte nicht an Candidaten um die erledigte Lehrerstelle. Bechstein trug sie zunächst dem Entomologen und Mineralogen Herrn E. F. Germar in Halle an, welcher dieselbe anzunehmen auch persönliche Neigung hatte, aber aus mancherlei Rücksichten sich bewogen fand, sie dennoch auszuschlagen. Er war bereits als Professor der Mineralogie in Vorschlag und empfahl für Cramers Stelle den Edelstein-Inspector Breithaupt in Freiberg, sowie den Dr. Mosch an der Ritter-Academie in Neustadt-Dresden. Dr. Mosch meldete sich auch in der That an, und wurde vom Hofrath und Studiendirector Böttiger noch besonders empfohlen. Auch andere Anmeldungen erfolgten, es handelte sich indeß nicht darum, Cramers Stelle wieder auszufüllen, sondern es war ein Mann erforderlich, welcher gründliche Kenntnisse in der Physiologie der Thiere und Gewächse, der vergleichenden Anatomie, der Chemie, Physik und mindestens aushülfliche in der Zoologie und Botanik besitzen sollte, dem die Aufsicht über das Naturalienkabinet und den Pflanzengarten anvertraut werden konnte, und der zugleich so weit practischer Jäger sein sollte, um die Jagd mit den Eleven zu begehen. Auch war Wunsch, da vorerst nur eine Besoldung von 300 Thalern gewährt werden konnte, daß der neue Lehrer unverheirathet sei. Bechstein äußerte sich darüber wiederholt in Antwortbriefen: „Es fehlt uns nicht sowohl ein Lehrer der Forstwissenschaft, als vielmehr ein Chemiker, Mineralog und überhaupt ein Naturforscher, der einmal meine Stelle ersetzt, da ich nun alt, und bald zum Unterricht untauglich werde." Von solcher Ansicht geleitet, hatte Bechstein an Germar gedacht, und lenkte nun die Wahl auf den Sohn eines Mannes, von dem er selbst sich in seinen früheren Verhältnissen auf der Waltershäuser Kemnote eines Theils gefördert gesehen hatte, auf den jungen Kammer-Accessisten Hellmann von dort, welcher auf das günstigste von Blumenbach in Göttingen, wo Hellmann seine Studien gemacht, empfohlen, sich bereits auch selbst durch die Widmung seiner kleinen Druckschrift: Ueber den Tastsinn der Schlangen, empfohlen hatte. Hellmann kam gegen Ende September nach Meiningen, machte dort ein formelles Examen, und erhielt seine Anstellung und Verpflichtung mit dem Titel als Forstsecretär, und der Aufgabe, neben andern Lectionen auch den Vortrag des Forst- und Jagdrechts zu übernehmen. Er bezog die Wohnung, die Cramer inne gehabt hatte. Hoßfeld wohnte damals nicht mehr im Schloß, sondern Hellmann gegenüber, in einem Judenhaus; die Zimmer der untern Schloßwohnung waren jetzt für Academiker eingerichtet; noch später und bis zur Aufhebung der Academie theilten sich das Naturalienkabinet und der Schloßvoigt in diese Räume. Bald nach Hellmanns Antritt schrieb Blumenbach an Bechstein: „Unserm lieben Herrn Forstsecretär meine herzliche Gratulation, aber auch Ihrem vortrefflichen Institute wünsche ich mit voller Ueberzeugung Glück zur Acquisition dieses tüchtigen Lehrers."

Durch den Aufschwung und den Blüthenstand der Academie konnte manche Verbesserung im Inventar vorgenommen werden. Eine durchgehende Reparatur des Mobiliars und der Zimmer, welche Bechstein vorschlug, wurde ausgeführt, und eigentlich jetzt erst auch die Bibliothek der Academie begründet, denn ihr Büchervorrath bestand bisher nur aus jenen Schriften, welche für die Societät der Forst- und Jagdkunde eingegangen waren.

Bechstein zeigte unterm 1. Decbr. an, daß er nicht nur Lehrern und Lernenden seine Büchersammlung zur Benutzung vorgehalten, sondern auch zu diesem Zweck alles nöthige Neue aus eignen Mitteln angeschafft habe. Die Herrschaft habe nur die Kupferstiche und Abbildungen zum Vorlegen in den Zeichnenstunden gekauft. Da aber nun seine Manuscripte alle gedruckt seien, so reiche seine Einnahme nicht mehr hin, diese Ausgabe ferner zu bestreiten, und den Verlust, der durch Schaden und Schmutz bei der jetzigen großen Frequenz der Academie entstehe, zu tragen. Er trug daher auf Einrichtung einer besondern Academie-Bibliothek an, da der höchstselige Herzog ohnehin der Academie einen Zuschuß von 300 fl. rhn. dazu ausgesetzt habe. Der jüngste Lehrer Hellmann solle über die bereits vorhandenen und nachgeschafften Bücher einen Catalog fertigen, auch könne die Academie-Bibliothek zugleich als Forstbibliothek für das ober- und unterländische Forstdepartement dienen.

Die Herzogin bewilligte bis auf weiteres 100 fl. unterm 30. Decbr. 1817 für die Anschaffung von Büchern und Instrumenten. Letztere laut Kammerprotocoll — denn im höchsten Rescript stehen sie nicht. Wahrscheinlich schob sie die Weisheit eines Kammerraths ein, in der Meinung, man könne unmöglich in einem Jahre 100 fl. nur für Bücher verbrauchen.

Jetzt trat nun auch eine neue Idee in's Dasein, deren Verwirklichung Dreissigacker einen noch höheren Aufschwung geben, seiner Blüthe wo möglich noch mehr Farbe verleihen sollte.

Es war die Idee: Mit der Forstacademie ein landwirthschaftliches Institut, oder eine Landwirthschafts-Academie zu verbinden.

Diese Idee entsprang dem Kopf eines Cameralisten; Bechstein war nicht ihr Schöpfer, konnte aber auch ihrer Ausführung nicht entgegentreten. Der Gedanke erschien ja so angemessen und nützlich; es haben aber alle die Pfropfreiser, die man auf den alten Stamm der Forstacademie zu setzen versuchte, die erwarteten Früchte nicht getragen. Indessen erfolgte die Ausführung dieser Idee nicht ohne Vorbereitung.

Unter den zehn Bewerbern um die durch Cramers Tod erledigte Lehrstelle hatte sich auch der Großherzogl. S. Weimar-Eisenachische Lieutenant Martin Heinrich Schilling aus dem Meiningischen befunden, welcher sich mit seinem Gesuch unmittelbar an die Herzogin wandte, aber auch von Zwätzen bei Jena, seinem damaligen Aufenthalt, aus an Bechstein schrieb, und ihm die Wissenschaften nannte, die er zu lehren wünschte.

Bechstein unterstützte Schillings Gesuch, rieth ihm aber, im nächsten Winter, 1817 auf 1818, in Jena bei Sturm und Döbereiner noch Oeconomie und Cameralwissenschaft zu studiren, welchen Rath Schilling bereitwilligst befolgte.

Unterm 7. Februar 1818 decretirte die Herzogin, daß die Forstacademie zu Dreißigacker mit einer Lehrstelle der Landwirthschaft erweitert werden solle, und diese Stelle wurde Herrn Schilling übertragen. Derselbe erhielt mit den übrigen Lehrern vorbehaltlich ihrer Anciennität gleichen Rang und gleiche Vorzüge, nebst einer Besoldung von 400 Thalern. Er wurde Mitglied der Herzogl. Oeconomie-Commission, erhielt zur Beschaffung nöthiger Schriften seines Faches, die jedoch bei der Academie bleiben sollten, 100 fl. rhn. verwilligt, doch wurde ihm aufgegeben, von Ostern bis Michaeli 1818 das Fellenbergische Institut zu Hofwyl zu besuchen, und dann sollte er die Herzogl. Meierei bewirthschaften.

In dieser Zeit bewarb sich noch nachträglich Professor Graumüller in Jena um eine Lehrstelle in Dreißigacker. Dieser verdienstvolle Gelehrte hatte nur 100 Kaisergulden Besoldung, und klagte über manche Kränkung. Er führte an, daß er eine bedeutende naturhistorische Bibliothek aus allen Fächern mitbringen könne.

Mit der vollsten Anerkennung seiner Verdienste antwortete ihm Bechstein aufrichtig bedauernd, daß Cramers Stelle bereits wieder besetzt, und Herr Schilling, jetzt noch in Hofwyl, zum Lehrer der Oeconomie bestimmt sei. „Sollte die Landwirthschafts-Academie so besucht werden, wie die Forstacademie, so werden wir wahrscheinlich noch einen Lehrer brauchen, und ich werde Sie dann unserm Geheimeraths-Collegium um so lieber vorschlagen, da ich aus Ihren Vorlesungen sehe, daß Sie in Jena schon öconomische Technologie und vorzüglich Thierheilkunde vorgetragen haben. Es sollte mich herzlich freuen, wenn ich mit einem so gelehrten Mann in nähere Verbindung kommen würde 2c."

Bechstein, dem es oblag, über die in Vorschlag gebrachte Verbindung eines öconomischen Instituts mit der Forstacademie seine Ansichten kund zu geben, that dieß mit gewohnter Offenheit. Er sagte in seinem Bericht mit prophetischer Ahnung: „Wenn die Forstanstalt nicht durch Einmischung öconomischer Vorträge in ihren Grundfesten erschüttert werden soll, (!) so wird nöthig, daß die Vorlesungen der Forst- und Landwissenschaft nicht in einem Plan zusammenschmelzen, sondern als getrennt neben einander stehen; so daß das Publikum zu Dreißigacker eine eigene Landwirthschafts- und eine Forstwissenschafts-Schule finde, in welcher nur einige theoretische Lehrgegenstände, wie allgemeine Naturgeschichte, Arithmetik, Geometrie, gemeinschaftlich vorgetragen werden. Es entstehen nämlich nun mit Besetzung der öconomischen Lehrstelle zwei Lehranstalten zu Dreißigacker, die forstliche und die öconomische, und der Cursus für jede dauert zwei Jahre." Hierauf erörterte Bechstein die Grundsätze der neuen Landwissenschaft ausführlich und setzte ihre Theile übersichtlich auseinander, zählte in zwei Beilagen alle Lectionen für das öconomische Institut auf und gab einen wohlüberlegten einjährigen Lectionsplan für die Vorträge und practischen Uebungen an, wie sie vereinigt für beide Institute dem Publicum vorgelegt, und in Dreißigacker selbst gehalten und ausgeführt werden könnten.

„Aus diesem Gesichtspunkte betrachtet, wird aber wohl die öconomische Anstalt künftige Ostern noch nicht eröffnet werden können, und Herr Schilling traut sich zu viel zu, wenn er dann schon seine Lehrstelle antreten zu können meint."

Weiter entwickelte Bechstein nun die Ansicht, daß hier nicht die Rede sein könne von der Bildung eines guten Bauers, sondern von der eines Oeconomen, der in einer systematischen Ordnung gründliche Anleitung in allen Zweigen des öconomischen Wissens, verbunden mit den nöthigen practischen Ansichten und der Bekanntschaft mit allen neu erfundenen Geräthen, die den Feldbau erleichtern, abkürzen und weniger kostspielig machen, erlangen solle, wozu eine besondere practische Ansicht und Erfahrung auf einer berühmten öconomischen Schule, wie die des Herrn v. Fellenberg und des Herrn Thaer förderlich sein werde, und schlug daher vor, daß Herr Schilling die Fellenberg'sche Anstalt zu Hofwyl ferner besuche, weil dieß eine Ideal- und Centralschule sei, auf welcher man in kurzer Zeit alles ökonomische sehen und prüfen könne. Wenn daher Herrn Schilling seine ausgesetzte Besoldung auf ein Jahr gegeben, und er noch 4—6 Monate in Hofwyl verweilen werde, alsdann erst getraue sich Bechstein die Anstalt dem Publikum als eine nützliche mit Ueberzeugung anzukündigen, und den Lectionsplan drucken lassen zu können.

Eine Trennung der beiden Lehranstalten durch verschiedene Benennung der Lehrer und Lernenden in beiden Fächern wurde höchsten Orts nicht gut geheißen, und es sollten beide vereinigte Anstalten den Namen: Forst- und landwirthschaftliche Academie führen, der Besuch des Fellenbergischen Instituts von Seiten Schillings wurde genehmigt.

Schilling schrieb unterm 28. April 1818 aus Buchsee an Bechstein und entwarf ihm eine sehr günstige Beschreibung der agrarischen Beschaffenheit des Wylhofes, wünschte die Anfertigung einer Sämaschine für die Meierei nach der Construction der dort üblichen, und verhieß weitere umfassendere Berichte.

Er bereicherte seine Kenntnisse durch Fellenbergs freundliche Mittheilungen und durch die Anschau des dortigen Landwirthschaftsbetriebes, zeichnete und erwarb Maschinen und Modelle, reiste in's Emmenthal, lernte die Sennenwirthschaft kennen, sammelte ein Schweizer-Herbarium und trat im Herbst 1818 seine neue Stelle an. Da sich in Dreißigacker keine Wohnung für ihn fand, mußte er ein Quartier in Meiningen beziehen.

Bechstein besorgte für den allgemeinen Anzeiger die Veröffentlichung des Lehrplans, der alle Zweige der Oeconomie in theoretischer und practischer Hinsicht umfaßte.

Mit 1819 begann die Landwirthschafts-Academie ihre Selbstständigkeit zu entfalten, und es wurden nun zuerst die Lectionspläne beider Academien im allgemeinen Anzeiger der Deutschen getrennt, während doch ein Haus und ein Lehrercollegium beiden diente, ein Director sie leitete.

Im Jahr 1819 erhielt auch der vorherige Diener des Geheimen-Raths Heim, Friedrich Brill, seine Anstellung als Schloßvoigt und Gehülfe bei der Forstacademie Dreißigacker. Er ertheilte den Unterricht im Ausstopfen, und es wurde ihm die Besoldung des vormaligen Hausvoigts Göcking und eine ausführliche, seinen Fähigkeiten angemessene Instruction zu Theil. Der Schloßvoigt stand nächst der Herzogl. Kamner unter dem Director und den Lehrern der Academie. Ihm waren der Schloßwärter, Aufwärter und der Hausknecht unterstellt, er führte die Aufsicht über das Inventarium, das Schloßgebäude mit den Umgebungen, das Bauwesen; ihm lag die Visitation der Wohn- und Schlafzimmer der im Schloß wohnenden Academiker, wie der Hörsäle ob; ebenso waren der Pflanzengarten, die Schießhäuser in der Allee, die Kegelbahn, das Naturalienkabinet seiner besondern Obhut anvertraut. Abgehende einheimische Stücke des letzteren sollte er anzuschaffen oder zu ergänzen suchen, die Instrumente, das Jagd- und Lerchenzeug in Ordnung halten. Mittwochs und Sonnabends hatte er Sommer und Winter 2 Stunden lang Unterricht im Ausstopfen kleiner Vögel und Säugethiere zu geben; er sollte mit den Academikern die Krähenhütte besuchen, jeden Herbst eine Schneiß mit Aufschlägen und Dohnen stellen, den Lerchenstrich mit Tag- und Nachtgarnen veranstalten, und mit einer ihm zugewiesenen Abtheilung der Academiker die Treibjagen besuchen. Nebenbei hatte der Schloßvoigt zugleich das Amt des Pedells, mit allen dazu gehörigen Pflichten, auch Schreibereien sollte er copiren und mundiren. Ob sich viele derartige Factota nach einander gefunden, die das alles zu erfüllen gewußt, weiß ich nicht, ich übergehe die späteren. Brill aber verdient, daß seiner in der Geschichte der Academie gedacht werde. Er war 33 Jahre in Heims Diensten gewesen, und hatte schon vor dessen Tod Unterricht im Ausstopfen zu Dreißigacker ertheilt, worin er sehr geschickt war; auch für das Naturalienkabinet stopfte er aus. Brill starb am 13. Juli 1822.

Im Sommer 1819 fiel wieder ein höchst störendes und widerwärtiges Ereigniß vor, das zum Nachtheil der Academie von ihren Gegnern genugsam ausgebeutet wurde, obgleich die Anstalt an der ganzen Sache schuldlos war.

In der Nähe einer ¼ Stunde von Meiningen an der Straße nach Franken gelegenen Walkmühle war ein besuchter Badeplatz. Um zu diesem zu gelangen, mußten die Badelustigen entweder durch die Mühle selbst, oder um dieselbe herum gehen, jedenfalls wurde des Müllers Wiese betreten, und es mögen deßfallsige Klagen wohl nicht ohne erbitternde Erwiderung von Seiten der Academiker geblieben sein. Besonders konnte es dem Walkmüller nicht lieb sein, daß man auf seine Wiese, obgleich sie abgemäht war, mit Chaisen fuhr, und ein solcher Fall ereignete sich am 7. Juli, an welchem Tage 4 Academiker dort anfuhren.

Es kam zu einem heftigen Streit, der Müller reizte die Academiker durch Schimpfen, warf mit dummen Jungen um sich, und einer der Academiker beging das Unrecht, mit der Peitsche des Kutschers auf den Mann loszuschlagen. Die erschrockene Frau glaubte denselben gleich in Lebensgefahr und schickte ihren zwölfjährigen Sohn nach Hülfe zur Stadt, wo er in die Kaserne lief und berichtete, sein Vater werde von den Academikern geprügelt. In der Kaserne war kein Offizier anwesend, 2 Feldwebel beorderten 2 Unteroffiziere und 3 Mann Gemeine, sich an Ort und Stelle zu begeben, und Ruhe zu gebieten. Mit großer Schnelle verbreitete sich aus der Kaserne am obern Thor das Gerücht von einer Prügelei auf der Walkmühle in der Stadt. Später ging noch 1 Unteroffizier mit mehrerer Mannschaft ab, und diesen folgte noch eine Arriergarde, bestehend aus zwei Unteroffizieren und 8 Gemeinen, während durch neu hinzukommende, baden wollende Academiker sich deren Anzahl ebenfalls verstärkte. Auch der Polizeilieutenant eilte aus der Stadt herbei und suchte in verständiger Weise Frieden zu stiften, was ihm aber nicht gelang, zumal auch eine Menge Pöbel aus der Stadt die Soldaten antrieb, loszuschlagen. Wer den Befehl zum Beginn dieses Feldzugs gegen die Academie gegeben, ist nicht recht klar geworden, die nachherige Untersuchung ergab, oder schien zu ergeben, daß sich alles auf die unberufene Anordnung der Feldwebel zurückführen ließ. Es würde zu weit führen, die nun folgenden höchst widrigen Auftritte ausführlich zu schildern, obschon dieß früher Absicht war. Genug es kam zu heftigen Reibungen und selbst zu nicht unbedeutenden Körperverletzungen.

Da der erste Unteroffizier anfangs nicht wußte, was zu thun, und ohne irgend eine Verrichtung doch nicht wieder mit seinen Gemeinen abgehen wollte, so schickte er 1 Mann um Verhaltungsbefehle nach der Stadt, während das zweite Commando bereits zu dem ersten stieß, und der Kampf begann.

Nicht weniger als 15 Academiker wurden ersichtlich mit Bajonettstichen, Kolbenstößen und Schlägen mit Flintenläufen und Schlössern verwundet, während die schwache Gegenwehr nur 9 Soldaten, doch meist ohne sichtbare Zeichen der Verletzung traf, nur Einer erhielt einen Messerstich.

Mittlerweile rückte aus der Stadt noch 1 Lieutenant mit 13 Mann, dann noch 1 Lieutenant mit 8—10 Mann aus, diese langten erst an, als der Tumult zu Ende war. Auch der Lieutenant, der die Inspection hatte, aber nicht in der Kaserne gewesen war, kam an, uud stellte die Ordnung her, indem er das Militair zusammen rief.

Unterm 8. Juli berichtete die Direction der Forst- und Landwirthschafts-Academie an die Herzogin über den Vorgang, theilte mit, daß viele Academiker durch Bajonettstiche und Kolbenstöße bedeutend verwundet worden, und daß die fremden Academiker sich einstimmig darüber erklärt, sie müßten die Anstalt verlassen, wenn sie nicht die gehörige Satisfaction erhielten, und daß sie bereits keine Lectionen mehr besuchten. Bechstein schloß seinen Bericht mit den Worten: „Es wäre doch wirklich Schade, wenn diese Anstalt durch das unüberlegte Betragen des Militärs zu Grunde gehen sollte.“

Die Academie war auf das Höchste beleidigt und beschimpft, die Academiker machten ihre Klage anhängig und drangen auf die strengste Untersuchung. Auch die Lehrer schwiegen nicht, sie nahmen einen in Meiningen berühmten Anwalt, den tüchtigen Advokaten Bey an, der mit gepfefferten Rechtsgründen in's Feld rückte. Als die Klagesache nach langer und weitläufiger Untersuchung endlich spruchreif war, lehnte das Ober-Appellationsgericht zu Jena aus merkwürdigen Bedenklichkeitsgründen das erste Erkenntniß ab, und bat, eine Immediat-Commission aus seiner Mitte zum Schiedspruch ernennen zu dürfen, welches denn auch geschah. Dem Großherzogl. S. Weimar-Eisenachischen General-Major Freiherrn von Egloffstein zu Weimar wurde ein Auszug aus den Untersuchungsacten zur Begutachtung zugesandt und dieses Gutachten fiel durchaus nachtheilig für das Militär aus, indem es zugleich die Arreststrafen für die betheiligten Offiziers angab.

Das Urtheil wurde folgendermaßen gefällt: „Ein Unteroffizier erhielt 6wöchentliches, ein zweiter 4wöchentliches, ein dritter 8tägiges, dem Festungsarrest gleich zu achtendes Gefängniß. Die 2 Lieutenants, 2 Feldwebel und 1 Unteroffizier 8 Tage, ein anderer 3 Wochen Arrest.

Drei Studirende, welche den Walkmüller thätlich gemißhandelt, bekamen 14 Tage Gefängniß. 1/7 der Gerichtskosten sollten die Studirenden, die den Walkmüller geprügelt, 6/7 das Militär und die Academiker gemeinschaftlich tragen; diese Kosten wurden indeß niedergeschlagen. Den Lehrern zu Dreißigacker wurde die Unstatthaftigkeit ihrer versuchten Einmischung durch einen Gesammt-Anwalt in die Untersuchungssache, und letzterem die dabei begangenen „Ungebührnisse" allen Ernstes verwiesen.

Viele Academiker gingen in Folge dieses höchststörenden Vorfalles ab, und während bei der noch schwebenden Untersuchung unterm 20. Januar 1820 anbefohlen wurde, daß keinem der Betheiligten vor Beendigung derselben der Lehrbrief ausgefertigt werden solle, hatten bereits 10 von 31 die Academie verlassen.

Das war das Walkmühldrama, welches eine lange Zeit auf Bierbänken und in Kaffeekreisen Stoff zur Unterhaltung abgab.

Erfreulicherer Art für die Forstacademie waren die mannichfaltigen Bereicherungen, welche in diesem Jahre das Naturalienkabinet empfing. Naumanns reiche ornithologische Zusendungen enthielten Mitgebrachtes von einer Reise auf die Inseln der Nordsee und an die Westküste Jütlands; dabei die von L. S. Naumann erst entdeckte und benannte **Sterna macrura**. Ein dankbarer Zögling der Academie, Lorenz Göpfert aus Meiningen, war durch Bechsteins Verwendung in die Dienste des Herzogs von Dalberg gekommen, und begleitete seinen Herrn in die schönsten Gebirgsgegenden der Schweiz, Savoyens, Sardiniens, Neapels, Siciliens.

Göpfert berichtete über die nah und näher tretende gänzliche Ausrottung des Steinbocks. Nur ein einziger Gletscherbezirk, der von Cogne, ohnweit Aosta, am Fuße des großen St. Bernhard, barg noch in seinen unzugänglichen Höhen und Klüften diese schönen Thiere; aus dem Gletschergebiet im Lisathale waren sie bereits verschwunden. Es gebe überhaupt nur noch 30—40 Stück, welche Zahl von Jahr zu Jahr sich vermindere. Göpfert war es, welcher einen ihm befreundeten begüterten Kaufmann und Gemsenjäger, den schon früher erwähnten Herrn v. Zumstein, veranlaßte, ein Project zur Erhaltung des Steinbockgeschlechtes, wie zur Bestrafung derer, die auf diese Thiere Jagd machten, beim Ministerium des Innern zu Turin einzureichen, da er selbst als Diener eines auswärtigen Gesandten dieß nicht thun konnte. Der Preis eines ausgestopften Steinbocks war bereits auf 24 Louisd'or gestiegen. Auf Göpferts Antrieb geschah es, daß Herr von Zumstein sich bewogen fand, dem Naturalienkabinet einen Gemsbock zu schenken, und einen Steinbock um 4 Louisd'or zu verschaffen, die noch als treffliche Exemplare Zierden dieses Cabinettes sind. Göpfert theilte auch Bemerkungen über die Stellungen dieser Thiere mit, und ein Brief von v. Zumstein schilderte die Jagd auf den Gemsbock, den er selbst nicht ohne Noth und Gefahren erlegt hatte.

Auch an die Academie der Wissenschaften zu Turin berichtete von Zumstein über die nahe Ausrottung der Steinböcke und bat um deren Mithülfe zur Erhaltung dieses Thiergeschlechtes.

Schneehuhn, Alpenkrähe, Murmelthier und weißer Hase kamen ebenfalls durch Göpfert in das Cabinet. Der Oberforstmeister von Pannewitz zu Marienwerder sandte neben anderen Vögeln einen schönen Kranich; Unterförster Geipel, auch früher Academiker zu Dreißigacker, zu Rechtenbach im Spessardt sorgte für Haselhuhn und Henne, Apotheker Bädecker in Witten lieferte einen Kormoran und ebenfalls Haselhühner, die zum Tausch bestimmt wurden. Schon damals klagte der Uebersender über Mangel an Wild in der Graffschaft Mark — seine Klage klang, als sei sie 1849 in Thüringen geschrieben: „Rothwild kennt man nicht mehr, Rehe sind äußerst selten, und wenn sich irgendwo eines blicken läßt, so sind gleich Hunderte von Jägern dahinter her." Also wiederum das bekannte: Alles schon dagewesen; darum verzage nicht die edle Jägerei; das Wild kommt auch wieder, trotz der wilden Jagd der verrückten Hackelbärnde von 1848 und 1849.

Da man die Vorsorge traf, alle ausgestopften Thiere und Vögel unter Glas zu bringen, so ging nun auch wenig oder nichts durch Motten und Speckkäfer verloren.

Herr von Zumstein setzte seine Sendungen fort, und es befanden sich dabei Glimmerschieferstufen vom höchsten ersteigbaren Punkt des Monte Rosa, den er zweimal bestiegen, nebst seltenen Alpenvögeln.

Der in Berchtesgaden angestellte Jagdamts-Controleur K. Heim aus dem Meiningischen überschickte das treffliche Exemplar eines von ihm geschossenen Goldadlers nebst einem, in dessen Horste gefundenen noch unausgebrüteten Ei, eine größere Seltenheit als der Adler selbst, so auch einen Schneehahn und Anderes. Durch Herrn von Friedrich zu Würzburg kamen ein Paar Elchhirschläufe in das Cabinet, und so trugen viele dankbare Zöglinge mit dankenswerther Bereitwilligkeit zur Vermehrung des Naturaliencabinets bei, während auch durch Ankauf dessen Sammlungen wuchsen u. immer förderlicher für den Unterricht wurden.

Von einem ehemaligen Academiker, N. A. Binge, jetzt zu Wandsbeck, wurden Anträge zur Einführung holsteinischer Kultur-Methoden, der englischen Stallfütterungswechselwirthschaft u. dgl. im Meiningischen gemacht, doch scheinen die Verhältnisse ein Eingehen auf jene Vorschläge nicht begünstigt zu haben.

Die vereinten Anstalten waren nun im ruhigen Fortblühen begriffen, obschon die Landwirthschafts-Academie nicht den lebhaften Besuch erhielt, den man vielleicht erwartet hatte, mindestens geht aus den überaus zahlreichen Briefen der theils durch ihre Aeltern und Verwandten, theils der durch sich selbst angemeldeten Academiker hervor, daß der Besuch der Forst-Academie ihnen Hauptsache war.

Die große Anzahl der Studirenden rief unter denselben mancherlei Reibungen und Beleidigungen hervor, und führte eine Spaltung herbei, welche nachtheilig auf die Verfolgung der Studien zu wirken drohte. Studentischer Sinn und Geist erhob wieder mit kräftiger Hand den Schläger und Raufdegen, und es kam zu Duellen, welche wenn auch nicht Todesfälle, doch Verwundungen und Untersuchungen nach sich zogen. Indeß gelang es der Umsicht des Directors, vermittelnd und versöhnend einzuschreiten, die beiden einander feindlich gegenüberstehenden Parteien, von denen die eine sich Burschenschaft nannte, die andere Theegesellschaft, vereinigten sich, versprachen Besserung und Ruhe, und der Director trug darauf an, diejenigen Hausbesitzer zu bestrafen, welche in ihren Häusern die Duellscandale hegten und halten ließen, besonders waren diese das Wirthshaus und die Wohnung eines Tischlers.

Die erste Burschenschaft zu Dreißigacker hatte durchaus keine politische Bedeutung. Nur die Benennung war, wie fliegende Sommerfäden, von den Universitäten auf die Academie herüber geweht. Der academische Senat gebot indessen ihre Auflösung, und sie gab den von ihr beleidigten eine von diesen geforderte Ehren-Erklärung, worauf die angedeutete Versöhnung und Ruhe erfolgte. Von einer anderweiten gleichnamigen, mehr demagogischen Verbindung wird weiter unten die Rede sein.

Ein wichtiger Grund zur Ertheilung vollkommener Amnestie lag im Herannahen schöner und für das ganze Meininger Land festlicher und hocherfreulicher Tage. Am 17. December 1821 wurde Herzog Bernhard volljährig und trat nun selbst die Regierung seines Landes an. Es wurden angemessene Feierlichkeiten veranstaltet und auch die Forstacademie blieb nicht unbetheiligt.

In einem Redeactus, welcher im Schlosse zu Dreißigacker begangen wurde, hielt Bechstein einen Vortrag, in welchem er die Erinnerung an die großen Verdienste Herzog Georgs um sein Land, um die Forstwirthschaft und um die Academie hervorhob, der treuen Pflege der Herzogin Louise gedachte, die auch sie der Anstalt angedeihen ließ, und gute Hoffnungen an die Zukunft der Anstalt unter dem neuen Herzog knüpfte. Ein neues Sittenbuch wurde begonnen, das alte geschlossen und die zu Michaeli neu angekommenen Academiker feierlich aufgenommen. Hierauf wurde ein Gedicht abgesungen, welches bereits zu höchsten Händen überreicht worden war, und am Abend erfolgten von Seiten der Academiker Freudensalven vom Bildstein, auf dem ein Feuer loderte. In seiner Rede hatte Bechstein der für die Meininger Landesgeschichte beginnenden neuen Periode erwähnt, und ausgesprochen: Auch wir wollen und werden in derselben nicht vergessen sein.

Seinem ahnungsvollen Blick mochte sich wohl schon jene dunkle Pforte offen zeigen, durch welche erhabene Geister zum Nichtvergessenwerden — zur irdischen Unsterblichkeit — eingehen. Er hatte den Vater treu geliebt und treu gedient, er hatte während der Regierung der Mutter des Vaters Werke mit aller Treue gefördert, und selbst in sturmvoller bewegter und drückender Zeit kraft- und muthvoll seine Stelle behauptet. Jetzt stand er — wie Moses auf dem Nebogipfel und blickte nach dem Sterne des Sohnes, sprach prophetisch eine Glückverheißung aus. Sein Wirken, sein unermüdetes, segensreiches Wirken für Dreißigacker schloß sich nun ab, sein Werk war vollbracht, seine Sendung erfüllt. Siebenzig Tage noch und er wandelte nicht mehr unter den Lebendigen.

XIX.

Bechsteins Tod. Seine Gattin und Wittwe.

Wie fühlbar oft in den letzten Lebensjahren Schmerz und Krankheit Bechstein an den Erlöser von allen Erdenqualen gemahnt hatten, dennoch glaubte er wohl, nachdem das Jahr 1822 begonnen, sein Scheiden nicht so nahe.

Er hielt im Januar noch seine Lectionen, notirte noch die Ausgaben für die zahlreichen Neujahrgratulanten und für Jahresrechnungen und machte noch im Beginn des Februar eine zweitägige Geschäftsreise nach der Zwick. Es ist sehr wahrscheinlich, daß ihm diese oder eine spätere Fahrt nach der Stadt durch die Ungunst der Jahreszeit eine Erkältung zuzog, die sich zu einem Brustfieber steigerte, welches ihn in der Mitte des Monats auf das Krankenlager warf, von dem er sich nicht wieder erheben sollte. Beängstigung und Erschwerung des Athemholens schienen bei dem ohnehin sehr starken Körperbau des Kranken symptomatisch auf Lungenleiden und auf Brustwassersucht hinzudeuten, auf welche hin sein Arzt, Geh. Hofrath Schlegel, ihn behandelte.

Ernster wurden die Mahnungen an das letzte Scheiden, und Bechstein, welcher ein bereits am 9. Februar 1819 errichtetes Testament schon früher zurückgenommen, errichtete nun unterm 21. desselben Monats ein anderweites. Bechsteins vieljähriger Freund, der oben schon erwähnte Regierungs-Advocat Bey, fertigte dieses Testament. Derselbe schrieb darüber folgendes nieder.

„Bechstein war bei dieser Gelegenheit noch munter, wollte mir Geld aufdringen für meine Arbeit, war scherzhaft, als ich es nicht nehmen wollte, und ich verließ ihn in der sichern Hoffnung seiner Wiedergenesung. Er hat mich, als ich ihm das Testament machte, auch ersucht, Vormund für seine Frau zu werden, wenn er sterben sollte, woraus ich damals einen Spaß machte, dagegen die Wittwe Ernst, als der Todesfall sich ereignet hatte."

„Nach meinem Fortgang hat es ihn aber gedrängt, das Testament müßte auch übergeben werden; er hat ein Geschirr fortgeschickt; und als die Uebergabe erfolgt war, sich ruhig erklärt."

Der tief schmerzlich ergriffenenen Gattin und den theilnehmenden Freunden widmete der Todkranke noch freundliche Tröstungen, und verwieß sie an die Hoffnung auf ein Wiedersehen drüben.

Gegen Abend am 21. wurde Bechstein von einer ohnmachtgleichen Schwäche überfallen, lag schwach und elend die Nacht hindurch, hatte am 22. nur wenig Bewußtsein, und schlummerte am 23. Morgens halb 8 Uhr sanft in das Jenseits hinüber.

Die Section, welche der jetzige Oberwundarzt Kehlhof in Gegenwart Schlegels und Hellmanns vornahm, ergab ein überraschendes Resultat. Bei der Eröffnung der Brusthöhle äußerte Schlegel zu dem Wundarzt: „Nehmen Sie sich in Acht, daß uns das Wasser in der Brusthöhle nicht entgehe." Diese wurde nun auf das Vorsichtigste eröffnet, allein es fand sich, nachdem auch Herz und Lunge frei gelegt waren, nicht ein Tropfen Wasser, wohl aber fanden sich beide Lungen so trocken, als wenn sie mehrere Tage an der Sonne gedörrt worden wären, und — bei näherer Untersuchung derselben, in beiden, namentlich in der rechten, zahlreiche kleine, theilweise aber auch erbsengroße Steinchen, eine merkwürdige Deformität, die wohl die nächste Ursache des Todes abgab.

Schmerz und Theilnahme über diesen Verlust, welcher die Wittwe, welcher die Academie, welcher selbst das Land traf, äußerte sich von allen Seiten groß und rührend. Die Wittwe empfing sowohl gleich nach Bechsteins Hinscheiden, als auch später zahlreiche Trost- und Beileidsbezeugungen von ihren und ihres Mannes Freunden, die Görlitzer ornithologische Gesellschaft veranstaltete Bechstein sogar eine Art Toden-

ker. Ein Artikel unter der Aufschrift: Vaterlandschronik im 9. Stück der Meiningischen wöchentlichen Nachrichten vom 2. März würdigte mit voller Anerkennung die Verdienste des Dahingeschiedenen.

Am 25. Februar wurde Bechsteins sterbliche Hülle der Erde übergeben. Der Leichenzug war würdig und feierlich. Ein schönes Gedicht wurde bei dessen Beginn Namens der Academiker vertheilt, die in dem Verstorbenen ihren heimgegangenen Freund wahrhaft betrauerten. Dieses Gedicht hatte den Forst-Academiker Herrn Gustav von Heeringen zum Verfasser, welcher später mit Glück und Beifall in die Reihen deutscher schönwissenschaftlicher Schriftsteller getreten ist. Eine beziehungsreiche Strophe des Gedichtes lautete:

„Dich werden Deutschlands Söhne nie vergessen,
Das Vaterland wird Dein Verdienst ermessen,
Du hoher Freund der schaffenden Natur.
Und spät, noch spät, wenn unsre Enkel leben,
Wird sich Dein Name segensreich erheben
In deutschen Wäldern, auf der deutschen Flur.“

Trauermusik eröffnete den Zug, welchen die Forstacademiker vor dem Sarge, von Marschällen aus ihrer Mitte geführt, alle in Uniform, schwarze Flöre um den Arm, Paar an Paar bildeten; es folgten die Lehrer, der Sarg, der Herzogl. Commissar, die Herzogl. Collegien, die Officiere des Bataillons, die Collegiendiener, die Meininger Schützengesellschaft und zahlreiche andere Freunde und Verehrer.

Neben dem vorangegangenen Sohne ward dem Verstorbenen die Stätte bereitet, und es wurde vor der Einsenkung das schöne, so ganz auf Bechsteins Wirken passende Lied: „Wer mit Lust und Eifer strebte“ gesungen.

Der Pfarrer des Orts, Storand, hielt die Leichenrede, in welcher er ohne Lobrednerei des Entschlafenen rastlose Thätigkeit, seine vielfachen Verdienste um die Wissenschaft wie um das Land, seine Redlichkeit, Heiterkeit und Geselligkeit anerkennend erwähnte; wie treu er noch unter seinen letzten Schmerzen sein Haus bestellt, wie zärtlich für seine liebende Gattin, wie liebreich für eine Mutter, deren Lebensziel das gewöhnliche Menschenalter überstiegen, gesorgt habe.

Bechsteins am 29. März eröffneter letzter Wille konnte ein Muster von vorsorglicher Anordnung für Personen, die seinem Herzen nahe gestanden, genannt werden. Er ernannte seine Frau zur Universalerbin, befahl in deren lebenslängliche Kost und Pflege seine hochbetagte Mutter, und falls diese vorziehen sollte, ihre Tage bei der Schwiegertochter nicht zu beschließen, so wurde ersterer vom Abwurf des Vermögens ein genügender Antheil, diesen zu verzehren, wo sie wolle, ausgesetzt, oder auch, falls sie beides nicht wolle, der reine Pflichttheil ihr zugesichert.

Als Nacherben der Frau in deren einstige Hinterlassenschaft bei Erlaß eines Inventars wurden die Pflegesöhne eingesetzt und außerdem noch mehrere Legate an Verwandte und Pathen testirt, auch war verordnet, daß das Freigut, die Kemnote, verkauft werden solle.

Wolle die Academie die eigene Bibliothek des Erblassers ankaufen, so solle dieselbe zu dem gering angeschlagenen Werthe von Eintausend Thalern im 24 Guldenfuß abzulassen, die Haupterbin verbunden, und der weit größere Werth der Bibliothek der Academie als ein Legat von Bechstein zugedacht sein.

In dem Meiningischen Anzeigeblatt erschienen noch einige schöne Gedichte auf Bechsteins Tod.

Nachdem den beiden Frauen, der Gattin und der Mutter, nach damals geltendem Rechtsbrauch Vormünder bestellt worden waren, zog die hochbetagte Mutter Bechsteins Trennung von der Schwiegertochter vor. Ihr Beginnen war theils Eigensinn, Unzufriedenheit mit ihrer Lage, theils jene Heimathsehnsucht, die dem menschlichen Herzen so natürlich ist. Gar oft sprach die Alte von ihrem Langenhayn, ihrem Waltershausen, rühmte die dortigen „guten Lüt“ — sie hatte in Dreißigacker heimischen Boden nicht zu finden vermocht, und konnte solchen an einem dritten Ort in ihrem 86. Jahre noch weniger zu finden hoffen. Als man ihr vorstellte, daß nach 20jähriger Abwesenheit von Waltershausen ihr dort Bekannte fehlen würden, äußerte sie, sie werde deren schon finden, der ganze Ort sei ihr Bekannter. Der Vormund von

Bechsteins Wittwe, Regierungs-Advocat Bey, sandte sie nach Waltershausen mit einem Briefe an Bechsteins redlichen Freund, Hofadvocat Hoch, in welchem er diesem schrieb: „Die Frau Geh. Kammeräthin bittet Ew. Wohlgeboren mit beizutragen, daß es der Alten gut geht.“

Diese Reise erfolgte im Monat Juni 1822; die alte Bechstein zog zu einer Wittwe in Waltershausen, allein auch hier war ihr Bleiben von keiner Dauer, und im November 1823 übersiedelte sie nach Langenhayn, von wo sie ausgegangen, zu einer Schwestertochter, ihrer Pathe. Dort ist sie am 19. November 1824 im 88. Lebensjahre, sanft ohne vorher krank zu sein, entschlafen.

Im Frühjahr 1822 besuchte der Verfasser die Wittwe, fand sie noch tief gebeugt, in mancherlei Sorgen verwickelt, von hundertfachen Ansprüchen umdrängt und belästigt, aber gut und liebevoll gesinnt, wie denn Herzensgüte ein Hauptzug ihres Charakters war. Gerne hätte sie von der Bibliothek eine Anzahl Bücher, welche den Studien ihres dereinstigen Nacherben ersprießlich hätten sein können, diesem behändigt; allein es konnte, da jene vorerst noch halb und halb Legat war, nichts davon weggegeben werden, als nur einige wenige naturgeschichtliche Bände, die sich mehrfach vorhanden vorfanden, dabei das durchschossene Handexemplar der gemeinnützigen Naturgeschichte in 4 Bänden.

Der Ankauf der Bibliothek für die Academie wurde nun höchsten Ortes beantragt, aber nicht genehmigt, und so kam diese an naturhistorischen und andern wissenschaftlichen Werken reiche Büchersammlung, über 2000 Bände, dabei werthvolle Kupferwerke, viele Exemplare der Schriften Bechsteins in mehrfacher Anzahl, die Sammlung der in Lebensgröße gut in Oel gemalten Vögel, wie die der aufgelegten Vögel, unter den Hammer, und wurde meist zu Spottpreisen verschleudert.

Für die gemalten Vögel, 55 Stück, wurden 7 fl. 20 kr. gelößt, für die aufgelegten 38 Stück 7 fl. 24 kr. Ein ähnliches Verhältniß ergab der Bücherverkauf gegenüber dem Werth der Bibliothek, deren Erlös Bechsteins Schätzung nicht erreichte, aber mit derselben doch nicht in allzugroßem Mißverhältniß stand. Ein Wink für Familienväter, der sich stets wiederholt, der Freude an vielen Büchern nicht allzugroße Opfer zu bringen.

Der Verkaufsangelegenheit des Freiguts Kemnote, dessen Besitz im Bezug auf Lehnverband, Collateralgelder, restirende Pachtgelder u. dgl. Verdruß und Quälereien aller Art für die Wittwe herbeiführte, unterzogen sich Hoch und Bey mit dem redlichsten Eifer, namentlich leitete diese Angelegenheit der erste, gegen eine ihm bereits von Bechstein früher zugesicherte, verhältnißmäßig geringe Vergütung, zur vollen Zufriedenheit der Wittwe und ihres Vormundes; im März 1823 wurde die Kemnote von Hoch im allgemeinen Anzeiger der Deutschen Nr. 86 und in andern Zeitungen öffentlich ausgeboten und beschrieben, im Mai desselben Jahres ging sie an einen andern Besitzer über, und von diesem erwarb sie sammt dem Gut die Herzogl. S. Gothaische Kammer.

Die Wittwe Bechstein miethete sich in Meiningen ein, und lebte in gemüthvoller Eingezogenheit innig befreundet mit mehreren der achtbarsten Familien ganz angenehm, so weit nicht häufig wiederkehrende Krankheitsanfälle sie an Lager oder Zimmer fesselten. Von Zeit zu Zeit machte sie eine Badereise nach Wiesbaden, brauchte dort die Traubenkur und gewann sich auch dort anhängliche Freunde. Nach dem Tod der Schwiegermutter war ihr Auskommen ein ganz anständiges, doch genoß sie die Freuden, welche ihrem Alter aufgespart waren, mit großer Mäßigkeit. Jeder Verschwendung war sie abhold, aber dabei wohlthätig im hohen Grade, und von einem dem Höhern zugewandten religiösen Sinn belebt, auch war ihr Herz den sanften Erregungen der Musik und Poesie sehr zugänglich, wie sie das Theater gern und mit Vorliebe besuchte. Sie war noch in vorgerückten Jahren eine schöne alte Frau, anstand- und würdevoll. Einem ehrenvollen Antrag zu einer anderweiten Verbindung von Seiten eines angesehenen Geistlichen gab, wenn auch das Herz geneigt war, ihr richtiges verständiges Gefühl keine Folge.

Ihr Verhältniß zu den beiden Pflegesöhnen blieb durch die lange Reihe von Jahren, welcher der Wittwe Bechstein noch zu durchwandeln vergönnt war, ein stets liebevolles und befreundetes, unterhalten durch wechselseitige Besuche, wie durch Briefwechsel. Sie nahm innigen Antheil an allem, was freudvoll oder leidvoll ihren Angehörigen widerfuhr. In ihren Krankheiten litt sie geduldig und gottergeben, und den Verlust der ihr allgemach vorangehenden Freunde und Freundinnen trug sie mit stiller Wehmuth und mit dem ruhigen Hinblick auf baldige Nachfolge. Viele schieden vor ihr dahin, mit denen Liebe und Freundschaft sie und ihren Gatten innig verbunden hatten.

Im März des Jahres 1839, bereits im 71. Lebensjahre stehend, erkrankte sie unter anhaltenden Brustbeschwerden, und es wurde ihr Lager ein hartes, langwieriges. Vergebens erschöpfte sich die ärztliche Kunst, vergebens erhofften ihre Angehörigen vom endlich nahenden Frühling mindestens Besserung ihres leidenden Zustandes; der Mai kam, und sie lag noch viele Tage ohne Besinnung, zwischen Leben und Sterben, geistig schon gestorben, verfallen, entstellt, und langsam, sehr langsam löste endlich die Parze in der Nacht des 11. Mai ihren Lebensfaden.

Es erregte ein tiefschmerzliches Gefühl, eine Frau, deren Leben und Wandel so rein, fromm, tugendhaft, wohlthätig und voll Seelengüte gewesen war, die viel ertragen und erlitten, und doch sich mit sicherm Lebenstact in den Hafen wohl zu gönnender Ruhe gerettet und gebettet sah, so unendlich leiden sehen, und Gott um ihre endliche Erlösung bitten zu müssen.

Ihr stets beharrlich fest gehaltener Wunsch, in Dreißigacker neben dem vorangegangenen Gatten und dem Sohne die irdische Ruhestätte zu finden, wurde erfüllt; und die entseelte Hülle unter zahlreicher Begleitung theilnehmender Freunde nach dem Orte gefahren, wo sie mit dem Unvergeßlichen so manches Jahr heitere und trübe Tage getheilt, und stets als treue sorgsame Hausfrau gewaltet hatte.

Vor dem Academiegebäude wurde der Sarg von dem Leichenwagen gehoben, und von da gefolgt von den trauernden einstigen Pfleglingen der Verstorbenen wie von den Studirenden und Lehrern der Forstacademie und der übrigen Begleitung ihrer ehemaligen Wohnung vorbei nach dem Kirchhofe gebracht, dort unter Absingung eines kurzen vom Verfasser gedichteten Liedes mit Waldhornbegleitung in die Gruft gesenkt. Der Ortsgeistliche Pfarrer Motz sprach angemessene Worte über ihrem Sarge.

Eine letztwillige Verfügung der Verstorbenen that kund, daß sie bemüht gewesen, den Vermögens-Nachlaß ihres Gatten ungeschmälert zusammen zu halten, doch hatte sie ihrer Pathin und Pflegetochter, Rosalie Welker, welche bis zu ihrem Tode getreulich bei ihr aushielt, schon früher ein nicht unansehnliches Legat, wie auch ein anderweites der Schule zu Dreißigacker, letzteres in solcher Weise vermacht, daß der Zinsabwurf dem dasigen Schullehrer gegen die ausdrückliche Verpflichtung, die drei Bechsteinischen Gräber zu Dreißigacker in Ordnung zu halten, als Gratiale zufließen sollte, in welche beide Legate ihre Nacherben schon früher gern eingewilligt hatten.

Die Schwester der Verstorbenen, Frau Director Reinecke, geborene Karsten, überlebte dieselbe noch mehrere Jahre.

Ein gemeinsames Denkmal auf dem Kirchhofe zu Dreißigacker ziert die Gräber Bechsteins und seiner Lebensgefährtin. Dasselbe ist von Gußeisen in gothischer Form ausgeführt, und enthält die Inschriften:

A.

Hier ruhen neben dem einzigen Sohne
die sterblichen Reste von
Johann Matthäus Bechstein,
geb. 11. Juli 1757, gest. 23. Febr. 1822
und seiner treuen Gattin
Auguste Doroth. Elisab. Bechstein,
geb. den 1. März 1769, gest. 11. Mai 1839.
Er durch Werke hehrer Forschung unsterblich;
Sie durch hohe Tugenden unvergesslich.

B.

Den Wohlthätern weihte Dankbarkeit
und kindliche Liebe dieses Denkmal.

Leicht sei die Erde der Asche beider Vollendeten! Das Andenken der Gerechten bleibt im Segen, und ihre Werke folgen ihnen nach. *)

---

*) Es giebt noch ein Denkmal Bechsteins, außer dem geistigen, welches er sich in seinem Wirken und in seinen Werken setzte: Im Königlich Preußischen Oberforste Sobbowitz (Regierungsbezirk Danzig) liegt ein Forstbelauf (Forstwartebezirk) von etwa 2000 Morgen, und dieser sehr schöne und anmuthige Bezirk führt den Namen „Bechsteinswalde," den auch die in dessen Mitte gelegene Försterwohnung trägt. Der Forst ist mit Eichen, Buchen und Kiefern bestanden, und von Fennen und Seen durchzogen.

XX.

Die Forstacademie von 1822 bis 1833.

Daß mit dem Tode ihres zweiten Begründers und bisherigen Leiters der Forstacademie Dreißigacker eine tiefe Wunde geschlagen war, wer hätte dieß läugnen wollen? Es wurde allgemein gefühlt, allgemein ausgesprochen, obschon es nun einmal nicht anders sein konnte. Die Natur hatte ihr Recht geltend gemacht, und es war nun Sache ihres fürstlichen Schutzherrn, wie des Staates, der Anstalt auch ferner gesicherten Halt zu geben, denn schlimm würde es um jede irdische Begründung stehen, wenn von einem einzigen Leben ihr Fort- und Weiterbestehen abhängen sollte.

Seine Lectionen an der Anstalt hatte Bechstein bereits selbst dem Forstsecretair Hellmann übertragen, und so hatte vorerst der Unterricht seinen ungestörten Fortgang.

Aber mannichfaltige Wünsche wurden laut, mehr oder minder keimten Hoffnungen und Erwartungen auf Gehaltsverbesserungen hervor, und mancher Blick mochte nach Bechsteins damals für groß gehaltener Besoldung äugeln. Diese war aber nur in den Augen der Mißgünstigen groß, und in der That im Verhältniß zu den Leistungen des Verewigten als wirklicher Geheimer Kammerrath, als Director der Academie und als Lehrer klein zu nennen, denn während nachmals einfache Regierungs- und andere Räthe ganz gemächlich ihre Besoldungen von 1400—1600 Gulden einstrichen, und dabei den Staat mit höchstbedeutenden Diäten anschröpften, so oft sich's nur irgend thun ließ, hatte Bechstein bei seinem Ableben im Ganzen neben freiem Logis und einem

Beetgarten nur 1180 Gulden rhn. Gehalt, davon nur 600 fl. rhn. baar, und nicht voll 200 fl. rhn. Sporteln und sogenannte Meßgroschen, das übrige bestand in Naturalien — und dabei mußte der fleißige Mann Kutscher und Pferde halten, sich wöchentlich dreimal nach der Stadt verfügen und in Wind und Wetter seine wankende Gesundheit auf's Spiel setzen.

Wohlverdientermaßen wurde dem wackern Herrle jetzt ein Theil von Bechsteins Gehalt als Zulage zu Theil, dennoch hatte auch dieser noch immer nicht den normalmäßigen Gehalt von 600 fl. einschließlich der Naturalien, der ihm erst 1825 bis zur Erfüllung erhöht wurde.

Vielfach wurde die Frage laut: Wer wird an Bechsteins Stelle zum Director der Academie ernannt oder von fernher berufen werden?

Hoßfeld erwartete, daß diese Stelle aus Anciennitätsgründen auf ihn übergehen werde, und trat mit seinem guten Willen, das Steuer zu lenken, unverholen hervor.

Um zu zeigen, daß man es besser verstehe und besser machen wolle und könne, wie der Vorgänger, muß man diese tadeln, und die Academie müßte kein irdisches Institut gewesen sein, wenn sie keine dem Tadel offene Seite gezeigt hätte.

In einer Eingabe vom 21. April 1822 deckte Hoßfeld diese wunden Stellen auf, und that dar, daß die Academie von 1816 mehr und mehr gesunken sei, und zwar durch schlaffe Aufsicht der Direction, durch Mangel an Strafen und Executionen, durch Zanken und Strafen zu unrechter Zeit. Er machte eine Menge guter Vorschläge zur Wiedererhebung der Anstalt, z. B. Reorganisation des allerdings verwilderten und verwahrlosten Pflanzengartens, Beibehaltung des Haßfurt-Forstes, Verbindung der Direction der Messungen mit der Academie, Erweiterung des Forstreviers u. dgl. und wurde hierauf unterm 23. April desselben Jahres, in Rücksicht seiner im Forstwesen bewährten Kenntnisse, zum Forstrath ernannt.

Mit dieser Ernennung waren Hoßfelds Wünsche allerdings nicht zufrieden zu stellen; auch zeigte sich ihm der Chef der Academie eben so widerhaarig, wie dieser sich Bechstein gezeigt hatte.

Namentlich verletzte Hoßfeld ein Decret des Inhalts, daß bis auf weitere Entschließung das Directorium unter den Lehrern abwechseln solle, während Hoßfeld doch nach seiner Aeußerung stillschweigend und rechtmäßig anerkannt, das provisorische Directorium bisher geführt. Darauf reichte Hoßfeld das Gesuch um seine Entlassung ein, indem er mehrerer ihm gewordener vortheilhafter Dienstanträge erwähnte. Wider Meinen und Verhoffen wurde ihm das Entlassungsgesuch bewilligt und bestimmt, daß von da an (5. August) Herrle die ausfallenden Stunden bis zum nächsten Frühjahre übernehmen sollte.

Die Academie erhielt manche neue Einrichtung. In ökonomischer Beziehung ward manches gegen die frühere verändert. Das untere Stock des Schlosses umfaßte jetzt das Naturalienkabinet, das Instrumentenzimmer, das Laboratorium, 2 Lehrsäle, 3 Stuben und 1 Kammer zum Vermiethen und das Carcer.

Im oberen Stock war eine Lehrerwohnung mit Küche und 3 Piecen, die Stube des Aufwärters, das große Auditorium und 3 Stuben mit Kammern zum Vermiethen. Im Dachgeschoß waren 6 wohnliche Mansarden.

Um dem verwahrlosten botanischen Garten wieder aufzuhelfen, faßte die Herzogl. Kammer den Beschluß, diesen steinigen Garten durch die auf der Academie studirenden Landeskinder unter Hellmanns Anleitung **umhacken, graben, reinigen** und **frisch bestellen zu lassen**, doch sollte zur Umrodung des Landes ein Taglöhner mit verwendet werden!

Der Forstrath, Lehrer und Inspector des academischen Forstes, Herrle, bezog Bechsteins Wohnung; Forstrath Hoßfeld wohnte jetzt in den obern Etagen des Herrenhauses, Forstinspector und Professor Hellmann wurde am 27. Juli zum Cammerassessor ernannt; verlegte jedoch seine Wohnung erst im Jahre 1832 nach der Stadt, von wo aus er seine Lectionen in Dreißigacker fortsetzte. Schilling bezog das Logis unter Hoßfeld, welches vor ihm Cramer und Hellmann inne gehabt.

Man dachte darauf, auch in wissenschaftlicher Beziehung neue Einrichtungen zu treffen; es wurde im Spätjahr 1822 ein neuer Lehrplan für die Forstacademie und die landwirthschaftliche Lehranstalt entworfen, welcher in Folge höchsten Befehls der Herzogl. Kammer zur Begutachtung vorgelegt werden mußte.

Das bezügliche höchste Rescript lautete:

Wir Bernhard, Herzog zu Sachsen 2c.

haben beschlossen, den Plan und die Gesetze der Forstacademie nach der im vergangenen Winter vorgenommenen von der Hand des verstorbenen Geh. Kammer- und Forstrath Bechstein geschriebenen Verbesserung, dem Druck zu übergeben, begehren daher mit Beischließung des Bechsteinischen Exemplars, ihr wollet die inzwischen eingetretenen Veränderungen darinnen nachtragen, darauf zur Vorbereitung des Druckes eine leserliche Abschrift auf gebrochenem Papier besorgen, und solche nochmals mit Bericht an uns einsenden.

Altenstein, den 5. August 1822.

Bernhard Erich Freund.

Wie in diesem höchsten Befehl der landwirthschaftlichen Lehranstalt mit keiner Silbe gedacht war, die ein äußerst bescheidenes Stillleben geführt zu haben scheint, so fand sich eine neue Verlegenheit darin, daß Bechstein in seiner erneuten Revision der academischen Gesetze und Einrichtungen derselben ebenfalls mit keiner Silbe gedacht und sie als nicht vorhanden betrachtet hatte. Es berichtete nun der academische Senat, daß, indem er zur Ausführung des höchsten Befehls habe schreiten wollen, er die Bemerkung mache, daß der selige Bechstein auf die vom Oeconomie-Commissair Schilling befohlenermaßen damals eingereichten, die landwirthschaftliche Anstalt betreffenden Vorschläge nicht allein keine Rücksicht genommen, sondern dieselben ganz mit Stillschweigen übergangen habe. Daher beeile sich der academische Senat, die Schillingschen Vorschläge zu übersenden, mit unterthänigster Bitte um höchste Bestimmung, ob und wieweit auf dieselbe bei Entwerfung des verbesserten Lehrplans Rücksicht genommen werden solle.

In diesem Herbst erhielt der Zeichnenlehrer an der Stadtschule und dem Lyceum, Christian Julius Hausen, Bruder des academischen

Zeichnenlehrers, Lieutenants und spätern Rathes Hausen, die mathematischen Vorlesungen zu Dreißigacker gegen eine Remuneration übertragen.

Neben diesen Erledigungen war nun an die wichtigste zu denken, nämlich der Academie einen neuen tüchtigen Director zu geben oder zu berufen, einen Mann, der, nach der Ansicht Vieler, Ruf im Auslande, Ruf als Naturforscher, Ruf als Forstmann und Ruf als Schriftsteller in beiden Fächern haben mußte. Mancher Blick lenkte sich auf Oken, mancher auf Cotta, andere nach Andern. Diese Erwartungen erfüllten sich nicht.

Unterm 20. August 1822 erfolgte ein höchstes Rescript, das die Ernennung des Oberforstmeisters Herrn Carl Friedrich Ludwig Julius Freiherrn von Mannsbach, damals zu Sonneberg, zum Inhalt hatte, und denselben anwieß, seinen Wohnsitz in Meiningen zu nehmen, die Geschäfte der unter den nöthigen Modificationen an die Stelle des bisherigen Oberforstamtes tretenden Forstsection zu leiten, und das Amt eines Vorstandes der Forstacademie zu übernehmen, dabei aber die Direction des Oberländer Forstdepartements mit einem Gehülfen nach wie vor zu besorgen.

Im Jahr 1822 that sich auch in Dreißigacker eine zweite Burschenschaft auf. Ein Herr von S. kam um Michaeli von der Forstacademie zu Fulda nach Dreißigacker und suchte diese Verbindung mit Hülfe einiger ihn dort besuchender Freunde zu begründen. Allein da die Gründer den besseren Theil der Academie gegen sich hatten, wurde der beabsichtigte Zweck nur sehr unvollkommen erreicht. Dem Directorium wurde von den Verbundenen vorgespiegelt, sie hätten eine Lesegesellschaft errichtet, wodurch die Duldung ihrer Zusammenkünfte erzielt wurde. Dadurch gleichsam sicher gestellt, wurde ein Abgeordneter nach Jena gesandt, und von der dortigen Burschenschaft die Anerkennung jener zu Dreißigacker verlangt. Die Verbundenen nahmen gegen die ihrem Kreise nicht Zugesellten mindestens zum Theil einen anmaßenden und befehlshaberischen Ton an, und nöthigten jene zu Erwiderungen, welche Ausforderungen nach sich zogen. Die Verbindung forderte im Namen der allgemeinen deutschen Burschenschaft, und es wurde unter der Bedingung, sich nur auf Pistolen mit den Fordernden zu schlagen, die Forderung angenommen. Der Name, welchen diese Verbindung angenommen haben soll, war Germania und als Sitz dieses Germanenbundes führte Dreißigacker den Namen Hochwalden. Auch ein Burschentag in Brückenau soll von zwei Abgeordneten aus Dreißigacker beschickt worden sein. Allerdings waren dort in den letzten Tagen des Monat März und zu Anfang April 1823 unter andern auswärtigen Forstleuten auch einige Meininger eingetroffen. In Fulda bestand eine Studentische Verbindung: Buchonia, und eine Forststudentenverbindung Arminia, an welcher auch Forstpracticanten Theil nahmen. Es existirten Pfeifenköpfe mit einem Vierfelderschilde: 1) Die aufgehende Sonne, 2) ein Paar verschlungene Hände, vom Kreis einer Schlange umwunden, 3) ein Baum, 4) Leier und Schwert. Als Schildhalter 2 altdeutsch gekleidete Jünglinge; auf der Rückseite der Köpfe Germanen- und Arminennamen.

Als sich — dieß mag hier gleich mit erwähnt werden — einige Jahre nachher die Anklage auf Hochverrath gegen den Oberförster von Hodermann erhob, beantragte das Königl. Preußische Ministerium des Innern und der Polizei unterm 8. März 1824 eine Untersuchung, indem 5 Zöglinge der Forstacademie an der hochverrätherischen Verbindung desselben Theil genommen zu haben, beschuldigt wurden.

Allein das Resultat der in den Jahren 1824 und 1825 wirklich geführten Untersuchung ergab nicht das mindeste, was auf Hochverrath hingezielt hätte, wenn auch das Vorhandensein einer burschenschaftlichen Verbindung nicht in Zweifel gestellt werden konnte. Die große Pfiffigkeit der Demagogenriecher von damals, unlautern Andenkens, machte förmlich in Hochverrath, wie nach dem Kalenderspruch der Aposteltag:

St. Mattheis
Bricht das Eis,
Find't er keins
So macht er eins.

Zu Anfang des December 1822 wurde den Lehrern der Forstakademie eröffnet, daß der Herr Oberforstmeister Freiherr von Mannsbach zum Chef der Forstacademie ernannt worden sei und unter dem 5. December wurde derselbe durch höchstes Rescript bevollmächtigt, seine Function anzutreten und sich selbst zu introduciren.

Freiherr von Mannsbach war in jeder Hinsicht sowohl ein Ehrenmann, von unerschütterlicher Rechtlichkeit und Biederkeit des Characters als auch ein tüchtiger practischer Forstmann; er war gegen die seiner Obhut unterstellte Anstalt stets wohlwollend, ganz das Gegentheil ihres vorhinnigen, als betagter Greis noch lebenden Chefs, welcher erst am 17. December 1826 im 78. Lebensjahre starb, — allein ein Director der Anstalt in dem Sinne und mit dem Erfolg, wie Bechstein es gewesen, konnte von Mannsbach niemals sein, und die Vereinigung der Functionen des Chefs mit jenen des Directors erwieß sich durchaus nicht von practischem Nutzen für die Academie.

Um den Besuch der Academie ferner zu erhalten und zu heben, empfahl eine Herzogl. Ministerialcommunication den Gouvernements der Großherzoglichen und Herzoglich Sächsischen, der Fürstlich Schwarzburgischen und Fürstlich Reussischen Lande die Forstacademie unter der Zusicherung, „daß solchen Zöglingen aus jenen Landen, welche bei sonst erforderlichen Eigenschaften etwa durch Unzulänglichkeit ihrer pecuniären Hülfsmittel an Beziehung der Academie behindert sein sollten, sobald sie sich darüber durch glaubwürdige obrigkeitliche Zeugnisse auswiesen, das Honorar für die Lehrstunden nach Umständen zur Hälfte oder ganz erlassen werden solle," welche Mittheilung von den betreffenden Ministerien mit dankbarer Anerkennuug der höchsten Gesinnung beantwortet wurde.

Forstrath Hoßfeld hatte seinen übereilten Entschluß, die Lehrstelle und seine ganze Wirksamkeit in Dreißigacker aufzugeben, bereut, und hielt um die Wiederanstellung an, die ihm unterm 20. Januar 1823 auch zu Theil wurde.

Wie es früher an Händeln der Academisten unter sich nicht gefehlt, so fehlte es auch ferner nicht an solchen, wozu die erwähnten Verbindungsgeschichten mit beitrugen. Selbst ein glanzvoller Commers mit Musik im Wirthshaussaal in einer Januar-Nacht vom Sonnabend auf den Sonntag erregte Klage und Tadel. Auch in der Haßfurth fielen

Streitigkeiten vor, und im Juli sah sich der academische Senat zu der Bitte an die Regierung genöthigt, einen unruhigen Störenfried entweder schleunig aus dem Lande zu entfernen, oder ihn durch engeren Gewahrsam für die Academie unschädlich zu machen, desgleichen die academischen Gerichte zur Beschleunigung mehrerer Disciplinarvergehen betreffender Untersuchungen anzuhalten.

Im Betreff dieser academischen Gerichte hatte bereits im Mai das Herzogl. Oberlandesgericht an den academischen Senat rescribirt, daß durch höchstes Rescript vom 13. April die Aufhebung der bisher bestandenen academischen Gerichte verfügt und zugleich bestimmt worden sei, daß die Academisten eines privilegirten Gerichtsstandes vor Herzogl. Oberlandesgericht genießen sollten. Es war diese Maaßnahme auf vorhergegangene Anträge und Gutachten erfolgt, doch war dabei ausgesprochen, daß zwar die besondere Gerichtsstelle aufgehoben und mit dem Collegio des Oberlandesgerichts consolidirt, das Referat aber vom Präsidium desselben besorgt werden solle.

Im October 1823 wurde die durch den Steuerrevisor J. P. Weber seit 20 Jahren geführte Academie-Rechnung auf dessen Wunsch ihm abgenommen, und dem damaligen Accessisten Hösling übertragen. Die Reste der Academiecasse beliefen sich im Sommer desselben Jahres für Honorare, Wohnungen, Betten und Holzvorschuß von 15 Studirenden fast auf 730 Gulden. Druck und Publication des Planes und der Gesetze der neuen Anstalten waren durch höchstes Rescript bereits unterm 22. Mai 1823 genehmigt worden, allein es war wohl nicht ohne tieferen Einblick das ganze Verhältniß bei Bechsteins letzter Arbeit von diesem durchschaut, und deshalb auf die landwirthschaftliche Anstalt keinerlei Rücksicht genommen worden, denn diese kam zu keinem gedeihlichen Aufblühen, und Oeconomie-Commissair Schilling fühlte, wie wenig er hier zu nützen im Stande sei. Daher beschloß er den Uebertritt in Königlich Preußische Dienste und kam unterm 13. December um seine Entlassung ein. Er beklagte viele und große Aufopferungen seinerseits und gehemmte Wirksamkeit für die Landwirthschaft im Lande, wie bei der landwirthschaftlichen Lehranstalt, die nur dem Namen nach bestehe; er scheide mit tiefer Wehmuth und mit den treuesten Wünschen für den Herzog und das Land seiner Geburt und Jugend.

Obschon nun in Folge dieser Entschließung noch einige Verhandlungen gepflogen wurden, so wurde durch dieselben doch ein anderes Resultat nicht erzielt, und die wiederholt erbetene Entlassung unterm 24. Januar 1824 Schilling ertheilt, doch sollte er bis zu Ende des laufenden Semesters noch bleiben, und der academische Senat sollte geeignete Vorschläge für eine zu treffende neue Einrichtung thun.

Schilling wählte, nachdem er Dreißigacker verlassen, zunächst Eisleben zum Wohnsitz.

Die Erfahrung hatte zur Genüge dargethan, daß die Verbindung beider Lehranstalten die erwartete Wirkung keineswegs hervorgebracht hatte. Bevor nun ein weiterer Entschluß über ferneres Sein oder Nichtsein der Landwirthschaftsanstalt gefaßt und ausgesprochen war, meldete sich Architekt Georg Philipp Buttmann zu der durch Schillings Abgang erledigten Lehrerstelle, und die Lehrer Herrle und Hellmann thaten die anbefohlenen geeigneten Vorschläge zu deren Wiederbesetzung mit Bestimmung der von einem neuen Lehrer zu haltenden Vorlesungen. Da neben Buttmann auch der bereits erwähnte Herr Hausen durch jene empfohlen wurde, so erhielten beide Candidaten unterm 2. März 1824 ihre Anstellung als außerordentliche Lehrer mit Remuneration.

In diesem Jahre kam noch ein wohlwollender Plan des Herzogs zur Sprache, nämlich der, den Inländern, welche ihre Studien zu Dreißigacker vollendet hatten, aber Anstellungen im Forstdepartement oder sonstige Versorgung im Staatsdienst nicht sofort erhalten könnten, bis zu ihrer Anstellung einen ihre Subsidenz erleichternden, dem Staat nützlichen und sie vom Zweck ihrer Studien nicht ganz entfernenden Thätigkeitskreis zu schaffen.

Dieses sollte bewirkt werden durch Errichtung eines kleinen Jägercorps, in welches die von Dreißigacker abgehenden Inländer, ohnehin meist in der Zeit ihrer Militärpflichtigkeit stehend, entweder eine bestimmte Zeit oder bis zu ihrer Anstellung zu dienen haben sollten. Neben dem Hauptzwecke, den angehenden Forstleuten Beschäftigung zu verschaffen, würden durch dieses Detachement auch für den Dienst verläßliche Leute gewonnen, die als Ordonanzen, Gefreite, als wirkliche Jäger bei Jagden, als Geometer bei Vermessungen verwendet werden könnten, vom eigentlichen Wachtdienst aber möglichst befreit bleiben müßten, um ihre weitere wissenschaftliche Ausbildung vollenden zu können. Diese Jäger würden mit dem Prädikat Sie im Detachement zu bevorzugen sein, wohlhabenden Individuen, die sich selbst equipirten, könnte angemessene Kürzung der Dienstzeit zugesichert werden.

Ueber dieses Project wurde der Academie gutachtlicher Bericht abgefordert.

Aus dem botanischen Garten war wegen seiner hohen und rauhen Lage und seinem steinigen ungedüngten Boden trotz der oben mitgetheilten Maßregel nichts Ersprießliches geworden, und nun schlug im Jahr 1825 Hellmann vor, denselben zu einer Saamenschule zu benutzen, welcher Vorschlag auch Genehmigung erhielt. Dafür wurde den Academikern die erneute Vergünstigung botanischer Studien im englischen Garten unter Aufsicht eines Lehrers zu Theil.

Der Besuch der Academie erhielt sich noch auf ziemlicher Höhe; sie zählte 1826 noch 50 Studirende und der Raufgeist war noch nicht gebannt. Eine Spaltung zwischen Ausländern und Inländern veranlaßte einen großen Duellscandal, doch hatten diesesmal die Inländer gefordert. Es kam zur Untersuchung, und es wurden über einen Academiker 3 Wochen, über einen zweiten 2 Wochen, über vier andere 10 Tage und über elf andere 8 Tage Carcer erkannt, welche harte Strafen indessen auf Nachsuchen bedeutender Milderung unterlagen.

Am 26. November 1826 starb der Lehrer Hausen jun., zu dessen Stelle einige Bewerber auftraten. Es wurde der durch den Chef günstig empfohlene Forstcandidat uud Landgeometer Heinrich August Gleichmann als Hülfslehrer provisorisch gegen Remuneration mit freiem Logis im Academiegebäude angestellt und trat seine Stelle am 14. Mai 1827 an. Später nahm er seine Wohnung im Herrenhause, und 1831 erhielt er seine definitive Anstellung, und übernahm neben der Mathematik auch Lehrfächer aus der Naturgeschichte und Physik.

Das Jahr 1826 hatte durch den Gothaischen Anfall dem Herzogthum Meiningen neue Landestheile gebracht, auf welche sich der väterliche Blick des Regenten mit Liebe lenkte, und sich unter anderm auch dadurch bethätigte, daß den Landeskindern aus den neu angefallenen Landestheilen, die in Dreißigacker studirten, gleiche Befreiung vom Honorar, wie den Alt-Meiningern zugestanden wurde.

Da Michaelis dieses Jahres viele Academiker abgingen, die neuangemeldeten Ausländer aber größtentheils auch um ganzen oder theilweisen Honorarerlaß anhielten — wobei freilich die Academiekasse sich merklich schlecht stand — so wurde verfügt, daß solche Neuankommende nur dann auf Honorarerlaß Anspruch machen dürften, wenn sie im Schlosse selbst Wohnung nähmen und sich durch gute Zeugnisse über Fleiß und moralische Aufführung solcher Vergünstigung würdig zeigten.

Durch diese vielen Erlasse jedoch minderte sich die Einnahme, wuchsen die Zuschüsse, und die später beschlossen werdenden Einschränkungen, z. B. 1829 die Verfügung, daß obrigkeitliche Beglaubigung der Vermögenslosigkeit den Erlaßgesuchen beigelegt werden müsse, und die an ihrem Ort besonders zu erwähnenden Entschließungen 1831 zeigten sich nicht erfolgreich wirksam.

Ein großer Gewinn hingegen erwuchs der Academie durch die Anstellung eines neuen Lehrers, des Herrn Johann Philipp Jacob Reinhard Bernhardi, Candidaten der Theologie aus Ottrau in Kurhessen gebürtig.

Indem nämlich die geistigen Kräfte und bedeutenden Fähigkeiten Hellmanns mehr und mehr für die Herzogliche Landesregierung in Anspruch genommen wurden, konnte derselbe unmöglich auch zugleich umfassenden Unterricht in mehreren nothwendigen Doctrinen bei der Anstalt ertheilen. Daher wandte sich, diesen Mangel zu beseitigen, der Chef an den Professor und Obermedicinalrath Blumenbach in Göttingen, welcher ja auch Hellmann empfohlen hatte, mit der Bitte, einen geeigneten jungen Mann als Hülfslehrer vorzuschlagen, welcher Zoologie, Botanik, Mineralogie, Physik, und die Anfangsgründe der Chemie und Geognosie vorerst zum Theil, in der Folge aber ganz übernehmen solle.

Hierauf empfahl Blumenbach Herrn Bernhardi mit Wärme, und so wurde dieser unterm 17. Juli 1827 zum Lehrer an der Forstacademie ernannt, und ihm bald darauf von seinem indeß zum Regierungs- und Kammerrath ernannten ältern Collegen Hellmann die specielle Aufsicht über die Forstbibliothek, das Naturalienkabinet und das Laboratorium übergeben. Er erhielt seine Wohnung im Schlosse selbst. Bernhardi, welcher neben der Theologie auch Landwirthschaft früher eifrig getrieben und studirt hatte, trug Geognosie, chemische Bodenkunde, Physik, Pflanzenphysiologie, Technologie und manche andere in die Wissenskreise der vereinigten Anstalten einschlagende Lehrgegenstände auf eine anregende und lebendige Weise vor, und machte mit den Zöglingen geognostische Reisen auf die benachbarten Gebirge.

Als nun durch Anstellung neuer Lehrer und tüchtiger Kräfte, wie durch manche dankenswerthe Fürsorge für die Cabinette und Sammlungen der Forstacademie, deren ruhiges Fortbestehen an ihrem Ort gesichert war, tauchte eine Idee auf, deren Seltsamkeit ganz geeignet war, noch viel mehr als bloßes Staunen zu erregen. Es war die Idee: die Forstacademie vom Sitz ihrer Gründung, vom Ort ihres weit verbreiteten Rufes weg und nach Hildburghausen zu versetzen.

Der Herzog verlangte über diese Idee die Meinungsäußerung des academischen Senates in einem Deliberationsprotocoll zu vernehmen, es wurde die Zuziehung Hoßfelds ausdrücklich befohlen, und es wohnten dieser wichtigen Sitzung der Oberforstdirector von Mannsbach, Regierungsrath Hellmann, Forstrath Herrle, Lehrer Bernhardi, Lieutenant Hausen, letzterer als bei der Angelegenheit mit betheiligt und da er gerade in Dreißigacker anwesend war, und Gleichmann, Protocollführer, bei.

Der Inhalt dieses Protocolls legte mit der klarsten und barsten Entschiedenheit das völlig Absurde dieses Planes vor Augen und beschämte den Projectenschmied, welcher jenen Plan ersonnen, mit zahlreichen begründeten Widerlegungen und gerechten Bedenken, indem es nicht nur die finanziellen Nachtheile, sondern auch den an den Namen Dreißigacker geknüpften weit verbreiteten Ruf hervorhob.

Das Vertrauen des deutschen Publicums zum Namen Dreißigacker könne jeder andere Name nur gefährden. Die Erfahrung habe es gezeigt — (Bechsteins Correspondenz hat es unzähligemal bestätigt), daß frühere Eleven die Anstalt Andern empfahlen.

Ob nun gleich die Nachtheile solcher Verlegung die chimärischen Vortheile weit überwogen, obgleich ein Kostenaufwand von circa 3000 Gulden zunächst erforderlich war, obgleich auch das Beispiel von Fulda, dessen Forstanstalt gleich nach des Landforstmeisters Hartig Weggang sich auflöste, und jenen der beliebte Forstschriftsteller Professor Hundeshagen nicht ersetzen konnte, — auch mit in Erwägung gezogen wurde, so schnellte die eine Wagschale mit dem Project dennoch nicht alsbald dahin, wohin es gehörte, in die Luft, sondern es mußten von dem academischen Senat diejenigen ausgezeichneten Forstmänner namhaft gemacht werden, welche sich zur Wiederbesetzung der Lehrerstelle Herrles eigneten, und allenfalls einen betreffenden Antrag annehmen würden.

Wenn nun schon vorauszusehen war, daß mehr oder minder berühmte Forstmänner, darunter manche von bedeutendem Rang, keine Sehnsucht nach einer Lehrerstelle in Hildburghausen haben würden, und die ganze Angelegenheit an sich nichts, als eine Danaiden-Arbeit, nur vergebliche Mühe verursache, so setzte der academische Senat dennoch das befohlene Verzeichniß auf, und nannte unter andern die Oberforsträthe Laurop zu Karlsruhe, Hundeshagen zu Gießen, den Forstrath König zu Ruhla, den Oberförster Andre, Sohn des berühmten Schriftstellers Andre, zu Stuttgurt, den ältesten Sohn des Oberforstrath Cotta ꝛc.

Endlich wurden auch Forstschriftsteller genannt, die als Lehrer **nicht** empfohlen werden konnten, nebst Namen von hohem Rang, oder auch hohem Alter, oder bereits behaupteter vortheilhafter Stellung, darunter die beiden Hartig, in Berlin und Cassel, Cotta d. ä. in Tharand, Pfeil in Berlin, Meyer zu Anspach, von Wedekind zu Darmstadt, Seuter in Cassel u. A.

Und als dieß alles nun geschehen war, so legte sich das Project der Verlegung der Forstacademie Dreißigacker nach Hildburghausen zum ewigen Schlummer — in den Acten — nieder.

Der Besuch der Academie verringerte sich, obschon im Stillen manche Verbesserung vorgenommen wurde, und manches Gute geschah, ohne daß man dasselbe actenmäßig machte. Für das Naturalienkabinet wurde ein zweites Zimmer neben den ersten auf Bernhardi's Antrag 1830 eingerichtet. Nach und nach wurde der ständige Etat für Sammlungen außer der Bibliothek, einschließlich des Laboratoriums ꝛc. auf 200 Gulden erhöht, und in den späteren Jahren derselbe für die Cabinette auf 300 Gulden rhn., für die Bibliothek auf 150 Gulden festgestellt. Dabei wurden werthvolle und kostbare Instrumente besonders angeschafft, auch bedeutende Summen extra für Bücheranschaffung bewilligt. Das Honorarverhältniß erhielt eine neue Regelung, und auch hierin erwies sich die landesherrliche Fürsorge wohlwollend für das allgemeine Beste. Ein höchster Erlaß an den academischen Senat sprach aus, „daß der Nutzen, welchen die Forstacademie Dreißigacker unverkennbar gestiftet habe, in dem Bestreben, ihn auch für die Zukunft zu erhalten, zur Ermittelung alles desjenigen auffordere, was zu ihrer steten Vervollkommnung gereichen könne."

„Während das Honorar für Ausländer das auf vielen Universitäten für die Facultätstudien übersteige, theils an und für sich, theils als Andeutung von gleich großen Unterhaltungskosten für Ausländer abschreckend erscheine, wirke der freie Unterricht der Inländer auf einen zu den Forstdienststellen in gar keinem Verhältniß stehenden Andrang hin, indem die Inländer jede andere Lehre, und selbst die in den Werkstätten bezahlen müßten."

„Daher riethen zureichende Gründe zu einer Minderung des Honorars für Ausländer und der Feststellung eines wenn auch geringeren und mäßigen für Inländer, wie zur besonderen Bestimmung bezüglich der ganz unbemittelten."

Der Senat berichtete unterm 8. September 1831 ausschließlich über die Regulirung der zu zahlenden Honorare, und that noch manche angemessene Vorschläge. Indessen zogen sich die desfallsigen Unterhandlungen in die Länge.

Es kam die Cholerazeit mit ihrer Drohung und ihrer Furcht. Glücklicherweise blieb das Meiningerland von der schrecklichen Seuche unbetroffen, allein sie hemmte die Anmeldungen und nöthigte auch im Bezug auf die Forstacademie zu vorsorglichen Maaßregeln.

Die Herzogl. Landesregierung Verwaltungs-Senat ordnete unterm 13. September 1831 an, daß auf den Fall, daß sich die Cholera bis auf eine Entfernung von 10 Meilen dem Lande, namentlich dem Sitz der Academie, nähern sollte, die Schließung der Vorlesungen als geboten erscheine, oder falls es in den Ferien geschehe, den Wiederbeginn zu verschieben, und alle in Dreißigacker anwesenden Ausländer schleunig in ihre Heimath zu entlassen seien.

Um auf den wissenschaftlichen Ernst immer mehr hinzuwirken, und mehr Einheit in den Gang des Unterrichts zu bringen, führte der Chef und Director von Mannsbach Maturitätsprüfungen ein, eine wichtige und dringend nothwendige Maaßregel, die aber der Natur der Sache nach den Besuch der Academie beschränkte, auf ihre Frequenz ebenfalls hemmend einwirkte.

Hellmann schritt in der Laufbahn des Staatsmannes von Stufe zu Stufe empor, was der Forstacademie sein nützliches Wirken endlich ganz entzog. Er wurde Regierungsrath und von seinen Lehrfächern in Dreißigacker: der allgemeinen Naturgeschichte und Physik, unter Bezeugung des höchsten Beifalls über seine ausgezeichneten Leistungen, entbunden. Diese Lehrfächer wurden Bernhardi übertragen, welcher unterm 13. Februar 1832 zum Professor ernannt wurde, und zum Zeichen der Zufriedenheit mit seinen Leistungen eine Besoldungszulage erhielt.

So war Manches geschehen, um unter guten Auspicien das Leben der Forstacademie zum Heile der Wissenschaft ferner zu fristen. Das Gespenst der Verlegung war in nichts zerflossen, das der Cholera nicht erschienen, die Lehrer wirkten im einträchtigen Eifer, der Besuch hob sich wieder. Auch die öconomische Verwaltung wurde geregelt und die Rechnungsführung dem bestehenden Cassen- und Rechnungsdienst entsprechend angeordnet — dennoch wurde allmälig darauf hingearbeitet, ihre Aufhebung vorzubereiten.

XXI.

Die Societät der Forst- und Jagdkunde.

Letzte Periode.

Noch einen Blick lenken wir auf jenen gelehrten Verein, welcher, nunmehr im Abblühen begriffen, mit anderen darthat, wie alles auf Erden: Wissen und Weissagen, eitel Stückwerk ist, und nichts bleibendes hienieden gefunden wird.

Bechstein war tod, und es mußte die Frage entstehen, auf welche Weise die Fortpflege der seit Jahren bestanden habenden Societät der Forst- und Jagdkunde zu bewerkstelligen sei, wenn man dieses Institut nicht seinem Gründer nach entschlafen lassen wollte. Daß dieß Letztere nicht Absicht war, erhellt daraus, daß der Herzog von Meiningen Laurop das Präsidium übertragen ließ, welches diesem die Hoffnung gab, durch den erweiterten Wirkungskreis noch einmal neues Leben und neue Thätigkeit in der Societät hervor zu rufen, was er durch Circularschreiben zunächst zu bethätigen begann. Hierauf erließ er im Intelligenzblatt seiner Jahrbücher der gesammten Forst- und Jagdwissenschaft und ihrer Literatur Jahrgang 1. Heft 2. eine Aufforderung an die Mitglieder behufs der Vervollständigung der Mitgliederverzeichnisse, und da er für nothwendig erachtete, der Societät neue Statuten zu geben, so beauftragte er mit deren Entwurf den General-Secretair, Forstmeister von Behlen in Aschaffenburg, welcher auch dem Auftrage nachkam, und diese Statuten in 10 Abschnitten mit 29 Paragraphen entwarf.

Ehe noch Laurop einen Entschluß über diesen Entwurf gefaßt, zeigte sich eine von Dreißigacker ausgehende Gegenwirkung, und in Folge eines desfalls von der Forstacademie an den Herzog erlassenen Berichtes gelangte an ihn die Abschrift eines an jene ergangenen höchsten Rescripts:

Wir Bernhard Herzog zu Sachsen 2c.

Auf Euern Bericht vom 25. v. M. Januar (1824) begehren Wir, Ihr wollet nach dem Ende desselben geschehenen Vorschlag, den Oberforstrath und Director der Societät, der Forst- und Jagdkunde, Laurop, veranlassen, in Verbindung mit einigen Societäts-Mitgliedern, darüber ein Gutachten zu entwerfen, welche Mittel anzuwenden seien, um der Societät auf's Neue Ruf und Leben zu verschaffen.

Meiningen zur Elisabethenburg, den 26. Februar 1824.

Bernhard Erich Freund.

Der erwähnte Bericht ist mir in den Acten nicht begegnet, Laurop vermuthete aber, daß das Rescript dadurch hervorgerufen worden, daß Hoßfeld das Präsidium der Societät für sich in Anspruch habe nehmen wollen. Laurop prüfte nun die durch von Behlen entworfenen Statuten, schlug manche Abänderung vor, und bezog sich auf den erhaltenen Auftrag, in dessen Befolgung ihm nicht zustehe, alleinige Entscheidung abzugeben. Er bat von Behlen, einige Societäts-Mitglieder zur Abgabe von Gutachten zu veranlassen, und schlug zu diesem Zweck auch den Oberforstrath Freiherrn von Wedekind vor, der ihm seine desfallsigen Ideen auf vorhergegangene Aufforderung mitgetheilt hatte.

Indessen war diese Angelegenheit keineswegs übereilt worden, denn diese von Wedekind'schen Ideen datiren vom 3. Mai 1828. Wie warm und lebhaft nun auch von Wedekind's Interesse für die Sache selbst war, so scheint sich doch auch einiges persönliche eingemischt zu haben, denn während er an Laurop in einem 8 große Seiten umfassenden Brief seine Ideen entwickelte, ihm „einige Selbstverläugnung, ohne welche die Maaßregel der Wiederbelebung nicht ausgeführt werden könne," anempfahl, sandte er, ohne Laurops Wissen, seinen Plan zur Reorganisation der Societät an die Meiningische Regierung.

Er sah den Verfall der Societät neben anderen Uebelständen im Mangel an Theilnahme von Seiten der ersten Coryphäen des Forstfachs, weil man diese nicht genug in's Interesse zu ziehen gewußt. Er wollte die Mitglieder nach Sectionen classificiren, wollte nächst dem Protector 2 Ehren-Präsidenten, die der Protector ernennen sollte, welche Wahl zunächst auf Hartig und Cotta zu lenken sei. Ferner schlug von Wedekind ein Directorium von 5 Mitgliedern aus den thätigsten und bewährtesten Forstschriftstellern vor. Hier solle Laurops Stelle sein; das Directorium solle alle 2 Jahre unter sich einen Präsidenten und Vicepräsidenten wählen 2c.

Die Mitglieder sollten sich nach Provinzialvereinen sammeln, deren Grundsätze entwickelt wurden, jede Provinz solle ein dirigirendes Mitglied erhalten, und zugleich das Recht haben, Provinzial-Statuten zu entwerfen.

Es sollte eine neue Zeitschrift begründet werden, und Laurop solle Erlaubniß ertheilen, daß die von Wedekind herausgegebenen „Neuen Jahrbücher der Forstkunde" zur Gesellschaftsschrift erwählt würden, und die Beiträge der Mitglieder für diese bestimmt würden, ein Forstorden solle begründet werden u. s. w.

Dieser neue Entwurf enthielt nun ganz und gar nicht Laurop's Beifall, und auch andere Mitglieder der Societät, denen Laurop ihn zeigte, mißbilligten denselben. Meiningischer Seits wurde der Herzoglichen Cammer, Forstsection, Bericht über den von Wedekind'schen Plan abgefordert, und derselbe auch bei den Mitgliedern des Lehrerpersonals der Academie in Circulation gesetzt.

Das Directorium der Academie sprach sein und des Forstsenats Ansichten dahin aus, daß v. Wedekind, der die Ursache, daß die Societät so lange keine Lebenszeichen gegeben, und nur noch im Andenken einzelner Forstmänner lebe, auch daß sie in den Kritiken des Forstrath Pfeil leider nicht rühmlich erwähnt sei — „in den Eigenschaften des Directors Laurop" finde und angebe — wohl in gut bearbeiteten Vorschlägen richtige Mittel bezeichne, die Societät, wenn es noch möglich, zu regem Leben zu bringen, daß aber der Vorschlag eines Ordens manchem Bedenken unterliegen müsse, daß für die Academie kein Vortheil vom Eingehen in v. Wedekind's Vorschläge zu hoffen sei, da er zum activen Präsidenten gewählt werden müsse, mithin Darmstadt der Sitz der Gesellschaft werde, die doch unter der Aegide des Herzogs von Meiningen stehe. Schwerlich würden viele neue Mitglieder beitreten, schwerlich alle Staaten die Gesellschaft anerkennen, und ihren Unterthanen die Mitgliedschaft erlauben, schwerlich würde einem neu errichteten Civilorden Achtung zu verschaffen sein, da die bestehenden Orden ohnehin zu oft ohne Verdienst verliehen würden und viel an Werth verloren hätten.

Deutlich gehe aus dem Plane hervor, daß Wedekind's Bestreben hauptsächlich dahin ziele, alle Federn der schreibenden Forstmänner für sein Interesse zu beschäftigen.

Der Forstacademie selbst aber könne durch alles dieses ein neuer Hebel nicht unterlegt werden u. s. w.

Nächst diesem Votum des Forstsenats sprachen sich auch noch die Lehrer Herrle und Hellmann besonders gegen den von Wedekind'schen Plan aus, und es ist demselben keine weitere Folge gegeben worden.

Laurop hatte bis zu der beabsichtigten Reorganisation der Societät den frühern Gang der Sache verfolgt, und die immer sparsamer eingehenden Beiträge für die Societätsschrift nach dem Aufhören der Annalen, die nun von 1823 bis 1825 unter dem Titel: „Jahrbücher der gesammten Forst- und Jagdwissenschaft" erschienen, benutzt. Jetzt überließ er auf von Wedekind's Antrag diesem die Fortsetzung der Gesellschaftsschrift für die von ihm begonnenen „Neuen Jahrbücher," und veröffentlichte mit ihm über den Sachbestand eine Anzeige im Mai 1828, an welche von Wedekind und sein Verleger, Kupferberg in Mainz, sich anschlossen.

Allein alles dieß waren erfolglose Bemühungen, so weit sie das Leben der im Absterben begriffenen Societät fristen sollten. Von dieser Zeit an — so schrieb Laurop nieder — „nahm die Thätigkeit der Societätsmitglieder immer mehr ab, und ohnerachtet mehrfacher Erinnerungen an die übernommene Verbindlichkeit verstummten nach und nach Alle. — Auch fing man schon im Jahr 1830 an, in verschiedenen deutschen Staaten forstliche Vereine zu bilden, woraus dann zuerst, neben dem Fortbestand der einzelnen Vereine, ein allgemeiner deutscher Forstverein entstanden ist, der sich seit dem Jahr 1836 mit dem allgemeinen landwirthschaftlichen Verein verbunden hat, die nun seitdem in jährlichen Versammlungen gemeinschaftlich zusammentreten, und in einzelnen Sectionen sich über forst- und landwirthschaftliche Gegenstände berathen. Als Organ der Verhandlungen der Forstsection dienen immer noch die von Wedekind'schen Jahrbücher der Forstkunde."

Durch jene Vereine und ihre jährlichen Versammlungen trat naturgemäß die Societät völlig in den Hintergrund; sie hörte auf zu sein und ging in dem Forstverein auf und in denselben über. — Es steht immer mißlich um einen Kranken, wenn zu viele Aerzte und Arzthelfer sich um ihn mühen. So war es bei dieser Societät, so war es auch zuletzt bei der Forstacademie. Wenn erst zu Rath und Hülfe Köpfe zusammengesteckt und Federn zu Recepten gespitzt werden müssen, ist es bereits schlimm; bei ruhigem und geregeltem Entwickelungsgang hilft gesunder Organismus sich schon selbst fort. Im Kleinen wie im Großen gilt solche Regel. Nie steht es schlimmer um manche Staaten, als wenn am meisten in ihnen und über sie geschrieben wird. Das Papier ist geduldig, aber nicht den Fürsten, nicht den Staaten, nicht den Völkern erwächst Gutes aus vielköpfigen Berathungen, selbst wenn sie den stolzen Namen Parlamente führen.

XXII.

Das letzte Jahrzehent der Forstacademie Dreißigacker. 1834 bis 1843.

Das vorletzte Capitel dieser Geschichte der Forstacademie Dreißigacker überblickend, und nun dieses letzte beginnend, kam sich der Verfasser vor wie ein Maler, dem die Farben ausgehen wollen oder auf der Palette vertrocknen. Vor allem vermißte er das freundliche helle Grün, die heitere Jägerei- und Hoffnungsfarbe, und nur grau und schwarz war noch vorhanden; graue Theorien und schwarze Todengräber und Leichenbestatter jener einst so blühenden Anstalt, der man das Grab grub, als sie noch im kräftigen Mannesalter stand.

Die Forstacademie hatte tüchtige Lehrer, eine gute Einrichtung, zahlreichen Besuch, geordnete Oeconomie, dennoch trat manches Nachtheilige gegen sie von Seiten der Regierung schon jetzt zu Tage.

So ließ bereits im Jahr 1834 die Landesregierung, Finanzsenat, in dem botanischen Garten Bauplätze für einen angesehenen israelitischen Geschäftsmann, wie für den Hausknecht Goldermann, abstecken, ohne vorher dem Forstsenat auch nur ein Wort von dieser verwunderlichen Procedur kund zu geben. Letzterer erhob nun eine, mit den kräftigsten Gründen belegte Beschwerde gegen Plan und Ausführung solcher Gebäude, gleichwohl wurden die Bauplätze vermessen und versteint, und selbst Herrle's persönliche Protestation half nichts. Zwar wurde endlich der Hausknecht mit einem Verweis, daß er wegen seines Vorhabens beim academischen Senat nicht angefragt, bedeutet, daß er keinen Bauplatz bekomme, aber der erste Baulustige setzte seinen Plan durch und baute ein Haus ganz ungeeignet in die nächste Schloßnähe, dem Schloß den freien Blick nach dem Dorfe theilweise entziehend, und des Schlosses Lage störend und beeinträchtigend, so daß kein Vernünftiger ersieht, warum gerade dahin, dicht vor das Herzogliche Jagdschloß, während es in dessen Nähe an geeigneten Plätzen nicht fehlte.

Professor Bernhardi hatte indeß seine Meisterschaft als Geologe durch eine weniger, als sie es verdient, bekannt gewordene Preisabhandlung bewährt: „Darstellung des gegenwärtigen Zustandes der Geologie," welche von der Teylerischen Stiftung zu Harlem gekrönt wurde, und daselbst bei den Erben François Bohn 1832 in Großquart erschien. Der niederländische Titel dieses Werkes giebt die Abbildung der als Preis gegebenen großen goldenen Ehrenmedaille.

Im Frühjahr 1835 erhielt Professor Bernhardi einen Ruf an die in Breslau Michaelis desselben Jahres zu errichtende technische Anstalt als Professor der Mineralogie und Geognosie. Es lag außer seinen Wünschen, Dreißigacker zu verlassen, doch glaubte er ein Anerbieten höheren Gehalts, in Rücksicht auf seine Familie, nicht ausschlagen zu dürfen, und blieb, als diese Angelegenheit zu seiner Zufriedenheit geordnet wurde, Dreißigacker erhalten.

Einem Bedürfniß, das allerdings noch fühlbar war, hätte der Director gerne abgeholfen gesehen; er schlug deshalb bereits im Jahr 1833 die Ernennung eines Vicedirectors vor, welcher in Dreißigacker wohnen, die Aufsicht über die Academiker führen, sie besuchen sollte u. s. w.; nannte als den dazu am besten geeigneten Mann den Oberforstrath Herrle, welcher ihn bisher oft unterstützt und aus Gefälligkeit vertreten habe, allein es wurde auf diesen Vorschlag nicht eingegangen.

Da sich in demselben Jahre eine abermalige Auflage des Planes und der Gesetze nöthig machte, so entwarf und berichtigte der Forstsenat dieselben, und nahm darin die Verfügung vom 25. Septbr. 1831, die Herabsetzung der Honorare betreffend, wie jene vom 20. Juli 1833 und eine vom 2. August 1833, Antrittsprüfungen der Inländer und Entwurf eines Regulativs hinsichtlich der zu hörenden Vorlesungen von Seiten der sich dem Forst- und Rechnungsfach widmenden Inländer betreffend, auf, ließ hingegen die Instruction für die academischen Gerichte, welche damals das Herzogliche Kreis- und Stadtgericht in Meiningen vi commissionis verwaltete, aus dem Entwurf hinweg, da diese zu kennen, den Academisten entbehrlich schien, und sie ohnehin nicht mehr beobachtet wurden.

Die Vorlesungen wurden einzeln taxirt, und es wurde unterm 29. Juni 1835 befohlen, daß künftig die vermögenden inländischen Zöglinge mit einem angemessenen Honorar (der Hälfte) heranzuziehen seien.

In dieser Zeit beabsichtigte der Chemiker Creuzburg aus Heldburg, Erfinder eines sehr bewährten Cäments, die Anlegung eines technisch-chemischen Auskunftsbüreaus. Obschon nun dasselbe in gar keiner Beziehung zur Forstacademie stand, so erhielt der Ansuchende doch zur Beförderung seines Unternehmens laut eines höchsten Rescriptes Wohnung im Schlosse zu Dreißigacker angewiesen, den Mitgebrauch des technischen Laboratoriums, des Apparates und der Bibliothek gestattet, und dieser neue kleine Senkling auf den Baum der Academie bewirkte mindestens das Gute, daß abermals mehrere hundert Gulden zur Anschaffung von Büchern und zur Complettirung und verbesserten Einrichtung des Laboratoriums besonders gewährt wurden, während der Senkling selbst nicht anschlug, sondern bald wieder abdorrte.

Ueberhaupt kargte man in erwähnter Beziehung nicht mehr und die neuen Inventarisationen der academischen Sammlungen bestätigten der Letzteren erfreuliche Vermehrung. Diese Inventarisationen wurden unterm 9. Aug. 1836 dem Professor Bernhardi und dem Forstcommissär Gleichmann übertragen, wobei der Schloßvoigt Wagner als Schreiber zu dienen hatte.

Der im Januar 1837 desfalls erstattete Bericht gewährte bezüglich des Naturaliencabinets ein recht befriedigendes Bild. Sämmtliche ausgestopften Thiere wurden in Glaskästen aufbewahrt, von Säugethieren waren manche seltenere vertreten, die ornithologische Sammlung umfaßte so ziemlich die ganze damals bekannte Vogelfauna Deutschlands, alle gut ausgestopft und gut erhalten, viele in mehrfacher Zahl, 240 Arten; ausländische Vögel 13 Kästchen; Vogelscelette, Eier, Nester, mehrere getrocknete Amphibien dabei ein kleines Krokodil, Fische, eine Forstinsectensammlung in 140 kleinen Kästen nach Bechsteins Forstinsectologie geordnet, nebst vielen anderen in- und ausländischen Insecten. Gegen 100 Arten deutscher Schmetterlinge in sehr schönen wohlerhaltenen Exemplaren. Mehrere Herbarien, Früchte u. s. w.

Dann neben Conchylien und sonstigen Seeproducten einige Sammlungen von Petrefacten, oryctognostische und petrographische Sammlungen, darunter 200 Exemplare ungarischer Gebirgsarten, ein Geschenk des verdienstvollen Naturforschers Dr. C. A. Zipser zu Neusohl — mineralogische Instrumente u. dergl.

Das Laboratorium enthielt eine große Anzahl der nöthigen Utensilien, auch der feineren von Platina (an Gewicht 3 ½ Unzen) und Silber, Reagentien und Droguen 2c.

Für den Unterricht in der Mathematik waren eine gute Anzahl von Meß- und andern Geräthschaften, für den Zeichnenunterricht zahlreiche Vorlegeblätter vorhanden.

Das physikalische Cabinet zeigte sich besonders gut ausgestattet mit mechanischen, hydrostatischen, aerostatischen, optischen u. dergl. Apparaten und Instrumenten, ebenso dergleichen für Wärme- und Electricitätslehre, Magnetismus und Galvanismus. Ein treffliches Utzschneider'sches Microscop, eine neue Luftpumpe, wurden angeschafft, und in der letzten Zeit der Academie sogar noch ein Daguerreotypirapparat.

Ohngeachtet alles dessen, was für die Academie geschehen war und ferner geschah, gingen doch schon vorspukende Gerüchte von ihrer Aufhebung durch Deutschland.

Die Nummer 208 des allgemeinen Anzeigers 1835 brachte einen Aufsatz über die wissenschaftliche Bildung der Forstbeamten, an dessen Schluß sich der Wunsch ausgesprochen fand, daß die Academie in Dreißigacker fortbestehen möge und daß es wünschenswerth sei, die Gerüchte, die sich über deren Aufhebung verbreitet hätten, officiell widerlegt zu sehen. Diese Gerüchte hatten allerdings schon mehrere Ausländer bewogen, nicht nach Dreißigacker zu gehen, und Geh. Regierungsrath Hellmann hielt dafür, daß es an der Zeit sei, dem Herzog die Sache vorzulegen, damit der Forstsenat zu einer öffentlichen Bekanntmachung autorisirt würde.

Allein es wurde hierauf durch ein Ministerialrescript vom 17. August des l. J. dem Forstsenat eröffnet, daß es weder thunlich noch nothwendig erscheine, dem berührten Gerüchte durch die vorgeschlagene Erklärung entgegen zu arbeiten; zugleich erhielt der Forstsenat den Befehl, über die gegenwärtige Frequenz der Forstacademie das Nähere vorzutragen.

Es ergab sich die Anzahl von 47 Studirenden, deren 34 Inländer und 13 Ausländer waren, und 28 sich dem Forstfach bestimmt widmeten.

Unterm 14. October wurde befohlen, daß einstweilen noch ein Abdruck der bisherigen Gesetze, doch nur in der erforderlichen Anzahl besorgt werden solle.

Die Rechnungsführung der Academie wurde 1835 der Herzogl. Amts-Einnahme übertragen.

Der Exigenz-Etat für die Anstalt betrug von 1834—1835 nur 2000 Gulden rhn., er erhöhte sich von 1836—1840 auf die Summe von 5181 Gulden rhn. und von 1841—1844 auf 5714 Gulden rhn.

Als Lehrer für den Unterricht im Signalblasen auf dem Flügelhorn wurde 1837 und 1838 ein früherer Zögling der Academie, Kammermusicus Göpfert, ausersehen.

In dieser Zeit ward auch die Idee lebendig, mit der Forstacademie eine technologische und Bauunterrichtsanstalt zu verbinden. Es gelangte dieselbe jedoch nicht zur Ausführung, da bald darauf die Herzogl. Realschule in Meiningen, um derartigen Bedürfnissen abzuhelfen, in das Leben gerufen wurde.

Am 23. Mai 1837 starb Forstrath Hoßfeld zu Dreißigacker und wurde feierlich beerdigt, der erste Lehrer unter Bechstein, war er auch der letzte aus der Lehrerzahl, den die Erde dieses Friedhofs deckte.

Ein Denkstein, den die trauernde Liebe seiner Kinder ihm errichtete, enthält die Inschriften:

A.

Johann Wilhelm Hossfeld,

geboren den 19. August 1768.
gestorben den 23. Mai 1837.

B.

Durch eigenes Streben gebildet,
Dann Andere lehrend mit Eifer,
Errang Er der Wissencchaft Höhen
Und redlichen Wirkens Bewusstsein.

Hoßfeld hatte einen ungemein lebendigen, regen und anregenden Geist, eine große Freude am Disputiren, und war sehr gesellig. Als Mathematiker erfreute er sich eines großen Rufes, und seine Lehrgabe sagte der Mehrzahl seiner Zuhörer zu. Nach Hoßfelds Tode erhielt Forstcommissair Gleichmann einige von jenes Vorlesungen über practische Geometrie übertragen. Die Rechnungsvortheile und Mechanik wurden, da sich sehr wenige Zuhörer dazu eingefunden hatten, ausgesetzt; die practischen Uebungen im Messen, denen Herrle sich bisher ganz unterzogen, übernahmen Herrle und Gleichmann.

Die früher schon angedeutete und erwähnte Regulirung und Abänderung der Honorarverhältnisse fand erst im Jahr 1837 ihre völlige Erledigung. Diese bewirkte ein Rescript Herzoglicher Landesregierung, welches die in den Protocollen über die Berathung des academischen Senats enthaltenen Anträge unterm 9. Juli d. J. bestätigte.

Es war Absicht der landesväterlichen Fürsorge des Herzogs, der Residenzstadt Meiningen ein Real-Gymnasium zu geben und in diesem mußte, wie es nicht anders sein konnte, der Forstacademie um so mehr ein Rival erwachsen, als von gewisser Seite her alles aufgeboten wurde, die neue Anstalt, deren Werth und Wichtigkeit an sich Niemand verkennen kann, auf Kosten der Academie zu heben und zu bereichern.

Der seiner Anstalt mit Liebe zugethane Chef und Director, Oberforstmeister und Freiherr von Mannsbach, sah, was drohte, und überreichte bereits unterm 11. Juni 1837 das Gesuch, die ihm seit fast 15 Jahren übertragene Direction über die Forstacademie, welche damals 54 Zöglinge, dabei 19 Ausländer, zählte, abzunehmen. Allein dieser Wunsch wurde dem wackern Manne nicht erfüllt, und ihm unter ehrender Anerkennung seiner bisherigen einsichtsvollen directiven Leitung der fernere Beibehalt seiner Functionen vertraut. (16. Juni 1837.)

Unterm 3. September desselben Jahres eröffnete ein Ministerialrescript dem Curator der Forstacademie, Freiherrn von Mannsbach, daß der nach Meiningen berufene Realgymnasialdirector Knochenhauer sich bereit erklärt habe, im nächsten Semester die Vorlesungen über Experimentalphysik mit Ausschluß der Mechanik, so wie Geometrie verbunden mit practischen Uebungen, und ebene Trigonometrie mit Bezug auf trigonometrische Vermessungen zu halten, damit diese Vorlesungen im Lectionscatalog angekündigt würden.

Director Knochenhauer bezog für seine praktische Wirksamkeit an der Forstacademie einen nicht geringen Gehalt, nämlich 1700 fl. rhn., während der Gesammtetat der Lehrergehalte sich überhaupt nur auf 2724 fl. und der baare Gehalt nur auf 2432 fl. belief.

Knochenhauer übergab im Januar 1838 einen Berichtsvorschlag über die Erweiterung der Anstalt durch eine besondere Section für Mathematik und Naturwissenschaft, über welchen das Gremium der academischen Lehrer abstimmte. Schon unterm 29. Decbr. 1833 war vom Forstsenat ein Bericht erstattet worden, der den Wunsch nach einem abgeänderten Lehrplan aussprach, auf eine der Zeit angemessene Verbesserung der bestehenden Einrichtung hinwieß, und namentlich eine größere Strenge bei den Maturitätsprüfungen als wünschenswerth empfahl.

Diesem waren zwei dem Inhalte nach ähnliche Berichte vom 2. April und 28. September 1834 gefolgt, allein es schien damals noch nicht in den Verhältnissen zu liegen, die gewünschte Verbesserung herbeizuführen.

Die Ansichten des Lehrerpersonals waren mit dem Knochenhauer'schen Berichte nicht durchaus übereinstimmend, denn Knochenhauer stellte das bisherige Wirken der Forstacademie von seinem Standpunkt aus in ein ungünstiges Licht, ja er stellte sie für die Folge ganz in den Hintergrund, ließ auch einige wichtige hauptsächliche Zweige des Unterrichts, zufällig die Hauptsache: Forst- und Cameralwissenschaft ganz unerwähnt. Sein Lectionsplan beraubte den Lehrer Forstcommissär Gleichmann aller Thätigkeit u. s. w. Oberforstrath Herrle sprach sich daher entschieden gegen die Absicht aus, die Academie wieder zu einer Schule herabzuwürdigen, und bezog sich darauf, daß ohnerachtet der jetzt als zweckwidrig gerügten Verfassung, die Academie doch seit ihrem 37jährigen Bestehen, sowohl beim Forstfach als bei andern Fächern sehr tüchtige, achtungswürdige und hohe Stellen bekleidende Männer gebildet habe, was wahrheitgemäß und unbestreitbar war.

Dagegen sprach sich Geh. Regierungsrath Hellmann eben so entschieden dahin aus, daß die Einrichtung der Academie in ihren Fundamenten und Grundbedingungen nichts tauge, was er auch seit den 20 Jahren seiner Anstellung stets offen und unumwunden ausgesprochen habe. Hellmann wollte den Hauptfehler und Widerspruch darin erblicken, daß man eine Academie wolle, aber bei der Aufnahme der Ausländer nicht nach den Vorkenntnissen frage, wonach die, welche ohne solche kämen, und bei ihren Studien sich selbst überlassen blieben, nichts lernen könnten. Er könne daher darüber, daß man bestimmte Vorkenntnisse zur Bedingung der Aufnahme mache, nur ein Emporheben, nicht ein Herabwürdigen der Anstalt erkennen. Von gleicher Ansicht geleitet, hatte auch der Professor Bernhardi den Bericht unbedenklich signirt; des Directors Ansicht ging jedoch dahin, daß allerdings und namentlich durch den Eingang des Berichtentwurfs der Forstsenat sich ungegründeter Weise selbst anklage, und schlug daher eine etwas veränderte Fassung vor. Andere Verhältnisse seien eingetreten in dem Zeitraum zwischen 1834 und 1838, die noch weitere Veränderungen des Lehrplanes der Academie nöthig machten, besonders scheine der Umstand, daß die Einrichtung eines besonderen Realgymnasiums Schwierigkeiten finde, es nothwendig zu machen, durch erweiterte Curse der Mathematik und der Naturwissenschaften, die eben so dringende als billige Forderung der Zeit auf eine zweckmäßige Weise zu befriedigen, damit sie dem Bedürfnisse der höhern Forstbeamten, der Rechnungsbeamten, des Militairs, der Landwirthschaft und der verschiedenen höhern Gewerbe entsprechend wirke.

Diesen Ansichten gemäß wurde eine abermalige Redaction des Berichtes bewirkt, der Lehrplan auf 2 Jahre berechnet, und 2 Classen der Academie festgestellt. Ausführlicher erklärte sich über den weitern Berichtsentwurf vom 8. Februar 1838 Professor Bernhardi. Er sprach sich unter anderm dahin aus, daß er nicht erst jetzt, sondern schon längst, und zwar in den ersten Wochen seines Aufenthaltes in Dreißigacker zur Ueberzeugung gekommen sei, wie die bisherige Einrichtung der Anstalt durchaus nicht mehr zeitgemäß, am allerwenigsten aber dem Begriff einer Academie entsprechend sei, und daß er diese Ueberzeugung auch überall da offenkundig ausgesprochen habe, wo er habe hoffen dürfen, dadurch zu einer Verbesserung vielleicht beitragen zu können. Auch führte Professor Bernhardi an: in wie geringem Ansehen die Academie selbst bei den höheren Landesbehörden stehe, sei leider daraus zu schließen, daß ihre ausgestellten Zeugnisse, resp. Lehrbriefe zu irgend einer Anstellung im Staate nicht genügten, sondern alle damit versehenen inländischen Candidaten selbst bei ihren Anstellungen als Geometer, Rechnungspracticanten, ja als Forstgehülfen sich noch einer anderweitigen Prüfung unterwerfen müßten.

Man kann nicht umhin, sich bei diesen Verhandlungen des bekannten Ausspruchs zu erinnern: Zu allen Zeiten, wo die Kunst verfiel, ist sie durch die Künstler gefallen.

Die Staatskünstler, die damals am Ruder waren, thaten alles, die Academie zu verketzern, und ein neuer Streich wurde jetzt gegen letztere geführt. Unterm 24. April 1838 eröffnete ein höchstes Rescript der Direction, daß nach der Beförderung des Geheimen Regierungsrathes Hellmann zum Regierungs-Director dessen fernere Theilnahme an den Geschäften der Forstacademie nicht mehr statthaft erscheine, und befahl das Nöthige über die Vorträge Hellmanns mit dem academischen Senat zu berathen.

Wenn die Abnahme aller Academiegeschäfte auch in Hellmanns eigenem Willen mitlag, und ihm vielleicht damit ein Gefallen geschah, so mußte doch diese höchste Verfügung der Academie um so unerwarteter kommen, als der höchsten Ortes genehmigte Lehrplan für das Sommersemester 1838 bereits im Anzeiger bekannt gemacht worden war, und der Director beklagte in einer Eingabe den Verlust eines so ausgezeichneten Lehrers, der seine Functionen mit so viel Eifer und Erfolg besorgt und durch seinen Ruf im Ausland wohl auch der Anstalt Studirende zugezogen habe.

Indeß war nun hierin nichts zu ändern, und Professor Bernhardi war erbötig, die Lectionen Hellmanns: Forstbotanik und Jagdzoologie, zu lesen.

Unterm 18. Mai wurde der Direction durch hohes Rescript eröffnet, daß die für das laufende Semester in den Lectionsplan der Forstacademie aufgenommenen Lehrvorträge des Regierungs-Directors Hellmann dem Regierungs-Auditor Plödtner gegen eine angemessene Remuneration übertragen werden sollten.

Am 28. Mai, unmittelbar vorher, ehe Herr Plödtner seine Vorträge begann, empfahl sich Regierungs-Director Hellmann dem freundlichen Andenken seiner Zuhörer und nahm Abschied von der Academie.

Für das Wintersemester 1838 bis 1839 wurden dem Regierungs-Auditor Weber die Vorlesungen über Jagdnaturgeschichte, sowie über Forst- und Jagdrecht übertragen, eben so für das darauf folgende halbe Jahr, und weiter.

Während die Genehmigung der Gesetze und des Lehrplans vom Forstsenat wiederholt erbeten werden mußte, und endlich unterm 28. November 1838 der Direction eröffnet wurde, daß die höchste Entschließung auch ferner noch ausgesetzt bleiben müsse, bis das Verhältniß der Academie zu den Realschulen und besonders die Aufnahmeprüfungen festgestellt sein werde — war gleichzeitig (20. Novbr. 1838) eine Commission niedergesetzt worden, welche dieses Verhältniß erörtern sollte.

Diese Commission berichtete nach mehrfachen Deliberationen unterm 12. Februar 1839, daß es nach dem gegenwärtigen Standpunkt der Realschulen unthunlich sei, die Forderungen für die Aufnahme zur Academie mit Rücksicht auf die durch jene Schulen gebotene Gelegenheit zur Erwerbung von Vorkenntnissen, schon Ostern 1839 höher zu stellen, welche Ansicht mit Gründen belegt wurde.

Weitere Vorschläge behielt sich die Commission dann vor, wenn der Lehrplan für die Realschulen des Herzogthums im ganzen Umfang hergestellt worden, und diese Anstalten mit den nöthigen Lehrkräften ausgestattet seien — das hieß: wenn durch die Realschulen die Forstacademie völlig überflüssig gemacht sein werde.

Bei dem zu dieser Zeit vorgenommenen abermaligen Conceptentwurf einer Matrikel erklärte sich Professor Bernhardi entschieden gegen den Druck, weil eine baldige und gänzliche **Auflösung** der Academie mit Gewißheit von allen, die Verhältnisse Näherkennenden vorauszusehen sei. Daher es bedenklich erscheine, wenn der Senat jetzt, nach 40jährigem Bestehen der Academie, zu einer Zeit, wo fast Niemand mehr aufzunehmen sei, den Akt der Aufnahme und überhaupt der Gesetze noch ändere, gleichsam als könne dadurch noch Leben und Bestehen in den siechen Körper gebannt werden, dem, sei es absichtlich oder zufällig, alle Mittel zum Bestehen und zum Erstarken entzogen seien. Professor Bernhardi halte für Pflicht des Senats, mit schuldiger Offenheit dem Herzog die Lage der Sache unterthänigst vorzustellen, um so mehr, als der Senat durch die in den letzten Tagen erfolgte höchste Unterschrift des Gesetzentwurfs wohl zu schließen berechtigt sei, es sei weder die höchste Absicht, die Academie aufhören zu lassen, noch sei Höchstdemselben der gegenwärtige Zustand der Academie hinlänglich bekannt u. s. w.

Nach noch mehreren Details im Betreff des sehr verminderten und noch verminderter zu befürchtenden Besuchs sprach der Senat die unterthänigste Anfrage aus:

> ob nichtsdestoweniger der academische Lehrplan in der bisher üblichen Weise entworfen und veröffentlicht werden solle?

Diesen Bericht begleitete ein Insertbericht des Directors, worin sich derselbe auf seine unterthänigsten Vorstellungen vom 11. Juli 1837 und die dort voraussichtlich angedeuteten Folgen bezog, und das Eintreffen seiner und Forstrath Herrle's bei Gelegenheit der befohlenen mit der Academie zu verbindenden technologischen und Bauunterrichts-Anstalt gethane Vorausäußerungen andeutete.

Hierauf wurde durch höchstes Rescript vom 16. März 1840 dem Senat eröffnet, daß der Lehrplan für das nächste Semester in der bisherigen Weise zu entwerfen und zu veröffentlichen sei. Unter demselben Datum wurde dem Director sein Gesuch um Enthebung von der Direction der Forstacademie in Dreißigacker abermals abgeschlagen.

Unter solchen Wehen und Kämpfen also war die Forstacademie in das vierte Decennium ihres Bestehens eingetreten. Ihre Lebenskraft siechte ersterbend dahin, und mehr und mehr brach die Frage sich Bahn: Wird die Academie fortbestehen? Kann sie forbestehen? Soll sie fortbestehen?

Unterm 20. August 1840 sandte Forstmeister von Behlen eine Zuschrift an den Forstsenat, begleitet von der gedruckten Einrichtung der neuen Folge seiner allgemeinen Forst- und Jagdzeitung, und bat um Zusendung eines Jahresberichtes der Academie, der academischen Gesetze u. dgl.

Statt daß man hätte erfreut sein sollen, ein Organ mehr für Veröffentlichung der Academie-Angelegenheiten zu gewinnen, dessen Spalten freundlich und bereitwillig dargeboten wurden — „ließen die Verhältnisse es bedenklich erscheinen, der Anfrage zu entsprechen," und es wurde desfallsige Anfrage beschlossen, worauf das Präsidium eine ausführliche Darlegung über den Fortbestand oder das Aufheben der Academie forderte.

In einem besonders wichtigen Vortrag sprach nun unterm 2. December 1840 der Director der Academie seine Ansicht über diesen Gegenstand folgendermaßen aus.

„Abgesehen von den Gerüchten, welche die Aufhebung betreffen, ist mehrfach der Wunsch öffentlich geäußert worden, daß die Academie als ein Denkmal der landesväterlichen Fürsorge Herzogs Georg erhalten werden möge."

„Einem Lande, dessen Bodenfläche zu 3 Fünftheilen mit Waldung bedeckt ist — (das Herzogthum hat 380,000 Morgen Waldareal) dürfte wohl eine Forstbildungsanstalt nothwendig sein."

„Dem Orte Dreißigacker wie der Residenzstadt sind wesentliche Vortheile zu Theil geworden, und die Summen, welche die Anstalt gekostet hat, gehen durch die Aufhebung derselben unwiederbringlich verloren. Die Gebäude werden schwerlich besser, als bisher, benutzt werden können, nicht ohne Inconvenienzen wird dem angestellten Lehrerpersonal ein anderweiter Wirkungskreis anzuweisen sein."

„Nicht möglich wäre es gewesen, ohne die Forstacademie so viele hohe und niedere Forststellen im Lande mit wissenschaftlichen Beamten zu besetzen, davon der Erfolg ein selbstredender ist."

„In- und Ausländern hat die Academie bisher die nöthige Bildung gewährt, und hat sie befähigt, bei in- und ausländischen Behörden ihre Prüfungen zu bestehen, und mit Beifall wichtige Aemter zu verwalten."

„Viele ihrer Zöglinge begleiten hohe Staatsämter, viele zeichnen sich als Schriftsteller aus."

„Vielen unbemittelten Inländern wurde es möglich, sich auszubilden, daß sie nicht blos im Inlande, sondern auch im Auslande Anstellung und Versorgung sich errangen."

„Sollte dieses alles nicht für die Erhaltung der Academie sprechen? Sollte sie nicht werth sein, daß selbst mit einigem Aufwand der ihr in neuester Zeit zugefügte Schaden wieder gut gemacht werde?"

„Sie zu erhalten, ist freilich vor allem nöthig, die Knochenhauer'sche ganz unverhältnißmäßige Besoldung von ihrem Etat wegzustreichen, die disponibeln Lehrerbesoldungen unter die an der Academie thätigen Lehrer mit Fixirung der provisorisch angestellten Hülfslehrer zu vertheilen."

„Und noch mehr ist nöthig, nämlich die Anstellung eines Lehrers von literarischer Bedeutsamkeit im Forstfach, weitere Ermäßigung der Maturitätsprüfungen für die Inländer — Erweiterung der zur Erhaltung und Hebung der Academie nicht hinreichenden Gesetze, die vom 23. October 1839 datiren."

„Der Director und der Oberforstrath Herrle haben sich, als wegen Einrichtung der Wahlschulen und deren Verhältniß zur Academie Deliberationen gepflogen wurden, offen dahin ausgesprochen, daß die beabsichtigten Anforderungen und Verfügungen nicht blos zum Schaden der letzteren, sondern auch zu deren Auflösung führen würden, sie wurden aber stets mit Hinweisung auf den der Academie zugedachten höhern Standpunkt abgespeist. Leider trifft nun unsere Prophezeihung ein, und wir blicken jetzt schon von dem vorgespiegelten höhern Standpunkt auf leere Hörsäle, welche die Lehrer völlig entmuthigen. Und damit ist das

Ziel derer, welche die Realschulen zu fördern und die Academie zu untergraben streben, erreicht."

„In solchem Fall muß ich, der Director, selbst für die Aufhebung stimmen, da der frühere Plan, die Realschule durch Beifügung einer höheren Classe mit der Academie zu verbinden, der dann 1 Lehrer der Forstwissenschaft zur Ausbildung der niedern Forstofficianten beizugeben gewesen wäre, nicht ausführbar erscheint."

Dieß waren die Aeußerungen eines ehrwürdigen und redlichen alten Dieners, jedes Wort eine Wahrheit.

Freiherr von Mannsbach theilte seinen Vortrag dem Geh. Rath v. Bibra mit und dieser schrieb an ihn nachfolgende beherzigenswerthe Zeilen:

„Meiningen, den 29. December 1840.

Freundlichen Guten Morgen!

Recht herzlichen Dank für die Mittheilung Deines sehr interessanten Vortrags über die Aufhebung oder das Fortbestehen der Forstacademie Dreißigacker.

Auch ich halte es für einen großen Mißgriff, ein 40 Jahre lang bestehendes und mit Ruhm, Ehre und Nutzen gekröntes wissenschaftliches Institut mit leichtem Sinn zu Grabe zu tragen, nur um ein neues Project schnell ausgeführt zu sehen!

Das hiesige Land hätte mit einem Gymnasium und einer Realschule hinlänglich genug, demohngeachtet haben wir deren von jeder Gattung mit schweren Kosten 2 Neue creirt!! Früher oder später wird dabei gewiß wieder eine Reduction stattfinden.

Die Forstacademie im Flor zu erhalten, hätte aber auch schon die Pietät für unsern seligen Herrn Herzog wünschen lassen und sie mußte ihres Etats nicht beraubt werden.

Wo Du in Deinem Vortrag von dem Nutzen der Academie durch Bildung tüchtiger Forstbeamten sprachst, hätte ich gewünscht, daß Du noch hinzugefügt hättest, wie viele unserer Offiziere, beinahe sämmtliche Rechnungsbeamte und ihre Assistenten auf dem Lande, die Rechnungskammer und das Rechnungsbureau, die bedeutende Zahl der Land-Geometer — ihre Bildung der Forstacademie verdankten und dem Vaterlande jetzt und noch längere Jahre, durch die practisch nützlichen Wissenschaften, welche sie dort erlernt, von wahrem Nutzen sein werden.

Ein Pfropfreis von 1 oder 2 Forstlehrern auf die Realschule ließe sich wohl denken und ausführen, wird aber den bisherigen glücklichen Erfolg schwerlich haben, da in der Realschule vielerlei gelehrt wird, was der Forstmann nicht braucht und es daher schwer werden wird, dieses zu scheiden und die Direction dieser beiden Classen gehörig festzustellen.

Wir wollen das Beste hoffen!

Vale faveque

Totus tuus

von Bibra."

Es war alles vergebens. Vergebens erörterte der Director ausführlich, was dann in dieser Beziehung noch weiter auf der Realschule zu lehren sei, vergebens that er geeignete Vorschläge für die fernere practische Ausbildung der dem Forstfach sich Widmenden, wobei er wahrheit-, sach- und naturgemäß immer wieder darauf zurückkommen mußte, daß durch alles dieses doch nur eine kaum nothdürftig ausreichende Bildung der Forstbedienfteten zu erlangen sei.

Nicht minder setzte von Mannsbach klar auseinander, daß noch dazu der Kostenpunkt ein erhöhter sein werde, daß das Maturitäts-Examen einen fünfjährigen Aufenthalt auf der Realschule und eine Fülle von Kenntnissen verlange, so daß jenes die, (wenn in Einzelfächern noch so gelehrten) Examinatoren in allen Theilen kaum selbst bestehen würden.

Dieser Bericht berührte gedrängt das Nützlichnöthige der Einrichtung der Forstlehranstalten zu Anfang des Jahrhunderts, wie die Frequenz von Dreißigacker und führte an, „daß es nicht blos für künftige Forstmänner, sondern auch überhaupt für künftige Oekonomen, Kammer- und Rechnungsbeamte, Landgeometer, Militairs, Gärtner, Technologen, Bergbaukundige ein viertel Jahrhundert lang eine gute Vorschule gewesen."

„Daß aber nothwendig die Schülerzahl auf allen Academien sich habe vermindern müssen, nachdem überall und auch im Herzogthume Realschulen und Realgymnasien errichtet worden. Auch wurde Bezug genommen auf die indessen neu entstandenen Forstlehranstalten.

Dagegen wurde anderseits hervorgehoben: „Die auf die Forstacademie bisher verwendete Summe ferner zu verwenden, sei in finanzieller Hinsicht nicht räthlich, da sie ein unverhältnißmäßiges Mittel für die geringen Erfolge und den Bedarf an Forstleuten — durchschnittlich jährlich drei — und daß es besser sei, diese Mittel zur Dotirung von Realschulen zu verwenden," die ein Bedürfniß der Zeit geworden.

Die Zeit wird lehren, ob dieses Bedürfniß sich lange befriedigen läßt, ob das Schulwesen nicht überhaupt einer Vereinfachung, und doch tüchtige Männer zu bilden fähig sei, wie früher auch der Fall war. Dieses Auseinanderlegen der jungen Lernenden war immer nur ein staatskünstlerischer Versuch, und so viel bleibt unumstößlich wahr, daß keine Realschule, sei sie noch so gut und noch so blühend, wie die des Herzogthums es wirklich sind, Forstmänner erzieht. Man muß auf den Realschulen, wenn man Naturkundige, Chemiker und Physiker, wenn man Architecten, wenn man Bergleute bilden, überhaupt wenn man bilden will, doch auch neben den neuen die alten Sprachen mitlehren; die tausendfachen Ausdrücke in Physik, Mechanik, Chemie und Technologie überhaupt bedingen nothwendig einige Vorkenntnisse im Griechischen, und ein Botaniker ohne Latein ist nicht denkbar.

Im März 1842 erklärte das Herzogliche Kreisgericht in einer Untersuchungssache, daß es zur Zeit sich außer Stand befinde, die academischen Gesetze mit der Jahreszahl 1839 als Norm in rechtlichen Angelegenheiten der Studirenden zu betrachten, da sie weder publicirt, noch ihm (dem Kreisgericht) zur Befolgung zugefertigt seien.

Nach vorausgegangener Genehmigung der Realschulordnungen zu Meiningen und Saalfeld und der Bestimmung, daß die den niedern Forstdienstberuf Wählenden so viele Vorkenntnisse sich angeeignet haben müßten, als die wohlgenützte Prima der Realschule gewähre — wobei die dem höheren Forstfach sich Widmenden noch die Selecta der Meininger Realschule zu durchlaufen — auch demnächst nicht nur durch eine practische Vorbereitung, sondern auch durch den Besuch einer Universität nach vorgezeichnetem Studienplan sich für den Eintritt in den Staatsdienst zu befähigen hätten — sollte nun der Weg zur practischen Ausbildung und Befähigung der Inländer vorgezeichnet werden, wo die Frage zu begutachten war, ob bei der neu zu treffenden Einrichtung das Fortbestehen oder die Aufhebung der Forstacademie Dreißigacker zweckmäßig erscheine?

Zur Erreichung dieses nächsten Zweckes ernannte ein hohes Rescript vom 16. April 1842 abermals eine Commission, bestehend aus dem Oberjäger- und Oberforstmeister Director von Mannsbach, Regierungs-Director Hellmann, Oberforstrath Herrle, und Consistorial- und Schulrath Dr. Kießling in Hildburghausen. Dieser Commission blieb überlassen, an ihren Berathungen auch den Professor Bernhardi und den Realschuldirector Knochenhauer Theil nehmen zu lassen.*)

Der betreffende Commissionsbericht, vom Todestage Schillers, den 9. Mai datirt, enthielt zwar nicht das Todesurtheil der Forstacademie, aber doch gleichsam die letzte Oelung, den letzten frommen Wunsch als Wegzehrung und Obolus.

Zunächst sprach dieser Bericht sich dahin aus, „daß die wissenschaftliche Vorbildung durch die classis prima resp. selecta der Realschule gewährt, auch für den beiderseitigen Forstdienst vollkommen ausreichend sei."

Aber ob nun die Academie aufzuheben oder beizubehalten sei, darüber hatten sich die Meinungen nicht vereinigen lassen, vielmehr

*) Bernhardi's Biograph in Nr. 31 des Volksblattes für das Herzogthum Meiningen Jahrg. 1849 hat es ebenfalls ausgesprochen, wie ersterer von diesen Angelegenheiten gemüthlich auf das Schmerzlichste berührt wurde, und wie die Aufhebung der Academie einen der tüchtigsten Männer lange außer Thätigkeit versetzte. Man lese selbst: „Je mehr sich Bernhardi in die Forstacademie Dreißigacker eingelebt hatte, desto mehr betrübte und verletzte es ihn, als dieselbe in den letzten Jahren ihres Bestehens dem Untergang entgegenging oder vielmehr entgegengeführt wurde; die Kämpfe, welche er in dieser Zeit durchzumachen hatte, hinterließen in ihm eine Bitterkeit, die noch später hervorbrach, sobald das Gespräch diesen Gegenstand berührte. Endlich von der Erfolglosigkeit seiner Bemühungen überzeugt, war er fast froh, als im October 1843 die amtlich ausgesprochene Auflösung der Academie ihrem trübseligen Hinsiechen ein Ziel setzte. Es folgten für ihn mehr als drei Jahre ohne bestimmte amtliche Thätigkeit."

blieben diejenigen Mitglieder der Commission, die schon früher in Separatgutachten für Beibehalten der Academie gestimmt hatten, auf ihrer Ansicht, und so auch gegentheilig. Daß die von fern her in's Land gerufenen Gymnasial- und Realschulmänner eine Neigung für Dreißigacker nicht darlegten, kann ihnen gar nicht zum Vorwurf gemacht werden; Dreißigacker war für die meisten völlig eine terra incognita.

Darin waren jedoch sämmtliche Mitglieder dieses letzten Colegii medici für die Todkranke einverstanden, daß, wenn man nicht die Forstacademie in der Weise verbessere, und mit reichlicheren Mitteln ausstatte, um den Begriff einer Academie und den an eine solche zu machenden Anforderungen vollständig zu entsprechen, es angemessener erscheine, sie aufzuheben, als sie, wie unter den dermaligen Verhältnissen vorauszusehen, allmählig versiechen zu lassen.

Hierauf that die Commission noch weitere Vorschläge für die Wege der Ausbildung der inländischen Forstleute, unter Voraussetzung, daß die Aufhebung der Academie beschlossen werde.

Auf diesen Bericht hin wurde der Commission nun unterm 12. Mai 1842 aufgegeben, die Herstellung einer Forstschule, die ihren Sitz in Meiningen haben sollte, in Berathung zu nehmen, welchem Befehl in einem Commissionsbericht vom 30. Juli 1842 nachgekommen worden ist.

Die Nummer 122 des allgemeinen Anzeigers 1842 brachte einen Aufsatz über die Forstlehranstalten mit Bezugnahme auf Dreißigacker.

Da derselbe gerade in diese für die Academie wichtige Periode fiel — denn was könnte nächst dem Leben wichtiger sein, als das Sterben? — so lag die Vermuthung nahe, daß der Verfasser nicht allzufern wohne.

Der in jenem Aufsatz ausgesprochene Vorwurf, daß die Academie ihren alten Ruhm eingebüßt habe, traf nicht die Anstalt, er traf diejenigen, welche, trotz ihres Berufes, keine Neigung mehr hatten, für sie zu wirken. Und dennoch verging noch ein volles Jahr bis jene der Academie entgegenstrebende Macht obsiegte.

Unterm 18. October 1843 erlosch der Lebensstern der Forstacademie. Die Urkunde lautet:

Wir Bernhard, Herzog zu Sachsen Meiningen 2c.

Von der Ueberzeugung geleitet, daß der Bildungsgang, welcher für Unsere Forstbeamten bisher vorgezeichnet war, den Verhältnissen und Anforderungen der Zeit nicht mehr ganz entspricht, haben Wir diese wichtige Angelegenheit in Berathung nehmen lassen, und auf den Grund des Uns darüber erstatteten Vortrags über die Befähigung zum Staatsdienste im Fache des Forstwesens diejenigen Vorschriften gegeben, welche durch Unsere Verordnung vom heutigen Tage demnächst werden veröffentlicht werden.

Mit diesen Vorschriften ist das Fortbestehen Unserer Forstacademie zu Dreißigacker in ihrer jetzigen Gestalt und Einrichtung nicht vereinbarlich, und Wir haben daher befohlen, daß dieselbe aufgehoben, dagegen aber eine Forstschule hier errichtet werde, welche sich den übrigen Bildungsanstalten des Herzogthums, namentlich den Realschulen, in angemessener Weise anschließen, und für die höheren Forstbeamten als Vorschule für die Universität dienen soll.

Indem Wir dies dem Directorium Unserer seitherigen Forstacademie zur Nachricht und weiteren Mittheilung an das Lehrerpersonal eröffnen, finden Wir uns zugleich bewogen, Unsere besondere Anerkennung und Zufriedenheit mit dem Fleiße und treuem Eifer, den der Director und die Lehrer der Forstacademie in ihren Berufsleistungen an den Tag gelegt haben, hiermit auszusprechen.

Wir behalten Uns vor, über die angemessene weitere Verwendung der Lehrer und des Subalternenpersonals demnächst Unsere Entschließung zu erkennen zu geben, so wie überhaupt alle außerdem durch die Aufhebung der Forstacademie nöthig gewordenen Anordnungen zu treffen; bis dahin bleibt jedoch jeder bei derselben angestellte Diener im Uebrigen ganz in seinen seitherigen Functionen und für deren pünktliche Vollziehung wie bisher verantwortlich, und nur die Vorlesungen hören auf; so wie denn auch in Rücksicht der Besoldungsverhältnisse eine Veränderung vorerst nicht eintritt.

Meiningen, den 18. October 1843.

Bernhard Erich Freund.

Dr. von Fischern.

(An das Directorium der Herzogl. Forstacademie zu Dreißigacker.)

Das bei der Aufhebung noch vorhandene Lehrerpersonal wurde allmählig in andere Zweige des Staatsdienstes eingewiesen, und zog nach und nach von Dreißigacker in die Stadt.

Die ehemalige Directorwohnung wurde dem Förster der Forst Dreißigacker eingeräumt.

Das Academiegebäude stand eine Zeitlang öde, leer und einsam und erhielt später die Bestimmung als Caserne zu dienen.

Die academischen Sammlungen und das Laboratorium wurden der Realschule als Erbin der Academie überwiesen, nachdem sie theilweise noch bis zum Jahre 1849 u. ff. im Schlosse zu Dreißigacker geblieben waren. Die Bibliothek einschließlich der Büchersammlung der entschlafenen Societät der Forst- und Jagdkunde wurde theilweise der Realschule und theilweise der Herzogl. Geschäftsbibliothek einverleibt.

Die schönen und seltenen Hirschgeweihe auf Köpfen, der Schmuck der Treppen des Jagdschlosses, zieren zum Theil die Hirschgallerie auf dem Herzoglichen Schlosse Landsberg.

Die Forstschule, deren Errichtung höchsten Orts beschlossen und anbefohlen war, wurde nicht ins Leben gerufen.

Wäre aber auch im Jahre 1843 die Forstacademie nicht aufgehoben worden, der tollen Umwälzungssucht der Jahre 1848 und 1849 und ihren verstandlosen Forderungen würde jene Anstalt dennoch zum Opfer gefallen sein.

Wie eine Thräne aus dem Auge eines Engels geweint, fiel in mein Herz das kurz nach Aufhebung der Forstacademie zu mir gesprochene Wort einer hohen fürstlichen Frau:

„Die Academie Dreißigacker thut mir leid."

„Wir müssen an sie denken, wie an einen verstorbenen Freund."

A n h a n g.

Verzeichnisse.

I. Sämmtliche Schriften und Werke J. M. Bechsteins.

II. Sämmtliche vorhandene Bildnisse desselben.

III. Verzeichniß sämmtlicher Lehrer am Herzogl. Forstinstitut und an der Forstacademie Dreißigacker.

IV. Verzeichniß sämmtlicher, das Forstinstitut und die Forstacademie Dreißigacker besucht habender Zöglinge.

I.

Vollständiges Verzeichniss

sämmtlicher Schriften und Werke, welche **Dr. Johann Matthäus Bechstein** verfaßt, übersetzt, und theils allein, theils in Verbindung mit anderen Gelehrten herausgegeben hat, in chronologischer Folge.

---

1. **Anweisung zur Reitkunst** (als Manuscript gedruckt und längst vergriffen.) Schnepfenthal. 1786. 8. 1 Bändchen.
2. **Gemeinnützige Spaziergänge** auf alle Tage im Jahre für Eltern, Hofmeister, Jugendlehrer und Erzieher. Zur Beförderung der anschauenden Erkenntnisse besonders aus dem Gebiete der Natur und Gewerbe, der Haus- und Landwirthschaft. (gemeinschaftlich mit André.) Braunschweig, Schulbuchhandlung. 1790 bis 1793. 8. Vier Jahrgänge in 8 Theilen. Band 1—3 erlebten neue Auflagen.
3. **Gemeinnützige Naturgeschichte Deutschlands** aus allen drei Reichen der Natur; ein Handbuch zur deutlicheren und vollständigeren Selbstbelehrung besonders für Forstmänner, Jugendlehrer und Oeconomen, mit 17 Kupfern. Erster Band 1791. Zweiter Band 1792. Dritter Band 1793. Leipzig bei Siegfried Lebrecht Crusius u. F. C. W. Vogel. Zweite Auflage. Daselbst. 1805 u. ff. 3 Bände.
4. **Kurzgefaßte gemeinnützige Naturgeschichte des In- und Auslandes für Schulen und häuslichen Unterricht.** Leipzig bei Siegfried Lebrecht Crusius. Ersten Bandes erste Abtheilung: Säugethiere, Vögel, Amphibien. 1792. 8. Ersten Bandes zweite Abtheilung: Fische, Insecten und Würmer. 1794. 8. Zweiten Bandes erste und zweite Abtheilung: Gewächsreich. 1796. 1797. 8. Zusammen 4 Bände.
5. **Kurze aber gründliche Musterung** aller bisher mit Recht oder Unrecht von dem Jäger als schädlich geachteten und getödeten Thiere, nebst Aufzählung einiger wirklich schädlichen, die er, seinem Berufe nach, nicht dafür erkannte. Ein Versuch zur Verbesserung der gewöhnlichen Verzeichnisse und Taxationen schädlicher Thierarten, deren Verminderung dem Jäger obliegt. Allen Naturforschern zur Prüfung und allen Forstcollegien, Forstämtern, Förstern und Jägern zur Beherzigung vorgelegt. Mit Abbildungen. Gotha bei Carl Wilhelm Ettinger. 1792. 8. Zweite vermehrte und verbesserte Auflage. Daselbst. 1805. 8.
6. **Johann Lathams allgemeine Uebersicht der Vögel.** Aus dem Englischen übersetzt und mit Anmerkungen und Zusätzen versehen. M. K. Ersten Bandes erster und zweiter Theil. Nürnberg, Kaiserl. privil. Kunst und Buchhandlung A. G. Weigels und Schneiders. 1793. 4. 2 Bände.
   Anhang: Zusätze von Bechstein. Daselbst. 1793. 4. Zweiten Bandes erster Theil. Daselbst. 1794. 4. Zweiten Bandes zweiter Theil. Daselbst. 1795. 4. Dritten Bandes erster Theil. Daselbst, A. G. Weigel und Schneider. 1796. 4. Dritten Bandes zweiter Theil. Daselbst. 1798. 4. Vierten Bandes erster Theil.

Daselbst. 1811. 4. Vierten Bandes zweiter Theil nebst Register. Daselbst. 1812. 4. (Letzteres von D. v. Rademacher.) Zusammen 7 Bände.

7. **Naturgeschichte der Stubenthiere**, oder Anleitung zur Kenntniß und Wartung derjenigen Thiere, die man in der Stube halten kann. Erster Band: Die Stubenvögel (M. K.) Gotha bei Carl Wilhelm Ettinger. 1794. 8. Zweite vermehrte und verbesserte Auflage. Daselbst. 1800. 8. Dritte Auflage. Daselbst. 1812. 8. Vierte Auflage. Halle bei Heinemann. 1840. 8. Von einem Herrn Lehmann unberufen und angeblich verbessert herausgegeben.

8. **Gründliche Anweisung, alle Arten Vögel zu fangen**, einzustallen, nach dem Geschlecht und anderen Merkmalen zu unterscheiden, zahm zu machen, abzurichten, ihre merkwürdigen Eigenschaften zu erkennen, sie fremde Gesänge zu lehren, und zum Aus- und Einfliegen zu gewöhnen. Nebst einem Anhange von Joseph Mittelli's Jagdlust. Auf's neue ganz umgearbeitet herausgegeben. (M. v. K.), Nürnberg und Altdorf bei L. C. Monath und J. F. Kußler. 1796. 8.

9. **Gespräche im Wirthshause** zu Klugheim gehalten über Gegenstände aus der Natur und Oeconomie. (M. Holzschn.) Erstes und zweites Bändchen. Nürnberg in der kaiserl. privil. Kunst- und Buchhandlung bei A. G. Weigel und Schneider. 1798. 8. Drittes und viertes Bändchen. Daselbst. 1804. 8.

10. **Neue Gespräche im Wirthshause zu Klugheim** rc. (mit Holzschn.) Waltershausen in der öffentlichen Lehranstalt der Forst- und Jagdkunde und Schnepfenthal bei Joh. Fr. Müller. 1796. 8.

11. **Getreue Abbildungen naturhistorischer Gegenstände** in Hinsicht auf die Naturgeschichte des In- und Auslandes mit neuen Zusätzen und Erklärungen. Nürnberg bei Schneider und Weigel. 1796—1816 und als neue Auflage 1816—1820. 8. 80 Hefte in 8 Bänden.

12. **Naturgeschichte der Stubenthiere**. Zweiter Band. Auch unter dem Titel: Naturgeschichte oder Anleitung zur Kenntniß und Wartung der Säugethiere, Amphibien, Fische, Insecten und Würmer, welche man in der Stube halten kann. Gotha bei C. W. Ettinger. 1797. 8. Zweite Auflage. Daselbst. 1807. 8.

13. **Diana** oder Gesellschaftsschrift zur Erweiterung und Berichtigung der Natur-, Forst- und Jagdkunde. (M. K.) Erster Bd. Gotha bei C. W. Ettinger. 1797. 8. Zweiter Band. Daselbst, bei demselben. 1801. 8. Dritter Band. Daselbst, bei demselben. 1805. 8. Vierter Band. Marburg und Kassel. Krügerische Buchhandlung. 1816. 8.

14. **Franz Le Vaillant Naturgeschichte der afrikanischen Vögel.** Aus dem Französischen übersetzt und mit Anmerkungen und Zusätzen versehen. Erster Band mit K. Nürnberg bei Monath und Kußler. 1797. 4.

15. **Gespräche über Gegenstände der Naturlehre und Oeconomie**, zur Vertilgung des Naturaberglaubens. Nürnberg bei Schneider und Weigel. 1796 bis 1804. 8. 4 Bde.

16. **Taschenblätter der Forstbotanik.** Ein bewährtes Hülfsmittel beim Botanisiren. Erster Theil: Die deutschen Bäume, Sträucher und Stauden. Weimar im Verlag des Industrie-Comptoirs. 1798. 8. 1 Bd. (Mehr erschien nicht.) Zweite Auflage. Daselbst. 1828. 8.

17. **Thomas Pennant's allgemeine Uebersicht der vierfüßigen Thiere.** Aus dem Englischen übersetzt und mit Anmerkungen und Zusätzen versehen. M. K. Erster Band. Weimar im Verlage des Industrie-Comptoirs. 1799. 4. Zweiter Band. Daselbst. 1800. 4.

18. **Naturgeschichte der schädlichen Waldinsecten.** Heft 1 mit ill. K. Nürnberg bei Monath und Kußler. 1800. 8.

19. **Herrn de la Cepede's Naturgeschichte der Amphibien,** oder der eierlegenden vierfüßigen Thiere und der Schlangen. Eine Fortsetzung von Büffons Naturgeschichte. Aus dem Französischen übersetzt und mit Anmerkungen und Zusätzen versehen. M. K. Weimar, Industrie-Comptoir. 1800. 8. 4 Bde.

20. **Vollständiges Handbuch der Jagdwissenschaft** nach dem von Burgsdorff'schen Plane, durch eine Gesellschaft ausgearbeitet. Nürnberg, Monath und Kußler. 1801—1809. 4. 5 Bde. Theil I, 1. 2. 3., Theil II, 1., Theil III, 1. Gotha, Hennings. 1824. 4.

21. **Herzoglich Coburg-Meiningisches jährliches gemeinnütziges Taschenbuch.** M. K. (Gemeinschaftlich mit Vierling). Meiningen, Hofbuchdruckerei. 1801. 12.

22. **Lieder zur Erhöhung geselliger Freuden;** auch unter dem Titel: Lieder zur Erhöhung gesellschaftlicher Freuden, vorzüglich im Bade zu Liebenstein. Meiningen, in Commission bei C. Fr. E. Richter in Leipzig. 1801. 8.

23. **Goldgrube für den Landmann,** oder nothdürftiger Unterricht vom Dünger, was und wie vielerlei er sei? Wie er aufbewahrt werde, und was, wann und wie man damit dünge? Herausgegeben zum besten seiner Landsleute von G. H. z. S. C. M. Meiningen. 1804. 12. 1 Bd. (Im Auftrag des Herzogs Georg zu Sachsen Coburg-Meiningen verfaßt.)

24. **Die Naturgeschichten mit plastischen Figuren.** Nr. I. Naturgeschichte der Säugethiere. Ein Weihnachts- oder Geburtstagsgeschenk für Kinder. Leipzig, C. Fr. Enoch Richter. 1801—1805. 8. Nr. II. Naturgeschichte des Pferdes und seiner National-Raçen. Ein Weihnachts- und Geburtstagsgeschenk für Kinder vom Stande, besonders für solche, welche Offiziere werden wollen. Nr. III. Naturgeschichte für Jägerskinder und solche, die Jäger werden wollen. Ein Weihnachts- und Geburtstagsgeschenk. Nr. IV. Naturgeschichte für Kaufleutekinder und solche, die Kaufleute werden wollen. Ein Weihnachts- und Geburtstagsgeschenk. Nr. V. Naturgeschichte für Oekonomenkinder und solche, die Oekonomen werden wollen. Ein Weihnachts- und Geburtstagsgeschenk. Nr. VI. Naturgeschichte der Hunderaçen für Kinder und für Liebhaber dieser Thiere überhaupt. Leipzig Gleditsch. 1805.

25. **Ornithologisches Taschenbuch von und für Deutschland,** oder Beschreibung aller Vögel Deutschlands, mit 39 illuminirten Abbildungen. Leipzig, Gleditsch. 1803. 8. Zweiter Theil. Daselbst. 1803. 8. Dritter Theil. Daselbst. 1811. 8. Letzter Theil auch unter dem Titel: „Die Gattungskennzeichen der Vögel.“ Dritter Theil. Zweite Auflage. Daselbst. 1812. 8. 3 Bde.

26. **Vollständige Naturgeschichte aller schädlichen Forstinsecten.** M. K. (In Gemeinschaft mit Pfarrer Scharfenberg.) Leipzig, Gleditsch. 1803 bis 1805. 4. 3 Theile.

27. **Kurze Uebersicht aller Vögel** nach ihren Kennzeichen, der Art ꝛc. M. K. (Siebenter Theil der Uebersetzung von Lathams allgem. Uebersicht der Vögel.) Nürnberg, Schneider und Weigel. 1811 und 1813. 4. 2 Bde.

28. **Forstbotanik, oder vollständige Naturgeschichte der deutschen Holzarten** und einiger fremden. Erfurt Hennings. 1810. 8. Zweite Auflage. Daselbst. 1815. 8. Dritte Auflage. (Vergl. die folgende Nr.) Gotha Hennings. 1821. 8. Vierte Auflage. Erfurt, Hennings und Hopf. 1840. 8. Von v. Behlen besorgt.

29. **Die Forst- und Jagdwissenschaft nach allen ihren Theilen.** Gotha Hennings. 1821 u. ff.

Von diesem Werke gehören nächst dem Plane desselben Bechstein an:

30. **Die Forstbotanik,** des früheren Werkes 3. verbesserte Auflage **in** zwei verschiedenen Ausgaben. Gotha, Hennings. 1821. 8., **des Werkes** erster Theil.

31. **Die Waldbenutzung für Forstmänner.** Gotha, Hennings. 1821. 8. Fünfter Theil.

32. **Jagdzoologie.** (M. K.) Gotha, Hennings. 1820. 8. Neunter Theil.

33. **Jagdtechnologie.** Gotha, Hennings. 1821. 8. Zehnter Theil. Zweiter Band.

34. **Wildzucht.** Gotha, Hennings. 10. Theil. 3. Band.

35. **Wildjagd und Wildbenutzung.** (Mit Bechsteins Bild.) Nach Bechsteins Tode herausgegeben von Laurop. Gotha, Hennings. 1822. 8. Zehnter Theil. Vierter Band.

II.

Bildnisse

des Naturforschers Dr. Johann Matthäus Bechstein.

1. Brustbild vor der allgemeinen deutschen Bibliothek, Kiel 1798. 39. Band.
2. Farbiges Brustbild im Einzeldruck. Winderschmidtsche Kunsthandlung zu Nürnberg. Buddeus pinx. 1803.
3. Pastellbild vom Hofmaler Bach 1805. Im Besitz des Herrn Forstmeisters Reinecke zu Amtgehren.
4. Medaillonbild von F. Occolowitz, auf schwarzem Grunde radirt, so daß das nach rechts gekehrte Brustbild goldfarbig erscheint, sehr fein und künstlerisch behandelt. Im Besitz des Verfassers dieser Biographie. Aehnelt in etwas der Nr. 1, ist aber ungleich besser und diente wahrscheinlich jener zum Vorbild.
5. Brustbild in Krünitz öconomisch technologischer Encyclopädie Bd. 102. Berlin 1806 nach Bachs Pastellbild, von S. Halle gestochen, punctirte Manier.
6. Brustbild in Laurops und Fischers Sylvan 1815. Von G. Böttger sen. gestochen.
7. Originalgemälde des folgenden; im Besitz der Buchhändler Henning'schen Erben, vom Professor Steinla.
8. Brustbild im 4. Band 10. Theils der Forst- und Jagdwissenschaft nach allen ihren Theilen, gemalt von M. Steinla, gestochen von H. John.
9. Brustbild vor dem ersten Bande von Dr. Hellrungs Conversationslexicon für Jäger und Jagdfreunde. Leipzig. G. Wuttich. 1839. Lithographie; dem vorigen recht fein nachgebildet, aber fast allzuglatt.
10. Brustbild in Holzschnitt bei dem Werke des Verfassers: Zweihundert deutsche Männer in Bildnissen und Lebensbeschreibungen. Leipzig bei Georg Wiegand. 14. Lieferung. Auch nach Nr. 8 im Atelier von H. Bürkner in Dresden.
11. Das Brustbild vor dieser Biographie, mit Facsimile der Handschrift J. M. Bechsteins. Mit Ausnahme des, Vielen gewiß willkommenen Handschrift-Facsimile's, dasselbe Bild wie Nr. 8.
12. In ganzer Figur erblickt man B. im kleinen auf der Vignette des ersten Theils des Werkes: Die Forst- und Jagdwissenschaft nach allen ihren Theilen. Forstbotanik. Gotha. 1821, wo B. botanisirend von einigen Zöglingen umgeben, in der Nähe des Jagdschlosses Dreißigacker dargestellt ist.
(Eine ältere Ansicht des Schlosses und Dorfes enthält das Meiningische Taschenbuch auf 1803, in zu große Ferne gestellt, und eine schönere der Jahrgang 1805 desselben Taschenbuchs, Südseite mit der Allee.)

III.

Verzeichniss

sämmtlicher Lehrer am Herzoglichen Forstinstitut und an der Forstacademie Dreißigacker.

---

1. Dr. **Johann Matthäus Bechstein** aus Langenhain bei Waltershausen; Herzogl. Forstrath, später Kammerrath und Geheimer Kammerrath, Director der Anstalt; trat an 1801, starb zu Dreißigacker am 23. Februar 1822. Naturwissenschaften, Forst- und Jagdkunde.
2. **Johann Wilhelm Hoßfeld** aus Oepfershausen, Forstcommissär, später Forstrath; trat an am 19. Mai 1801, starb zu Dreißigacker am 23. Mai 1837. Mathematische und physikalische Wissenschaften.
3. **Hans Meis von Teuffen** aus Zürich, Ingenieur-Lieutenant, trat an am 19. Mai 1801, starb zu Meiningen am 1. April 1804. Hand- und Planzeichnen, praktische Geometrie.
4. **Friedrich Beck** aus Friedelshausen, Herzogl. Büchsenspanner, trat an 1801, schied aus 1802. Einige Hülfswissenschaften.
5. **Kalbe**, Pfarrer zu Dreißigacker, trat 1801 an und 1805 ab. Deutsch, Latein und Schönschreiben.
6. **C. P. Laurop**, Kammerreferendär zu Schleswig, trat an am 26. Juli 1802 als Forstassessor, später Forstrath und Kammerassessor, an Becks Stelle. Forstwissenschaften, ging ab Ostern 1805.
7. **Johannes Hertle**, Forstpraktikant aus Wallerstein, später Forstverwalter, Forstrath und Oberforstrath, trat an im Mai 1803, provisorisch, später definitiv an v. Meis Stelle. Pflanzenzeichnen, Geometrie und Schießübungen, später Forst- und Jagdwissenschaften.
8. **Johann Salomon Haußen**, Herzogl. Büchsenspanner, Lieutenant, später Rath; im Mai 1803 erst provisorisch, dann definitiv. Hand- und Planzeichnen.
9. **Schreiber**, Bergverwalter, später Bergmeister, trat an 1803, ging ab 1804. Mineralogie.
10. **Voigt**, Forstschreiber (außerordentlicher Lehrer) 1803. Bearbeiten des Leithundes.
11. **Rumpel**, Förster (desgl.) 1803. Netz- und Garnstricken, ging ab 1808.
12. **Hladick**, Fasanenjäger (desgl.) 1803. Behandlung der Fasanerie.
13. **Bein**, Falkonier (desgl.) 1803. Falknerei, Hundedressur.
14. Dr. **Johann Christian Friedrich Meyer**, trat an am 7. Mai 1805 an Laurops Stelle, ging ab im November 1808. Forstrecht und andere Lehrgegenstände.
15. **Carl Gottlob Cramer**, Forstrath, trat am 2. Februar 1809 an. Cameralwissenschaft, Forstschutz, Forstbenutzung, Forstdirection, deutscher Styl, starb am 7. Juni 1817.

16. **Köhler**, Regierungsadvokat in Meiningen, an Dr. Meyers Stelle für das Forstrecht. März 1809. †.

17. **Stöckhert**, Fasanenwärter (außerordentlicher Lehrer) trat an 1808 oder 1809. Netzstricken u. dergl., ging ab 1817.

18. **Brill**, Diener des Geh.-Rath Heim (desgl.) 1809. Vögelausstopfen. 1819. Schloßvoigt, starb am 13. Juli 1822.

19. **August Hellmann**, S. Gothaischer Cammer-Accessist aus Waltershausen, trat an im September 1817. Naturwissenschaften, Staatswissenschaften, nebst Forst- und Jagdrecht, ging ab am 28. Mai 1838, jetzt Regierungsdirector.

20. **Martin Heinrich Schilling**, Großherzogl. S. Lieutenant, später Oeconomie-Commissär aus Maßfeld, trat an als Lehrer der landwirthschaftlichen Anstalt, im Herbst 1818, ging ab Ostern 1824.

21. **Christian Julius Haußen**, Zeichnenlehrer und Bauamtsaccessist, trat provisorisch an im Herbst 1822, fixirt am 2. März 1824, starb den 26. Novbr. 1826. Mathematik.

22. **Georg Philipp Buttmann**, Architect aus Meiningen, trat am 2. März 1824 an Schillings Stelle, als außerordentlicher Lehrer. Mathematische Wissenschaften. Jetzt Baurath.

23. **Heinrich August Gleichmann** aus Hildburghausen, Forstcandidat und Landgeometer, später Forstcommissär, jetzt Oberförster, trat an als Hülfslehrer am 14. Mai 1827, definitiv 1831. Mathematik, Naturgeschichte und Physik.

24. **Johann Philipp Jacob Reinhard Bernhardi**, Candidat der Theologie aus Zierenberg in Kurhessen, 17. Juli 1827, für Naturwissenschaften, Physik, Chemie, Professor am 13. Februar 1832, starb als Regierungs-Assessor in Meiningen den 16. Juni 1849.

25. **Göpfert**, Hofmusikus in Meiningen, 1837 und 1838, Lehrer im Signalblasen auf dem Flügelhorn.

26. **Carl Wilhelm Knochenhauer**, Director der Realschule zu Meiningen, trat an im September 1837. Experimentalphysik, Geometrie, Trigonometrie und Vermessungen.

27. **Eduard Plödtner**, Regierungs-Auditor, trat an am 28. Mai 1838, provisorisch für Hellmanns Lectionen. †.

28. **Adolf Weber**, Regierungs-Auditor, trat an Michaelis 1838. Jagdnaturgeschichte, Forst- und Jagdrecht, Botanik. Jetzt Bürgermeister zu Meiningen.

IV.

Alphabetisches Verzeichniss sämmtlicher

Forstacademiker zu Dreissigacker

von der Gründung der Anstalt bis zu ihrer Aufhebung;

nach Namen, Herkunft, Zeit der Aufnahme und des Abganges.

Vorbemerkung.

Zur Vermeidung aller Mißverständnisse und Mißdeutungen wird hier bemerkt, daß dieses Verzeichniß genau nach den Sittenbüchern der Forstacademie genommen ist, daß daher, wo Vornamen und Namen der Heimathorte fehlen, diese auch in jenen Büchern sich nicht aufgezeichnet gefunden haben. Die Abkürzung: A. D. bedeutet Altenburgisches Dorf; — B. D. Bayerisches Dorf; — C. D. Coburgisches Dorf; — H. D. Hessisches Dorf; — M. D. Meiningisches Dorf; — P. D. Preussisches Dorf; — S. R. D. Schwarzburg Rudolstädtisches Dorf; — S. S. D. Schwarzburg Sondershäusisches Dorf; — W. E. D. Weimar Eisenachisches Dorf, und zwar mit Bezug auf die gegenwärtige Zeit.

Namen.	Vornamen.	Heimathort.	Jahr der Ankunft.	Jahr des Abganges.
Abe,	Johann Leonhard,	Wahns. M. D.	1801	1803
Abesser,	Adolph,	Wasungen.	1841	1843
Abesser,	Benedict Ernst,	Steinheid. M. D.	1801	1804
Abesser,	Friedrich Wilhelm,	Wasungen.	1832	1834
Abesser,	Gustav,	Meiningen.	1843	1843
Abesser,	Georg Friedrich,	Bettenhausen. M. D.	1807	1810
Abesser,	Johann Caspar,	Bettenhausen. „ „	1801	1804
Abesser,	Wilhelm,	Forsthaus zur Schmale b. M.	1841	1843
Achenbach,	Adolph August,	Siegen.	1812	1814
Albrecht,	Bernhard,	Meiningen.	1821	1824
Albrecht,	Eduard,	Meiningen.	1835	1838
Albrecht,	Ernst Ludwig Bernhard,	Meiningen.	1812	1816
Albrecht,	Franz,	Schwarza.	1827	1831
Albrecht,	Franz,	Eisfeld.	1830	1833
Albrecht,	Friedrich Wilhelm,	Meiningen.	1831	1834
Albrecht,	G. C. Fr., Bauschreiber,	Altenstein.	1809	1810
v. Alten,	Victor,	Großen Golden bei Hannover.	1834	1836
Ambronn,	Erdmann Christian,	Meiningen.	1802	1804
Anschutz,	Christian,	Walldorf.	1801	1804
Arbo,	Fritz.	Wilster in Schleswig.	1803	1805
Armstroff,	Wilhelm,	Gotha.	1838	1839
v. Arnim,	Ludwig Friedrich,	Ludgendorf in Mekl. Schwerin.	1821	1823
Arnold,	Wilhelm,	Eschwege.	1814	1815
Arnstenius,	Carl,	Rothenburg in Hessen.	1826	1827

Namen.	Vornamen.	Heimathort.	Jahr der Ankunft.	Jahr des Abganges.
Artus,	Daniel Bernhard,	Meiningen.	1830	1833
Autenrieth,	August Friedrich,	Rudersberg.	1820	1822
Bach,	D. Eduard,	Meiningen.	1834	1836
Bader,	Philipp,	Trier.	1819	1820
v. Bärenstein,	Wilhelm,	Zweitschen im Altenburgischen.	1801 1805	1804 1805
Bätz,	Georg,	Calenberg. Cob. Schloß.	1821	1823
Batz,	Johann Michael Carl,	Calenberg. Dasselbe.	1812	1815
Bagge,	Ernst Friedrich,	Mäder. Cob. D.	1823	1824
v. Baldinger,	Albert,	Ulm.	1817	1819
Bamberg, *)	Hermann,	Rudolstadt.	1834	1835
Bartenstein,	Carl Daniel,	Heldburg.	1820	1821
v. Bartheld,	Wilhelm,	Oldendorf in Hessen.	1827	1827
Bartsch,	Friedrich,	Rodach.	1826	1827
Baum,	Gustav,	Lohma. A. D.	1825	1827
Baumbach,	Albert,	Dietlaß. M. D.	1818	
v. Baumbach,	Ernst Friedr. Bernh.,	Meiningen.	1839	1840
Baumbach,	Franz,	Dietlaß.	1819	1820
Baumbach,	Johann Georg Jacob,	Heinersdorf. M. D.	1801	1802
Baumbach,	Johann Heinrich,	Meiningen.	1803	1803
Bauß,	Eckart,	Stetten vor der Rhon.	1822	1823
Bechstein, **)	Wilhelm Eduard,	Dreißigacker.	1801 1809	1804 1810
Beck,	Leopold,	Meiningen.	1838	1841
Becker,	Carl August,	Erlau bei Schleusingen. P. D.	1818	1819
v. Behr,	J. A. Otto, Jagdjunker,	Dobberan.	1818	1821
Beinagel,	Nicolaus,	Laubenheim.	1805	1806
v. Beißel, ***)	Clemens Wenzisl., Graf v. Gymnich (Lieutenant),	Aichstedt.	1816	1817
Benkert,	August,	Frischhaus bei Schwallungen.	1836	1838
Benkert,	Balthasar,	Dreißigacker.	1809	1812
Benkert,	Eduard,	Frischhaus bei Schwallungen.	1834	1836
Benkert,	Emil,	Langenfeld. M. D.	1838	1840
Benkert,	Wilhelm,	Meiningen.	1811	1813
Benz,	Bernhard,	Meiningen.	1827	1830
Benz,	Eduard,	Meiningen.	1831	1834
Benz,	Friedrich,	Meiningen.	1819	1821
v. Berg,	Eduard,	Buckeburg.	1815	1817
Berg,	Carl Leopold,	Menderode. Goth. D.	1827	1828
v. Berger,	Conrad Leopold Ludwig,	Itzehoe.	1827	1828
Bergner	Moritz,	Altenburg.	1837	1839
Berthold,	Friedrich Ludwig,	Meiningen.	1805	1808
Berthot,	Emil,	Meiningen.	1833	1836
Bertram,	Friedrich,	Gernrode am Harz.	1809	1810
Beyer,	Friedrich Carl L.,	Groß Kochberg.	1836	1837
Beyer,	Georg Christoph,	Herrmannsfeld. M. D.	1811	1812
Bezold,	Christoph Gustav Daniel,	Rothenburg a. d. T.	1810	1812
v. Bibra,	August,	Weilburg.	1836	1839
v. Bibra,	Bernhard,	Bibra. M. D.	1822	1823
v. Bibra,	Bernhard,	Meiningen.	1837	1840
v. Bibra,	Berthold,	Romrodt in Hessen-Darmstadt.	1823	1824
v. Bibra,	Theodor,	Meiningen.	1825	1826
v. Biedenfeld,	Eduard,	Kodi͏tz bei Hof.	1827	1829
Biedermann,	Carl Eduard,	Schweina. M. D.	1835	1837

*) † in Dreißigacker, den 15. Januar.
**) † in Dreißigacker, den 5. October.
***) † in Dreißigacker, den 21. April.

Namen.	Vornamen.	Heimathort.	Jahr der Ankunft.	Jahr des Abganges.
v. Biel,	Carl Heinrich Christian,	Braunschweig.	1803	1804
Bielefeld,	Friedrich Wilhelm,	Hamm.	1813	1813
Biermordt,		Kothen.	1820	1821
Bies,	Carl,	Meiningen.	1811	1813
Binge,	Nicolaus Adolph,	Lensahe (?) im Holsteinischen.	1815	1816
Blagge,	Dietrich,	Essen im Osnabrückischen.	1818	1819
Blaufuß,	Johann August,	Erbenhausen. W. E. D.		
Blum,	Carl,	Dillenburg.	1815	1816
v. Blumenstein,	Ernst,	Fulda.	1815	1816
v. Bock,	Fried. Carl Ant. Georg,	Frankfurt am Main.	1814	1816
Bock,	Johann,	Fischhaus bei Schwallungen.	1834	1836
Bock,	Ludwig Ernst,	Altenstein im Meining.	1801	1803
v. Bockelberg,	Adolph,	Kriwitz in Schlesien.	1808	1810
v. Bodenhausen,	Kraft,	Radis im Herzogth. Sachsen.	1838	1839
Böschner,	Christian,	Coburg.	1831	1833
Böttner,	Carl,	Sondershausen.	1836	1837
Bohn,	Carl,	Hunfeld.	1836	1837
Bolz,	Georg,	Neuses. C. D.	1838	1839
v. Borie,	Heinrich,	Neuhaus an der fr. Saale.	1809	1810
v. Bose,	Bernhard,	Meiningen.	1828	1831
v. Bose,	Carl,	Ellingshausen. M. D.	1803	1804
v. Bose,	Ferdinand,	Meiningen.	1824	1826
Both,	Christian,	Herna. M. D.	1833	1836
v. Bothe,	Friedrich Ludwig,	Ludwigslust in Meckl. - Schw.	1804	1805
Borberger,	F. G.,	Meiningen.	1830	1833
v. Boyneburg,	Albert, Freiherr,	Wetlar. W. E. D.	1802	1802
v. Boyneburg,	Ludwig, „	Stadtlengsfeld.	1811	1812
v. Brandenstein,	Otto, Jagdjunker,	Schwerin.	1825	1827
Branke,	Julius,	Königslutter.	1820	1822
Braun,	G. Conrad,	Unter-Siemau. C. D.	1822	1823
Brauer,	Traugott Christian,	Kuhndorf. Pr. D.	1818	1820
von Breidenbach zu Breitenstein,	Carl,	Breitenstein.	1806	1806
Breithuth,	Georg Friedrich August,	Coburg.	1831	1832
Breitung,	August Friedrich,	Juchsen. M. D.	1838	1841
Breitung,	Gottlieb,	Juchsen. „ „	1837	1840
Breitung,	Johann Andreas,	Juchsen. „ „	1801	1804
Brethauer,	Carl Friedrich,	Ruhboden. B. D.	1826	1827
v. Briesen,	Ferd. Alexander, Baron,	Creutzig. Neu-Brandenb.	1823	1823
v. der Brinken,	Julius,	Hasselfeld.	1806	1808
Brohmyer,	Ernst,	Stutzhaus. G. D.	1824	1825
v. Bueille,	Heinrich, Graf,	Gotha.	1806	1806
v. Buhler,	F. Reinhardt, Lieutenant,	Schwaigern bei Heilbronn.	1816	1818
Buhner,	Ludwig,	Meiningen.	1822	1825
v. Bülow,	Friedrich,	Schwerin.	1804	1805
v. Bülow,	Wilhelm,	Zaschendorf im Mecklenburg.	1803	1805
v. Bünau,	Rudolph,	Oberstadt. M. D.	1816	1818
Burkel,	Christoph,	Coburg.	1826	1828
Burkmann,	Johann Adam,	Meiningen.	1815	1818
v. der Busche,			1822	1823
v. Buttler,	Friedrich Wilhelm,	Grumbach. M. D.	1807	1807
v. Buttler,	W. E. A. C. F. H. Treusch,	Brandenfels in Kurhessen.	1818	1820
Buttmann,	Friedrich Wilhelm,	Meiningen.	1820	1823
Buttmann,	Georg Philipp,	Meiningen.	1813	1816
Buttmann,	Johann Fried. Theodor,	Meiningen.	1813	1814
Buz,	Bernhard,	Meiningen.	1837	1840
Caroli,	Christian Ludwig Carl,	Meiningen.	1802	1804
Clauder,	Christian Friedrich,	Tabarz. Goth. Flecken.	1808	1810

Namen.	Vornamen.	Heimathort.	Jahr der Ankunft.	Jahr des Abganges.
Cramer,	August,	Bernsburg im Darmstädtischen.	1801	1802
Cramer,	Franz,	Dreißigacker.	1818	1821
Creutz,	Christoph Heinrich,	Oldenburg.	1811	1812
Creutzberg,	Johann Carl,	Dubenalken b. Liebau im Kurl.	1838	1839
Creutzberg,	Ulrich,	Dubenalken in Kurland.	1838	1839
v. Dalwigk,	Hess. Forstmeister, Baron	Lützelwich. H. D.	1817	1818
v. Danckbaerth	Bernhard Georg,	Bückeburg.	1804	1805
v. Danckbaerth,	Carl, Cornet in Hann. D.,	Bückeburg.	1806	1807
v. Danckbaerth,	Carl,	Stargart in Meckl.-Strel.	1825	1826
Debertshauser,	Friedrich,	Meiningen.	1820	1823
Debertshäuser,	Georg Adam,	Neubrunn. M. D.	1802	1804
Debertshäuser,	Julius, (Sohn des vor.),	Meiningen.	1837	1838
Deising,	Carl Christian,	Sonnefeld. C. D.	1825	1826
Deysing,	Heinrich,	Effelder. M. D.	1832	1834
Derhard,	Friedrich,	Oberwetz im Kr. Wetzlar.	1836	1837
Derleth,	Joseph,	Oberessfeld. B. D. b. Königshof.	1838	1841
Dickhaut,	August,	Erlebach. H. D.	1821	1823
v. Diemar,	Carl, Lieutenant,	Walldorf. M. D.	1817	1819
v. Diemar,	Georg,	Walldorf. M. D.	1814	1815
v. Diemar,	Louis,	Hanau.	1812	1813
v. Diemar,	Wilhelm,	Wa dorf.	1814	1815
Diener,	Johann Tobias,	Allendorf. M. D.	1831	1833
Dietrichs,	Ferdinand,	Anhalt Plöß in Schlesien.	1807	1809
Diez,	Heinrich Julius August,	Sonneberg.	1829	1830
Dirr,	Joseph,	Rottenborn im Würtemb.	1820	1822
Dittich,	Johann Georg,	Steinbach. M. D.	1812	1813
Diezel,		Rosa. M. D.	1819	1820
v. Dörnberg,	Alex. Ernst Friedr. Moritz,	Ansbach.	1817	1819
Donauer,	Friedrich Wilhelm,	Thornau.	1804	1805
v. Donop,	Carl,	Steinach. M. D.	1809	1813
v. Donop,	Eduard,	Steinach. M. D.	1815	1816
v. Dornis,		Coburg.	1827	1829
Dorst,	Egydius,	Oberlind. M. D.	1837	1839
v. Drebber,	Wilhelm,	Drackenburg b. Hannover.	1809	1811
Drescher,	Ferdinand,	Sondernau an d. Rhön.	1815	1817
Dreysigacker,	Conrad Friedrich,	Schleusingen.	1817	1819
Dreysigacker,	Wilhelm Constantin,	Meiningen.	1828	1831
Doll,	Christian Gottl. Ernst,	Frankenberg.	1818	1820
Durer,	Caspar,	Thurmgut im Meining.	1817	1821
Dürer,	G. C. Bernhard,	Sülzfeld. M. D.	1836	1839
Dunkelberg,	Joseph,	Langenfeld b. Heiligenstadt.	1822	1823
Dyrr,	Ernst,	Jena.	1810	1811
Ebart,	Carl,	Toba. S. S. D.	1837	1840
v. Ebart,	Louis,	Sondershausen.	1819	1821
Eberlein,	August,	Ernstthal. M. D.	1822	1823
Eberlein,	Paul,	Niedergrossen. M. D.	1825	1827
Ebert,	Eduard,	Meiningen.	1837	1840
Ebert,	Ferdinand,	Kaltennordheim.	1825	1826
Ebert,	Friedrich,	Neustadt am Rennsteig.	1835	1836
Ebert,	Gottfried,	Helba. M. D.	1816	1819
Eck,	J. Fr. G. H. V. Sophron,	Wurzbach bei Lobenstein.	1832	1832
Eckardt,	Ernst Joh. Friedrich,	Salzungen.	1810	1812
Eckert,	Fried. Ferdinand Martin,	Betersdorf. B. D.	1838	1840
Egeln,	Hermann,	Arolsen.	1841	1843
v. Eggelkraut,	Siegmund Maria zu Wildengarten auf Bergstetten,	Regensburg.	1837	1838
Ehrsam,	August,	Wasungen.	1835	1837
Eichhorn,	Benjamin,	Schalkau.	1819	1831

Namen.	Vornamen.	Heimathort.	Jahr der Ankunft.	Jahr des Abganges.
v. Einsiedel,	Curt,	Leislau. M. D.	1829	1832
v. Eelking,	Max, Baron	Weißenberg. S. R. D.	1831	1834
Ellmers,	Christian,	Lehesten.	1823	1824
Elßmann,	Friedrich,	Kloster Veilsdorf. M. D.	1836	1838
Elßmann,	Heinrich,	Kloster Veilsdorf.	1838	1840
Elßmann,	Johann Andreas,	Kloster Veilsdorf.	1805	1807
Elßmann,	Johann Christian,	Altershausen. M. D.	1807	1808
Elßmann,	Max,	Veilsdorf. M. D.	1837	1839
Encke,	Adolph,	Stadtilm.	1838	1840
Engelbrecht,	Karl,	Leutendorf. C. D.	1831	1833
Engelhard,	Christian,	Frauenbreitungen.	1833	1835
Engelhardt,	Andreas,	Steinbach. M. D.	1837	1839
Engelhardt,	Christian,	Leutenberg.	1812	1813
Engelhardt,	Ernst Friedrich,	Judenbach. M. D.	1815	1818
Engelhardt,	Ernst Ludwig,	Sonneberg.	1820	1823
Engelhardt,	Wolfgang,	Frauenbreitungen.	1826	1828
Entemann,	Ernst Michael,	Ludwigsburg.	1832	1833
Epler,	Daniel,	Heldburg.	1811	1812
Erck,	Georg,	Sols. M. D.	1836	1839
Eschstruth,	Adolph,	Cassel.	1814	1816
v. Eschwege,	Ludwig,	Reichensachsen.	1811	1813
v. Esebeck,	Heinrich,	Mainz.	1837	1838
Ettelt,	August Ludwig,	Poßneck.	1829	1831
Ettelt,	Johann Friedrich Ferd.,	Hasenthal. M. D.	1820	1821
Eydam,	Christian Heinrich,	Ostheim. W. D.	1811	1813
Eymeß,	Carl,	Meiningen.	1831 1834	1833 1825
Eymeß,	Hermann Georg,	Römhild.	1835	1837
Eyring,	Georg,	Gauerstadt. C. D.	1818	1820
Feldmann,	Johann Friedrich,	Mesels.	1818	1822
Fent,	Joseph,	Ebertshausen im Würtemb.	1808	1810
Fick,	Christian,	Coburg.	1817	1818
Fischer,	Christ. Louis Carl,	Tanna in Reuß Schleiz.	1829	1830
Fischer,	Ernst Friedrich,	St. Blasii im Badischen.	1823	1824
Fischer,	Johannes,	Wernshausen. M. D.	1841	1843
v. Fischern,	Adolph,	Wenigenschweina. M. D.	1819	1821
v. Fischern,	Alexander,	Wenigenschweina. " "	1826	1830
v. Fischern,	August,	Wenigenschweina. " "	1814	1815
Flemming,	Preisegott,	Sonneberg.	1829	1830
v. Flotow,	Wilhelm,	Bayreuth.	1802	1805
Focking,	Robert Theodor,	Danzig.	1822	1824
Forster,	Wilhelm,	Ilmenau.	1803	1804
Fortsch,	Carl,	Tonndorf.	1809	1811
Fortsch,	Heinrich,	Tonndorf.	1812	1813
v. Frank,	Wilhelm,	Hechingen.	1810	1812
Franke,	Louis Ferdinand,	Hagenburg im Schaumb.-Lipp.	1842	1843
v. Frankenberg,	Friedrich Wilh. Moritz,	Tilsit, Preuß. Litthauen.	1821	1822
Franz,	Libortus,	Marktheidenfeld in Bayern.	1810	1812
Franz,	Johann Georg,	Hettersdorf. W. D.	1803	1804
v. Freiberg,	Carl,	Coburg.	1840	1842
Frerichs,	Heinrich,	Jever im Oldenburg.	1816	1819
v. Freudenberg,	Georg Samuel Heinrich,	Nürnberg.	1825	1826
Freund,	Wilhelm Ferdinand,	Neustadt a. d. Haide.	1829	1831
Friedrich,	Carl,	Pisau. M. D.	1827	1828
v. Friedrich,	Ferd. August Baron,	Darmstadt.	1818 1821	1820 1822
Fries,	Robert,	Unter-Hellingen.	1837	1838
Fries,		Wiesbaden.	1819	1820

Namen.	Vornamen.	Heimathort.	Jahr der Ankunft.	Jahr des Abganges.
Friese,	August Ludwig,	Berlin.	1820	1821
Friese,	Eduard,	Berlin.	1819	1820
Fromm,	Rudolph,	Schalkau.	1830	1832
Fuchs,	Georg,	Mittelstreu. B. D.	1810	1812
v. Fürer,	Joseph Carl Friedrich,	Hildburghausen.	1815	1817
v. Führer,	Gottl. Christoph Ferd.,	Nürnberg.	1824	1825
Füßlein,	Johann Theodor A.,	Langenschade. M. D.	1824	1825
Funk,	Adolph,	Altenschlirf, Großh. Hessen.	1838	1840
Funk,	Emil,	Gotha.	1840	1840
Gärtner,	Andreas Georg,	Meiningen.	1803	1804
v. Gaisberg,	Adolph,	Lemberg bei Stuttgart.	1833	1834
Gantz,	August,	Igelshieb. M. D.	1811	1814
Gantz,	Johann Heinrich,	Igelshieb. „ „	1816	1819
Gantz,	Ludwig,	Igelshieb. „ „	1801	1803
Geigel,	Ludwig,	Würzburg.	1819	1820
v. Gemmingen-Guttenberg,	Carl, Baron Lieutenant,	Bonfeld im Würtemb.	1816	1818
Gerstner,	Johann,	Bromberg im Nassauischen.	1826	1827
Geyer,	Georg,	Wächtersbach.	1802	1805
Geyer,	Georg Friedrich,	Roßach. C. D.	1823	1824
v. Geiso,	Wilhelm,	Roßdorf. M. D.	1817	1818
Gieße,	Christoph Gustav Adolph,	Roßdorf. „ „	1823	1825
Glaser,	Gustav,	Themar. „ „	1841	1843
Glaser,	Heinrich Jacob,	Meiningen.	1806	1808
Glaser,	Jacob,	Daselbst.	1806	1811
Glaser,	Wolfgang,	Henfstädt. M. D.	1818	1822
Gleichmann,	Heinrich August,	Hildburghausen.	1819	1820
Gleichmann,	Johann Michael,	Bockstadt. M. D.	1804	1807
Gleichmann,	Theodor,	Bockstadt. „ „	1809	1811
Gleim,	Carl,	Meiningen.	1841	1843
Glößlein,	Andreas,	Schweickershausen. M. D.	1829	1831
Glykherr,	Franz,	Bühl in Baden.	1822	1823
Göbel,	Johann Ludwig,	Meiningen.	1820	1823
Göhring,	Heinrich August,	Thal. G. D.	1825	1827
Göler v. Ravensburg,	Ferdinand,	Mannheim.	1816	1818
Göpfert,	Georg Carl,	Meiningen.	1818	1821
Göpfert,	Johann Lorenz,	Daselbst.	1807	1810
Göpfert,	Louis,	Daselbst.	1812 1815	1813 1817
Götz,	Carl Ludwig,	Effelder. M. D.	1817	1818
v. Götze,	Bernhard,	Ohlenhöfer im Hannov.	1825	1827
Götze,	Carl Friedrich Anton,	Meiningen.	1804	1807
Götze,	Georg Christian,	Daselbst.	1802	1804
Götze,	Carl Friedrich,	Frauenbreitungen.	1807	1809
Götze,	Carl,	Daselbst.	1809	1811
Götze,	Hermann,	Daselbst.	1836	1838
Goldermann,	Johann,	Dreißigacker.	1837	1840
Goll,	Ernst Friedrich Ludwig,	Schweinfurt.	1810	1813
Gottwald,	Johann Christian,	Haina. M. D.	1811	1811
Graf,	Wilhelm,	Gauerstadt. C. D.	1839	1841
Gräf,	Alexander,	Erdorf. M. D.	1826	1827
Graf,	Siegmund,	Daselbst.	1828	1830
Grahner,	Johann Georg,	Hermannsfeld. M. D.	1801	1804
Grahner,	Philipp Ferdinand,	Neuhaus. „ „	1835	1837
Grahner,	Wilhelm,	Weilar. W. E. D.	1812	1813
Grau,	Ferdinand Baltin Joh.,	Coburg.	1829	1830
Greiner,	Franz,	Limbach. M. D.	1813	1816
Greiner,	Ludwig,	Lichtentanne.	1812	1814

Namen.	Vornamen.	Heimathort.	Jahr der Ankunft.	Jahr des Abganges.
Greiner,	Wilhelm,	Lichtentanne.	1810	1812
v. Griesheim,	Carl Friedrich Wilhelm,	Coburg.	1827	1829
Grimm,	Anton,	Dischingen im Würtemb.	1828	1831
Grimm,	Louis,	Scheer, B. D.	1803	1804
Grob,	August,	Helba. M. D.	1841	1843
Grob,	Friedrich,	Helba. „ „	1834	1837
Grohmann,	Carl,	Ludwigslust im Mecklenb.	1816	1817
v. Grote,	Carl,	Hannover.	1837	1838
v. Grün,	Carl Dittmar,	Greiz.	1832	1834
v. Grunne,	Al. Fr. Hub. Ph. C. Graf,	Frankfurt am Main.	1834	1836
Gruner,	Ernst Adolph,	Neustadt im Cob.	1831	1833
v. Gunderode,	Eduard,	Frankfurt am Main.	1814	1815
Gutbier,	Gustav,	Pferdingsleben. G. D.	1826	1826
Guts Muths,	Wilhelm,	Schnepfenthal. G. D.	1824	1825
v. Guttenberg,	Amand, Jagdjunker,	Bamberg.	1812	1815
Haager,	Georg Carl,	Würzburg.	1808	1810
von Haar,	Ludwig,	Hamm.	1809	1811
Habekorn,	Friedrich Wilhelm,	Fallersleben, Hannov.	1820	1822
Habersang,	Carl,	Römhild.	1834	1837
Habersang,	Carl Ernst,	Siegmundsburg. M. D.	1819	1821
Habersang,	Caspar Friedrich,	Daselbst.	1825	1827
Habersang,	Emil Christian,	Daselbst.	1826	1826
Habersang,	Ernst Fr. G.,	Breitungen. M. D.	1838	1841
Habersang,	Friedrich,	Siegmundsburg.	1834	1836
Habersang,	Friedrich Anton,	Langenfeld. M. D.	1801	1801
Habersang,	Heinrich, Büchsenspanner,	Langenfeld.	1812	1814
Habersang,	Johann Gottlieb,	Steinbach. M. D.	1801	1802
Häberlein,	Carl Phil. Carus,	Helmstadt.	1805	1806
Häberlein,	Franz,	Daselbst.	1805	1807
v. Hänlein,	Ernst,	Ansbach.	1816	1818
Hack,	Ernst,	Meiningen.	1828	1831
Hagemann,	Friedrich Ferdinand,	Altstedt.	1804	1807
Hammann,	Carl,	Gosselsdorf. M. D.	1841	1843
Hammann,	Christian,	Wallendorf.	1805	1807
Hanft,	Albert,	Heubach. M. D.	1823	1824
Hanft,	Heinrich,	Daselbst.	1817	1818
v. Hanstein,	August,	Cassel.	1820	1822
v. Hanstein,	Carl,	Wahlhausen in Hessen.	1803	1806
v. Hanstein,	Werner, Lieutenant,	Blankenburg.	1816	1818
Hartmann,	Lebrecht,	Neuhaus. M. D.	1832	1836
Haub,	Wilhelm Ferdinand,	Meiningen.	1832	1835
Hauschild,	Louis Ferdinand,	Kirschkau im Voigtl.	1830	1832
Haußen,	Carl Friedrich,	Schweina.	1801	1804
Haußen,	Johann Salomon,	Daselbst.	1801	1803
Haußen,	Julius Carl Christoph,	Daselbst.	1805	1807
Hayn,	Johann Carl Philipp,	Neuenhaus.	1801	1804
Hayn,	Philipp Emil,	Sonneberg.	1825	1827
Hederich,	Hermann,	Camburg.	1830	1833
Heid,	Urbanus,	Wargoltshausen. B. D.	1839	1841
Heim,	Carl Christoph Friedrich,	Meiningen.	1807	1810
Heim,	Hans,	Salzungen.	1832	1834
Heim,	Johann Georg,	Ostheim.	{1805 {1810	{1808 {1810
Heim,	Johann Nicolaus,	Stressenhausen. M. D.	1834	1836
Heimberg,	Carl,	Waltershausen.	1814	1816
Heinemann,	Heinrich Christoph Aug.,	Witzleben. S. S. D.	1828	1830
Heinig,	Traugott,	Goppersdorf bei Chemnitz.	1823	1824
Heinrich,	Philipp,	Cassel.	1813	1813

Namen.	Vornamen.	Heimathort.	Jahr der Ankunft.	Jahr des Abganges.
Heinze,	Carl Philipp Ludwig,	Oberellen. M. D.	1821	1823
Heinze,	Friedrich Christoph,	Oberellen. M. D.	1821	1823
Held,	Hostilius,	Breitenbach. S. C. D.	1825	1827
Heldmann,	Albert Theodor,	Lemgo.	1817	1819
Hellbach,	Eduard,	Meiningen.	1832	1834
Helmrich,	Carl Heinrich,	Meiningen.	1831	1834
Henkel,	Caspar,	Meiningen.	1836	1838
Henschel,	Ottomar,	Reichenbach bei Saalfeld.	1821	1822
Henschel,	Guido,	Daselbst.	1828	1829
Henßler,	Fritz,	Klingenberg am Main.	1812	1814
v. Heringen,	Gustav,	Mehler im Schwarzb. Sond.	1820	1822
v. Hermann, Baron,		Memmingen.	1801	1803
Herrmann,	Johannes,	Rupperg. M. D.	1831	1833
Herrle,	Johannes,	Oettingen-Wallerstein.	1801	1803
Herrle,	Karl,	Dreißigacker.	1841	1843
Herrle,	Richard,	Daselbst.	1831	1836
Herrle,	Wilhelm,	Daselbst.	1829	1833
Herpich,	Christ. Justus, Büchsensp.,	Sonneberg.	1801	1804
Herpich,	Philipp,	Oepfershausen. M. D.	1833	1836
Heß,	Adam Carl Ludwig,	Maienluft. M. Gut.	180?	180?
Heß,	Carl Friedrich,	Wasungen.	1833	1835
Heß,	Friedrich,	Untermaßfeld.	1817	1820
Heß,	Matthäus,	Wasungen.	1827 1829	1827 1830
Heß,	Michael,	Daselbst.	1826	1827
Heß,	Michael,	Bettenhausen. M. D.	1841	1843
Hetzrodt,	Anton,	Trier.	1819	1820
Heublein,	Nicolas,	Meiningen.	1835	1837
Heusinger,	Friedrich,	Gleichamberg. M. D.	1822	1824
v. Heyden,*)	Carl H. G.,	Frankfurt am Main.	1810	1812
Heyder,	Christian,	Nordheim im Grabfeld.	1815	1818
Heyder,	Georg Friedrich Carl,	M.-ßfeld. M. D.	1830	1831
v. Heyderstädt,	Friedrich, Lieutenant	Dettmold.	1817	1818
Heydt,	Joseph,	Fladungen. K. B. D.	1804	1806
Heym,	August,	Meiningen.	1812 1815	1813 1818
Heym,	Franz,	Burgpreppach. B. D.	1836	1838
Heymach,	Carl,	Weissenthurn in Nassau.	1836	1838
Hildebrand,	Emil,	Meiningen.	1841	1843
v. Hinkeldey,	Christ. Heinr. Carl,	Sinnershausen. M. D.	1815	1817
Hladik,	Carl August,	Fasanerie bei Meiningen.	1815	1819
Hladik,	Wilhelm,	Fasanerie b. Meiningen.	1806	1807
Hochstein,	Hartmann,	Laubach.	1813	1815
Hochstein,	Johann Heinrich,	Laubach.	1813	1815
Hock,	Franz, Büchsenspanner,	Coburg.	1833	1834
Höfling,	Hermann,	Meiningen.	1832	1835
Hölandt,	Aly,	Amt Gehren.	1834	1836
Holzer,	Michael,	Themar.	1839	1841
Hörning,	Carl Ludwig,	Leutersdorf. M. D.	1831	1832
Hoffmann,	Ferdinand,	Steudach. M. D.	1834	1835
Hoffmann,	Friedrich, Wilhelm,	Wahlen im Hess. Darmstadt.	1817	1817
Hoffmann,	Johannes,	Metzels. M. D.	1801	1804
v. Holleben,	August, Jagdjunker,	Udersleben bei Frankenhausen.	1816	1819
v. Holleben,	Carl Ludwig Anton,	Rudolstadt.	1802	1804
v. Holzhausen,	Ludwig Carl Friedrich,	Frankfurt am Main.	1814	1815
Hopf,	Ferdinand Bruno,	Sonneberg.	1828	1831

*) Schrieb sich später v. Heyden-Oberlentz.

Namen.	Vornamen.	Heimathort.	Jahr der Ankunft.	Jahr des Abganges.
Hopf,	Jacob,	Meiningen.	1813	1816
Hopf,	Joachim Conrad,	Meiningen.	1811	1814
v. Hopfgarten,	Hans Carl Friedr. G. Ad.	Kleintabarz. G. D.	1822	1825
Horber,	Johann Michael,	Pfaffendorf. B. D.	1812	1813
Hornung,	Stephan,	Sülzfeld im Grabfeld. B. D.	1834	1835
Hornung,	Valentin,	St. Wendel.	1819	1820
Horst,	Georg Christian,	Schweina. M. Fl.	1821	1822
Hoßfeld,	Eduard,	Dreißigacker.	1837	1839
Hoßfeld,	Emil,	Daselbst.	1821	1825
Hoßfeld,	Georg Gustav,	Daselbst.	1820	1824
Hoßfeld,	Wilhelm,	Daselbst.	1834	1836
Huber,	Georg Christian,	Badenrod im H. Darmstädt.	1802	1802
Hubel,	Wilhelm,	Meiningen.	1828	1831
v. Hügel,		Stuttgart.	1832	1834
Huet,	Georg Ferdinand,	Danzig.	1819	1822
Hufnagel,	Carl Wilhelm,	Schwäbischhall.	1806	1808
Hufnagel,	Fritz,	Fischhaus b. Hermannsfeld.	1809	1812
Hugo,	Eduard Carl Christian,	Wasungen.	1832	1834
v. Hundelshausen,	Moritz,	Hornutsachsen.	1814	1816
Humann,	Ludwig,	Steinach. M. D.	1811	1811
Hunneshagen,	Johann Heinrich,	Meiningen.	1801	1804
Huß,	Friedrich Valentin,	Bayreuth.	1804	1806
Huß,	Johann Ulrich,	Daselbst.	1804	1807
Jacobi,	Hermann,	Gotha.	1837	1839
Jager,	Heinrich,	aus dem Hessen Casselschen.	1814	1816
Jahn,	Gottlob Ferdinand,	Saalburg, Voigtland.	1814	1816
v. d. Jahn,	Friedrich,	Breitenfeld in Sachsen.	1822	1828
v. Jenison,	Graf u. Darmst. Kammerh.,	Darmstadt.	1803	1803
v. Imhoff,	Adolph,	Saalfeld.	1841	1843
v. Imhoff,	Carl,	Coburg.	1817	1817
v. Imhoff,	Carl, Lieutenant,	Hohenstein b. Coburg.	1817	1818
v. Imhoff,	Ernst Friedrich Ant. Carl,	Coburg.	1815	1815
Johannes,	Georg Friedrich,	Meiningen.	1834	1835
Jßbrucker,	Ludwig,	Wehrda in Kurhessen.	1827	1828
Jßbrucker,	Peter,	Mannsbach in Kurhessen.	1840	1842
Kampfe,	Johann Friedrich,	Neuhaus. S. R. D.	1822	1823
Kaiser,	Wilhelm Eduard,	Augustenthal. M. Hammerw.	1826	1828
Kalbe,	Gottlieb,	Stedtlingen. M. D.	1824	1826
Kalbitz,	Johann Ernst,	Meiningen.	1807	1808
Kalbitz,	Ludwig,	Daselbst.	1813	1817
Kalck,	Anton, Förster,	Wildeck im Rothenb.	1814	1816
Kayser,	August Eugen,	Meiningen.	1834	1837
Kreb,	Johann,	Daselbst.	1826	1827
Keidel,	August,	Daselbst.	1819	1819
v. Keller,	Franz Heinrich Ludwig,	Kitscher.	1806	1809
Kellner,	Adam Wilhelm,	Stepfershausen.	1805	1806
Kellner,	Carl,	Meiningen.	1835	1837
Kellner,	Friedrich,	Henneberg. M. D.	1830	1834
Kellner,	Johann Georg,	Stepfershausen. M. D.	1801	1804
Kemmlein,	Christian,	Haina. M. D.	1832	1834
Kempf,	Friedrich Emil,	Willmars.	1812	1815
Kempf,	Heinrich Julius,	Daselbst.	1819	1821
Kempf,	Heinrich Ludwig,	Daselbst.	1833	1836
Keppel,	Revierförster in Belrieth,	Sondershausen.	1813	1813
Kerber,	Stephanus,	Weißbach.	1814	1816
Keßler,	Ernst Eduard,	Ringleben. S. R. D.	1829	1831
Kettler,	Johann Vollrath,	Esens in Ostfriesland.	1803	1806
Key,	Friedrich,	Großkochberg. M. D.	1831	1833

Namen.	Vornamen.	Heimathort.	Jahr der Ankunft.	Jahr des Abganges.
Keyn,	Wilhelm,	Bliedenstädt. S. S. D.	1836	1837
Kiefer,	Eduard,	Amt Gehren.	1822	1823
Killian,	Anton,	Rippershausen. M. D.	1822	1825
Kirchner,	Johann Wilhelm,	Oberkatz. M. D.	1831	1834
Kirchner,	Philipp,	Friedberg.	1819	1819
Kirchner,		Meiningen.	1809	1810
Kißner,	Johann Valentin,	Helmershausen.	1816	1817
Kleim,	Carl,	Erfurt.	1814	1815
Kleißur v. Kleisheim,	Carl,	Donaueschingen.	1818	1820
v. Klitzing,	Emilius,	aus der Prignitz.	1806	1808
Kniesel,	Carl,	Hildburghausen.	1837	1839
Kniesel,	Eugen Georg August,	Hammern. M. D.	1815	1817
Kniesel,	Friedrich,	Liebenstein. M. D.	{1822 {1825	{1823 {1827
Kniesel,	Wilhelm,	Hämmern. M. D.	1802	1805
Knoppler,	Anton,	Gersfeld. B. D.	1834	1837
Knopf,	Carl Caspar,	Hellingen.	1836	1837
Koch,	Carl,	Meiningen.	1836	1839
Koch,	Johann Andreas,	Themar.	1822	1824
Köhler,	Adolph,	Maßfeld.	1819	1820
Köhler,	Carl Friedrich,	Meiningen.	1835	1837
Köhler,	Eduard,	Neustadt a. d. Heide.	1842	1843
Köhler,	Georg Rudolph,	Maßfeld.	1827	1830
Köhler,	Heinrich Edinhard,	Daselbst.	1817	1820
Kölling,	Johann Friedrich,	Lino. Sächs. Lausitz.	1804	1806
König,	Georg,	Rothenburg in Hessen.	1810	1812
v. Könitz,	Ernst,	Wickersdorf. M. D.	1830	1833
v. Könitz,	Hermann,	aselbst.	1823	1824
v. Kopken,	Johann,	Reidelberg b. Halle.	1821	1822
Kolb,	Wilhelm,	Bibra. M. D.	1828	1830
Kollias,	Christian Ludwig,	Heiligenstadt.	1819	1820
Koob,	Wilhelm,	Meiningen.	1811	1812
Kopp,	Georg Wilhelm,	Bendorf in Preußen.	1821	1823
v. Koppenfels,	Carl Friedrich Eugen,		1805	1807
v. Krafft,	Friedrich,	Meiningen.	1831	1834
v. Krafft,	Georg,	Daselbst.	1837	1839
v. Krapf,	Carl Heinrich,	Zeitsch im Altenb.	1815	1816
Krause,	Gottlieb,	Kreitlitz. C. D.	1816	1817
Krech,	Adolph,	Meiningen.	1841	1843
Krech,	Hermann,	Daselbst.	1835	1838
Krell,	August,	Daselbst.	1819	1821
Krell,	Georg,	Daselbst.	1821	1823
Krell,		Daselbst.	1803	1804
v. Kretschmann,	Moritz,	Coburg.	1807	1807
Krenßig,	Georg Heinrich,	Laubach.	1813	1814
Krömmelbein,	Heinrich,	Varel bei Oldenburg.	1818	1819
Krug,	Eduard,	Coburg.	1832	1833
Kühl,	Johann Ferdinand,	Strahlsund.	1814	1816
Kühn,	Friedrich,	Saalfeld.	1830	1832
Kühnhold,	Emil,	Liebenstein. M. D.	1838	1840
Kümmel,	Friedrich,	Gersfeld. B. D.	1838	1840
Kümmel,	Johann Elias,	Daselbst.	1805	1806
Kümpel,	Albert,	Meiningen.	1812	1815
Kümpel,	Emil,	Frauenbreitungen. M. D.	1833	1835
v. Kunsberg,	Carl,	Bayreuth.	1803	1806
v. Kunsberg,	Carl Friedrich Jonathan,	Mainz.	{1812 {1816	{1813 {1816
v. Künsberg,	Wilhelm,	Meiningen.	1805	1808

Namen.	Vornamen.	Heimathort.	Jahr der Ankunft.	Jahr des Abganges.
Küttler,	Friedrich,	Stöckern im Altenburg.	1829	1832
Lammel,	Heinrich Aug. Christian,	Mengersgereuth. M. D.	1818	1820
v. Laffert,	. . Baron, Capitain u. Jagdjunker,	Mecklenburg-Schwerin.	1816	1818
Lahusen,	Anton,	Lothenbüttel. Oldenb.	1815	1815
Lang,	Carl,	Buch.	1815	1817
Lange,	Gotthelf,	Hirschfeld. Oberlausitz.	1809	1812
Langloß,	Georg Wilhelm,	Meiningen.	1828	1830
v. Lauer,	Eugen Friedrich, Graf	Mainz.	1818	1821
Laurop,	Wilhelm,	Karlsruhe.	1821	1822
Lehmann,	Christian Benjamin,	Kuhndorf. Pr. D.	1804	1806
Leih,		Meiningen.	1823	1823
Lenk,	Hermann,	Daselbst.	1837	1839
Lenz,	Georg,	Wasungen.	1825	1825
Leo,	Heinrich Wilhelm,	Greiß.	1804	1806
Leo,	Johann Friedrich,	Fladungen. B. D.	1819	1819
v. Lepel,	Ernst,	Offenbach.	1812	1813
v. Leveßan,	Wilhelm,	Pinneberg. Holstein.	1833	1835
Ley,	Ludwig Christian,	Salzungen.	1837	1838
Lichtlin,	Johann Joseph Theodor,	Saverne. Elsaß.	1819	1821
Liebermann,	Wittilo,	Reichmannsdorf. M. D.	1830	1832
Liebermann,	Victor,	Oberlind. M. D.	1841	1843
v. Liliensiern,	Anton Heinrich,	Friedenthal. M. D.	1819	1821
v. Liliensiern,	Franz,	Bedheim. M. D.	1820	1822
Limpert,	Kaspar,	Roßbach. B. D.	1825	1827
Linker,	Carl,	Braunschweig.	1825	1827
Linßer,	Gottfried,	Meßels.	1836	1838
Lintner,	Anton,	Arnsberg.	1819	1821
Linß,	Louis,	Trier.	1802	1803
Linz,	Daniel Friedrich,	Walldorf. M. D.	1818	1821
Linz,	Franz Gerhard,	Montabeur. N. Weilburg.	1814	1815
v. Löw,	C. H. F. G., Jagdjunker,	Weilburg.	1814	1816
v. Low,	Max,	Steinfurt. Hessen-Darmstädt.	1827	1828
Lorbach,	Caspar,	Steinbach. M. D.	1812	1813
Lorenz,	Carl,	Teichel. S. R. D.	1837	1839
Loße,	Johann Gottfried,	Leutersdorf. M. D.	1801	1805
Loße,	Georg Adam Bernhard,	Daselbst.	1804	1807
Ludovici,	Christian,	Niedermeilingen.	1816	1816
Ludwig,	Wilhelm,	Wasungen.	1807	1810
Luckemann,	Johann Gottfried,	Feldengel. S. S. D.	1836	1837
v. Lußow,	Carl Friedrich Wilhelm,	Renzow. Mecklenb.-Schwerin.	1817	1819
v. Lüßow,	Christ. Friedr. Adolph,	Schwerin.	1815	1817
v. Lusek,	Peter Heinrich,	Saaß in Böhmen.	1802	1803
Luther,	Carl Ludwig,	Meiningen.	1834	1837
Luther,	Ferdinand,	Daselbst.	1839	1840
Lutter,	Johann Ehrhard,	Bettenheim.	1805	1808
v. Malßahn,	Heinrich, Baron,	Meklenburg Streliß.	1809	1811
v. Mansbach,	C. August, Freiherr,	Meiningen.	1823	1824
Margileth,	Bernhard,	Daselbst.	1838	1840
Martin,	Johann Friedrich,	Reschiß bei Gera.	1801	1803
Mauer,	Hermann Wilhelm,	Lindenau. M. D.	1830	1831
v. Meibom,	Ludwig Christian,	Hessen-Allendorf.	1817	1819
v. Mettingh,	Carl Freiherr,	Frankfurt am Main.	1806	1809
Merkel,	Gustav,	Meiningen.	1835	1838
v. Meßen,	Bernhard,	Ehrenbreitstein.	1816	1818
v. Meßen,	Wilhelm, Lieutenant,	Daselbst.	1817	1818
Meyer,	Cornelius,	Rißdorpen. Würtemb.	1817	1818
Meyer,	Friedrich,	Wallerstein.	1814	1816

Namen.	Vornamen.	Heimathort.	Jahr der Ankunft.	Jahr des Abganges.
Meyer,	Johann Gottfried,	Mauern im Wallenst.	1811	1812
Meyer,	Joseph,	Pöllnitz im Voigtl.	1801	1804
Michaelis,	Albert Adolph,	Osterwick b. Magdeburg.	1821	1822
Michaelis,	Carl Robert,	Daselbst.	1821	1822
v. Michalkowsky,	Ludwig Chr. Felix,	Rahden b. Pr. Minden.	1817	1819
Michel	Johann Daniel Heinrich,	Metzels. M. D.	1801	1803
Michele,	Joseph,	Königswart in Böhmen.	1827	1829
Minor,	F.,	Meiningen.	1830	1833
Model,	Adam Friedrich,	Windsheim.	1838	1840
Möller,	Simon,	Effelder.	1802	1804
v. Mörs,	Stephan,	Mainz.	1803	1806
Molter,	Georg,	Bettenhausen.	1816	1820
v. Moltke,	Friedrich,	Cassel.	1831	1833
Mosebach,	Daniel,	Laubach.	1813	1815
v. Mosthaff,	Franz Wilhelm,	Dünkelsbühl.	1818	1819
Motz,	Paulus,	Ritschenhausen. M. D.		
Müller,	Adolf,	Wiesenfeld. C. D.	1825	1826
Müller,	Carl,	Sieh Dich für, im Lobenst.	1814	1815
v. Müller,	Carl,	Strickow. Meckl. Schwerin.	1820	1822
Müller,	Conrad,	Coburg.	1830	1831
Müller,	Ernst,	Reichmannsdorf. M. D.	1836	1837
Müller,	Georg,	Wohrenhausen. C. D.	1825	1826
Müller,	Georg Philipp,	Meiningen.	1826	1826
Müller,	Hermann Christian,	Meiningen.	1820	1823
Müller,	Julius,	Propstzelle. M. D.	1824	1825
Müller,	Peter,	Ansbach im Nass. Using.	1826	1827
Müller,	Philipp,	Bonfeld im Würtemb.	1825	1827
Müller,	Wilhelm,	Hachenburg.	1814	1815
Müller,			1821	1821
Münch,	Günther,	Sondershausen.	1814	1815
v. Münster,	Wilhelm,	Euerbach. B. D.	1816	1818
Musäus,	Carl Fried. Chr. Ernst,	Meiningen.	1819	1819
Nagel,	Georg Friedrich,	Schaffhausen im Oett.-Wallerst.	1819	1821
Nahl,	Ludwig,	Cassel.	1819	1819
Nattermann,	Johann Andreas,	Meiningen.	1818	1821
Neumeyer,	Georg,	Meiningen.	1831	1832
Neurath,	Georg Friedr. Carl,	Riddegshausen.	1831	1833
Niebold,	Carl,	Rattebor.	1808	1809
Nier,	Eduard,	Meiningen.	1831	1833
v. Northeim,	Heinrich,	Heldburg.	1825	1827
Nothnagel,		Fasanerie b. M.	1803	1804
v. Oberkamp,	Louis,	Wiesbaden.	1841	1842
v. Obstfelder,	Johann Julius,	Grittelsdorf. S. R. D.	1818	1819
v. Obstfelder,	Johann Simon,	Unterweißbach. S. R. D.	1818	1819
Olenschlager,	Julius,	Frankfurt.	1805	1806
v. Oertzen,	Wilhelm,	Meklenb.-Strelitz.	1814	1815
Origonis,	Eugen,	Athen.	1843	1843
Ortlepp,			1819	1820
Ortlepp,	Georg,	Catterfeld. G. D.	1839	1840
Ortmann, sen.,	Carl August,	Frauenbreitungen. M. D.	1830	1831
Ortmann, jun.,	Robert,	Daselbst.	1830	1833
v. Ostroasky,	Otto,	Cannewurf, Herz. Sachs.	1823	1825
Otto,	Carl Friedrich,	Nagelstedt, Herz. Sachs.	1821	1823
Otto,	Eugen Georg August,	Murschnitz.	1820	1822
Otto,	Georg Friedrich,	Herpf.	1808	1811
Otto,	Johann Balthasar,	Mürschnitz.	1817	1819
Otto,	Johann Christian,	Henneberg.	1817	1820
v. Pachelbel,	August,	Stralsund.	1814	1815

Namen.	Vornamen.	Heimathort.	Jahr der Ankunft.	Jahr des Abganges.
v. Palm,	Friedrich,	Dresden.	1803	1806
Panse,	August,	Dreißigacker.	1831	1834
Panse,	Ludw. Günth. Fr. Aug.,	Daselbst.	1819	1822
Pentzel,	C. Adolf,	Stift Neuburg b. Heidelberg.	1817	1818
Peschka,	Ignatius Wenzeslav,	Brnka in Böhmen.	1802	1803
Peters,	Mathias,	Poolbach bei Trier.	1802	1802
Pfeifer,	Friedrich Ludwig,	Gollhofen im Ansb.	1818	1820
Pfeifer,	Georg Carl Christian,	Meiningen.	1834	1836
Pfeiffer,	Carl,	Ermsschwerd in Kr. Hessen.	1815	1816
von der Planitz,	Friedrich,	Auerbach im Voigtl.	1809	1811
Plödtner,	Eduard,	Grafenthal.	1835	1837
Pohl,	Johann Peter,	Bibra. M. D.	1820	1822
Popp,	Elias,	Sonneberg.	1841	1843
v. Posek,	Friedrich,	Cassel.	1802	1803
Pothmann,	Heinrich August,	Lemgo.	1811	1812
v. Preuschen,	Ernst Ludwig,	Gedern.	1802	1803
v. Pückler,	Friedrich, Graf	Stuttgart.	1806	1808
Püschel,	Heinrich,	Klitschdorf in Schlesien.	1803	1806
v. Puttkammer,	Friedrich, Lieutenant,	Hamm.	1817	1819
v. Rabenau,	Carl,	Odenhausen bei Giesen.	1811	1812
v. Rademacher,	Albert, Jagdjunker,	Coburg.	1830	1832
v. Raesfeld,	Ludwig Reinhard,	Meurs, Reg. Bez. Cleve.	1818	1820
v. Randow,	Carl,	Heinrichsberg. M. Schw.	1803	1806
Raßmann,	Emil,	Meiningen.	1835	1837
Raßmann,	Johann Christian,	Daselbst.	1831	1832
Raßmann,	Lorenz Carl Friedrich,	Daselbst.	1808	1811
v. Rappard,	August,	Hamm.	1809	1811
Rasch,	Georg,	Stutzhaus, G. D.	1825	1826
Rattinger,	Caspar,	Stadt Steinach.	1818	1819
Rautenkranz,	Georg Ernst Ludolf,	Zeimen im Luneb.	1809	1810
Rebhan,	Johann Georg,	Heinersdorf. M. D.	1828	1830
v. Reckrodt,	Heinrich,	Meiningen.	1819	1822
v. Reiche,	Anton Phil. Dietrich,	Amt Greene in Braunschw.	1808	1811
v. Reichenau,	Carl Heinrich,	Dillenburg.	1819	1819
Reichert,	Engelbert,	Reinfelshofen. B. D.	1811	1812
Reinhard,	Friedrich Ludwig,	Schleusingen.	1803	1805
Reineck,	Johann Friedrich,	Meiningen.	1820	1823
Reinecke,	Friedrich Wilhelm Emil,	Coburg.	1818	1820
Reitz,	Justus,	Romrod.	1802	1803
Reum,	Albert,	Meiningen.	1825	1826
Reuter,	Louis,	Bensheim. Hessen Darmst.	1809	1812
Rich,	Dominiaue,	Oschwir.	1819	1821
v. Riegelmann,	Fritz,	Meerholz.	1806	1807
Ritter,	Ernst Gottlob,	Meiningen.	1819	1821
Ritter,	Friedrich,	Hamm.	1812	1814
Ritter,	Friedrich,	Schöningen im Braunschw.	1825	1827
Rittershaus,	Carl,	Cöln.	1821	1823
Ritz,	Gotthelf Ernst,	Meiningen.	1821	1823
Roche,	Jean,	Riga.	1805	1807
Rodel,	August Eduard Friedrich,	Weidmannsheil b. Lobenstein.	1829	1831
Römhild,	Carl,	Oberrhon. M. D.	1829	1829
Römhild,	Caspar Friedrich,	Wernshausen.	1801	1802
v. Röpert,	Georg, Jagdjunker,	Coburg.	1825	1827
v. Rössing,	Hermann,	Clappenburg im Oldenburg.	1815	1817
Rößling,	Jacob,	Steinbach. M. D.	1814	1817
Rotteken,	Friedrich August,	Lemgo.	1821	1822
Rozahn,	August Friedrich,	Wegleben im Halberst.	1804	1807
Rommel,	Albert Heinr. Ludwig,	Seidingstadt. M. D.	1818	1819

Namen.	Vornamen.	Heimathort.	Jahr der Ankunft.	Jahr des Abganges.
Rommel,	Bernhard,	Steinbach. M. D.	1820	1822
Rommel,	Carl,	Nordheim im Grabfeld.	1818	1820
Rommel,	Christoph,	Behrungen.	1817	1818
Rommel,	Ernst Wilh. Christian,	Liebenstein.	1819	1821
Roß,	Elias,	Meiningen.	1824	1826
Roßenburger,	Johann Jacob.	Basel.	1808	1810
Roth,	Jacob,	Meiningen.	1816	1820
Roth,	J. C.,	Daselbst.	1830	1830
Rottenbach,	Johannes,	Schleusingen.	1819	1820
Roux,	Heinrich August,	Meiningen.	1834	1837
Ruck,	Ernst Friedrich,	Suhl.	1815	1817
Rüling,	August,	Stollberg.	1802	1803
Rüst,	Heinr. Theodor, Lieuten.,	Grabow. Meckl.-Schwerin.	1818	1820
Ruttinger,	Johann Georg,	Streffenhausen.	1822	1824
Rumpf,	Peter Heinrich,	Aslar im Kr. Wetzlar.	1836	1837
Runkeln,	Heinrich,	Friedberg.	1805	1808
Runge,	Ludwig,	Frankfurt a. M.	1816	1817
Saalmüller,	Friedrich,	Untermaßfeld. M. D.	1837	1838
Sachse,	Carl,	Döbrichau.	1831	1833
v. Saldern,	Julius Carl, Baron	Wisnach im Preuß.	1826	1827
Sartorius,	Andreas,	Bischofsheim.	1808	1809
Sattes,	Wilhelm Conrad,	Buchbrunn.	1810	1811
Schäfer,	Ernst Ludwig,	Meiningen.	1828	1830
Scharfenberg,	Caspar Eduard,	Daselbst.	1826	1828
Scheidemantel,	Carl,	Königsberg in Franken.	1830	1831
Scheider,	August,	Ebenhards. M. D.	1829	1832
v. Schiemann,	Nicolaus,	Liebau im Curland.	1819	1819
Schilling,	Ludwig A. F.,	Brünn. M. D.	1830	1831
Schinzel,	Ali,	Scheibe. S. R. D.	1822	1824
Schleicher,	Johannes,	Schwallungen.	1807	1809
v. Schlepegrell,	Carl,	Celle im Hannövr.	1820	1822
Schleerath,	Valentin,	Trier.	1819	1820
Schlichter,	Ludwig,	Eltville.	1834	1835
Schlick,	Georg Philipp,	Coburg.	1825	1826
Schlück,	Christian,	Fasanerie b. M.	1834	1837
Schlück,	Georg Friedrich,	Daselbst.	1827	1830
v. Schmalkalder,	Ludwig,	Gießen.	1812	1813
Schmetzer,	Friedrich,	Seßlach.	1814	1819
Schmidt,	Albert,	Gumpelstadt. M. D.	1822	1824
Schmidt,	Carl Friedrich,	Rauenstein. M. D.	1825	1827
Schmidt,	Christian Friedrich,	Rosa. M. D.	1802	1803
Schmidt,	Ferdinand,	Hildburghausen.	1837	1839
Schmidt,	Ferdinand,	Hagen. Grafschaft Pyrmont.	1841	1843
Schmidt,	Friedrich,	Salzungen.	1838	1840
v. Schmidt,	Gustav Adolf, F. W.	Danzig.	1823	1825
v. Schmidt,	Heinrich,	Kempten in der Schweiz.	1803 1806	1805 1807
Schmidt,	Johann Caspar,	Ellingshausen. M. D.	1818	1820
Schmidt,	Johann Moritz,	Stedtlingen. M. D.	1813	1813
Schmidt,	Ludwig,	Kleinrudestedt. W. E. D.	1820	1822
Schmidt,	Michael,	Ritschenhausen. M. D.	1829	1830
Schmitt,	Joseph,	Burgwaldbach a. d. Rhön.	1819	1820
v. Schmitz,	Ludwig Friedrich,	Soest.	1821	1823
Schneider,	Friedrich,	Frauenbreitungen. M. D.	1817	1819
Schnetger,	August,	Detmold.	1823	1824
v. Schönberg,	Wolf Erich,	Obereinsberg.	1829	1832
v. Schönfels,	Eduard,	Rinteln.	1807	1808
Schott,	Friedrich,	Bettenhausen. M. D.	1801	1804

Namen.	Vornamen.	Heimathort.	Jahr der Ankunft.	Jahr des Abganges.
Schotte,	Fritz,	Mühlhausen.	1808	1810
Schrader,	Friedrich,	Hausberge in Westphalen.	1820	1822
Schreiber,	Adolf,	Herleshausen.	1817	1819
Schröder,	Lorenz Heinrich,	Meiningen.	1826	1826
Schrödter,	Friedrich,	Gotha.	1805	1806
Schröter,	Bernhardt,	Liebenstein. M. D.	1824	1825
Schröter,	Ehrhard,	Herpf. M. D.	1820	1821
Schröter,	Georg Friedr. Christian,	Pyrmont.	1808	1811
Schubart,	Heinrich Daniel,	Frankfurt a. M.	1801	1802
Schubart,	Joh. Christoph David,	Schornberg. S. S. D.	1806	1807
Schubarth,	Gottfr. Victor Bernhard,	Salzungen.	1818	1819
Schubert,	Eduard,	Bachdorf. M. D.	1830	1832
Schuchart,	Friedrich,	Herrenbreitungen. K. H. D.	1813	1815
Schubler,	Friedrich,	Schwickershausen.	1828	1830
Schuler,	Friedrich Karl,	Salzungen.	1819	1821
v. Schütz,	Gustav,	Berlin.	1805	1806
v. Schultes,	Heinrich,	Coburg.	1826	1828
v. Schultes,	. . . Lieutenant,	Daselbst.	1817	1818
Schultheis,	Ignatz,	Batten. B. D.	1833	1835
Schultheis,	Sixtus,	Daselbst.	1828	1830
Schulz v. Aschereden,	. . Lieutenant,	Zornikoff in Pommern.	1816	1818
Schumann,	Christian Friedrich,	Meiningen.	1819	1821
Schunk,	Heinrich Christian,	Oberellen. M. D.	1803	1804
Schunk,	Johannes Friedrich,	Haina. M. D.	1830	1831
Schuster,	Ignatz,	Lichtenfels.	1815	1816
Schmalwitz,	Georg Julius,	Meiningen.	1802	1803
v. Schwannwede,	Carl Anton Friedrich,	Stade in Hannov.	1825	1827
Schweiger,	Gg. Jul. Rb. Trummann,	Rauenstein. M. D.	1829	1829
Seifert,	Christian,	Wasungen.	1833	1836
Seiff,	Heinr. Wilh. Eduard,	Lemgo.	1818	1820
Seilberger,	Joseph Leopold,	Tambach. G. Fl.	1807	1809
Seiler,	Ernst Friedrich,	Wickersdorf. M. D.	1828	1831
Seitz,	Christian,	Ermershausen. B. D.	1835	1837
v. Seitz,	Wilhelm,	Robel im Mecklenb.	1803	1806
Seiz,	Hermann,	Heidenheim im Rez.-Kr.	1835	1837
Sell,	Christoph Otto,	Bachdorf. M. D.	1816	1817
Sembach,	Ernst,	Brur. C. D.	1836	1837
Sembach,	Ernst,	Neukirchen. C. D.	1822	1823
Senf,	Wilhelm,	Unterkatz. M. D.	1816	1818
v. Serz,	Heinrich Clemens Edler	Nürnberg.	1824	1825
Seyfart,	Georg,	Untermaßfeld. M. D.	1818	1821
Seyfferth,	Georg Friedrich Carl,	Greussen.	1805	1808
Seyfried,	Martin,	Gongolfsberg in Bayern.	1817	1820
v. Seidlitz,	Alb. Reinh. Eug., Lieuten. Ritter des eis. Kreuzes,	Lissa.	1814	1814
Siefart,	Ernst Theodor,	Marbach. B. D.	1834	1836
Simon,	Emil,	Irmelshausen. B. D.	1825	1827
Simon,	Georg,	Knollbach. M. D.	1838	1841
Simons,	Joseph,	Cöln.	1820	1820
Smaltan,	Heinrich Ludwig,	Lohra.	1801	1803
Sonntag,	Georg Moritz,	Lauscha. M. D.	1835	1837
Spangenberg,	Friedrich Victor,	Suhl.	1821	1823
Speier,	Georg Christoph,	Windsheim.	1807	1808
Speise,	. . .	. . .		
Spieß,	Ludwig August,	Roßdorf. M. D.	1817	1819
v. Speßhardt,	Ernst Wilh. Fried., Freih.	Coburg.	1806	1808
Sprenger,	Heinrich,	Ummerstadt.	1830	1831
Stahl,	Valentin Justus,	Windsheim.	1841	1843

Namen.	Vornamen.	Heimathort.	Jahr der Ankunft.	Jahr des Abganges.
v. Staudt,	Gottlieb Daniel,		1811	1813
Stein zum Altenstein,	G. C. v., Jagdjunker	Pfaffendorf im Würzburgischen.	1812	1814
v. Stein,	Carl,	Nordheim. M. D.	1816	1818
v. Steinau,	Otto,	Zella. C. D.	1823	1824
Steinmann,	August,	Amt Gehren.	1819	1821
Steinmann,	Eduard,	Daselbst.	1834	1836
Steinmann,	Johann Jacob,	Daselbst.	1801	1803
v. Steinmetzen,	Carl,	Nordhausen.	1810	1812
Steinruck,	Johann Caspar,	Obermaßfeld.	1802	1805
Stelzner,	Heinrich Carl,	Heiligkreuz. M. D.	1820	1822
Stelzner,	Johann Elias,	Thann in Bayern.	1824	1826
v. Stenglin,	Heinr. Phil. Ludwig,	a. d. Mecklenburg.	1802	1805
Sternberger,*)	Johann Adolph,	Themar.	1802	1804
v. Sternenfels,	Eduard,	Heidelberg.	1810	1811
Sterzing,	Joh. Georg, Accessist,	Neubrunn.	1817	1817
v. Steuben,	Georg,	Römhild.	1803	1806
v. Steuben,	Julius,	Daselbst.	1809	1812.
v. Stietenkron,	Gustav,	Neustadt a. Rabenbg. i. Hannov.	1824	1825
Stippius,	Balthasar,	Meiningen.	1806	1807
v. Stockhausen,	August,	Arolsen.	1826	1827
Stockhausen,	. . .	Trier.	1820	1822
Stockmar,	Bernhard,	Schmollen im Fürst. Birkenfeld.	1833	1835
v. Stockmeier,	Moritz,	Hildburghausen.	1830	1831
Stöckert,	Carl A.,	Wolfgang. M. Forsth.	1823	1826
Stöckert,	Adolf,	Einhausen. M. D.	1838	1839
Stöckert,	Johann Chr. Günther,	Daselbst.	1825	1828
Stötzer,	Alexander Christian,	Schmale, Forsthaus im Thiergarten b. M.	1811	1813
Stötzer,	Carl,	Daselbst.	1825	1826
Stotzer,	Friedrich Wolfgang,	Daselbst.	1816	1819
Storand,	Ernst,	Almerswind. M. D.	1830	1832
Storand,	Johann Martin,	Daselbst.	1826	1828
Straßer,	Hugo,	Eisfeld.	1832	1833
v. Strauch,	Hermann,	Schleitz.	1825	1827
v. Sturmfeder,	Carl Theod., Oberlieut.,	Oppenweiler im Würtemb.	1817	1818
v. Sturmfeder,	Friedrich,	Mannheim.	1835	1837
Stutz,	Carl,	Dillenburg.	1819	1819
v. Syberg,	Carl, Forstmeister,	Frankfurt am Main.	1814	1815
v. der Thann,	Lud. Wilh. Chr., Freih.	Tann.	1804	1807
v. der Thann,	Melchior, Freiherr,	Schweinfurt.	1816	1818
Tellgmann,	Constantin,	Bad Liebenstein.	1838	1840
Tenner,	Caspar,	Hellmars.	1801	1804
Tenner,	Gottlieb,	Forsth. im Thierg. b. M.	1820	1823
Tenner,	Georg Carl August,	Daselbst.	1812	1815
v. Teubern,	Friedrich Hermann,	Kloster Lausnitz im Altenb.	1825	1827
Tertor,	Carl Eduard,	Rauenstein.	1817	1819
Tertor,	Fried. Aug. Maximilian,	Daselbst.	1819	1820
Thierry,	Ludwig Carl,	Meiningen.	1810	1813
Thomas,	Lorenz,	Dreißigacker.	1832	1835
v. Totleben,	Carl,	Großenehrich bei Greußen.	1822	1823
Trautwein,	Carl August,	Roßdorf. M. D.	1821	1822
Trautwein,	Joseph,	Sachsendorf. M. D.	1832	1834
v. Trebern,	Ludwig Sebastian, Graf,	Estland.	1808	1809
Treiber,	Carl,	Meiningen.	1807	1809
Treiber,	Hermann,	Daselbst.	1825	1827
Treiber,	Otto,	Daselbst.	1835	1836
Treiber,	Wilhelm,	Daselbst.	1825	1826

*) † in Meiningen.

Namen.	Vornamen.	Heimathort.	Jahr der Ankunft.	Jahr des Abganges.
Triebel,	Hermann,	Römhild.	1841	1843
Trinks,	Carl,	Meiningen.	1817	1818
Trinks,	Louis,	Daselbst.	1826	1826
Trinks,	Matthäus,	Daselbst.	1802	1804
Tröbert,	Carl,	Nordheim im Grabfeld. M. D.	1834	1836
Tröbert,	Wilhelm,	Daselbst.	1827	1830
Troll,	Max,	Regensburg.	1827	1829
v. Trotha,	Gustav, Lieutenant,	Hecklingen im Anh. Bernb.,	1817	1818
v. Truchses,	Franz, Freiherr	Bundorf. B. D.	1812	1813
Truchses von Wetzhausen.	Friedrich, Freiherr	Wetzhausen. B. D.	1801	1804
Truchses von Wetzhausen.	Philipp, Freiherr	Daselbst.	1814	1816
v. Trumbach,	Carl Ferdinand,	Wehrda.	1832	1834
v. Turcke,	August Wilhelm,	Meiningen.	1830	1831
v. Turcke,	Georg,	Daselbst.	1833	1836
v. Turcke,	Louis,	Daselbst.	1822 1826	1825 1827
Türk,	Christian,	Welkershausen. M. D.	1809	1812
Uebel,	Friedrich,	Sommerhausen. B. D.	1817	1819
Uebelacker,	Ludwig,	Volkershausen.	1832	1834
Uebeleisen,	Franz,	Herrieden. B. D.	1838	1839
Uibrig,	Louis,	Mechelgrün im Voigtl.	1838	1839
Unger,	Ferdinand,	Schmiedefeld. M. D.	1827	1829
Unkart,	Gottlieb,	Effelder. M. D.	1830	1833
Urban,	Friedrich Christian,	Depfershausen.	1816	1817
Urich,	Johann,	Erbach.	1802	1803
Usbeck,	Valentin,	Schwarza. Pr. D.	1806	1809
v. Uttenhoven,	Anton,	Meiningen.	1808	1810
v. Uttenhoven,	Friedrich Wilhelm,	Mittenwald.	1806	1807
v. Uxkul Gilleband.	Ed. Fried. Lud., Freiherr,	Stuttgart.	1818	1820
v. Varicur,	Friedrich,	Würzburg.	1825	1826
v. Veltheim,	Fried. August Ludolph,	Bevenrode.	1820	1821
v. Veltheim,	Hans,	Darmstadt.	1816	1817
Venator,	Jacob,	Friedberg.	1805	1808
Vey,	Bernhard,	Gotha.	1835	1837
Vey,	Georg,	Meiningen.	1801	1804
Vierneusel,	Johann Georg,	Rossach. C. D.	1821	1823
Vilmar,	Wilhelm Benjamin,	Cassel.	1810	1812
Vogel,	Carl August,	Friedland in West Preußen.	1826	1828
Vogt,	Georg Ernst,	Sulzfeld.	1825	1826
Vogt,	Joseph,	Waldmannshofen.	1816	1818
Voigt,	Johann Wilhelm,	Seba. M. D.	1807	1807
Voigt,	Theodor,	Salzungen.	1837	1839
v. Volkamar,	Carl, Baron,	Nürnberg.	1806	1808
Vonhausen,	Friedrich,	Steinzlershof im Nassauischen.	1817	1818
v. Voß,	Louis Friedrich Albert,	Rodameuschel.	1829	1832
v. Vrints Treuenfeld,	Alexander, Jagdjunker,	Frankfurt a. M.	1816	1817
Wächter,	Ernst Phil., Forstgehülfe,	Mahrenhausen. C. D.	1828	1829
Wagner,	Carl,	Meiningen.	1812	1815
Wagner,	Carl,	Ummerstadt.	1833	1835
Wagner,	Caspar,	Meiningen.	1807	1810
Wagner,	Heinrich,	Hildburghausen.	1823	1825
Walch,	Ernst,	Waldfisch. M. D.	1804	1806
Walch,	Wilhelm,	Frauenbreitungen. M. D.	1815	1818
v. Waltendorf,	Wilderich, Graf,	Wiesbaden.	1819	1820
Walther,	Wilhelm,	Altenmörschen. H. D.	1826	1827
v. Wangenheim,	Carl August,	Georgenthal. G. D.	1827	1829

Namen.	Vornamen.	Heimathort.	Jahr der Ankunft.	Jahr des Abganges.
v. Wangenheim,	Constantin,	Wolfis. G. D.	1828	1829
v. Wangenheim,	Julius,	Gülstet, Lithauen.	1809	1810
v. Wangenheim,	Hermann.	Greitschen. W. E. D.	1823	1825
v. Waßmer,	Theod. Gust. A., Jagdj.,	Haffenberg. G. D.	1826	1827
Weber,	Friedrich,	Lemgo.	1815	1816
Weberstädt,	Friedrich Wilhelm,	Wolfersschwende. S. S. D.	1836	1837
v. Wedekind,	G. Wilh., Jagdj., Freih.,	Darmstadt.	1813	1813
Wegener,	Johannes,	Baldeborn in Westphalen.	1815	1816
Wehner,	Georg Friedrich,	Salzungen.	1812	1815
Wehner,	Wilhelm Christian,	Rippershausen.	1812	1815
Weingarten.	Carl,	Römhild.	1812	1814
Weinland,	Anton,	Meiningen.	1827	1827
v. Weise,	Gunther,	Sondershausen.	1813	1815
Weissenberg,	Franz,	Meiningen.	1812	1815
Weissenborn, *)	Christian Friedrich,	Daselbst.	1813	1814
Weissenborn,	Johann Elias,	Daselbst.	1806	1806
Welscher,	Georg,	Eichis. M. D.	1830	1833
v. Weltzen,	Hellmuth,	Klein Teffien, im Mecklenb.	1820	1822
Wenzing,	Johann Daniel,	Stedtlingen.	1826	1829
Werner,	Carl Fried. August,	Georgenthal. G. D.	1828	1830
Werner,	Christian,	Coburg.	1832	1833
v. Werther,	Hans,	Wiehe.	1805	1808
v. Westerhagen,	Eduard,	Bleckenrode im Westph.	1809	1812
v. Westhoven,	Carl August,	Baireuth.	1817	1818
Wetterhahn,	Heinrich,	Meiningen.	1833	1836
Wettig,	Carl,	Gotha.	1823	1823
Wetzel,	Christian Wilhelm,	Crispendorf im Voigtl.	1825	1827
Wey,	Carl August,	Wasungen.	1835	1837
Wey,	Friedrich Heinrich,	Daselbst.	1813	1816
Wichum,	Johann Valentin,	Schalkau.	1831	1833
Wichum,	Leonhard G. Zacharias,	Oerlesdorf. G. D.	1801	1802
v. Wickede,	Adolf Joh. Otto,	Ratzeburg.	1801	1801
v. Wickede, **)	Carl,	Daselbst.	1806	1806
Wicker,	Johann,	Utteweiler im Thurn u. Tar.,	1816	1818
Wiener,	Wilhelm,	Meiningen.	1828	1829
Wilke,	C. E. Wilh. Friedebald,	Gotha.	1839	1841
v. Wildermouth, ***)	Heinrich,	Darmstadt.	1805	1806
v. Wildungen,	Friedrich Wilhelm,	Schmierbach. G. D.	1802	1804
Will,	Christian,	Volkershausen. B. D.	1809	1812
Will, ****)	Julius,	Daselbst.	1827	1828
Willing,	Friedrich Adolf,	Meiningen.	1834	1834
Wimmer,	Friedrich Leo,	Flemmingen. A. D.	1809	1810
Wittmann,	Johann Georg,	Gereuth.	1820	1822
Wittig,	Ernst,	Coburg.	1835	1837
v. Wittgenstein,	Franz, Graf,		1801	1802
v. Witzleben,	Georg Friedrich C.,	Cassel.	1807	1807
Worzhoffer,	Georg,	Darmstadt.	1825	1826
v. Wolf,	Otto,	Riga.	1811	1811
v. Wolframsdorf,	Carl,	Dessau.	1822	1824
Worlitzer,	August,	Meiningen.	1836	1839
Worock,	Carl Heinrich Ernst,	Frankenberg.	1819	1820
Wrede,	Carl,	Königslutter im Braunschw.	1828	1829
Wünscher,	Friedrich,	Meiningen.	1824	1825

*) † als Academist.
**) † am 15. Juli in Dreißigacker.
***) † in Dreißigacker am 19. Januar.
****) Erschoß sich als Academist.

Namen.	Vornamen.	Heimathort.	Jahr der Ankunft.	Jahr des Abganges.
Wüstenfels,	Georg,	Mainz.	1803	1803
v. Wydenbruck,	Alexis,	Cassel.	1801	1804
Zahn,	Benedict Wilh. Aug.,	Nürnberg.	1824	1825
Zentgraf,	Friedrich,	Werthheim.	1805	1807
Zerr,	Christoph,	Leutersdorf.	1801	1803
Zetsche,	Friedrich,	Meiningen.	1837	1840
Zeuner,	Gottfried,	Wetzhausen.	1807	1808
Zeuner,	Carl,	Lohr in Bayern.	1842	1843
Ziege,	Friedrich,	Leislau. M. D.	1831	1833
Ziegenbein,	Friedrich,	Ballenstädt.	1814 1816	1815 1817
v. Ziegesar,	Alfred, Lieuten., Freih.,	Leipzig.	1816	1817
Ziegler,	August,	Nordheim. M. D.		
Zilcher,	Friedrich Peter,	Schmalkalden.	1814	1816
Zöller,	August,	Oettingen.	1817	1819
v. Zwierlein,	Fritz,	Winnrod bei Wetzlar.	1803	1806
Zwirmann,	Christoph Aug. Carl,	Oberstadt. M. D.	1820	1821

Druck von F. W. Gadow & Sohn.

Lightning Source UK Ltd.
Milton Keynes UK
UKHW021035140520
363214UK00011B/1731